黄河流域水资源调查评价

张学成　潘启民　等著

黄河水利出版社

内 容 提 要

本书依据1956~2000年系列水文气象基本资料,以水文水资源调查评价有关理论为基础,系统地分析评价了1956年以来黄河流域水资源变化特性。主要内容包括降水、蒸发、干旱指数、河川径流、地下水、水资源总量及其可利用量、地表水水质和地下水水质、河流泥沙、水资源情势分析等。本书内容翔实,资料系列长且来源可靠,可供从事水利、农业、林业、牧业、渔业、地质等方面的工作人员、科研人员及大中专院校师生参考。

图书在版编目(CIP)数据

黄河流域水资源调查评价/张学成,潘启民等著.
郑州:黄河水利出版社,2006.11
ISBN 7－80734－054－1

Ⅰ.黄… Ⅱ.①张…②潘… Ⅲ.①黄河流域－水资源－水利调查②黄河流域－水资源－综合评价 Ⅳ.TV21

中国版本图书馆 CIP 数据核字(2006)第 015026 号

组稿编辑:王路平   电话:0371－66022212   E-mail:wlp@yrcp.com

出 版 社:黄河水利出版社
        地址:河南省郑州市金水路 11 号   邮政编码:450003
发行单位:黄河水利出版社
        发行部电话:0371－66026940   传真:0371－66022620
        E-mail:hhslcbs@126.com
承印单位:河南省瑞光印务股份有限公司
开本:787 mm×1 092 mm   1/16
印张:22.5
字数:520 千字   印数:1—2 600
版次:2006 年 11 月第 1 版   印次:2006 年 11 月第 1 次印刷
书号:ISBN 7－80734－054－1/TV·453   定价:60.00 元

序

　　黄河是中华民族的母亲河。历史上,黄河流域同幼发拉底河和底格里斯河流域、尼罗河流域、恒河流域齐名,是世界上著名的四大文明古国的发祥地之一。远古时期,这里气候湿润,水源丰富,土地肥沃,是我国经济文化发展最早的一个地区。早在远古时代,轩辕黄帝和他的沿黄部落就开始在这里创造中华文明。

　　黄河流域的水资源利用在历史上主要是兴办灌溉事业和漕运,且起源很早。相传在刀耕火种的原始社会,人们就经常"负水浇稼"以保证农作物生长;大禹治水时期,就曾"尽力乎沟恤",发展水利;战国初期,黄河流域开始出现大型水利工程;秦以后,黄河流域的水利事业有了进一步发展。在漫长的封建社会里,随着各朝代的更替和重视程度不同,水利事业时有兴废,但总的形势是向前发展的。到 1949 年,黄河流域利用河川径流实灌面积为 977 万亩(1 亩 = 0.066 7 hm²),年耗水 74 亿 m³,另有纯井灌面积 223 万亩。

　　1949 年以后特别是 20 世纪 70 年代以来,沿黄地区对黄河水资源进行了大规模的开发利用。截至 2000 年,全流域已建成大、中、小型水库及塘堰坝等蓄水工程近 20 000 座,总库容近 720 亿 m³,其中大型水库 22 座,总库容 617 亿 m³;引水工程约 9 860 处,提水工程约 23 600 处,机电井工程约 38 万眼;在黄河下游,还兴建了向两岸海河、淮河流域平原地区供水的引黄涵闸 90 座,提水站 31 座,为开发利用水资源提供了重要的基础设施。黄河流域及下游引黄地区灌溉面积由 1950 年的 1 200 万亩发展到目前的 1.1 亿亩(其中流域外引水灌溉面积 0.37 亿亩)。流域内引黄灌区主要分布在上游的宁蒙平原、中游的汾渭盆地和下游,其灌溉面积约占总灌溉面积的 64%。其余灌溉面积较为集中的地区还有青海湟水地区、甘肃沿黄台地和河南伊洛河、沁河地区。在约占耕地面积 36% 的灌溉面积上生产了 70% 的粮食和大部分经济作物。黄河还为两岸 50 多座大中城市、420 个县(旗)城镇、晋陕宁蒙地区能源基地、中原和胜利油田提供了水源保障,"引黄济青"为青岛市的经济发展创造了条件,"引黄济津"缓解了天津市缺水的燃眉之急。黄河水资源的综合开发利用,改善了部分地区的生态环境,解决了农村近 3 000 万人的饮水困难。黄河干流已建、在建的 15 座水利枢纽和水电站,发电总装机容量 1 113 万 kW,年平均发电量 401 亿 kWh。黄河水资源的开发利用有力地推动了黄河流域及相关地区的经济发展,取得了显著的效益。

　　水资源调查评价是流域综合治理规划、水资源开发利用保护等专业规划工作的重要基础依据。作为黄河流域第二次水资源调查评价成果的集成,《黄河流域水资源调查评价》一书,立足于水文气象基本资料,通过列举大量的事实,对黄河流域降水、河川径流、地下水、泥沙和水资源情势等变化特点进行了深入、细致的分析,得出了一些重要结论。

应该说,本书是一本难得的全面分析黄河水资源变化的文献。相信它对于深入了解黄河水资源及其变化特点、合理开发利用黄河水资源等方面具有重要的参考价值。

中国科学院院士　刘昌明

2005 年 12 月 20 日

前 言

　　水、土地、能源是人类社会生存和发展的三大战略性资源,而我国水资源问题则更加突出。据预测,到 21 世纪中叶,我国将进入缺水国家行列,洪涝灾害、干旱缺水、水污染和生态环境恶化已成为我国经济社会可持续发展的重要制约因素。为此,党中央、国务院确立了新时期"全面规划、统筹兼顾、标本兼治、综合治理,实行除害兴利结合,开源节流并重,防洪抗旱并举,在加强防洪减灾的同时,把解决水资源不足和水污染问题放在更突出的位置"的水利工作总方针。根据这一方针,水利部党组提出了"从传统水利向现代水利、可持续发展水利转变,以水资源的可持续利用支持经济社会的可持续发展"的治水新思路,并明确了"坚持科学发展观,全面推进可持续发展水利"的指导思想。

　　为认真贯彻中央关于新时期治水的方针政策,全面落实国家实施可持续发展战略的要求,适应经济社会发展和水资源形势的变化,着力缓解水资源短缺、生态环境恶化等重大水问题,水利部和国家发展计划委员会部署开展全国水资源综合规划编制工作,并以水规计[2002]83 号文批复了《全国水资源综合规划任务书》。相应地,黄河流域要编制黄河流域水资源综合规划。

　　开展黄河流域水资源综合规划的目的就是要全面贯彻落实国家新时期的治水方针,积极适应黄河流域经济社会发展的需要,促进黄河流域水资源的科学管理和水资源的可持续利用,为实现以水资源的可持续利用支持经济社会可持续发展的战略目标提供坚实的基础和有力保障。同时,近 20 年来,由于人类活动和气候变化的双重影响,黄河流域水资源特性发生了一定的变化。例如,黄河干流大洪水出现几率不断减小、下游断流现象经常发生、部分干支流河道出现萎缩、平原区地下水漏斗不断扩大、河流水质污染日益严重等。针对黄河流域水资源方面出现的新情况、新问题,进行黄河流域水资源综合规划势在必行。

　　流域水资源调查评价是流域水资源综合规划的基础和依据之一,是水资源综合规划的重要组成部分。

　　黄河流域水资源调查评价编制工作是黄河流域水资源综合规划的重要基础和重要组成部分。项目于 2003 年 1 月正式启动,经过近两年半的时间,完成了"黄河流域水资源调查评价"研究成果。本书是这些成果的集成和总结。

　　黄河流域水资源调查评价编制工作的依据主要有:①《全国水资源综合规划工作大纲和技术细则》;②《黄河流域(片)水资源综合规划工作大纲和技术细则》;③《全国水资源调查评价技术细则》;④《全国地表水水质调查评价细则》;⑤《全国地下水调查评价补充细则》;⑥《全国地下水水质调查评价补充细则》等。

　　黄河流域水资源调查评价的水文气象资料系列时段是 1956～2000 年。主要内容包括降水、蒸发、地表水资源量、地下水资源量、水资源总量及可利用量、地表水水质、地下水水质、水资源情势分析等。

　　黄河流域水资源调查评价编制工作过程中,分析应用了 1 204 个雨量站、337 个蒸发站、266 个水文站,共近 20 万站年资料和大量地下水动态观测资料,调查收集了大量工农业生产和生活用水、水文地质、均衡试验、排灌试验、地表水和地下水污染源调查等大量基础资料。在充分利用黄河流域第一次水资源调查评价、国家"九五"科技攻关项目、黄河水中长期供求计划、黄河历年水文基本资料审查评价及天然径流量计算等成果的同时,针对工作需要还进行了补充性的普查勘测和专门观测试验研究,如重点地区工农业用水调查、冰期及非冰期水面蒸发折换系数的对比观测、渠系渗漏及回归水系数等试验研究。对大量数据和计算过程都进行了多种方法分析计算和审核。如面平均降水量计算、地下水计算参数、河川基流的切割方法等,采用了多种方法分析计算,互相对比验证,综合取值。

　　参加本书编写的有张学成、潘启民、李明、王丽伟、杨向辉、乔永杰、李东、张石娃、张春岚、陈涛等 10 人。全书由张学成博士统稿,并负责校阅全稿。

　　在本书写作过程中,王玲教授级高级工程师、吕光圻教授级高级工程师、吴燮中高级工程师、邱宝冲教授级高级工程师、丁晶教授、张新海教授级高级工程师等经验丰富的专家,自始至终给予了热忱的指导。黄河水利委员会水文局董雪娜、李雪梅、林银平、李红良、李跃奇、柴成果、杨汉颖、钱云平、金双彦、高亚军、王志勇、蒋秀华,黄河勘测规划设计有限公司杨立斌,四川大学张少文博士等提供了大量的素材并参与了部分分析计算、绘图等工作。流域内各省(区)水文(水资源)(勘测)局(总局)、陕西省水工程勘测设计院、内蒙古水事研究中心等,对本书的编写给予了积极的支持。在此,一并表示衷心的感谢!

　　黄河水资源问题十分复杂,随着新情况、新问题的不断出现和提出,许多问题尚需进一步深入研究,加之作者的业务水平和阅历有限,文中难免出现一些疏谬之处,敬请读者批评指正。

作　者

2005 年 10 月

目 录

第一章 概 述

黄河是中华民族的发祥地,流域内经济开发历史悠久,文化繁衍源远流长,曾经长期是我国政治、经济、文化的中心地区。黄河流域水资源可持续利用事关该区域社会、经济、环境生态的协调发展和人民生活水平的提高,并对全国水资源的可持续利用具有深远的影响。

第一节 自然地理概况

一、地理位置

黄河发源于青藏高原巴颜喀拉山北麓的约古宗列盆地,自西向东,流经青海、四川、甘肃、宁夏、内蒙古、山西、陕西、河南、山东等9省(区),在山东省垦利县注入渤海。全流域位于96°E～119°E、32°N～42°N之间,东西长1 900 km,南北宽约1 100 km。黄河的河长和流域面积,因泥沙淤积、河口延伸而处于不断变化之中。据1973年量算,黄河河长5 464 km,流域面积752 443 km²,包括鄂尔多斯高原区面积则为794 712 km²。黄河流域地理位置情况见附图1。

黄河河源—内蒙古托克托(河口镇)河段称为上游(河段长3 472 km,集水面积38.6万km²),托克托—河南省桃花峪河段称为中游(河段长1 206 km,集水面积34.4万km²),桃花峪以下河段称为下游(河段长786 km,集水面积2.2万km²)。

二、地形地貌

黄河流域西部高,东部低,地势由西向东逐级下降,可分为3个巨大的地形阶梯。

(一)第一大阶梯

黄河流域的第一大阶梯,即最高一级是西部的青海高原,海拔在4 000 m以上,其南部的巴颜喀拉山脉构成与长江流域的分水岭。祁连山横亘北缘,形成青海高原与内蒙古高原的分界。阶梯的东部边缘北起祁连山东端,向南经临夏、临潭沿洮河,经岷县直达岷山。主峰高达6 282 m的阿尼玛卿山,耸立中部,是黄河流域最高点,山顶终年积雪。呈西北—东南方向分布的积石山与岷山相抵,使黄河绕流而行,形成S形大弯道,是九曲黄河的第一曲。

(二)第二大阶梯

黄河流域的第二大阶梯,大致以太行山为东界,地面平均海拔一般为1 000～2 000 m,包含河套平原、鄂尔多斯高原、黄土高原和渭汾盆地等较大的地貌单元。这一带历来是我国各民族繁衍生息所在地。许多复杂的气象、水文、泥沙现象多出现在这一地带,该地带也是黄河流域水旱灾害的主要发生地。

　　宁夏、陕西、内蒙古交界处的白于山以北,是内蒙古高原,包括河套平原和鄂尔多斯高原。河套平原西起宁夏中卫、中宁,东至内蒙古托克托,长750 km,宽50 km;西部的贺兰山、狼山和北部的阴山,是黄河流域和西北内陆河的分界,对阻止腾格里沙漠、乌兰布和沙漠与巴丹吉林沙漠向黄河腹地入侵,起到一定的作用。鄂尔多斯高原,是一个近似方形台状的干燥剥蚀高原,地理学界又称为"鄂尔多斯地台",风沙地貌发育活跃。北部的库布齐沙漠、西部的卓资山、东部及南部的长城,把高原中心围成一块凹地,降雨径流大都汇入盐湖,形成黄河流域界内面积4.23万 km² 的内流区。

　　黄土高原北起长城,南界秦岭,西抵青海高原,东至太行山脉,海拔1 000～2 000 m,深厚黄土、疏松土质、裸露地表、强烈侵蚀,形成了千沟万壑、支离破碎的地形地貌,是黄河流域泥沙的主要来源地。著名的渭汾盆地,包括陕西关中盆地、山西太原盆地和晋南盆地,海拔500～1 000 m,素以膏壤沃野、农产丰饶著称。东部太行山,是黄河与海河的分水岭,横亘南部的秦岭及其向东延伸的伏牛山、嵩山,是我国亚热带与暖温带、干旱区与湿润区的南北分界,也是黄河与长江、淮河的分界。

(三)第三大阶梯

　　黄河流域的第三大阶梯,从太行山、邙山的东麓直达海滨,构成黄河冲积大平原。包括豫、鲁等省的部分地区,面积约25万 km²。地面海拔一般在100 m以下,并微微向海洋倾斜。平原的地势,大体以黄河大堤为不稳定的分水岭,南北分别为黄淮太平原和黄海大平原。

　　黄河流域自西向东、由高到低的三大地形阶梯,对形成本流域的气候、自然景观以及河流顺势东下的总形势,有决定性的作用。据地质学家研究,青藏高原系因地球自转离心力的作用,使欧亚板块总体南移,印度板块向北和向北东方向移动,太平洋板块向西北和向西移动,三大板块相互挤压,在我国西部发生右旋扭曲,到上新世末,印度板块急剧向北俯冲,同时欧亚板块也向南加剧移动,在这种巨大的南北挤压应力作用下,发生强烈的新构造运动,使我国西部地区迅速隆起,形成了有"世界屋脊"之称的青藏高原和黄河流域的一、二级阶梯,也使溯源侵蚀更加活跃。强大的西风环流,年复一年地挟带着印度洋上空的暖湿气流,爬越青藏高原,顺势东下,逐步下沉、增温,云团蒸发,造成黄河上、中游大部分地区干旱、半干旱的气候条件,古代许多巨大的内陆湖泊,随之萎缩干涸,演化为沙漠。这个过程,至今仍在继续之中。

三、土壤植被

(一)土壤

　　黄河流域土壤由东南向西北依次分布有棕壤土、褐色土、灰褐土、灰钙土、栗钙土、棕钙土、漠钙土等。

　　棕壤土分布在泰山、秦岭、六盘山、吕梁山等山地。属温带森林条件下发育的山地棕壤土和山地褐色土,一般土层较薄,常成粗骨土,土质呈中性或微酸性反应。

　　褐色土分布在东南部的森林草原地带,包括陕西中部、甘肃南部和山西的大部分。土壤剖面上部呈褐色,腐殖质含量较高,呈中性至微碱性反应,中部和下部黏化现象显著。

　　灰褐土分布于陕西北部和甘肃中部的草原地带,土壤剖面具有较厚的腐殖质层,浅褐色,碳酸盐含量高,为碱性。表层为细粒状结构,中下部呈核状至团块状结构,剖面中部有明显的黏化现象。

灰钙土分布于固原、兰州的干草原地带,质地较粗,腐殖质含量低,呈碱性反应。

栗钙土和棕钙土分布于鄂尔多斯高原边缘的干草原地区,腐殖质含量低,土层较薄且多沙。

漠钙土分布于鄂尔多斯高原中部,属荒漠草原地带,有机质多分解为矿物质,含盐量大。

黄河上游青海高原上有明显的山地垂直谱。黄河源及积石山一带为地表状似毛毡的高山草毡土;较湿润处有机质分解略为充分,为高山黑毡土;黄河沿以南草原上为高山落嘎土;高山雪线以下有高山寒漠土。

黄河流域土壤除上述地带性分布规律外,还有由各种原因造成的多种隐域性土壤分布。

(二)植被

黄河流域自然植被的地区分布受海洋季风影响,自东南向西北顺序出现了森林草原、干草原和荒漠草原3种植被类型地带。

1. 森林草原地带

大致包括青海高原地区以及凉城、兴县、离石、延长、志丹、庆阳、平凉、通渭一线以南和以东地区。青海高原除湟水各地分布有温带草原外,绝大部分为高寒草甸丛和高寒草原。黄土高原原始植被已破坏殆尽。梁峁谷坡皆为次生的白羊草、茭蒿、长芒草草原和铁秆蒿等组成的杂类草草原。黄土高原的石质山地(海拔2 500 m以上),如六盘山、吕梁山、西秦岭等高山上,森林较茂密,主要为落叶、阔叶及少量针叶混交林;山顶一般为针叶林。黄土高原中的低山(相对高差200~400 m),如黄龙山、崂山、子午岭等保存着一些次生的落叶阔叶林及少量针叶混交林。

2. 干草原地带

包括阴山山脉河曲、靖边、同心、景泰一线以南,森林草原地带以北地区。除大青山植被略好,分布有长芒草、冷蒿草原外,其余多为抗旱耐寒和生殖力强的草木,散布于沟壑两侧和荒芜崖坡间。

3. 荒漠草原地带

位于干草原地带西北,即鄂尔多斯高原及河套地区。由于风沙影响,气候干燥,植被稀少,只有少数耐寒、抗旱、耐盐碱的植物。

四、水库、湖泊、冰川

(一)水库

根据2000年资料统计,黄河流域现有小(Ⅰ)型以上水库492座,总库容797亿 m^3,其中死库容176亿 m^3,供水库容517亿 m^3。表1-1给出了黄河流域小(Ⅰ)型以上水库的统计结果。

黄河流域现有大型水库23座,总库容740.5亿 m^3。主要位于黄河干流和支流伊洛河。其中大(Ⅰ)型水库共8座,总库容696亿 m^3,死库容161亿 m^3,供水库容466亿 m^3;大(Ⅱ)型水库共15座,总库容44.5亿 m^3,死库容7.2亿 m^3,供水库容22.9亿 m^3。

表 1-1　黄河流域小（Ⅰ）型以上水库的统计结果

水库类型	座数	总库容（亿 m³）	死库容（亿 m³）	供水库容（亿 m³）
大（Ⅰ）型	8	696	161	466
大（Ⅱ）型	15	44.5	7.2	22.9
中型	141	43.2	6.2	20.6
小（Ⅰ）型	328	13.3	1.6	7.5
合计	492	797	176	517

注：大（Ⅰ）型水库指总库容 10 亿 m³ 以上的水库，大（Ⅱ）型水库指总库容 1 亿～10 亿 m³ 的水库，中型水库指总库容 0.1 亿～1 亿 m³ 的水库，小（Ⅰ）型水库指总库容 0.01 亿～0.1 亿 m³ 的水库。

黄河流域现有中型水库 141 座，总库容 43.2 亿 m³，其中死库容 6.2 亿 m³，供水库容 20.6 亿 m³。有小（Ⅰ）型水库 328 座，总库容 13.3 亿 m³，其中死库容 1.6 亿 m³，供水库容 7.5 亿 m³。

（二）湖泊

根据不完全统计，黄河流域现有各类湖泊 68 个，水面总面积 2 111 km²，总库容近 170 亿 m³，多年平均蓄水量 163.3 亿 m³。其中淡水湖泊 65 个，咸水湖泊 3 个。

65 个淡水湖泊，水面总面积 2 082 km²，总库容约 169.8 亿 m³，多年平均蓄水量 163.2 亿 m³，主要分布于黄河河源区的玛曲以上（43 个）及黄河中游的青铜峡—河口镇区间（22 个）。

3 个咸水湖泊，水面总面积 29 km²，其中黄河河源区的玛曲以上 2 个，黄河中游的青铜峡—石嘴山区间 1 个。

（三）冰川

冰川是寒冷地区多年积雪经过变质成冰，在重力作用下能自行流动，并具有一定形态的冰体。它是水资源的重要组成部分。

我国西部山区冰川水资源相当丰富。冰川融水径流总量为 564 亿 m³（杨针娘，1991），主要分布于西部甘肃、青海、新疆、西藏 4 省（区）。黄河流域冰川数量很少，主要分布于青海省境内的唐乃亥水文站以上的阿尼玛卿山，属于大陆型冰川。黄河流域的冰川总面积约 192 km²，冰川融雪径流总量 2.03 亿 m³，约占唐乃亥以上天然来水量 205.2 亿 m³（1956～2000 年系列）的 1%。

五、水文地质条件

（一）区域地质概况

黄河流域位于我国北中部，在燕山—天山、秦岭—昆仑山两大巨型纬向构造体系之间，上、中游大部分地区受祁（祁连山）—吕（吕梁山）—贺（贺兰山）山字形构造的控制，东部受北北东向新华夏系制约，西部受北西向西域系、河西系、反 S 形旋卷构造等制约，形成流域内特定的山川走向。

流域内的地质构造格架主要是燕山运动奠定的，经喜马拉雅运动的垂直升降影响，使地势高差逐渐拉大。喜马拉雅山和青藏高原大幅度抬升，部分地段沉降，从而形成山地、高原、平原等西高东低的地貌景观。黄河流域内的地层自太古代的变质岩系到新生代的松散地层都有出露。广阔的冲积平原和盆地松散岩层及基岩裂隙、碳酸盐岩类溶洞,都为地下水的赋存创造了有利条件。

(二)区域水文地质条件

黄河上游西部地区干支流强烈排泄地下水,银川—内蒙古河套及汾渭盆地区,干、支流对地下水补、排兼有;下游由于黄河河床高出两岸地面3~5 m,最大达10 m,形成"悬河",成为两岸地下水的重要补给来源。

水文地质条件即地下水补给、径流和排泄条件,它决定地下水形成、赋存、运动方式和地区分布规律。黄河流域水文地质条件主要受地质构造、岩性、水文气象、地形地貌和古地理环境的控制和影响,人类活动也不同程度地改变水文地质条件。

1. 松散岩类含水层(组)

松散岩类含水层(组)主要分布于黄河下游,黄河干支流河谷及宁蒙河套平原、黄土高原、汾渭河盆地、大青山、太行山、泰山等山前冲积、洪积平原等地。地下水主要赋存于第四系以及第三系的松散岩层中,一般浅部多为孔隙潜水,深部有承压水和自流水分布。

1)冲积平原地区

冲积平原地区的含水层主要由砂、卵石、中粗砂、粉细砂组成,局部有黏土类干缩裂隙孔隙含水层。地下水埋深较浅,水量丰富,为中—强富水程度。单井涌水量5~10 $m^3/(h \cdot m)$,黄河冲积扇地区为10~25 $m^3/(h \cdot m)$。主要由大气降水和地表水体补给。由于平原地形平坦,地下水运动缓慢,排泄主要靠垂向潜水蒸发。水质一般较好,为重碳酸钙型水,局部低洼地及滨海地区水质较差,有氯化物型咸水分布。

2)山前冲、洪积倾斜平原地区

山前冲、洪积倾斜平原地区的含水层由砂砾石、中粗砂组成,结构均一,厚度大,地下水以潜水为主,部分为承压水。主要由降水和山前侧向渗透补给。除开采外,主要由侧向径流排泄,由于地形坡降大,含水层透水性强,径流条件好。矿化度小于2 g/L,主要为重碳酸钙镁型水。单井涌水量为5~30 $m^3/(h \cdot m)$。

3)山间河谷平原

山间河谷平原主要包括关中盆地,太原、临汾、运城盆地。其特点是,从盆地边缘向中心岩性由粗变细,地下水埋深由大变小,矿化度由小变大,大部分为潜水,局部地区如临汾盆地有承压水。含水层厚度大,水量丰富,水质较好。局部地区有矿化度大于2 g/L的微咸水和咸水。主要由降水和地表水体补给。径流条件较差,排泄主要为潜水蒸发和地下水开采,现状开采条件下水平排泄较少。

4)黄土高原地区

黄土高原地区的含水层主要为黄土孔隙裂隙水。黄土具有结构疏松、多孔隙、透水性好、垂直节理发育等特殊的结构和水理性质,决定了该地区地下水的形成和赋存条件,主要靠降水补给。由于黄土厚度由数十米到几百米,补给量小,蒸发强烈,地下水贫乏,只有在台塬、河谷等补给条件相对较好地区,地下水相对较丰富。水质多为矿化度小于2 g/L的淡水,属重碳酸型水,局部地区矿化度为2~5 g/L,为重碳酸、硫酸、氯化物型水。

5)沙漠地区

主要是毛乌素沙地和库布齐沙漠地区,地下水赋存于风积沙丘底部细沙的孔隙中。

主要由降水补给,靠垂向蒸发和开采排泄。含水层与下伏冲积、湖积层水力联系密切。富水程度一般,单井涌水量一般小于 $10 m^3/(h \cdot m)$,水质良好,为重碳酸型水。

2. 基岩孔隙裂隙水

基岩孔隙裂隙水主要由大气降水补给,大部分以地下径流形式排入河道,成为河川径流的组成部分,小部分流入山前倾斜平原,或消耗于蒸发,水质一般良好。

1)碎屑岩类孔隙裂隙水

碎屑岩类孔隙裂隙水主要分布于黄河流域上中游地区广泛出露的二叠纪、三叠纪以及白垩纪的砂岩、砾岩中,含水层较厚且较完整。富水程度由微弱到中等,水质良好,矿化度一般小于 $2 g/L$,为重碳酸型水。有的地区受地质构造和地形地貌控制,往往形成承压水和自流水,如陇东分布有白垩纪、侏罗纪的自流水盆地。

2)碎屑岩夹碳酸盐岩类孔隙岩溶水

其主要分布于青海、山西等地出露的石炭纪、二叠纪、三叠纪的砂岩夹灰岩层中,中等富水程度。山西晋城、阳城等地出露的石炭纪砂岩灰岩互层中的地下水多形成泉群,从灰岩裂隙或裂隙岩溶中排出,水量大而稳定,水质良好,为重碳酸钙型水。

3. 碳酸盐岩类裂隙岩溶水

1)碳酸盐岩类裂隙岩溶水

其主要分布在山西、甘肃、宁夏、陕西、山东等地的奥陶纪灰岩区。灰岩中裂隙岩溶发育,为中等富水至强富水,水量丰富,多从断裂中呈泉群涌出,大型泉群以山西省分布最多,水质良好,一般为重碳酸型水。

2)碳酸盐岩类夹碎屑岩类裂隙岩溶水

其含水层分布区基本与碳酸盐岩类裂隙岩溶水含水岩组相同,地下水主要赋存于寒武纪灰岩夹页岩中,富水程度由西北向东南由弱到强。如素有"泉城"之称的山东济南市就是这种泉水的集中出露区,有名泉 72 处,分属四大泉群,其中以趵突泉为最著名,总流量 1.2 万 m^3/h,水质良好,多属重酸盐钙型水。

4. 岩浆岩类裂隙含水岩组

其分布于秦岭北坡、吕梁山、大青山、祁连山和拉脊山等地。地下水主要赋存于岩浆岩的成岩、风化裂隙中,由降水补给,以泉水和地下径流形式排泄,富水程度由中等到弱,水质良好,为矿化度小于 $1 g/L$ 的重碳酸型水。

5. 变质岩类裂隙含水岩组

其分布于秦岭北坡、吕梁山、大青山、祁连山、大坂山等地变质岩类的构造和风化裂隙中,裂隙不甚发育,富水程度微弱,水量不大,水质良好。

6. 多年冻结层水含水岩组

其主要分布于黄河上游青藏高原的达日、玛沁、兴海一线以西的黄河源区,以及巴颜喀拉山、积石山及祁连山的部分地区。大体上为多年平均气温 $0 \sim 2 ℃$ 等值线经过的地区,呈岛状或片状分布的多年冻土层。地下水埋藏在砂砾石、基岩风化带的碎屑岩类冻土层中。地下水的补给、径流、排泄条件受多年冻土层的制约,水质良好。

1)冻结层上水

其主要分布在河谷盆地及山前冲、洪积扇上部季节性融化层内。主要由冰雪融化水补给,以径流和蒸发形式排泄。地下水埋藏浅,含水层厚度和水量随季节而变,一般10月份最厚,在3 m左右,单井涌水量也最大。冬季大部分冻结。富水程度较弱,水质良好。

2)冻结层下水

其主要分布在海拔4 000 m以上的第三纪地层的褶皱断裂挤压破碎带。埋藏在冻结层之下,厚度较大,由几十米到几百米不等。由于受冻结层和构造控制,一般具有承压性质,水量较大,水质良好。

3)融区水

其主要分布在河流沿岸、湖泊周边地带。由于地表水侧向或垂向融化冻土,地表水与地下水连通一起,冬季冻结,夏季融化。还有一种叫温泉融区水,是热矿泉水沿构造破碎带断裂面上升时融化周围冻土的结果,它是冻结层下水的天然露头。

六、气候

黄河流域位于我国北中部,属大陆性气候。东南部基本属湿润气候,中部属半干旱气候,西北部为干旱气候。

冬季,几乎全部在蒙古高压控制下,盛行偏北风。从10月份以后高压逐渐增强,至1月最强,其后逐渐减弱。每当极地大陆气团向东南伸展之时,即出现强度不同的寒潮冷锋,气温猛降,在24 h内可降低10 ℃以上,偶有沙暴及少量雨雪。

春季,蒙古高压逐渐衰退,太平洋副高逐渐扩张,流域内出现频繁低压槽,冷锋经过频率很大。

夏季,主要在大陆热低压的范围内,盛行偏南风,水汽含量丰沛,降雨量较多。

秋季,9月以后,太平洋副高衰退,蒙古高压扩张,往往形成秋高气爽天气,降水量开始减少。

以东部(济南市)、南部(西安市)、西部(西宁市)、北部(呼和浩特市)、中部(延安市)为代表,黄河流域内多年月、年平均气温由南向北、由东向西递减。月、年平均气温等值线沿着岷山东麓嘉陵江与汉江河谷北上,在西秦岭东侧进入黄河流域后向东西两侧扩散,西侧为高耸在大气中的大陆块——青藏高原,气温骤然下降,为流域内低值区。东侧除受局部高山地形影响外,基本上随纬度增加而降低。流域内气温1月为最低(代表冬季)、7月为最高(代表夏季)。表1-2给出了黄河流域代表站气温基本特征统计结果。

表1-2　黄河流域代表站气温基本特征统计结果

站名	平均气温(℃)						年极端最高气温(℃)	年极端最低气温(℃)
	1月	7月	年	年较差	年最高	年最低		
济南	−1.4	27.4	14.2	28.8	19.4	9.4	42.5	−19.5
西安	−1.0	26.6	13.3	27.6	19.2	8.6	41.7	−20.6
西宁	−8.4	17.2	5.7	25.6	13.5	−0.3	33.5	−26.6
呼和浩特	−13.1	21.9	5.8	35.0	12.8	−0.7	37.3	−32.8
延安	−6.4	22.9	9.4	29.3	17.2	3.5	39.7	−25.4

流域内日平均气温大于等于 10 ℃的积温分布,基本由东南向西北递减,最小为河源区,出现日数小于 10 天,积温接近于 0 ℃;最大为黄河中下游河谷平原地区,出现日数 230 天左右,积温达 4 500 ℃以上。除河源外的青海高原一带,出现日数 10～100 天,积温 500～3 000 ℃。其余地区基本以长城为界,以北出现日数为 100～180 天,积温 2 500～3 000 ℃;以南出现日数 180～300 天,积温 2 500～4 500 ℃。

流域内日平均气温小于等于－10 ℃出现日数的分布与积温分布相反,基本由东南向西北递增。最小的为黄河中下游河谷平原地带,出现日数小于 10 天;最大的为河源区,出现日数 175 天。除河源区外青海高原一带,出现日数 75～175 天。其余地区基本以长城为界,以北出现日数 75～125 天,以南出现日数 10～75 天。

年日照时数反映了当地光照条件,以青海高原为最高,年日照时数大部分在 3 000 h以上,其余地区一般在 2 200～2 800 h。

七、河流水系

根据基础资料统计,黄河流域现有一级支流 111 条,集水面积合计 61.72 万 km²,河长合计 17 358 km。集水面积大于 3 万 km² 的一级支流有 4 条,2 万～3 万 km² 的一级支流有 1 条,1 万～2 万 km² 的一级支流有 5 条,0.5 万～1 万 km² 的一级支流有 13 条,0.1 万～0.5 万 km² 的一级支流有 71 条,其余的 17 条一级支流集水面积在 0.1 万 km² 以下。表 1-3 给出了黄河流域集水面积大于 1 万 km² 的一级支流基本特征值。附图 2 给出了黄河流域水系分布情况。

表 1-3　黄河流域集水面积大于 1 万 km² 的一级支流基本特征值

河流名称	集水面积（km²）	起点	终点	干流长度（km）	平均比降（‰）	多年平均径流量（亿 m³）
渭河	134 766	甘肃定西马衔山	陕西潼关县港口村入黄河	818.0	1.27	97.44
汾河	39 471	山西宁武县东寨镇	山西河津县黄村乡柏底村	693.8	1.11	22.11
湟水	32 863	青海海晏县洪呼日尼哈	甘肃永靖县上车村入黄河	373.9	4.16	49.48
无定河	30 261	陕西横山县庙畔	陕西清涧县解家沟镇河口村	491.2	1.79	12.82
洮河	25 227	甘肃西倾山	甘肃省临洮县红旗乡沟门村入黄河	673.1	2.80	48.25
伊洛河	18 881	陕西雒南县终南山	河南巩义巴家门入黄河	446.9	1.75	31.45
大黑河	17 673	内蒙古卓资县十八台乡	内蒙古托克托县入黄河	235.9	1.42	3.31
清水河	14 481	宁夏固原县开城乡黑刺沟脑	宁夏中宁县泉眼山	320.2	1.49	2.02
沁河	13 532	山西沁源县霍山南麓	河南武陟县南贾汇村入黄河	485.1	2.16	14.50
祖厉河	10 653	甘肃省华家岭	甘肃靖远方家滩入黄河	224.1	1.92	1.53

第二节　经济社会现状

表 1-4 和表 1-5 分别给出了黄河流域水资源二级区和各省(区)2000 年经济社会基本情况。

表 1-4　黄河流域水资源二级区 2000 年经济社会基本情况

| 二级区 | 省(区) | 人口(万人) | | 国内国民经济总产值(亿元) | 工农业产值(亿元) | | 耕地面积(万亩) | 农业 | | | 农村牲畜(万头) |
		合计	其中城镇		工业	农业		有效灌溉(万亩)	实际灌溉(万亩)	产量(万 t)	
龙羊峡以上	小计	60	14	21	4.4	12.8	114	24.0	16.5	3.0	776
	青海	46	11	16	2.6	9.2	104	23.5	16.4	2.4	593
	四川	10	2	3	0.5	2.4	9	0.4	0.1	0.6	113
	甘肃	4	1	2	1.3	1.2	1	0.1	0.0	0.0	71
龙羊峡—兰州	小计	900	220	408	575.1	80.7	1 744	476	392	157	1 111
	青海	389	101	178	140.8	34.4	733	240	199	67	631
	甘肃	511	119	230	434.3	46.3	1 011	236	193	89	480
兰州—河口镇	小计	1 482	617	1 058	1 125	241.2	5 098	2 201	2 052	609	1 792
	甘肃	378	123	228	197.6	35.2	1 116	227	189	77	241
	宁夏	434	149	245	262.9	68.7	1 354	550	543	225	511
	内蒙古	670	345	584	664.4	137.4	2 628	1 424	1 321	308	1 040
河口镇—龙门	小计	832	150	269	288.4	85.3	3 469	295	251	192	948
	内蒙古	81	22	78	103.1	18.3	440	72	61	26	137
	山西	320	55	75	92.1	29.6	1 504	61	43	66	364
	陕西	431	73	116	93.2	37.4	1 525	162	147	99	447
龙门—三门峡	小计	4 944	1 357	2 467	2 938.8	577.7	10 089	2 908	2 372	1 395	2 240
	甘肃	921	112	209	159.3	96.0	3 094	290	186	224	574
	宁夏	105	8	12	9.0	7.6	466	39	33	25	67
	山西	1 535	549	824	1 070.7	158.3	2 304	1 083	977	382	686
	陕西	2 263	642	1 311	1 529.1	295.7	4 094	1 449	1 138	739	865
	河南	120	46	111	170.7	20.1	131	47	38	25	48
三门峡—花园口	小计	1 309	394	953	1 483.5	174.1	1 678	540	458	476	701
	山西	272	83	159	228.0	23.9	462	85	62	96	132
	陕西	47	5	9	6.7	9.3	75	13	10	18	34
	河南	990	306	784	1 248.8	140.9	1 141	443	387	362	535
花园口以下	小计	1 337	344	1 001	1 100.3	300.0	1 703	1 094	996	679	1 083
	河南	563	48	179	158.6	126.4	867	594	556	359	453
	山东	774	296	822	941.7	173.5	836	500	440	320	630
内流区	小计	56	16	39	51.5	14.0	465	87	61	21	217
	宁夏	12	3	8	22.0	1.5	120	12	6	3	42
	内蒙古	26	10	28	27.9	10.7	198	57	41	14	145
	陕西	18	3	3	1.6	1.8	147	18	14	4	30
黄河流域		10 920	3 112	6 216	7 567	1 486	24 362	7 625	6 599	3 531	8 867

注:1 亩=0.066 7 hm²,下同。

表 1-5 黄河流域各省(区)2000年经济社会基本情况

省(区)	二级区	人口(万人)		国内国民经济总产值(亿元)	工农业产值(亿元)		耕地面积(万亩)	农业			农村牲畜(万头)
		合计	其中城镇		工业	农业		有效灌溉(万亩)	实际灌溉(万亩)	产量(万 t)	
青海	小计	435	112	194	143.4	43.6	837	263.5	215.4	69.4	1 224
	龙羊峡以上	46	11	16	2.6	9.2	104	23.5	16.4	2.4	593
	龙羊峡—兰州	389	101	178	140.8	34.4	733	240	199	67	631
四川	小计	10	2	3	0.5	2.4	9	0.4	0.1	0.6	113
	龙羊峡以上	10	2	3	0.5	2.4	9	0.4	0.1	0.6	113
甘肃	小计	1 814	355	669	792.5	178.7	5 222	753.1	568	390	1 366
	龙羊峡以上	4	1	2	1.3	1.2	1	0.1	0.0	0.0	71
	龙羊峡—兰州	511	119	230	434.3	46.3	1 011	236	193	89	480
	兰州—河口镇	378	123	228	197.6	35.2	1 116	227	189	77	241
	龙门—三门峡	921	112	209	159.3	96	3 094	290	186	224	574
宁夏	小计	551	160	265	293.9	77.8	1 940	601	582	253	620
	兰州—河口镇	434	149	245	262.9	68.7	1 354	550	543	225	511
	龙门—三门峡	105	8	12	9	7.6	466	39	33	25	67
	内流区	12	3	8	22.0	1.5	120	12	6	3	42
内蒙古	小计	777	377	690	795.4	166.4	3 266	1 553	1 423	348	1 322
	兰州—河口镇	670	345	584	664.4	137.4	2 628	1 424	1 321	3 08	1 040
	河口镇—龙门	81	22	78	103.1	18.3	440	72	61	26	137
	内流区	26	10	28	27.9	10.7	198	57	41	14	145
山西	小计	2 127	687	1 058	1 390.8	211.8	4 270	1 229	1 082	544	1 182
	河口镇—龙门	320	55	75	92.1	29.6	1 504	61	43	66	364
	龙门—三门峡	1 535	549	824	1 070.7	158.3	2 304	1 083	977	382	686
	三门峡—花园口	272	83	159	228.0	23.9	462	85	62	96	132
陕西	小计	2 759	723	1 439	1 630.6	344.2	5 841	1 642	1 309	860	1 376
	河口镇—龙门	431	73	116	93.2	37.4	1 525	162	147	99	447
	龙门—三门峡	2 263	642	1 311	1 529.1	295.7	4 094	1 449	1 138	739	865
	三门峡—花园口	47	5	9	6.7	9.3	75	13	10	18	34
	内流区	18	3	3	1.6	1.8	147	18	14	4	30
河南	小计	1 673	400	1 074	1 578.1	287.4	2 139	1 084	981	746	1 036
	龙门—三门峡	120	46	111	170.7	20.1	131	47	38	25	48
	三门峡—花园口	990	306	784	1 248.8	140.9	1 141	443	387	362	535
	花园口以下	563	48	179	158.6	126.4	867	594	556	359	453
山东	小计	774	296	822	941.7	173.5	836	500	440	320	630
	花园口以下	774	296	822	941.7	173.5	836	500	440	320	630
黄河流域		10 920	3 112	6 216	7 567	1 486	24 362	7 625	6 599	3 531	8 867

根据 2000 年资料统计,黄河流域现有人口为 10 920 万人,主要分布于黄河中下游龙门—三门峡(4 944 万人)、黄河上游的兰州—河口镇区间(1 482 万人)、三门峡—花园口(1 309 万人)、花园口以下(1 337 万人)等二级区。从省(区)来看,主要分布于陕西(2 759 万人)、山西(2 127 万人)、甘肃(1 814 万人)、河南(1 673 万人)等。

流域内总人口中,城镇人口 3 112 万人,城市化率近 28%。从二级区来看,城市化率最高的是兰州—河口镇区间,达到了 42%;城市化率最低的是河口镇—龙门区间,仅18%。从省(区)来看,内蒙古城市化率最高(49%),四川最低(20%)。

黄河流域 2000 年国内国民经济总产值 6 216 亿元(人均 GDP5 692 元)。从二级区来看,国内国民经济总产值主要分布于龙门—三门峡(2 467 亿元)、兰州—河口镇(1 058 亿元)、花园口以下(1 001 亿元)及三门峡—花园口(953 亿元)等;人均 GDP 主要分布于花园口以下(7 487 元)、三门峡—花园口(7 280 元)、兰州—河口镇(7 139 元)及内流区(6 964 元)等。从省(区)来看,国内国民经济总产值主要分布于陕西(1 439 亿元)、河南(1 074 亿元)、山西(1 058 亿元)及山东(822 亿元)等;人均 GDP 主要分布于山东(10 634元)、内蒙古(8 880 元)、河南(6 420 元)及陕西(5 216 元)等。

流域内,工业产值 7 567 亿元,农业产值 1 486 亿元(农村人均 1 903 元)。黄河流域工业产值,从二级区来看,主要分布于龙门—三门峡(2 939 亿元)、三门峡—花园口(1 484 亿元)、兰州—河口镇(1 125 亿元)及花园口以下(1 100 亿元)等;从省(区)来看,主要分布于陕西(1 631 亿元)、河南(1 578 亿元)、山西(1 391 亿元)及山东(942 亿元)等。黄河流域农业产值,从二级区来看,主要分布于龙门—三门峡(578 亿元)、花园口以下(300 亿元)、兰州—河口镇(241 亿元)及三门峡—花园口(174 亿元)等;从省(区)来看,主要分布于陕西(344 亿元)、河南(287 亿元)、山西(212 亿元)及甘肃(179 亿元)等。

流域内现有耕地面积 24 362 万亩。从二级区来看,主要分布于龙门—三门峡(10 089万亩)、兰州—河口镇(5 098 万亩)、龙羊峡—兰州(1 744 万亩)、花园口以下(1 703 万亩)及三门峡—花园口(1 678 万亩)等;从省(区)来看,主要分布于陕西(5 841 万亩)、甘肃(5 222 万亩)、山西(4 270 万亩)、内蒙古(3 266 万亩)及河南(2 139 万亩)等。

流域内农业生产以小麦、玉米、谷子为主,并有少量水稻;经济作物有棉花、油料和药材等。黄河流域农田有效灌溉面积目前为 7 625 万亩,其中实际灌溉面积 6 599 万亩。农田有效灌溉面积,从二级区来看,主要分布于龙门—三门峡(2 908 万亩)、兰州—河口镇(2 201 万亩)及花园口以下(1 094 万亩)等;从省(区)来看,主要分布于陕西(1 642 万亩)、内蒙古(1 553 万亩)、山西(1 229 万亩)及河南(1 084 万亩)等。

黄河流域 2000 年实际灌溉面积 6 599 万亩。从二级区来看,主要分布于龙门—三门峡(2 372 万亩)、兰州—河口镇(2 052 万亩)及花园口以下(996 万亩)等;从省(区)来看,主要分布于内蒙古(1 423 万亩)、陕西(1 309 万亩)、山西(1 082 万亩)及河南(981 万亩)等。

黄河流域 2000 年粮食总产量 3 531 万 t(人均 323 kg,亩均 197 kg)(亩均产量指总产量除以粮食播种面积,即 17 948 万亩)。粮食总产量,从二级区来看,主要分布于龙门—三门峡(1 395 万 t)、花园口以下(679 万 t)、兰州—河口镇(609 万 t)等;从省(区)来看,主要分布于陕西(860 万 t)、河南(746 万 t)、山西(544 万 t)及甘肃(390 万 t)等。人均占有粮食,宁夏第一(459 kg/人),接着是内蒙古(448 kg/人)、河南(446 kg/人)、山东(414 kg/人)。

流域内现有8 867万头牲畜,其中大牲畜1 563万头,小牲畜7 304万头。流域内大小牲畜总数目,从二级区来看,主要分布于龙门—三门峡(2 240万头)、兰州—河口镇(1 792万头)、龙羊峡—兰州(1 111万头)及花园口以下(1 083万头);从省(区)来看,主要分布于陕西(1 376万头)、甘肃(1 366万头)、内蒙古(1 322万头)及青海(1 224万头)等。

第三节　水资源分区

黄河流域水资源分区的基本原则是:

(1)基本能反映水资源及其开发利用条件的地区差异。

(2)尽可能保持河流水系的完整性,黄河干流根据主要水文站划分河段。

(3)自然条件相同的支流合并。

(4)有利于进行地表水资源的估算和水资源供需平衡分析。

(5)尽可能保持省(区)的完整性。

(6)照顾干、支流上已建、在建的大型水利枢纽和重要水文站的控制作用。

根据黄河流域(片)水资源综合规划统一要求,黄河流域划分为8个二级区、29个三级区、44个四级区,共182个计算单元。表1-6给出了黄河流域水资源分区情况。

表1-6　黄河流域水资源分区情况

分区			行政区划		计算面积(km²)	备注
二级区	三级区	四级区	省(区)	地(市、州、盟)		
龙羊峡以上			二级区小计		131 340	
	河源—玛曲	河源—玛曲	小计		86 043	
			青海	玉树州	12 547	曲麻莱、玛多
				果洛州	49 965	玛多、达日、甘德、久治、玛沁、班玛
			四川	阿坝州	16 960	若尔盖、红原、阿坝、松潘
			甘肃	甘南州	6 571	玛曲、碌曲
	玛曲—龙羊峡	玛曲—龙羊峡	小计		45 297	
			青海	果洛州	9 542	玛沁、甘德、玛多
				海南州	23 485	同德、兴海、贵南、共和
				黄南州	9 406	泽库、河南蒙古族
			甘肃	甘南州	2 864	玛曲
龙羊峡—兰州			二级区小计		91 090	
	大通河享堂以上	大通河享堂以上	小计		14 680	
			青海	海北州	10 153	刚察、海晏、祁连、门源
				海西州	1 599	天峻
				海东地区	1 224	互助、乐都
			甘肃	武威市	811	天祝
				兰州市	893	永登

续表 1-6

分区			行政区划		计算面积（km²）	备注
二级区	三级区	四级区	省（区）	地（市、州、盟）		
龙羊峡—兰州	湟水	湟水		小计	16 738	
			青海	海北州	2 164	海晏、门源
				海东地区	6 590	平安、互助、乐都、民和
				西宁市	7 252	大通、湟源、湟中、西宁市辖区
			甘肃	临夏州	158	永靖
				兰州市	574	兰州市红古区
	大夏河、洮河		三级区小计		33 082	
		大夏河		小计	7 546	
			青海	黄南州	905	同仁
			甘肃	甘南州	4 524	夏河
				临夏州	2 117	临夏市、和政、东乡
		洮河		小计	25 536	
			青海	黄南州	1 596	河南蒙古族
			甘肃	甘南州	15 089	碌曲、卓尼、临潭、夏河、迭部
				临夏州	3 188	和政、东乡、康乐、广河
				定西地区	5 663	渭源、临洮、岷县
	龙羊峡—兰州干流区间		三级区小计		26 590	
		庄浪河		小计	7 472	
			甘肃	兰州市	4 973	永登
				武威市	2 499	天祝
		干流区间		小计	19 118	
			青海	海南州	4 439	贵德、贵南
				黄南州	6 098	泽库、同仁、尖扎
				海东地区	5 205	化隆、民和、循化
				西宁市	79	湟中
			甘肃	临夏州	2 657	临夏县、永靖、积石山
				兰州市	640	兰州市辖区
兰州—河口镇			二级区小计		163 644	
	兰州—下河沿		三级区小计		30 236	
		兰州—下河沿东岸		小计	20 035	
			甘肃	兰州市	4 028	兰州市辖区、皋兰、榆中
				定西地区	3 844	定西、临洮、陇西、通渭
				白银市	11 566	会宁、靖远、白银
			宁夏	固原市	597	西吉、海原
		兰州—下河沿西岸		小计	10 201	
			甘肃	兰州市	2 494	兰州市辖区、皋兰、榆中
				白银市	7 126	景泰、白银、靖远
				武威市	581	古浪

续表 1-6

分区			行政区划		计算面积（km²）	备注
二级区	三级区	四级区	省（区）	地（市、州、盟）		
兰州—河口镇	清水河、苦水河	清水河、苦水河		小计	21 006	
			宁夏	固原市	8 501	固原市辖区、海原、西吉
				吴忠市	12 031	中卫、中宁、同心、盐池、灵武
			甘肃	庆阳地区	474	环县
	下河沿—石嘴山		三级区小计		35 081	
		下河沿—青铜峡		小计	6 846	
			宁夏	吴忠市	5 994	中宁、青铜峡市辖区、中卫、同心
			内蒙古	阿拉善盟	852	阿拉善左
		青铜峡—石嘴山		小计	28 235	
			宁夏	吴忠市	6 685	青铜峡市辖区、灵武、吴忠市辖区、盐池
				银川市	3 495	银川、贺兰、永宁
				石嘴山市	4 454	平罗、陶乐、石嘴山市辖区
			内蒙古	阿拉善盟	1 195	阿拉善左
				鄂尔多斯市	12 406	鄂托克、鄂托克前
	石嘴山—河口镇北岸		三级区小计		55 005	
		内蒙黄河以北引黄灌区		小计	19 495	
			内蒙古	巴彦淖尔盟	12 810	临河、五原、磴口、杭锦后、乌拉特前、乌拉特中、乌拉特后
				包头市	3 878	土默特川右、包头市辖区
				呼和浩特市	1 646	土默特川左、托克托
				阿拉善盟	1 161	阿拉善左
		阴山南麓		小计	24 448	
			内蒙古	巴彦淖尔盟	16 790	乌拉特中、乌拉特后、乌拉特前
				包头市	5 649	固阳、土默特川右、达尔罕茂明安
				呼和浩特市	2 009	武川、土默特川左
		大黑河		小计	11 062	
			内蒙古	呼和浩特市	6 641	呼和浩特市辖区、武川、土默特川左、和林格尔
				乌兰察布盟	4 421	卓资、凉城、察哈尔右翼中
	石嘴山—河口镇南岸	石嘴山—河口镇南岸		小计	22 316	
			内蒙古	乌海市	1 754	乌海市
				鄂尔多斯市	20 562	东胜区、达拉特、准格尔、鄂托克、杭锦、伊金霍洛
河口镇—龙门			二级区小计		111 272	
	河口镇—龙门左岸		三级区小计		38 746	
		晋西北支流		小计	24 255	
		龙门	内蒙古	呼和浩特市	5 203	和林格尔、托克托、清水河
				乌兰察布盟	267	凉城

续表 1-6

分区			行政区划		计算面积（km²）	备注
二级区	三级区	四级区	省（区）	地（市、州、盟）		
河口镇—龙门	河口镇—龙门左岸	晋西北支流	山西	朔州市	2 997	右玉、朔州市平鲁、朔州市朔城偏关、河曲、五寨、神池、保德、岢岚兴县、临县、岚县、离石、柳林、方山左云
				忻州市	8 697	
				吕梁地区	7 011	
				大同市	80	
				小计	14 491	
		晋西支流	山西	吕梁地区	6 749	方山、离石、柳林、中阳、石楼、交口永和、隰县、蒲县、乡宁、吉县、大宁河津
				临汾市	7 665	
				运城市	77	
				小计	24 115	
	吴堡以上右岸	吴堡以上右岸	内蒙古	鄂尔多斯市	10 082	准格尔、东胜区、伊金霍洛
			陕西	榆林市	14 033	府谷、神木、佳县、米脂、榆林市、绥德、吴堡
				三级区小计	48 411	
	吴堡以下右岸	无定河		小计	29 134	
			内蒙古	鄂尔多斯市	7 275	乌审、伊金霍洛
			陕西	榆林市	20 615	榆林市辖区、横山、米脂、绥德、子洲、清涧、定边、神木、靖边
				延安市	1 244	安塞、吴旗、子长
		陕北支流		小计	19 277	
			陕西	延安市	17 073	子长、安塞、黄龙、延长、延安市、延川、宜川、志丹
				榆林市	1 729	靖边、清涧、绥德、吴堡
				渭南市	475	韩城
龙门—三门峡				二级区小计	191 109	
	汾河			三级区小计	39 826	
		汾河上中游	山西	小计	28 214	
				长治市	491	沁源、武乡
				忻州市	3 441	静乐、宁武
				吕梁地区	7 228	交口、交城、汾阳、孝义、文水、岚县
				太原市	6 253	古交、娄烦、阳曲、清徐、太原市辖区
				晋中市	9 172	榆次市、寿阳、太谷、祁县、平遥、介休、灵石、昔阳、和顺、榆社
				阳泉	14	盂县
				临汾市	1 615	霍州、汾西、古县、隰县
		汾河下游	山西	小计	11 612	
				临汾市	8 512	洪洞、古县、临汾市辖区、浮山、襄汾、曲沃、翼城、安泽、汾西、乡宁、侯马、霍州
				运城市	3 018	新绛、绛县、河津、稷山、万荣、闻喜
				晋城市	82	沁水

续表 1-6

分区			行政区划		计算面积（km²）	备注
二级区	三级区	四级区	省（区）	地（市、州、盟）		
龙门—三门峡	北洛河洑头以上	三级区小计			25 150	
		北洛河洑头以上	陕西	延安市	17 907	吴旗、黄龙、甘泉、洛川、志丹、黄陵、富县、安塞
				榆林市	1 277	定边、靖边
				铜川市	1 682	宜君、铜川市辖区
				渭南市	1 958	白水、澄城、蒲城、富平
			甘肃	庆阳地区	2 326	合水、华池
	泾河张家山以上	三级区小计			43 819	
		马莲河、蒲河、洪河	小计		29 725	
			宁夏	固原市	3 130	彭阳、固原市辖区
				吴忠市	775	盐池
			甘肃	庆阳地区	24 046	华池、合水、环县、镇原、西峰、宁县、正宁、庆阳
				平凉地区	361	泾川
			陕西	榆林市	1 413	定边
		黑河、达溪河、泾河张家山以上	小计		14 094	
			宁夏	固原市	1 050	泾源、固原市辖区、彭阳
			甘肃	平凉地区	7 027	平凉、灵台、泾川、崇信、华亭
				庆阳地区	365	正宁
			陕西	咸阳市	4 465	长武、永寿、彬县、旬邑、淳化、泾阳、礼泉
				宝鸡市	1 187	千阳、麟游、陇县
	渭河宝鸡峡以上	三级区小计			30 768	
		渭河宝鸡峡以上北岸	小计		20 835	
			宁夏	固原市	3 281	隆德、西吉、固原市辖区
			甘肃	定西地区	5 306	通渭、陇西、临洮、渭源
				平凉地区	3 704	静宁、庄浪
				白银市	500	会宁
				天水市	6 715	张家川、秦安、武山、甘谷、清水、天水市辖区
			陕西	宝鸡市	1 330	宝鸡市辖区、宝鸡县、陇县
		渭河宝鸡峡以上南岸	小计		9 933	
			甘肃	定西地区	4 611	漳县、岷县、渭源、陇西
				天水市	4 948	武山、甘谷、天水市辖区
			陕西	宝鸡市	374	宝鸡市辖区、宝鸡县
	渭河宝鸡峡—咸阳	三级区小计			17 872	
		宝鸡峡—咸阳北岸	小计		11 392	
			陕西	宝鸡市	7 407	宝鸡市辖区、宝鸡县、陇县、千阳、凤翔、麟游、岐山、扶风、眉县

续表 1-6

分区			行政区划		计算面积（km²）	备注
二级区	三级区	四级区	省（区）	地（市、州、盟）		
龙门—三门峡	渭河宝鸡峡—咸阳	宝鸡峡—咸阳北岸	陕西	杨凌区	90	杨凌区
				西安市	17	西安市辖区
				咸阳市	3 878	武功、乾县、兴平、永寿、礼泉、泾阳、咸阳市辖区
		宝鸡峡—咸阳南岸	陕西	小计	6 480	
				宝鸡市	2 770	眉县、宝鸡市辖区、宝鸡县、扶风、太白、岐山
				西安市	3 710	周至、户县
	渭河咸阳—潼关			三级区小计	17 594	
		咸阳—潼关北岸	陕西	小计	9 716	
				咸阳市	1 700	泾阳、淳化、三原、旬邑
				西安市	853	高陵、临潼、西安市阎良
				铜川市	2 200	耀县、宜君、铜川
				渭南市	4 963	蒲城、大荔、澄城、富平、合阳、渭南市辖区
		咸阳—潼关南岸	陕西	小计	7 878	
				西安市	5 232	长安、户县、蓝田、临潼、西安市辖区
				咸阳市	80	咸阳市辖区
				商洛市	76	洛南
				渭南市	2 490	潼关、渭南市、华县、华阴市
	龙门—三门峡干流区间			三级区小计	16 080	
		龙门—潼关干流区间		小计	9 850	
			山西	运城市	6 541	运城市、永济、临猗、万荣、闻喜、夏县、绛县
			陕西	渭南市	2 821	大荔、合阳、韩城
				延安市	488	黄龙
		潼关—三门峡干流区间		小计	6 230	
			山西	运城市	1 834	平陆、芮城、永济、运城市辖区
			河南	三门峡市	4 207	灵宝、陕县、卢氏、三门峡市辖区
			陕西	渭南市	189	潼关
三门峡—花园口				二级区小计	41 694	
	三门峡—小浪底区间	三门峡—小浪底区间		小计	5 761	
			山西	运城市	2 763	垣曲、绛县、平陆、闻喜、夏县
				晋城市	499	阳城、沁水
				临汾市	135	翼城
			河南	洛阳市	730	新安、孟津
				济源市	844	济源市
				三门峡市	790	陕县、渑池
	沁丹河	沁丹河		小计	1 3641	
			山西	长治市	2 269	沁源、长子、屯留、沁县

续表 1-6

分区			行政区划		计算面积（km²）	备注
二级区	三级区	四级区	省（区）	地（市、州、盟）		
三门峡—花园口	沁丹河	沁丹河	山西	晋中市	17	平遥
				临汾市	2 273	安泽、浮山、古县
				晋城市	7 705	阳城、沁水、高平、陵川、晋城市辖区
			河南	焦作市	1 229	沁阳、博爱、温县、武陟
				济源市	148	济源市
		三级区小计			18 877	
	伊洛河	伊河	河南	小计	5 318	
				郑州市	144	登封
				洛阳市	5 174	栾川、汝阳、嵩县、伊川、宜阳
		洛河		小计	13 559	
			陕西	渭南市	238	华县
				西安市	14	西安市辖区
				商洛市	2 812	洛南
			河南	三门峡市	3 831	卢氏、义马、渑池、灵宝、陕县
				洛阳市	5 980	洛宁、宜阳、新安、偃师、洛阳市辖区、孟津、伊川
				郑州市	684	巩义
	小浪底—花园口干流区间	小浪底—花园口干流区间	河南	小计	3 415	
				焦作市	871	温县、孟州、武陟、沁阳
				洛阳市	562	孟津、偃师、洛阳市辖区
				济源市	902	济源市
				郑州市	1 027	巩义、荥阳、郑州市辖区、密县
				新乡市	53	原阳
花园口以下		二级区小计			22 621	
	金堤河、天然文岩渠	金堤河、天然文岩渠	河南	小计	7 309	
				新乡市	3 801	原阳、延津、封丘、长垣、卫辉、获嘉、新乡县
				安阳市	1 692	滑县、内黄
				濮阳市	1 816	濮阳县、范县、台前、濮阳市辖区
	大汶河	大汶河	山东	小计	11 421	
				泰安市	6 563	肥城、新泰、东平、宁阳、泰安
				莱芜市	2 244	莱芜市
				济宁市	20	汶上
				淄博市	219	沂源
				济南市	2 375	济南市辖区、平阴、章丘
	花园口以下干流区间	花园口以下干流区间	河南滩区	小计	3 891	
				开封市	369	开封市辖区、开封县、兰考
				濮阳市	454	范县、濮阳县、台前

续表 1-6

分区			行政区划		计算面积（km²）	备注
二级区	三级区	四级区	省（区）	地（市、州、盟）		
花园口以下	花园口以下干流区间	花园口以下干流区间	河南滩区	新乡市	677	长垣、封丘、原阳
				郑州市	179	郑州市辖区、中牟
			山东滩区	滨州市	129	滨州市辖区、博兴、惠民、邹平
				德州市	86	齐河
				东营市	685	东营市辖区、垦利、利津
				菏泽市	479	东明、菏泽市辖区、鄄城、郓城
				济南市	506	济南市辖区、济阳、章丘、平阴
				济宁市	52	梁山
				聊城市	123	东阿、阳谷
				泰安市	96	东平
				淄博市	56	高青
二级区小计					42 271	
内流区	内流区	内流区	宁夏	吴忠市	1 399	盐池
			内蒙古	鄂尔多斯市	36 360	杭锦、鄂托克前、乌审、伊金霍洛、东胜区、鄂托克
			陕西	榆林市	4 512	定边、神木
黄河流域合计					795 041	

黄河流域水资源分区，计算总面积 795 041 km²。8 个二级区即龙羊峡以上、龙羊峡—兰州、兰州—河口镇、河口镇—龙门、龙门—三门峡、三门峡—花园口、花园口以下及黄河内流区，计算面积分别为 131 340 km²、91 090 km²、163 644 km²、111 272 km²、191 109km²、41 694 km²、22 621 km²、42 271 km²，分别占黄河流域水资源分区总面积的 16.5%、11.5%、20.6%、14.0%、24.0%、5.2%、2.8%、5.3%。黄河流域 9 省（区）即青海、四川、甘肃、宁夏、内蒙古、山西、陕西、河南、山东境内计算面积分别为 152 250 km²、16 960 km²、143 241 km²、51 392 km²、150 962 km²、97 138 km²、133 301 km²、36 164 km²、13 633 km²，分别占黄河流域水资源分区总面积的 19.1%、2.1%、18.0%、6.5%、19.0%、12.2%、16.8%、4.5%、1.7%。

第四节　调查评价主要内容及成果

广义上讲，流域水资源应当包括大气降水（总资源）、蒸散发（无效水资源）、地表水资源、土壤水资源、地下水资源等。

本次黄河流域水资源调查评价报告分降水、蒸发及干旱指数、地表水、地下水、泥沙、水质、水资源可利用量、水资源情势分析等内容。调查评价工作过程中，分析应用了 1 204 个雨量站、377 个蒸发站、266 个水文站，共近 20 万站年资料和大量地下水动态观测资料，调查收集了大量工农业生产和生活用水、水文地质、均衡试验、排灌试验、地表水和地下水污染源调查等大量基础资料。在充分利用第一次水资源调查评价、国家"九五"科技攻关项目、水中长期供求计划等成果的同时,针对工作需要还进行了补充性的普查勘测和专门观测试验研究,如重点地区工农业用水调查、冰期及非冰期水面蒸发折换系数的对比观测、渠系渗漏及回归水系数等试验研究。对大量数据和计算过程都进行了多种方法的分析计算和审核。如面平均降水量计算、地下水计算参数、河川基流的切割方法等,采用了多种方法分析计算,互相对比验证,综合取值。

本次黄河流域水资源调查评价取得的主要成果包括:

(1)黄河流域 1956～2000 年多年平均降水量 447.1 mm,其中汛期(6～9 月)可占 61%～76%。主要分布在黄河中游的三门峡—花园口区间、龙门—三门峡区间以及黄河下游地区,黄河上游的兰州—河口镇区间降水最少。从行政区来看,主要分布于山东省和四川省,宁夏回族自治区和内蒙古自治区降水量最少。

(2)黄河流域 1980～2000 年平均水面蒸发量:黄河流域水面蒸发量随地形、地理位置等变化较大。兰州以上多系青海高原和石山林区,气温较低,平均水面蒸发量为 790 mm;兰州—河口镇区间,气候干燥,降水量少,多沙漠干草原,平均水面蒸发量为 1 360 mm;河口镇—龙门区间,水面蒸发量变化不大,平均水面蒸发量 1 090 mm;龙门—三门峡区间面积大,范围广,从东到西,横跨 9 个经度,下垫面、气候条件变化较大,平均水面蒸发量为 1 000 mm;三门峡—花园口区间平均水面蒸发量为 1 060 mm;花园口以下黄河冲积平原水面蒸发量为 990 mm。

黄河流域水面蒸发量的年内分配,随各月气温、湿度、风速变化而变化。全年最小月蒸发量一般出现在 1 月或 12 月,最大月蒸发出现在 5、6、7 月。5、6、7 月各月蒸发量占年总量 15%左右。

与 1956～1979 年系列相比,1980～2000 年水面蒸发量有所减少,兰州以上与兰州—河口镇区间减少了 7.4%,河口镇—龙门区间减少了 9.5%,龙门—三门峡区间减少了 5.9%,三门峡—花园口区间减少了 7.0%,花园口以下减少了 17.3%。

(3)黄河流域 1956～2000 年多年平均地表水用水还原水量 249.0 亿 m³,其中近 21 年平均 296.6 亿 m³。

实测加还原计算结果表明,黄河 1956～2000 年多年平均河川天然径流量 568.6 亿 m³,其中汛期(7～10 月)占 58%。

由于人类活动改变了流域下垫面条件,系列一致性修正后的黄河 1956～2000 年多年平均河川天然径流量 534.8 亿 m³。相应 4 年一遇的枯水年河川天然径流量 441.1 亿 m³,20 年一遇的枯水年河川天然径流量 351.1 亿 m³,5 年一遇的丰水年河川天然径流量 636.7 亿 m³。

黄河流域 1956～2000 年多年平均地表水资源量 594.4 亿 m³,其中汛期(7～10 月)可占 58%以上。主要分布在黄河上游的龙羊峡以上和黄河中游的龙门—三门峡区间,黄河内流区地表水资源量最少。从行政区来看,主要分布于青海省和甘肃省,宁夏回族自治区和山东省境内最少。相应黄河流域 4 年一遇的枯水年地表水资源量 500.7 亿 m³,20 年一遇的枯水年地表水资源量 407.3 亿 m³,5 年一遇的丰水年地表水资源量 697.7 亿 m³。

(4)黄河流域地下水资源量(小于 2 g/L)1980～2000 年平均 377.6 亿 m³,其中山丘区 265.0 亿 m³,平原区 154.6 亿 m³,山丘区与平原区重复计算量 42.0 亿 m³。与地表水资源量分布一样,主要分布在黄河上游的龙羊峡以上和黄河中游的龙门—三门峡区间,黄河内流区最少。从行政区来看,主要分布于青海省和陕西省,四川省和山东省境内最少。本次地下水评价结果与第一次水资源评价成果(405.8 亿 m³)相比,地下水资源量减少了 28.2 亿 m³(约 7%)。

黄河流域 1980～2000 年多年平均地下水可开采量 137.2 亿 m³。地下水可开采量中,平原区合计 119.7 亿 m³,部分山丘区合计 17.5 亿 m³。

(5)黄河流域 1956～2000 年多年平均分区水资源总量 706.6 亿 m³,其中地表水资源量 594.4 亿 m³,降水入渗净补给量 112.2 亿 m³。与地表水资源量分布一样,主要分布在黄河上游的龙羊峡以上和黄河中游的龙门—三门峡区间,黄河内流区最少。从行政区来看,主要分布于青海省、甘肃省和陕西省,山东省和宁夏回族自治区境内最少。

本次评价成果与第一次水资源评价成果相比,降水量偏少了 4.0%,地表水资源量偏少了 10.2%,地下水资源量偏少了 6.9%,水资源总量偏少了 5.1%。

黄河 1956～2000 年多年平均水资源总量 638.3 亿 m³,其中河川天然径流量 534.8 亿 m³,降水入渗净补给量 103.5 亿 m³。

(6)黄河流域多年平均水资源可利用量 406.3 亿 m³,其中地表水可利用量 324.8 亿 m³。水资源可开发利用率 57%。

(7)黄河流域地表水矿化度介于 256～810 mg/L 之间;总硬度介于 162～325 mg/L 之间;水化学类型以 C_{II}^{Na}、C_{III}^{Ca}、C_{II}^{Ca} 等为主。

2000 年黄河水质现状评价结果,水质达到Ⅲ类和优于Ⅲ类标准的河长占评价河长的 53.0%;水质劣于Ⅲ类标准的河长占评价河长 47.0%。黄河流域主要超标因子是氨氮和 COD_{Cr}。

水库评价统计结果显示,黄河流域优于Ⅳ类水库库容约占总评价库容的 72%,劣于Ⅳ类水库库容约占总评价库容的 6%。湖泊评价统计结果显示,黄河流域全年基本没有优于Ⅳ类水的湖泊,而劣于Ⅳ类水湖泊面积约占总评价面积的 75%,流域内湖泊均处于富营养水平。

黄河流域地表水总磷、氯化物、总硬度、高锰酸盐指数、氨氮等项目浓度上升趋势明显。特别是兰州—河口镇、龙门—三门峡以及花园口以下三区间水质污染最为严重。

黄河流域一级水功能区(除开发利用区外),达标数占总数的 58%,达标河长占总河长的 66%;开发利用中的二级区达标数、达标河长均占总数的 41%,汛期达标情况好于非汛期。

黄河流域共评价地表水供水水源地 28 个,全年日供水总量 376.9 万 m³,合格水源地 18 个,合格供水量 306.6 万 m³,供水合格率 81.3%;黄河流域地表水供水水源地不合格多是工业、生活等人为污染造成的,超标项目主要为氨氮、高锰酸盐指数、五日生化需氧量等有机污染项目。

(8)黄河流域本次浅层地下水水质评价面积 19.62 万 km²(占黄河流域总面积的 25%,也占地下水评价总面积的 25%)。其中,Ⅱ类水质区面积 0.66 万 km²,占评价面积的 3.4%;Ⅲ类水质区面积 9.51 万 km²,占评价面积的 48.5%;Ⅳ类水质区面积 3.23 万

km²,占评价面积的 16.5%；Ⅴ类水质区面积 6.22 万 km²,占评价面积的 31.6%。

　　本次黄河流域浅层地下水水质评价面积中的地下水资源量 173.7 亿 m³,占黄河流域地下水资源总量 376.9 亿 m³ 的 46%。其中,Ⅱ类水质资源量 14.30 亿 m³,占评价区资源量的 8.2%；Ⅲ类水质资源量 72.43 亿 m³,占评价区资源量的 41.7%；Ⅳ类水质资源量 39.09 亿 m³,占评价区资源量的 22.5%；Ⅴ类水质资源量 47.86 亿 m³,占评价区资源量的 27.6%。

第二章　降水、蒸发、干旱指数

本章主要评价了黄河流域 1956～2000 年系列降水、1980～2000 年水面蒸发、干旱指数等内容。

第一节　降　水

一、基本资料

本次评价黄河流域共选用 1 204 个雨量站(较第一次评价增加了 167 个站点)。各省(区)对同期内缺、漏测的月、年降水量,分别采用相关法、水文比拟法、等值线内插法及邻近站平均等方法进行了插补。黄河流域降水、蒸发、径流深等值线图绘制站点数目分布情况见表 2-1,主要是资料质量好、系列完整、面上分布均匀且能反映地形变化影响的雨量站。

表 2-1　黄河流域降水、蒸发、径流深等值线图绘制站点数目分布情况

三级区	降水站数	蒸发站数	径流站数	三级区	降水站数	蒸发站数	径流站数
河源—玛曲	10	6	4	北洛河洑头以上	18	8	8
玛曲—龙羊峡	13	12	4	泾河张家山以上	93	23	26
大通河享堂以上	9	5	8	渭河宝鸡峡以上	61	17	13
湟水	38	14	14	渭河宝鸡峡—咸阳	34	9	9
大夏河与洮河	53	19	19	渭河咸阳—潼关	42	12	7
龙羊峡—兰州干流区间	34	14	6	龙门—三门峡干流区间	47	11	2
兰州—下河沿	48	10	6	三门峡—小浪底区间	40	2	1
清水河与苦水河	39	4	5	沁丹河	33	10	6
下河沿—石嘴山	28	19	3	伊洛河	76	18	18
石嘴山—河口镇北岸	92	17	17	小浪底—花园口干流区间	23	3	2
石嘴山—河口镇南岸	13	3	3	金堤河和天然文岩渠	23	7	3
河口镇—龙门左岸	82	21	18	大汶河	25	9	9
吴堡以下右岸	45	6	9	花园口以下干流区间	7	0	1
吴堡以下右岸	49	18	21	内流区	8	5	0
汾河	121	35	24	总计	1 204	337	266

二、水汽来源

(一)水汽来源

因环流形势不同,黄河流域盛夏暴雨期间的水汽来源主要有 3 个:

(1)来自印度洋孟加拉湾。当青藏高原热低压强烈发展,以高原为尺度的低空急流围绕高原气旋旋转,西南气流把印度洋、孟加拉湾的水汽输送到黄河流域,甚至可达河西走廊。

(2)来自南海北部湾。当西太平洋副高中心稳定在我国华中、华南一带,脊线呈南北向时,西缘的低空南风急流将南海北部湾海面的水汽向北输送到黄河流域。

(3)来自东海。当西太平洋副高加强伸入我国大陆时,副高南缘的偏东气流把东海洋面的水汽输送到黄河流域,副高脊线稳定活动于北纬 30°附近,黄河下游处在西太平洋台风侵袭的范围。

(二)输送途径

黄河流域水汽输送主要遵循 3 条路径,即主要的输送带有以下 3 个:

(1)由四川盆地经嘉陵江河谷北上进入黄河流域内部,这是最主要的一条输送带。上述前两个源地的水汽主要由此路径输送。

(2)由青藏高原中部拉萨一带东侧北上,与高原上空热低压前部的西南最大风速轴对应的一条水汽输送带,把高原上空的暖湿空气输送到西北区东部。这条输送带由拉萨、昌都经红原到武都一带。

上述两条输送带主要影响黄河上、中游。当西南和东南气流在四川盆地汇合成一强风带,来自孟加拉湾和北部湾的水汽叠加,使汇合气流挟带大量水汽进入黄河上、中游时,将产生大暴雨。

(3)受偏东气流影响,沿武汉至西安方向有一条自东南向西北的输送带,把华中、华北一带低层的水汽输送到黄河流域,输入层厚度随环流形势变化较大。这条输送带主要影响黄河中、下游,往往是造成下游特大暴雨的主要原因。

三、降水量与自然地理因素的关系

黄河流域年降水量地区分布不均,主要原因是水汽来源、地理位置及地貌条件等因素影响所致。

(一)降水量的地域分布与距水汽源地的远近密切相关

黄河流域水汽绝大部分由四川盆地输入,因而南部秦岭一带降水量较大,西北边界后套灌区降水量偏小。从地理位置上来看,距海洋的远近对降水量的大小影响极大。同纬度的泰安地区与共和一带相比较,距海洋远近相差约 2 000 km。泰安站多年平均年降水量 704 mm,而共和站只有 312 mm。

(二)黄河流域大部分降水高值区均由地形雨造成

主要表现在两个方面:第一,降水量在一定范围内随高程的上升而增加,山地降水大于平原。例如泰山山麓的泰安与山顶的泰山顶两站水平距离为 12 km,高程相差 1 370 m,山顶比山麓降水量约多 500 mm,见表 2-2。由表 2-2 可见,随着各地地理、气候条件的不同,每上升 100 m 所增加的降水量也不同。一般降水量大且陡峻的山岭增率大,降水量小且较为平缓的山坡增率小。从几个代表性山区降水量随地面高程变化而增率变化的情况也可明显看出,太子山、秦岭增率较大。第二,在同一高度上,年降水量随坡向的不同而有所差异。如太行山东麓比西麓大 30% 左右,致使汾河河谷、太原盆地年降水量成为低值区。祁连山的降雨天气形成主要决定于冷气团的入侵。南下的冷气团受祁连山的阻挡,锋面移动非常缓慢,常发现祁连山北坡面降水天气相对静止,故北坡降水量大于南坡。太子山一带主要受局部地区小气候影响,南下冷气团在祁连山受阻,除部分沿祁连山爬升外,其余沿祁连山走向向两侧迂回。东南推进的冷气团在乌鞘岭一带进入黄河流域,并顺黄河河谷向上游移动,到大夏河、洮河中下游,受太子山的阻挡而上升,常在此处与北上的暖湿气团交汇,形成局部暴雨,造成北坡降水量大于南坡。

表 2-2　1990 年泰安地区降水量随高程变化

站名	高程 (m)	年降水量 (mm)	高差 (m)	降水量差 (mm)	增率 (mm/100m)
泰山顶	1 510	1 800.2	950	222.8	23.5
泰前	560	1 577.4			
泰安	140	1 277.7	420	299.7	71.4

表 2-3 为流域内一些山岭与山麓降水量的比较。1 500～3 000 m 高的秦岭山脉作为屏障影响了南部暖湿气团的正常输送,是造成黄河流域降水量偏少的主要原因之一。

表 2-3　年降水量随高程变化

山名	站名	高程 (m)	年降水量 (mm)	站名	高程 (m)	年降水量 (mm)	增率 (mm/100m)
贺兰山	贺兰山	2 901	468	榆树沟口	1 450	158.5	21.3
六盘山	西峡	2 056	706	沙南	1 720	600.5	31.4
泰山	泰安	130	704	泰山顶	1 524	1 050.9	24.9
太子山	新发	2 450	970	和政	2 136	684	91.1
马衔山	黄石坪	2 465	520	高崖	1 950	416	20.2
秦岭	仙人岔	968	890	秦渡镇	410	656.2	41.9

(三)山脉的缺口是气流的通道,受阻很小,降水几率不大,降水量明显减少

如青海南山和鄂拉山之间共和一带、祁连山与贺兰山之间景泰一带、贺兰山与狼山之间乌海市一带,多年平均降水量均在 200 mm 以下。特别是贺兰山与狼山之间的大缺口,使鄂尔多斯和陕北黄土高原的降水量等值线呈现沿缺口向东突出状。

四、降水量地区分布

黄河流域多年平均降水量,主要采用降水量等值线量算方法计算,并采用网格法、泰森多边形法等进行比较、合理性分析。

在绘制等值线时,一方面根据统计数据的可靠程度及代表性,另一方面根据地理位置和地形、气候等因素综合分析等值线的合理分布。既要考虑各站的统计数据,又不拘泥于个别点据,避免造成等值线过于曲折或产生许多个小中心,而产生地理、气候规律所不能解释的不合理现象。

黄河流域年降水量受纬度、距海洋的远近、水汽来源以及地形变化的综合影响,年降水量在面上的变化比较复杂,其特点是:东南多雨,西北干旱,山区降水大于平原,年降水量由东南向西北递减,东南和西北相差 4 倍以上(见图 2-1、图 2-2)。

黄河上游龙羊峡以上属于青海高原,多年平均降水量等值线自东南的 800 mm 向西北方向逐渐递减至 300 mm,位于东南的黑、白河多年平均降水量最大达 800 mm,而西北黄河源一带多年平均降水量则在 300 mm 左右;全年降水天数也由 150 天以上逐渐减少到 80 天左右;年日降水量≥10 mm 的天数由 20 天以上减少到 5 天左右;年日降水量≥25 mm 的天数由 3 天减少到 0.2 天;年日降水量≥50 mm 的天数基本上没有,仅在吉迈—玛曲区间黑、白河一带为 0.2 天左右。

龙羊峡—兰州区间地形变化较复杂,祁连山、大板山、拉脊山、太子山、西秦岭、马衔山等高山位于本区,因受水汽来源、地形及局部气候影响,形成相对高值闭合圈。其中祁连山形成 500 mm 闭合圈,大板山、拉脊山局部地区形成 700 mm 闭合圈,太子山最高值可达 900 mm 以上,为中、上游的最高记录,大夏河新发站多年平均降水量可达 975.4 mm。该区全年降水日数为 80~150 天,全年日降水量≥10 mm 的天数在 10~30 天之间;全年日降水量≥25 mm 的天数在 2~5 天之间;全年日降水量≥50 mm 的天数只有太子山、拉脊山一带,在 0.4 天以上。

黄河兰州—河口镇区间,是黄河流域最干旱的地区,多年平均降水量等值线在 400 mm 以下,并且自东南向西北递减,内蒙古的河套地区是黄河流域降水量最小的地区,多年平均降水量在 150 mm 左右,在西部的贺兰山形成 300 mm 闭合圈。内蒙古杭锦后旗、临河一带多年平均降水量则在 150 mm 以下,为黄河流域低值区。杭锦后旗站多年平均年降水量只有 135.7 mm,为黄河流域的最小值(流域内实测年最小降水量为内蒙古后套灌区四闸站,1995 年仅 29.5 mm)。

河口镇以下多年平均降水量等值线自东南部的 800 mm 递减至西北部的 400 mm。本区地形变化复杂,六盘山、黄龙山、子午岭、吕梁山、秦岭、中条山、泰山等受地形影响,形成相对高值区。其中中条山、六盘山形成 700 mm 闭合圈;黄龙山、子午岭形成 600 mm 闭合圈;吕梁山形成 500 mm 以上闭合圈,局部地区达到 700 mm;秦岭局部地区多年平均降水量可达 900 mm 以上,为流域内的高值区;而位于泰山的泰山顶站,多年平均降水量则高达 1 051 mm,为流域内多年平均降水量最大值,其中 1990 年降水量达 1 800 mm,为流域内实测降水量最大值。

黄河兰州—河口镇区间全年降水天数由南部秦岭大于 100 天向北逐渐减少到 40 天以下。日降水量≥10 mm 的天数由秦岭、泰山一线的 30 天左右向北减少到 5 天以下;日降水量≥25 mm、≥50 mm 的天数也分别由秦岭的 8 天、1.5 天以上减少到宁蒙灌区的 1 天、0.2 天以下。

据图 2-1,400 mm 年降水量等值线(1956~2000 年系列)自内蒙古清水河县经河曲、米脂以北和吴旗、环县以北以及会宁、兰州以南绕祁连山出黄河流域,又经过海晏进入黄

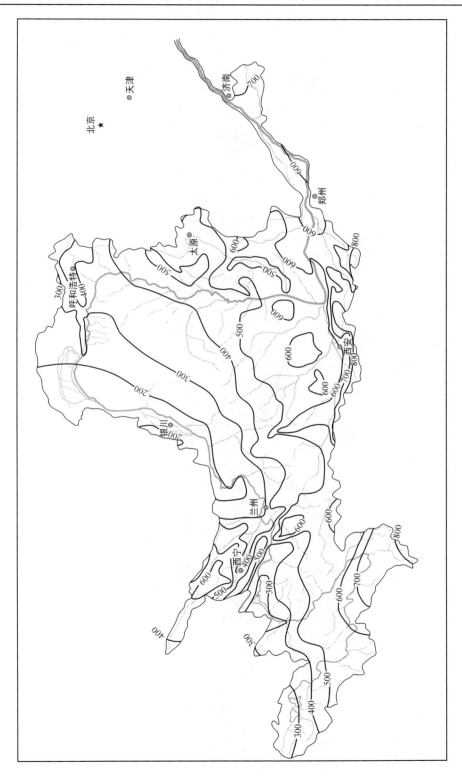

图 2-1　黄河流域 1956～2000 年多年平均降水量等值线图

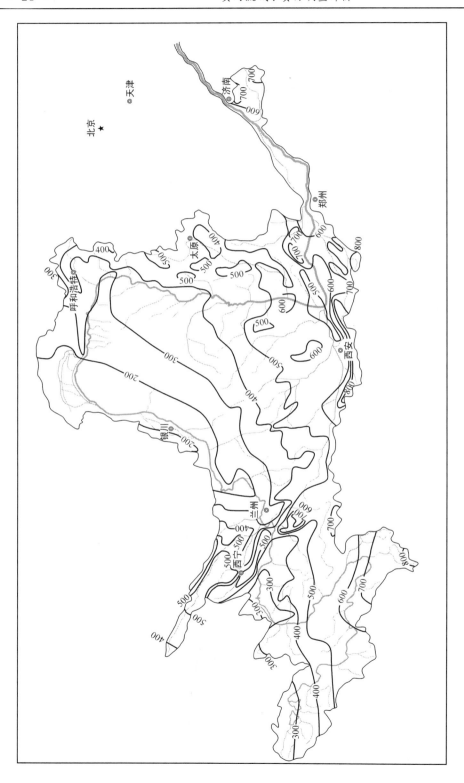

图 2-2　黄河流域 1980～2000 年多年平均降水量等值线图

河流域,经循化、同仁、贵南、同德,沿积石山麓至多曲一带出黄河流域,把整个流域分为干旱、湿润两大部分。

对比图 2-1 和图 2-2 可以发现,黄河流域 1980～2000 年系列降水较 1956～2000 年系列明显偏枯,表现在各级别的降水等值线向东南移,高值区范围缩小。400 mm 降水量等值线变化较大的地区:中游主要在河口镇—龙门区间的无定河、窟野河、黄甫川、偏关河、浑河一带,400 mm 降水量等值线从窟野河下游、无定河中游南移至黄河干流东侧及无定河下游;上游 400 mm 降水量等值线从祖厉河上游南移至渭河上游散渡河、葫芦河一带。

全流域按降水量特征大致可划分为 4 个区。

(1)湿润区:年降水量 800～1 600 mm,气候湿润,大致相当于落叶和常绿阔叶混合林带。主要分布在秦岭石山林带及六盘山、太子山、泰山等地,面积约 1.3 万 km²,占流域面积的 1.6%,全部是山区。

(2)半湿润区:年降水量 400～800 mm,气候半湿润、半干旱,相当于落叶阔叶林和森林草原带。黄河流域大部分地区属于半湿润区。基本分布在兰州以上和河口镇以下,控制面积有 48.9 万 km²,占流域面积的 61.5%。除部分地区受气温影响外,大部分地区适宜于农作物的生长,为黄河流域的主要农业区。

(3)半干旱区:年降水量 200～400 mm,气候干燥,相当于草原和半荒漠地带。主要分布在兰州—河口镇区间、黄河源区及唐乃亥—循化干流附近,面积 20.9 万 km²,占流域面积的 26.3%,是黄河流域主要牧区。

(4)干旱区:年降水量小于 200 mm,为黄河流域最干旱区,面积 4.1 万 km²,占流域面积的 5.2%。分布在沙漠入侵的三条通路处,即青海和鄂拉山之间共和一带,祁连山和贺兰山之间甘肃景泰、宁夏的卫宁一带,贺兰山和狼山之间内蒙古的乌海、巴彦高勒一带以及宁蒙河套灌区、狼山部分山区。除灌区外,牧草生长稀疏。河套灌区是宁夏、内蒙古自治区的农业基地,主要依靠黄河过境水量发展生产。

五、降水量年内分配

黄河流域降水量的年内分配极不均匀。由表 2-4 可见,流域内夏季降水量最多,最大降水量出现在 7 月份;冬季降水量最少,最小月降水量出现在 12 月份;春秋介于冬、夏之间,一般秋雨大于春雨。连续最大 4 个月降水量占年水量的 68.4%。用降水量代表站的逐月和年内各时段降水量多年均值、代表站典型年逐月降水量来说明流域内各地降水量的年内分配特征,其特征如下:

表2-4　黄河流域 1956～2000 年平均降水量月分配情况

月份	1	2	3	4	5	6	7	8	9	10	11	12	年	6～9 月
降水量（mm）	5.0	6.1	12.7	29.2	43.1	57.9	98.8	85.7	63.2	31.1	11.5	2.8	447.1	305.6
占年（%）	1.1	1.4	2.8	6.5	9.6	13.0	22.1	19.2	14.1	7.0	2.6	0.6	100	68.4

由黄河流域连续最大 4 个月降水量占全年降水量百分率等值线图(见图 2-3)可见,黄河流域全年降水量主要集中在汛期。连续最大 4 个月降水量大部分地区出现在 6～9 月,

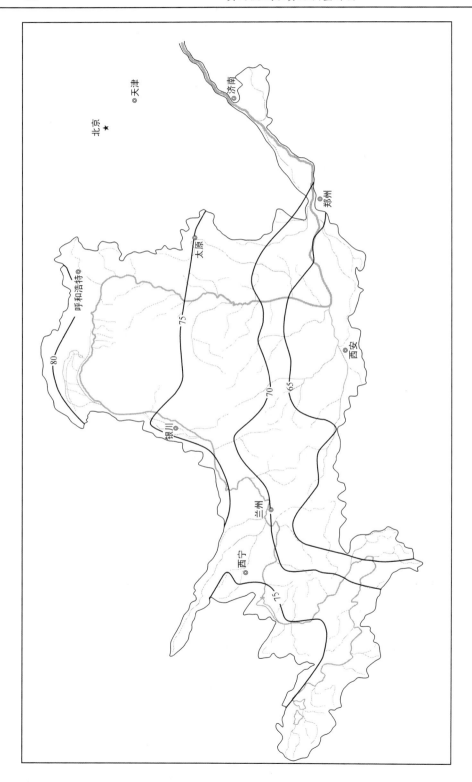

图 2-3　黄河流域 1956~2000 年多年平均连续最大 4 个月降水量占全年降水量百分率等值线图

只有青海的兴海、贵德一带出现在 5～8 月,且 5 月降水量与 9 月降水量基本接近。泾河中游、渭河中下游山前平原区等地区,连续最大 4 个月降水量出现在 7～10 月。

百分率的变化趋势与水汽入侵方向一致,由南部的 60% 逐渐向北增大至 80% 以上。全流域大部分地区连续最大 4 个月降水量占全年的 70%～80%。黄河上游的黑、白河及洮河中下游、龙门—花园口区间大部分地区占全年的 60%～70%。7、8 月份降水最丰,这两个月流域平均降水量达 184.5 mm,占年降水量的 41.3%,而且由南向北逐渐增大。12 月～次年 3 月是流域内降水量最少的时期,4 个月降水量仅占年降水量的 6% 左右,且降水分配不均,容易发生春旱。

六、降水量年际变化

用年降水量统计参数和年降水量极值的数字特征来反映降水量的年际变化,变差系数 C_v 愈大,降水量年际变化愈大;极值比愈大,显示降水量丰枯差异愈显著。

黄河流域降水量年际变化悬殊,降水量愈少,年际变化愈大。湿润区与半湿润区最大与最小年降水量的比值大都在 3 以上,干旱、半干旱区最大与最小年降水量的比值一般在 2.5～7.5 之间,极个别站在 10 以上,如内蒙古乌审召站最大与最小年降水量的比值达 18.1,为流域内最大值(见表 2-5)。

表 2-5　各地雨量站最大、最小年降水量比

分区	雨量站	最大		最小		$K_{最大}/K_{最小}$
		年降水量 (mm)	出现年份	年降水量 (mm)	出现年份	
干旱区	石嘴山	326.8	1967	47.9	1965	6.8
	青铜峡	322.1	1978	78.4	1980	4.1
	泉眼山	333.4	1964	74.8	1980	4.5
	大武口	352.9	1977	47.6	1972	7.4
	四闸	322.0	1973	29.5	1995	10.9
	杭后	235.4	1979	56.3	1986	4.2
半干旱区	门庆坝	747.0	1958	73.0	1962	10.2
	昆都仑水库	700.0	1958	94.3	1965	7.4
	包头	678.2	1958	131.1	1965	5.2
	赵石窑	677	1964	142.8	1965	4.7
	玛多	485.6	1989	184.0	1962	2.6
	靖远	416.8	1985	135.4	1980	3.1
	西宁	519.9	1961	205.5	1966	2.5
	兰州	546.7	1978	189.2	1980	2.9
	固原	766.4	1964	281.3	1982	2.7
	阿塔山	530.3	1958	124.9	1965	4.2
	乌审召	714.9	1961	39.5	1962	18.1
	神木	819.2	1967	117.8	1965	7.0

续表 2-5

分区	雨量站	最大		最小		$K_{最大}/K_{最小}$
		年降水量（mm）	出现年份	年降水量（mm）	出现年份	
半湿润区	潼关	958.7	1964	290.7	1997	3.3
	三门峡	931.5	1961	311.9	1997	3.0
	白马寺	1 044.7	1964	330.4	1997	3.2
	太原	738.7	1969	216.1	1972	3.4
	龙门	889.1	1983	259.9	1997	3.4
	莱芜	1 404.9	1964	280.8	1989	5.0
	延安	843.1	1964	272.5	1997	3.1
	庆阳	814.6	1964	254.0	1995	3.2
湿润区	黑峪口	1 242.6	1983	340.6	1995	3.6
	大峪	1 374.6	1983	515.2	1997	2.7
	木子坪	1 324.3	1958	420.8	1997	3.1
	栾川	1 370.4	1964	575.6	1991	2.4
	泰山顶	1 800.2	1990	567.6	1988	3.2

从 1956～2000 年多年平均降水量变差系数 C_v 等值线图（见图 2-4）看出：C_v 值是由南向北逐渐增大。气候寒冷的黄河上游龙羊峡以上 C_v 值在 0.15～0.2 之间变化；龙羊峡—兰州区间除祁连山区 C_v 值在 0.15 外，其他地区 C_v 值在 0.2～0.25 之间变化；兰州—河口镇区间 C_v 值在 0.25～0.4 之间变化，处于干旱区的宁蒙灌区一带 C_v 值最大，可达 0.4 以上；河口镇以下除秦岭湿润区的 C_v 值较小，在 0.2 以下外，其余地区自南向北在 0.25～0.3 之间变化。总的来说，黄河流域降水量大的地区 C_v 值变化较小，降水量小的地区 C_v 值变化较大。

七、水资源分区降水量

黄河流域 1956～2000 年多年平均降水量为 447.1 mm，折合水体 3 554 亿 m³，C_v 值为 0.14；系列中年最大降水量为 622.6 mm（1964 年），年最小降水量为 333.6 mm（1965 年）。受气候、地形等因素的综合影响，降水量在面上的变化比较复杂。分区降水量基本特征统计计算结果见表 2-6、表 2-7。从 1956～2000 年多年平均情况可以看出，降水量最大的二级区是三门峡—花园口区间，多年平均降水量为 659.5 mm；最小的是兰州—河口镇区间，多年平均为 261.7 mm。从黄河流域各省（区）年降水量统计结果可以看出，四川和山东多年平均降水较丰，分别为 703.2 mm、691.5 mm；内蒙古和宁夏降水较小，分别为 272.8mm、286.1 mm。

从不同保证率黄河流域降水量来看，20%、50%、75% 和 95% 条件下数值分别为 498.7 mm、444.2 mm、403.4 mm、349.3 mm。这意味着 4 年一遇的枯水年黄河流域降水总量为 403.4 mm，20 年一遇的枯水年降水总量为 349.3 mm，5 年一遇的丰水年降水总量为 498.7mm。

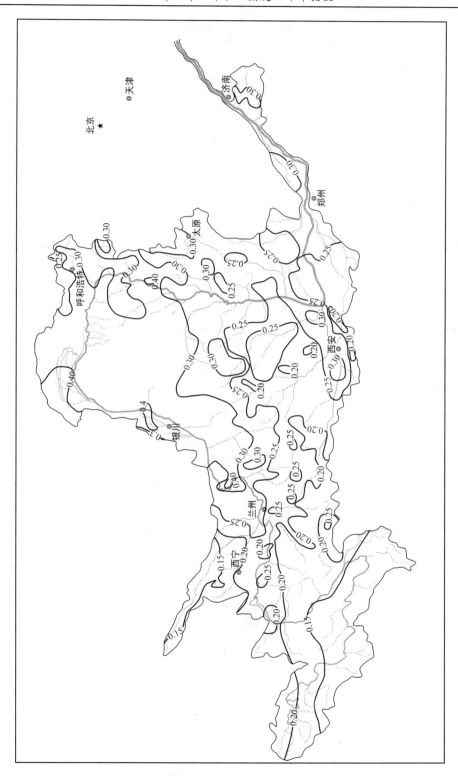

图 2-4　黄河流域 1956～2000 年多年平均降水量变差系数 C_v 等值线图

表 2-6　黄河流域二级区降水量基本特征统计结果

二级区	省(区)	面积(km²)	年降水量		C_v	C_s/C_v	不同频率降水量(mm)			
			mm	亿 m³			20%	50%	75%	95%
龙羊峡以上	小计	131 340	485.9	638.2	0.11	2.0	530.2	483.9	448.8	401.4
	青海	104 946	435.4	456.90	0.12	2.0	478.7	433.3	399.1	353.2
	四川	16 960	703.2	119.30	0.14	2.0	784.4	698.6	634.5	549.5
	甘肃	9 434	656.9	61.98	0.14	2.0	732.8	652.6	592.8	513.3
龙羊峡—兰州	小计	91 090	478.9	436.2	0.14	2.0	534.2	475.8	432.1	374.2
	青海	47 304	467.2	221.00	0.13	2.0	517.4	464.6	424.9	372.0
	甘肃	43 786	491.5	215.20	0.15	2.0	552.2	487.8	440.0	376.8
兰州—河口镇	小计	163 644	261.7	428.5	0.22	2.0	308.5	257.5	220.9	174.7
	甘肃	30 113	305.2	91.90	0.21	2.0	357.4	300.7	259.9	208.0
	宁夏	41 757	250.5	104.60	0.25	2.0	301.1	245.3	205.9	157.1
	内蒙古	91 774	252.8	232.00	0.24	2.0	301.9	248.0	209.7	161.9
河口镇—龙门	小计	111 272	433.5	482.4	0.21	2.0	507.7	427.1	369.1	295.4
	内蒙古	22 828	366.1	83.57	0.25	2.0	440.1	358.5	300.9	229.6
	山西	33 276	482.4	160.50	0.20	2.0	561.2	476.0	414.3	335.4
	陕西	55 168	432.0	238.30	0.22	2.0	509.3	425.1	364.7	288.4
龙门—三门峡	小计	191 109	540.5	1 032.9	0.16	2.0	611.6	535.9	479.9	406.5
	甘肃	59 908	505.9	303.10	0.17	2.0	576.5	501.0	445.5	373.2
	宁夏	8 236	472.5	38.92	0.20	2.0	549.6	466.2	405.8	328.5
	山西	48 201	511.5	246.60	0.18	2.0	586.9	506.0	446.8	370.0
	陕西	70 557	590.5	416.60	0.17	2.0	672.9	584.8	520.1	435.6
	河南	4 207	656.7	27.63	0.20	2.0	763.9	648.0	564.0	456.6
三门峡—花园口	小计	41 694	659.5	274.9	0.18	2.0	756.8	652.4	576.0	477.1
	山西	15 661	619.2	96.98	0.18	2.0	710.5	612.5	540.8	448.0
	陕西	3 064	775.3	23.75	0.19	2.0	895.8	766.0	671.5	549.9
	河南	22 969	671.4	154.20	0.19	2.0	775.7	663.3	581.5	476.2
花园口以下	小计	22 621	647.8	146.5	0.22	2.0	763.7	637.4	546.8	432.5
	河南	8 988	581.5	52.26	0.25	2.0	699.0	569.4	478.0	364.7
	山东	13 633	691.5	94.27	0.23	2.0	820.6	679.3	578.6	452.3
内流区	小计	42 271	271.9	114.9	0.27	2.0	331.0	265.3	219.5	163.4
	宁夏	1 399	250.3	3.50	0.28	2.0	306.6	243.8	200.2	147.2
	内蒙古	36 360	264.6	96.19	0.28	2.0	324.1	257.7	211.6	155.6
	陕西	4 512	337.7	15.23	0.25	2.0	405.9	330.7	277.6	211.8
黄河流域		795 041	447.1	3 554.4	0.14	2.0	498.7	444.2	403.4	349.3

表 2-7 黄河流域各省(区)降水量基本特征统计结果

省(区)	二级区	面积 (km²)	年降水量		C_v	C_s/C_v	不同频率降水量(mm)			
			mm	亿 m³			20%	50%	75%	95%
青海	小计	152 250	445.3	677.9	0.12	2.0	489.5	443.2	408.2	361.2
	龙羊峡以上	104 946	435.4	456.90	0.12	2.0	478.7	433.3	399.1	353.2
	龙羊峡—兰州	47 304	467.2	221.00	0.13	2.0	517.4	464.6	424.9	372.0
四川	小计	16 960	703.2	119.3	0.14	2.0	784.4	698.6	634.5	549.5
	龙羊峡以上	16 960	703.2	119.30	0.14	2.0	784.4	698.6	634.5	549.5
甘肃	小计	143 241	469.2	672.2	0.15	2.0	527.2	465.7	420.0	359.7
	龙羊峡以上	9 434	656.9	61.98	0.14	2.0	732.8	652.6	592.8	513.3
	龙羊峡—兰州	43 786	491.5	215.20	0.15	2.0	552.2	487.8	440.0	376.8
	兰州—河口镇	30 113	305.2	91.90	0.21	2.0	357.4	300.7	259.9	208.0
	龙门—三门峡	59 908	505.9	303.10	0.17	2.0	576.5	501.0	445.5	373.2
宁夏	小计	51 392	286.1	147.0	0.23	2.0	339.5	281.1	239.4	187.1
	兰州—河口镇	41 757	250.5	104.60	0.25	2.0	301.1	245.3	205.9	157.1
	龙门—三门峡	8 236	472.5	38.92	0.20	2.0	549.6	466.2	405.8	328.5
	内流区	1 399	250.3	3.50	0.28	2.0	306.6	243.8	200.2	147.2
内蒙古	小计	150 962	272.8	411.8	0.24	2.0	325.8	267.6	226.3	174.7
	兰州—河口镇	91 774	252.8	232.00	0.24	2.0	301.9	248.0	209.7	161.9
	河口镇—龙门	22 828	366.1	83.57	0.25	2.0	440.1	358.5	300.9	229.6
	内流区	36 360	264.6	96.19	0.28	2.0	324.1	257.7	211.6	155.6
山西	小计	97 138	518.9	504.1	0.18	2.0	595.4	513.3	453.2	375.4
	河口镇—龙门	33 276	482.4	160.50	0.20	2.0	561.2	476.0	414.3	335.4
	龙门—三门峡	48 201	511.5	246.60	0.18	2.0	586.9	506.0	446.8	370.0
	三门峡—花园口	15 661	619.2	96.98	0.18	2.0	710.5	612.5	540.8	448.0
陕西	小计	133 301	520.6	693.9	0.17	2.0	593.3	515.5	458.5	384.1
	河口镇—龙门	55 168	432.0	238.30	0.22	2.0	509.3	425.1	364.7	288.4
	龙门—三门峡	70 557	590.5	416.60	0.19	2.0	672.9	584.8	520.1	435.6
	三门峡—花园口	3 064	775.3	23.75	0.19	2.0	895.8	766.0	671.5	549.9
	内流区	4 512	337.7	15.23	0.25	2.0	405.9	330.7	277.6	211.8
河南	小计	36 164	647.3	234.1	0.19	2	747.9	639.5	560.7	459.1
	龙门—三门峡	4 207	656.7	27.63	0.20	2.0	763.9	648.0	564.0	456.6
	三门峡—花园口	22 969	671.4	154.20	0.19	2.0	775.7	663.3	581.5	476.2
	花园口以下	8 988	581.5	52.26	0.25	2.0	699.0	569.4	478.0	364.7
山东	小计	13 633	691.5	94.27	0.23	2.0	820.6	679.9	578.6	452.3
	花园口以下	13 633	691.5	94.27	0.23	2.0	820.6	679.9	578.6	452.3
黄河流域		795 041	447.1	3 554.4	0.14	2.0	498.7	444.2	403.4	349.3

(一)年际变化

由于黄河流域降水量季节分布不均和年际变化大(见图 2-5),因此黄河流域干旱频繁。1956～2000 年,1958 年大水之后,出现了 1960 年的干旱;1964 年大水之后,出现了 1965 年的大旱;1967 年的大水之后,出现了 1969～1972 年、1979～1982 年两个连续干旱期;1983～1985 年连续 3 年降水偏丰年后,出现了 1986～1987 年、1991～1997 年、1999～2000 年 3 个连续干旱期。

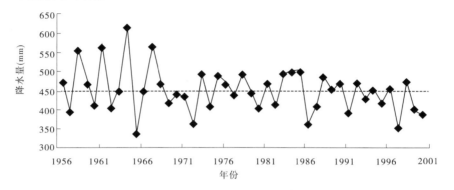

图 2-5　黄河流域历年降水量过程线图

(二)年代变化

图 2-6 为黄河流域不同年代降水量变化过程。从图 2-6 可以看出,黄河流域 20 世纪 50、60 年代偏丰,70、80 年代平水,90 年代偏枯。1980～2000 年与 1956～1979 年时段相比,全流域降水量偏少了 6%。

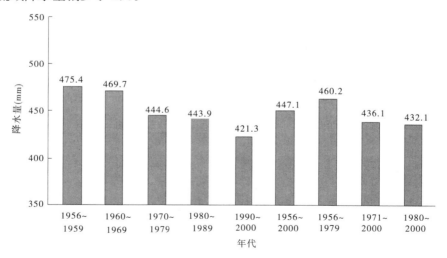

图 2-6　黄河流域不同年代降水量变化过程图

黄河流域二级区及各省(区)不同年代降水量变化情况见表 2-8、表 2-9。可以看出,龙羊峡以上各年代变化情况是:20 世纪 50、90 年代偏枯,60、80 年代偏丰,70 年代平水;1980～2000 年系列与 1956～1979 年系列相比基本持平。龙羊峡—兰州区间降水量各年代变化情况是:50、80 年代平水,60、70 年代偏丰,90 年代偏枯;1980～2000 年与 1956～

1979年时段相比,偏枯 3.6%。

黄河流域兰州以下各二级区 1980～2000 年与 1956～1979 年时段相比,都有不同程度的偏少,其中内流区和河口镇—龙门区间偏少幅度较大,分别为 13% 和 11%。

表 2-8 黄河流域二级区降水量各年代统计　　　　　　　　（单位:mm）

二级区	省（区）	面积（km²）	1956～1959	1960～1969	1970～1979	1980～1989	1990～2000	1956～2000	1956～1979	1980～2000
龙羊峡以上	小计	131 340	461.3	494.9	482.7	507.9	469.5	485.9	484.2	487.8
	青海	104 946	425.9	439.5	435.1	457.7	414.9	435.4	435.4	435.3
	四川	16 960	605.9	728.5	673.4	723.4	724.3	703.2	685.1	723.9
	甘肃	9 434	594.1	690.8	669.4	677.9	618.6	656.9	665.8	646.9
龙羊峡—兰州	小计	91 090	476.1	491.4	486.8	480.0	460.2	478.9	487.0	469.7
	青海	47 304	476.0	478.2	465.1	476.5	447.7	467.2	472.3	461.4
	甘肃	43 786	476.3	505.7	510.4	483.9	473.8	491.5	502.8	478.6
兰州—河口镇	小计	163 644	285.5	273.8	265.6	239.4	258.7	261.7	272.5	249.5
	甘肃	30 113	318.9	324.9	310.3	280.7	300.0	305.2	317.8	290.8
	宁夏	41 757	266.8	270.5	251.9	226.2	247.1	250.5	262.2	237.2
	内蒙古	91 774	282.7	258.2	258.6	232.4	250.2	252.5	262.5	241.7
河口镇—龙门	小计	111 272	510.5	463.9	428.4	416.8	397.7	433.5	456.9	406.8
	内蒙古	22 828	419.0	387.7	379.2	333.5	345.0	366.1	389.4	339.5
	山西	33 276	560.9	506.1	473.4	462.0	458.9	482.4	501.6	460.4
	陕西	55 168	518.0	470.0	421.7	424.1	382.6	432.0	457.9	402.4
龙门—三门峡	小计	191 109	584.0	576.9	530.7	551.1	490.5	540.4	558.8	519.3
	甘肃	59 908	516.1	554.4	503.6	497.9	467.0	505.9	527.0	481.7
	宁夏	8 236	500.4	525.3	462.7	450.3	443.5	472.5	495.1	446.7
	山西	48 201	576.9	544.7	500.7	510.2	468.5	511.5	531.7	488.4
	陕西	70 557	646.6	617.9	575.3	627.2	525.5	590.6	604.9	573.9
	河南	4 207	744.6	676.8	642.6	700.2	579.9	656.7	673.8	637.2
三门峡—花园口	小计	41 694	740.7	687.5	641.9	672.5	608.5	659.5	677.4	639.0
	山西	15 661	695.7	663.1	607.9	603.8	575.9	619.2	645.5	589.2
	陕西	3 064	876.3	790.8	731.1	844.5	701.7	775.3	780.2	769.7
	河南	22 969	753.2	690.3	653.2	696.5	618.2	671.4	685.4	655.5
花园口以下	小计	22 621	702.7	684.1	649.5	568.5	665.5	647.8	672.8	619.2
	河南	8 988	647.6	622.1	592.4	510.5	575.1	581.5	613.9	544.3
	山东	13 633	739.1	725.0	687.2	606.5	725.0	691.5	711.6	668.5
内流区	小计	42 271	287.9	305.1	274.2	252.0	251.9	271.9	289.3	251.9
	宁夏	1 399	283.5	275.9	247.5	216.3	248.4	250.3	265.3	233.1
	内蒙古	36 360	274.9	297.7	269.1	244.3	244.9	264.6	282.0	244.6
	陕西	4 512	394.5	373.3	323.9	324.7	309.5	337.7	356.1	316.7
黄河流域		795 041	475.4	469.7	444.6	443.9	421.3	447.1	460.2	432.1

表 2-9 黄河流域各省(区)降水量各年代统计 （单位:mm）

省(区)	二级区	面积 (km²)	1956～ 1959	1960～ 1969	1970～ 1979	1980～ 1989	1990～ 2000	1956～ 2000	1956～ 1979	1980～ 2000
青海	小计	152 250	441.5	451.5	444.4	463.6	425.1	445.3	446.9	443.4
	龙羊峡以上	104 946	425.9	439.5	435.1	457.7	414.9	435.4	435.4	435.3
	龙羊峡—兰州	47 304	476.0	478.2	465.1	476.5	447.7	467.2	472.3	461.4
四川	小计	16 960	605.9	728.5	673.4	723.4	724.3	703.2	685.1	723.9
	龙羊峡以上	16 960	605.9	728.5	673.4	723.4	724.3	703.2	685.1	723.9
甘肃	小计	143 241	467.6	500.3	476.1	459.8	444.0	469.2	484.8	451.5
	龙羊峡以上	9 434	594.1	690.8	669.4	677.9	618.6	656.9	665.8	646.9
	龙羊峡—兰州	43 786	476.3	505.7	510.4	483.9	473.8	491.5	502.8	478.6
	兰州—河口镇	30 113	318.9	324.9	310.3	280.7	300.0	305.2	317.8	290.8
	龙门—三门峡	59 908	516.1	554.4	503.9	497.9	467.0	505.9	527.0	481.7
宁夏	小计	51 392	304.7	311.5	285.6	261.9	278.6	286.1	299.6	270.6
	兰州—河口镇	41 757	266.8	270.5	251.9	226.2	247.1	250.5	262.2	237.2
	龙门—三门峡	8 236	500.4	525.3	462.7	450.3	443.5	472.5	495.1	446.7
	内流区	1 399	283.5	275.9	247.5	216.3	248.4	250.3	265.3	233.1
内蒙古	小计	150 962	301.4	287.5	279.5	250.1	263.3	272.8	286.4	257.2
	兰州—河口镇	91 774	282.7	258.5	258.8	232.4	250.2	252.8	262.5	241.7
	河口镇—龙门	22 828	419.0	387.7	379.2	333.5	345.0	366.1	389.4	339.5
	内流区	36 360	274.9	297.7	269.1	244.3	244.9	264.6	282.0	244.6
山西	小计	97 138	590.6	550.6	508.6	508.8	482.5	518.9	539.8	495.0
	河口镇—龙门	33 276	560.9	506.1	473.4	462.0	458.9	482.4	501.6	460.4
	龙门—三门峡	48 201	576.9	544.7	500.7	510.2	468.5	511.5	531.7	488.4
	三门峡—花园口	15 661	695.7	663.1	607.9	603.8	575.9	619.2	645.5	589.2
陕西	小计	133 301	590.1	552.4	506.8	537.9	463.1	520.6	539.7	498.7
	河口镇—龙门	55 168	518.0	470.0	421.7	424.1	382.6	432.0	457.9	402.4
	龙门—三门峡	70 557	646.6	617.9	575.3	627.2	525.5	590.5	604.9	573.9
	三门峡—花园口	3 064	876.1	790.2	731.1	844.5	701.7	775.3	780.2	769.7
	内流区	4 512	394.5	373.3	323.5	324.7	309.0	337.7	356.1	316.7
河南	小计	36 164	725.9	671.8	636.8	650.7	603.1	647.3	666.3	625.7
	龙门—三门峡	4 207	744.6	676.8	642.3	700.2	579.9	656.7	673.8	637.2
	三门峡—花园口	22 969	753.2	690.3	653.2	696.5	618.2	671.4	685.4	655.5
	花园口以下	8 988	647.6	622.1	592.4	510.5	575.1	581.5	613.9	544.3
山东	小计	13 633	739.1	725.0	687.2	606.5	725.0	691.5	711.6	668.5
	花园口以下	13 633	739.1	725.0	687.2	606.5	725.0	691.5	711.6	668.5
黄河流域		795 041	475.4	469.7	444.6	443.9	421.3	447.1	460.2	432.1

八、系列代表性分析

图 2-7 给出了黄河流域上中游长系列 6 个雨量站 1916～2000 年 5 年滑动平均差值、差积线。表 2-10 选取了 13 个 60 年以上且包含 1956～2000 年资料的长系列雨量站。13 个雨量站的资料基本上反映了黄河流域较长时段内降水的丰枯特征及在地区上的分布规律：①降水量随时序变化具有较明显的周期性；②枯水期和丰水期持续时间长，年降水量偏离均值幅度大；③丰水期和枯水期的开始和结束，各站略有出入，但黄河流域同丰同枯特性比较显著。

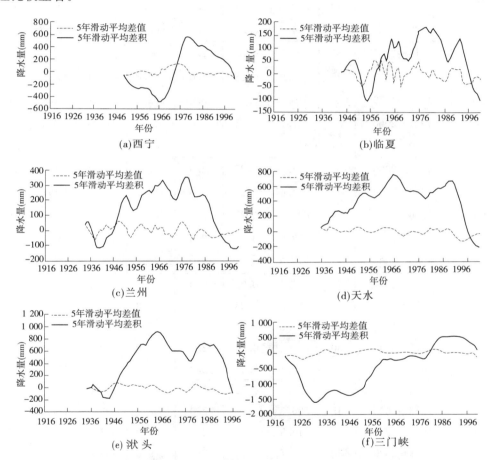

图 2-7 黄河流域上中游长系列 6 个雨量站 1916～2000 年 5 年滑动平均过程线

系列代表性分析，从本质上是要评估采用系列对于总体的代表性或接近程度。由于降水量年际变化较大，在样本系列较短的时候，统计参数是很不稳定的，故较短系列的代表性主要依据其统计参数丰枯特征和丰枯分类出现频次等方面与较长系列的接近程度来评判。

通过与长系列雨量资料的分析成果对照，可以认为：

表 2-10 黄河流域长系列雨量代表站特征值统计

雨量站名称	统计年限	年数	统计参数			不同频率降水量（mm）			
			均值（mm）	C_v	C_s/C_v	20%	50%	75%	95%
三门峡	1920～2000	81	533.9	0.27	2.0	650.1	520.9	430.7	320.6
	1956～2000	45	566.7	0.22	2.0	669.0	557.4	477.5	376.7
	1956～1979	24	577.2	0.21	2.0	676.0	568.7	491.4	393.2
	1971～2000	30	550.1	0.21	2.0	643.9	542.1	468.8	375.6
	1980～2000	21	554.7	0.24	2.0	662.4	544.1	460.3	355.6
太原	1916～2000	85	435.5	0.27	2.0	530.0	425.0	351.6	261.8
	1956～2000	45	444.9	0.28	2.0	544.8	433.4	355.9	261.9
	1956～1979	24	470.0	0.33	2.0	592.8	453.1	358.6	247.4
	1971～2000	30	427.7	0.25	2.0	513.4	419.0	352.3	269.6
	1980～2000	21	416.3	0.28	2.0	509.8	405.5	333.0	244.9
洛阳	1934～2000	67	582.4	0.27	2.0	708.3	568.4	470.7	351.1
	1956～2000	45	594.6	0.25	2.0	712.8	582.7	490.7	376.5
	1956～1979	24	608.3	0.25	2.0	732.2	595.5	499.2	380.0
	1971～2000	30	578.6	0.22	2.0	682.0	569.3	488.5	386.4
	1980～2000	21	579.0	0.24	2.0	691.8	567.8	479.9	370.4
西安	1932～2000	69	571.5	0.22	2.0	674.6	561.7	482.2	381.4
	1956～2000	45	566.7	0.23	2.0	673.3	556.3	474.2	370.4
	1956～1979	24	574.0	0.22	2.0	677.5	564.1	484.3	383.0
	1971～2000	30	551.2	0.24	2.0	658.9	540.6	457.3	353.0
	1980～2000	21	558.4	0.26	2.0	681.3	546.2	454.8	343.3
天水	1936～2000	65	520.8	0.22	2.0	615.0	513.0	439.0	347.0
	1956～2000	45	506.7	0.21	2.0	594.0	499.0	431.0	345.0
	1956～1979	24	519.5	0.18	2.0	596.0	513.0	453.0	377.0
	1971～2000	30	490.7	0.22	2.0	579.0	483.0	414.0	327.0
	1980～2000	21	482.1	0.27	2.0	600.0	481.0	398.0	294.0
黄陵	1931～2000	70	554.0	0.32	2.0	695.9	534.9	426.4	298.4
	1956～2000	45	564.3	0.25	2.0	678.5	553.0	464.1	354.1
	1956～1979	24	578.2	0.26	2.0	705.3	565.5	470.8	355.4
	1971～2000	30	553.8	0.26	2.0	675.6	541.7	451.0	340.4
	1980～2000	21	548.4	0.25	2.0	659.4	537.4	451.0	344.1

续表 2-10

雨量站名称	统计年限	年数	统计参数			不同频率降水量（mm）			
			均值（mm）	C_v	C_s/C_v	20%	50%	75%	95%
西峰	1938～2000	63	540.9	0.22	2.0	638.0	533.0	456.0	360.0
	1956～2000	45	548.8	0.23	2.0	651.0	539.0	459.0	361.0
	1956～1979	24	575.2	0.22	2.0	679.0	566.0	485.0	383.0
	1971～2000	30	527.1	0.24	2.0	630.0	517.0	437.0	339.0
	1980～2000	21	518.7	0.25	2.0	624.0	508.0	427.0	326.0
榆林	1934～2000	67	393.8	0.30	2.0	488.3	382	308.8	222.5
	1956～2000	45	395.8	0.30	2.0	490.8	384	310.3	223.6
	1956～1979	24	425.9	0.33	2.0	537.7	410.1	324.7	224.1
	1971～2000	30	366.2	0.23	2.0	435.1	359.4	306.4	239.3
	1980～2000	21	361.5	0.23	2.0	429.5	354.8	302.5	236.3
青铜峡	1940～2000	61	191.0	0.34	2.0	242.0	184.0	144.0	98.4
	1956～2000	45	185.0	0.36	2.0	238.0	177.0	137.0	91.1
	1956～1979	24	198.0	0.40	2.0	260.0	188.0	140.0	88.0
	1971～2000	30	181.0	0.35	2.0	231.0	174.0	135.0	90.8
	1980～2000	21	171.0	0.32	2.0	214.0	165.0	131.0	91.7
靖远	1937～2000	61	217.0	0.34	2.0	276.0	209.0	164.0	112.0
	1956～2000	45	212.0	0.36	2.0	273.0	203.0	157.0	105.0
	1956～1979	24	228.0	0.37	2.0	294.0	218.0	167.0	109.0
	1971～2000	30	205.0	0.34	2.0	260.0	197.0	155.0	105.0
	1980～2000	21	195.0	0.34	2.0	247.0	187.0	147.0	100.0
中宁	1940～2000	61	322.3	0.23	2.0	382.0	316.0	270.0	212.0
	1956～2000	45	318.5	0.24	2.0	380.0	312.0	264.0	205.0
	1956～1979	24	331.5	0.27	2.5	402.0	321.0	267.0	204.0
	1971～2000	30	312.6	0.22	2.5	368.0	307.0	264.0	210.0
	1980～2000	21	303.6	0.18	2.0	348.0	300.0	265.0	221.0
兰州	1940～2000	61	505.0	0.22	2.0	596.0	497.0	426.0	336.0
	1956～2000	45	534.9	0.21	2.5	626.0	526.0	455.0	367.0
	1956～1979	24	575.1	0.22	2.0	679.0	566.0	485.0	383.0
	1971～2000	30	519.9	0.21	2.0	609.0	512.0	442.0	354.0
	1980～2000	21	488.9	0.18	2.0	561.0	483.0	426.0	355.0
临洮	1933～2000	68	505.0	0.22	2.0	596.0	497.0	426.0	336.0
	1956～2000	45	534.9	0.21	2.5	626.0	526.0	455.0	367.0
	1956～1979	24	575.1	0.22	2.0	679.0	566.0	485.0	383.0
	1971～2000	30	519.9	0.21	2.0	609.0	512.0	442.0	354.0
	1980～2000	21	488.9	0.18	2.0	561.0	483.0	426.0	355.0

（1）1956～2000 年 45 年系列在年降水量均值水平、丰枯出现频次及分析时段内枯水期持续时间较长等特征上，都与长系列比较接近，因而相对其他统计时段具有较好的代表性。

（2）从总体上看，45 年系列较长系列的多年均值仍稍偏丰，且越向南部，偏丰程度越大。

（3）与长系列相似，在 45 年系列中存在较长的丰水段、平水段和枯水段，只是周期时段较短，所反映的丰、平、枯各段持续年数较短，量级有所不同，特别是连续枯水段，由于其连枯年数的不同，其偏小程度亦不尽相同，但绝大部分站点偏小程度不及长系列所反映的情况严重。

第二节　水面蒸发

一、计算方法

蒸发是水循环中的重要环节之一，它的大小用蒸发能力来表示。蒸发能力是指充分供水条件下的水面蒸发量，一般通过水面蒸发量的观测来确定。黄河流域水面蒸发观测仪器主要有 3 种：E601 型蒸发器（简称 E601）、80 cm 口径套盆式蒸发器（简称 Φ80）和 20 cm 口径小型蒸发器（简称 Φ20）。E601 与 Φ80 多用于非冰期，而 Φ20 既适用于非冰期，也适用于冰期。20 世纪 80 年代以来，流域内大部分地区使用 E601 和 Φ20，在陕北和关中地区使用 Φ80。与大水体（20m² 大型蒸发池）的蒸发对比观测结果来看，一般 E601 的观测值与大水体的折算系数比较稳定。为了统一，水资源评价以 E601 型观测值为准，其他型号蒸发器的观测值均折算为 E601 型数据。

E601 与 Φ80、Φ20 的折算系数，影响因素较多，除口径、仪器材料、观测方法及资料精度等因素外，观测场地的代表性，仪器安装形式，地温、气温等因素也非常重要。所以，短时期的比测成果，折算系数较难稳定。特别是安装形式，E601 埋入地下，Φ80、Φ20 均暴露于空气中，同一条件下的气象因子作用不同，地温、气温对 3 种仪器的影响差别较大，且气象因子也存在梯度变化，致使 Φ80、Φ20 与 E601 的折算系数产生较大的梯度时空变化。

根据巴彦高勒蒸发站 1985～1994 年的对比观测资料分析结果，E601 与 Φ20 的年折算系数为 0.625，与第一次水资源评价数据基本一致。因此，各省（区）采用的折算系数，经过水资源一级区的统一协调后，有对比观测资料的地区采用实测值；无对比观测资料的地区借用邻近地区或参考第一次水资源评价采用的数据。表 2-11 给出了黄河流域各四级区采用的折算系数。

二、地区分布

选取资料质量好、系列完整、面上分布均匀的蒸发站绘制 1980～2000 年水面蒸发等值线图。等值线线距为：水面蒸发量＞1 000 mm，线距 200 mm；水面蒸发量＜1 000 mm，线距 100 mm。黄河流域选用了 337 个站，平均每站控制面积 2 359 km²（见表 2-12、图 2-8）。

表 2-11　黄河流域蒸发折算系数地区分布

三级区	四级区	计算面积（万 km²）	年折算系数
河源—玛曲	河源—玛曲	8.604 3	0.65
玛曲—龙羊峡	玛曲—龙羊峡	4.529 8	0.65
大通河享堂以上	大通河享堂以上	1.468 0	0.65
湟水	湟水	1.673 8	0.65
大夏河、洮河	大夏河	0.754 6	0.63
	洮河	2.553 6	0.63
龙羊峡—兰州干流区间	庄浪河	0.747 3	0.63
	干流区间	1.911 8	0.63
兰州—下河沿	兰州—下河沿东岸	2.003 5	0.62
	兰州—下河沿西岸	1.020 1	0.63
清水河、苦水河	清水河、苦水河	2.100 6	0.62
下河沿—石嘴山	下河沿—青铜峡	0.684 6	0.62
	青铜峡—石嘴山	2.823 5	0.63
石嘴山—河口镇北岸	内蒙古黄河以北引黄灌区	1.949 5	0.62
	阴山南麓	2.444 8	0.62
	大黑河	1.106 3	0.62
石嘴山—河口镇南岸	石嘴山—河口镇南岸	2.231 6	0.62
河口镇—龙门左岸	晋西北支流	2.425 5	0.62
	晋西支流	1.449 1	0.62
吴堡以上右岸	吴堡以上右岸	2.411 6	0.60
吴堡以下右岸	无定河	2.913 4	0.60
	陕北支流	1.927 7	0.60
汾河	汾河上中游	2.821 4	0.62
	汾河下游	1.161 2	0.63
北洛河 㳇头以上	北洛河 㳇头以上	2.515 0	0.61
泾河张家山以上	马莲河、蒲河、洪河	2.972 5	0.61
	黑河、达溪河、泾河张家山以上	1.409 4	0.61
宝鸡峡以上	渭河宝鸡峡以上北岸	2.083 5	0.61
	渭河宝鸡峡以上南岸	0.993 2	0.61
宝鸡峡—咸阳	宝鸡峡—咸阳北岸	1.139 2	0.61
	宝鸡峡—咸阳南岸	0.648 0	0.61
咸阳—潼关	咸阳—潼关北岸	0.971 6	0.61
	咸阳—潼关南岸	0.787 8	0.61
龙门—三门峡区间	龙门—潼关干流区间	0.985 0	0.65
	潼关—三门峡干流区间	0.623 0	0.63
三门峡—小浪底区间	三门峡—小浪底区间	0.576 1	0.62

续表 2-11

三级区	四级区	计算面积(万 km²)	年折算系数
沁丹河	沁丹河	1.364 1	0.62
伊洛河	伊河	0.531 8	0.63
	洛河	1.355 9	0.63
小浪底—花园口干流区间	小浪底—花园口干流区间	0.341 5	0.63
金堤河、天然文岩渠	金堤河、天然文岩渠	0.730 9	0.63
大汶河	大汶河	1.142 1	0.64
花园口以下干流区间	花园口以下干流区间	0.389 1	0.63
内流区	内流区	4.227 0	0.63

表 2-12　黄河流域(片)蒸发选用站统计

三级区	面积 (km²)	站数	站网密度 (km²/站)	三级区	面积 (km²)	站数	站网密度 (km²/站)
河源—玛曲	86 043	6	14 341	北洛河 洑头以上	25 150	8	3 144
玛曲—龙羊峡	45 298	12	3 775	泾河张家山以上	43 819	23	1 905
大通河享堂以上	14 679	5	2 936	渭河宝鸡峡以上	30 767	17	1 810
湟水	16 737	14	1 196	渭河宝鸡峡—咸阳	17 872	9	1 986
大夏河与洮河	33 083	19	1 741	渭河咸阳—潼关	17 594	12	1 466
龙羊峡—兰州干流区间	26 590	14	1 899	龙门—三门峡干流区间	16 080	11	1 462
兰州—下河沿	30 236	10	3 024	三门峡—小浪底区间	5 761	2	2 881
清水河与苦水河	21 006	4	5 252	沁丹河	13 641	10	1 364
下河沿—石嘴山	35 081	19	1 846	伊洛河	18 877	18	1 049
石嘴山—河口镇北岸	55 005	17	3 236	小浪底—花园口干流区间	3 415	3	1 138
石嘴山—河口镇南岸	22 316	3	7 439	金堤河和天然文岩渠	7 309	7	1 044
河口镇—龙门左岸	38 746	21	1 845	大汶河	11 421	9	1 269
吴堡以上右岸	24 116	6	4 019	花园口以下干流区间	3 891	0	
吴堡以下右岸	48 411	18	2 690	内流区	42 270	5	8 454
汾河	39 826	35	1 138	总计	795 040	337	2 359

　　由黄河流域水面蒸发等值线图可以看出,水面蒸发与位于西北部的沙漠和干燥气候入侵通路关系十分密切。鄂拉山与南山之间、祁连山与贺兰山之间、贺兰山与狼山之间三条风沙通道处,是西北干燥气流入侵黄河流域的主要风口。风速大,气温高,湿度小,水面蒸发等值线的变化趋势与入侵方向一致,由西北向东南递减,沙漠入侵的面积越大蒸发能力越强。贺兰山与狼山之间是沙漠入侵的主要通路,水面蒸发量为黄河流域的高值区,达1 600～1 800 mm,个别地区在1 800 mm 以上,伊克乌苏站为 2 090 mm。

图 2-8　黄河流域 1980～2000 年多年平均水面蒸发等值线图

水面蒸发量 1 200 mm 线西北为干旱、半干旱区，1 200 mm 线东南为湿润半湿润区。流域内相对高程变化较大的祁连山、太子山、六盘山、秦岭等山区，其水面蒸发随高程增加由山麓的 1 000 mm 递减到 800 mm 以下，为流域内的最低值。其中太子山和秦岭，同时受气温的影响，水面蒸发多年平均仅在 700 mm 以下。

水资源二级区来看，兰州以上多系青海高原和石山林区，气温较低，平均水面蒸发量为 790 mm；兰州—河口镇区间（包括内流区），气候干燥，降水量少，多沙漠干草原，平均水面蒸发量为 1 360 mm；河口镇—龙门区间，水面蒸发量变化不大，平均水面蒸发量 1 090 mm；龙门—三门峡区间面积大，范围广，从东到西横跨 9 个经度，下垫面、气候条件变化较大，平均水面蒸发为 1 000 mm；三门峡—花园口区间平均水面蒸发量为 1 060 mm；花园口以下黄河冲积平原水面蒸发量为 990 mm。

与 1956～1979 年系列相比，1980～2000 年水面蒸发量有所减少，兰州以上与兰州—河口镇区间减少了 7.4%，河口镇—龙门区间减少了 9.5%，龙门—三门峡区间减少了 5.9%，三门峡—花园口区间减少了 7.0%，花园口以下减少了 17.3%。

三、年内分配

黄河流域水面蒸发量的年内分配随各月气温、湿度、风速而变化。全年最小月蒸发量一般出现在 1 月或 12 月，最大月蒸发量出现在 5、6、7 月。5、6、7 月各月蒸发量占年总量的 15% 左右，蒸发年内分配见表 2-13。由表 2-14 给出的几个站的对比结果可以看出，1980～2000 年与 1956～1979 年时段相比，水面蒸发年内分配基本没有变化，由此说明，水面蒸发年内分配是比较稳定的。

表 2-13　黄河流域各站月水面蒸发量占年蒸发量的百分比（%）

站名	所在三级区	月份											
		1	2	3	4	5	6	7	8	9	10	11	12
同仁	龙羊峡—兰州	3.0	4.2	7.7	11.7	13.0	11.5	12.7	12.4	8.8	7.4	4.6	3.0
乐都	湟水	2.8	3.6	7.2	12.2	13.7	12.6	13.0	12.4	8.7	6.9	4.2	2.7
天堂	大通河享堂以上	3.4	4.8	8.0	10.8	13.1	12.0	12.7	12.0	8.7	7.3	4.4	2.9
夏河	大夏河	3.4	4.3	7.6	10.4	12.7	12.0	13.1	12.4	8.8	7.0	5.2	3.8
碌曲	洮河	4.5	5.2	7.6	10.5	12.3	11.4	12.0	11.8	8.4	6.7	5.2	4.4
郭城驿	兰州—下河沿	2.1	3.3	7.0	11.9	14.7	13.9	14.1	12.5	8.5	6.3	3.7	2.1
郭家桥	清水河、苦水河	2.5	3.5	7.6	12.7	14.4	14.3	13.8	11.0	7.9	6.3	3.6	2.3
中宁	下河沿—青铜峡	2.4	3.6	7.9	12.3	14.6	14.3	14.2	11.6	7.9	6.3	3.5	2.1
灵武	青铜峡—石嘴山	2.3	3.4	6.8	11.7	15.0	15.0	14.3	11.7	8.4	5.5	3.4	2.2
呼和浩特	大黑河	1.6	2.7	6.0	12.0	16.4	16.2	14.0	11.4	8.8	6.2	2.9	1.7
准格尔旗	吴堡以上右岸	1.6	2.5	6.0	12.0	16.7	15.9	14.2	11.5	8.5	6.2	3.1	1.7
太原	汾河	2.7	3.9	7.6	12.9	15.2	13.6	12.2	10.4	8.2	6.6	3.8	2.6
赵石窑	无定河	2.1	3.4	7.4	14.2	15.7	14.4	11.7	10.9	8.4	6.1	3.8	2.2
延安（气象）	陕北支流	2.5	4.0	6.9	12.4	14.9	14.7	12.9	10.8	8.1	6.1	4.0	2.5
洑头	北洛河洑头以上	2.8	4.3	6.8	10.3	13.2	14.5	14.2	12.5	8.5	6.1	3.9	2.9

续表 2-13

站名	所在三级区	月份											
		1	2	3	4	5	6	7	8	9	10	11	12
马渡王	咸阳—潼关	2.4	3.9	6.6	10.5	13.1	14.6	14.3	13.5	9.5	5.9	3.3	2.3
潼关(气象)	龙门—潼关干流区间	2.6	4.2	6.8	9.9	12.7	15.8	14.1	11.9	8.9	6.5	3.9	2.7
运城	龙门—三门峡	2.6	4.4	7.2	9.8	12.4	15.2	14.7	12.7	8.9	6.1	3.6	2.5
垣曲	三门峡—小浪底	4.4	5.0	7.2	10.3	12.1	13.3	11.6	9.9	8.2	7.3	5.7	5.1
孟津	小浪底—花园口干流区间	3.6	4.6	6.2	9.8	12.1	13.4	11.0	10.4	9.8	6.1	6.1	5.0
卢氏	伊洛河	3.0	4.4	6.7	10.5	11.7	12.5	13.0	12.8	9.8	6.8	5.1	3.7
晋城	沁丹河	3.6	4.2	6.2	11.6	14.0	13.8	11.6	10.2	8.2	6.9	5.0	4.0
延津	金堤河、天然文岩渠	3.4	4.6	6.5	9.3	11.2	14.6	11.6	10.6	10.4	8.1	5.6	4.1
戴村坝	大汶河	2.4	3.6	7.8	11.1	13.1	15.1	12.0	11.2	9.3	6.7	4.9	2.7

表 2-14　长系列蒸发站比较

省(区)	站名	1956～1979	1980～2000	相差(%)	省(区)	站名	1956～1979	1980～2000	相差(%)
青海	玛多	771.8	769.7	−0.3	甘肃	西峰镇	982.9	978.8	−0.4
	共和	1 030.4	1115.4	8.2		榆中	911.3	809.0	−11.2
	孕日得	611.3	573.3	−6.2		玛曲	977.1	801.9	−17.9
	门源	738.4	699.2	−5.3		华家岭	877.7	779.7	−11.2
	西宁	1 141.3	967.7	−15.2		永靖	1 145.0	1 078.4	−5.8
	乐都	1 256.7	1028.1	−18.2	宁夏	同心	1 235.5	1 351.9	9.4
	民和	1 160.9	981.1	−15.5		盐池	1 334.3	1256.3	−5.8
	孕大滩	829.9	748.2	−9.8		固原	1 121.9	913.2	−18.6
甘肃	夏河	852.0	730.5	−14.3	山西	介休	1 094.0	1 032.0	−5.7
	双城	827.0	625.8	−24.3		临汾	1 202.7	1 074.5	−10.7
	岷县	789.8	729.0	−7.7		太原	1 111.9	1 044.7	−6.0
	李家村	771.3	613.3	−20.5		阳曲	1 204.2	1 101.0	−8.6
	红旗	1 157.9	1028.9	−11.1		太谷	1 084.2	971.0	−10.4
	下巴沟	771.2	741.2	−3.9		洪洞	1 172.4	935.7	−20.2
	临洮	817.5	772.7	−5.5	陕西	神木	1 154.5	920.6	−20.3
	天堂	769.1	770.3	0.2		赵石窑	1 146.7	951.5	−17.0
	武胜驿	1 010.3	826.4	−18.2		绥德	965.6	861.2	−10.8
	红崖子	894.2	835.6	−6.6		交口河	1 079.7	923.1	−14.5
	会宁	1 134.7	984.7	−13.2		洑头	1 296.2	1 127.1	−13.0
	宁县	950.5	815.5	−14.2		马渡王	1 044.1	718.2	−31.2
	乌鞘岭	1 028.7	963.1	−6.4		刘家河	1 073.1	861.1	−19.8
	景泰	1 496.9	1595.8	6.6		林家村	890.1	772.3	−13.2
	连城	1 110.7	815.1	−26.6	河南	三门峡	1 384.1	1 072.3	−22.5
	永登	1 233.9	1191.0	−3.5		卢氏	893.5	757.0	−15.3
	兰州	972.7	949.2	−2.4		洛阳	1 130.2	931.3	−17.6
	白银	1 299.4	1269.2	−2.3		栾川	936.2	850.3	−9.2
	通渭	884.0	910.1	3.0		陆浑	989.9	707.5	−28.5
	张家川	910.9	911.8	0.1	山东	戴村坝	1 107.1	844.1	−23.8
	天水	833.1	871.2	4.6					

四、年际变化特点

影响流域水面蒸发的因素比较简单,主要是气候因素。气候条件年际变化平缓,使水面蒸发的年际变化小,最大最小水面蒸发量比值在 1.4～2.2 之间,多数站在 1.5,C_v 值在 0.09～0.19 之间,多数在 0.15 左右(见表 2-15)。从历年变化过程来看,大多数站蒸发量有减小的趋势(见图 2-8)。据流域内 57 个长系列站资料分析,1980～2000 年,大多数站点的蒸发量较 1956～1979 年有所减少(见表 2-14),减少最多的可达到 31.2%(马渡王),增加最多的只有 9.4%(同心)。

表 2-15　长系列代表站蒸发量特征值统计

站名	C_v	最大值(mm)	发生年份	最小值(mm)	发生年份	最大/最小	备注
民和	0.14	1 352.5	1965	841.8	1992	1.6	
互助	0.09	963.6	1956	657.1	1964	1.5	
挡阳桥	0.19	2 724.3	1983	1 213.1	1967	2.2	Φ20 系列
太原	0.08	2 080.0	1955	1 427.5	1964	1.5	Φ20 系列
临汾	0.11	2 274.8	1960	1 466.6	1964	1.6	Φ20 系列
神木	0.12	1 096.7	1999	721.8	1996	1.5	
赵石窑	0.11	1 100.8	1987	718.5	1992	1.5	
林家村	0.10	942.8	1997	669.7	1993	1.4	
交口河	0.12	1 124.8	1997	730.3	1983	1.5	
灵口	0.13	865.7	1981	580.0	1993	1.5	

第三节　干旱指数

蒸发能力与降水量的比值称为干旱指数。多年平均干旱指数由各选用站 E601 型多年平均蒸发量除以多年平均降水量而得。它是反映各地气候干湿程度的指标。

将 1980～2000 年年均降水量等值线图与年均水面蒸发量等值线图重叠在一起,用两种等值线的交叉点(或网络中心)求出的干旱指数,或用单站求出的干旱指数数值,点绘干旱指数等值线图。等值线线值分别为 0.5、1、1.5、2、3、5、7、10、20、50、100。

黄河流域降水量、水面蒸发量的地区分布差异较大,使干旱指数南北变化在 1.0～10.0 之间(见图 2-9),呈现自东南向西北递增趋势。流域内秦岭山区干旱指数最小,在 1.0 以下;西北与内陆片交界的局部地区干旱指数最大,高达 10.0 以上。干旱指数为 3.0 的等值线自托克托以下,经神木、榆林、靖远、环县、海原、会宁、循化、贵南、贵德、民和、永登出黄河流域进入西北诸河。这与第一次水资源评价走向基本一致,此线西北,干旱指数均大于 3.0,大部分地区干旱指数大于 5.0,与干旱、半干旱地区对应;此线东南,干旱指数均小于 3.0,大部分地区干旱指数在 2.0 左右,与湿润、半湿润地区对应。流域内高程变化较大的祁连山、太子山、六盘山、秦岭山区,干旱指数均在 2.0 以下,其中秦岭干旱指数小于 1.0。

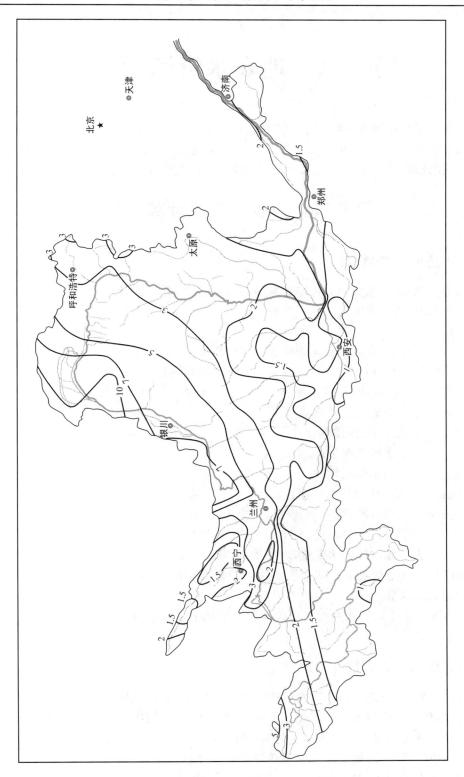

图 2-9　黄河流域 1980~2000 年多年平均干旱指数等值线图

第三章　　地表水资源量

地表水资源量是指河流、湖泊、冰川等地表水体中由当地降水形成的、可以逐年更新的动态水量,用河川天然径流量表示。主要内容包括地表水还原计算量、河川天然径流量、系列一致性处理、分区地表水资源量、出入省境水量、人类活动对地表水影响等。

第一节　　地表水还原计算

一、用水还原计算概念

由于人类活动影响,水资源利用率越来越高,各控制水文站的实测径流已不能反映河川径流的实际情况,为了研究流域水文特性,科学合理地开发水资源,需要把人类的活动影响水量进行还原。

根据《全国水资源综合规划技术细则》以及《黄河流域(片)水资源综合规划技术细则》要求,还原计算时段内河川天然年径流量采用如下公式计算:

$$W_{天然} = W_{实测} + W_{农灌} + W_{工业} + W_{城镇生活} \pm W_{引水} \pm W_{分洪} \pm W_{库蓄} \qquad (3-1)$$

式中　$W_{天然}$——还原后的天然径流量;

　　　$W_{实测}$——水文站实测径流量;

　　　$W_{农灌}$——农业灌溉耗损量;

　　　$W_{工业}$——工业用水耗损量;

　　　$W_{城镇生活}$——城镇生活用水耗损量;

　　　$W_{引水}$——跨流域(或跨区间)引水量,引出为正,引入为负;

　　　$W_{分洪}$——河道分洪决口水量,分出为正,分入为负;

　　　$W_{库蓄}$——大中型水库蓄水变量,增加为正,减少为负。

农业灌溉耗损量是指农田、林果、草场引水灌溉过程中,因蒸发消耗和渗漏损失掉而不能回归到河流的水量。

工业用水和城镇生活用水的耗损量包括用户消耗水量和输排水损失量,为取水量与入河废污水量之差。

二、用水还原计算方法

从流域还原概念,可以理解为工农业还原水量,对于流域来说也即流域耗损水量。因而,计算方法的核心是引排差,即"流域耗损水量"是以引排差原理为基础的,耗损水量相对于河道来说是净用水量。排退水不仅指明渠回归河道水,也包括引出的水量中通过地下潜流回归河道的水量(因量少加上缺乏观测资料,一般可以忽略)。统计退水量时应以退入河道的实际水量计入,测验断面与河道间的损耗水量也应扣除。由于"流域耗损水量"是建立在引排差原理上,计算方法关键在于退水量或退水系数的确定,因而在计算方法上亦可采用多种形式,如采用经验数值、面积定额、水量平衡法等。

宁夏灌区引水量控制较好,引扬水监测站点 17 处控制全灌区引水量 98% 以上。排水量通过驻测、巡测、调查等多种手段,控制全灌区排水量的 90% 以上,其中驻测、巡测控制 75% 左右,调查控制排水量 15% 左右。另有 10% 排水量是借用邻近有资料排水沟的排水模数计算。还原水量统计中,排水量中扣除了部分山洪排水量,另扣少量的基流排水量和排污水量。

内蒙古河套灌区三盛公引水,总干渠、二闸、三闸、四闸设有退水闸,退水进入黄河。直泄入黄有二闸、三闸、四闸退水。直排入黄的渠道一干渠灌域有渡口渠,解放闸灌域有南一渠,永济渠灌域有南二渠,义长灌域有干南渠,四闸之后退水通过三湖河灌域由蓿亥、先锋、公庙、黑柳渠扬排站进入黄河。南干渠的排水是通过灌溉用水后排入黄河。

统计内蒙古三盛公灌区的还原水量,即为三大干渠引水量与二、三、四泄水闸,西山嘴及 4 个乡的抽水,以及南干渠的排水量之差。排入乌梁素海中的水量通过西山嘴排入黄河水量部分统计在内,排入乌梁素海的水量不排入黄河也作为消耗水量。以巴彦高勒站为分界点,以上是三大引水干渠,以下有引黄排水,既有直排又有尾水扬排。

黄河下游引黄灌区用水量(指小浪底以下)统计,属于流域外引水,引水即为耗水,退水量可看做为零。不过,由于黄河下游引黄水量基础资料只有引黄闸门资料(其来源主要是黄河水利委员会河务局、水政水资源局等单位,按来源分类,一是黄河水利委员会河南、山东河务局提供的较大型引水口门的整编资料,二是取水许可申报中的实际引水量),这里对其进行了合理性修正。黄河下游总的耗用水量,全面讲应包括实测用水量、无实测记录闸门引用水量、引用水量中实测误差、滩区灌溉引用水量等。

滩区用水计算主要是根据实际调查及灌溉定额计算。灌溉定额的确定,是通过各河段滩区灌溉设施、灌溉制度、灌溉习惯等情况综合分析得到,数值一般在 200~350 m^3/亩,其中花园口以上 200m^3/亩(主要是考虑王庄闸引水大部分是用于滩区),花园口以下 350 m^3/亩。滩区农业用水还原量根据滩区灌溉面积和滩区各河段灌溉定额相乘计算而得。这样,计算出小浪底以下滩区用水还原量 20 世纪 90 年代平均在 7.11 亿 m^3 左右(其中花园口以下 5.08 亿 m^3)。

未控闸门引水计算主要是根据取水许可证批准取水量确定。2002 年黄河水利委员会复核颁发的取水许可证统计,黄河下游花园口—利津区间目前共有直接引黄闸门(包括扬水站、虹吸等)236 个,然而根据河南河务局和山东河务局提供的引黄资料统计,实际上有实测引黄资料的引黄工程共计 152 处,没有实测引水资料的引黄工程共 84 处(其中包括部分现已报废的引黄工程)。经计算,未控口门总水量 20 世纪 90 年代平均 6.34 亿 m^3(约占已控总水量 7%)。

误差引黄水量计算主要是根据一些试验研究成果。分析结果表明,黄河下游河道花园口—高村、高村—孙口、孙口—艾山、艾山—泺口、泺口—利津河段引黄涵闸引水系统相对误差分别为 -6.2%、-8.0%、-4.6%、-2.1% 和 -4.3%。从花园口—利津区间 20 世纪 90 年代平均情况看,引水误差水量为 4.44 亿 m^3(占区间实测总引水量 7% 左右)。

以 20 世纪 90 年代为例,总的来看,黄河下游花园口—利津区间平均实测引黄水量

89.29 亿 m³,滩区用水、引水误差及未控水量修正水量合计 15.86 亿 m³(其中滩区用水 5.08 亿 m³,占 32%;引水误差 4.44 亿 m³,占 28%;未控水量 6.34 亿 m³,占 40%),占实测引黄水量的 18%。

沁河和伊(洛)河也有向流域外引水,并且直接引向黄河流域外,这部分水量按 100% 消耗。

"引大入秦"工程是甘肃省一项大型跨流域自流灌溉工程,它将大通河水调至秦王川即庄浪河流域,这部分水量对于大通河应该是完全损失了。作为大通河天然径流量的还原无疑应该按 100% 还原,这意味着"引大入秦"的水量就是大通河的耗水,至于回归于庄浪河流域多少应该另外考虑,可作为外流域来水,总之这部分来水并非自然来水。当然由于引水距离较远、难度大,用水受益区干旱少雨,退水量应该不会太大。

西安市城市用水现利用渭河支流黑河远距离调水,这实际也是跨流域引水。

农业灌溉耗损量计算,主要采用了引退水方法。工业、生活及农村人畜用水耗损量,采用了耗水率方法。各省(区)取值见表 3-1。

表 3-1　黄河流域(片)各省(区)工业及城镇生活耗水率取值情况

省(区)	青海	甘肃	宁夏	内蒙古	山西	陕西	河南	山东
工业耗水率(%)	7~50	35~42	30~42	50~60	40~60	35~37	20~30	30~50
城镇生活耗水率(%)	20~23	35~42	30~42	40~50	40~60	35~37	20~30	30~50

三、用水还原计算成果

支流把口站以上用水还原计算,采用了各省(区)还原计算成果。未控区间及直接引用黄河干流水量的还原,由黄河流域(片)水资源调查评价编制工作组进行计算。

(一)支流还原成果

黄河流域支流用水还原总量,1956~2000 年平均 59.97 亿 m³,其中近 21 年平均 69.87 亿 m³。

支流中,还原水量最大的是渭河,华县以上多年平均 14.90 亿 m³,其中近 21 年平均 18.94 亿 m³。用水还原水量居第二位的是汾河,河津以上多年平均 11.44 亿 m³,其中近 21 年平均 11.44 亿 m³。沁河、伊洛河、大汶河用水还原水量也比较大。

表 3-2 给出了黄河流域部分支流把口站以上 1956~2000 年间用水还原量逐年代之间的对比情况。总体情况是逐年代呈上升趋势。

(二)主要引黄灌区用水还原计算成果

众多引黄灌区中,用水量最多的是下游引黄灌区,接着是内蒙古引黄灌区,宁夏引黄灌区用水也比较多。表 3-3 给出了黄河流域主要引黄灌区用水还原计算成果。可以看出,引黄灌区的用水还原量,年代变化基本上都呈逐步增多的趋势。

(三)全流域用水还原水量

黄河流域用水还原总水量计算结果表明,1956~2000 年平均 249.0 亿 m³(其中流域外调水 79.09 亿 m³,占流域总量的 32%),1980~2000 年平均 296.6 亿 m³(其中流域外调水 108.3 亿 m³,占流域总量的 37%;农业灌溉用水占 91%,工业及城镇生活占 7%,农村人畜用水占 1%)。年代变化的总体情况是:20 世纪 50、60 年代用水水平相当,相对较低,70 年代稳步上升,80 年代达到顶峰,90 年代趋于稳定。

表 3-2　黄河流域部分支流把口站以上用水还原量年代间对比情况 （单位:亿 m³）

河流名称	控制站名称	1956~1959	1960~1969	1970~1979	1980~1989	1990~2000	1956~2000	1956~1979	1980~2000
湟水	民和	3.41	3.11	3.89	5.20	5.33	4.32	3.49	5.27
洮河	红旗	0.64	0.75	1.19	1.39	1.88	1.25	0.92	1.65
无定河	白家川	0.13	0.29	0.85	0.97	1.38	0.83	0.50	1.19
渭河	华县	5.03	7.28	17.97	17.06	20.65	14.90	11.36	18.94
汾河	河津	9.25	10.97	12.78	12.08	10.85	11.44	11.44	11.44
伊洛河	黑石关	1.65	2.56	5.15	5.74	6.51	4.73	3.49	6.14
沁河	武陟	5.05	4.49	6.56	7.66	6.98	6.31	5.45	7.31
大汶河	戴村坝	0.18	2.34	7.46	5.33	6.48	4.96	4.11	5.93

表 3-3　黄河流域主要引黄灌区用水还原水量计算成果 （单位:亿 m³）

灌区名称	1956~1959	1960~1969	1970~1979	1980~1989	1990~2000	1956~2000	1956~1979	1980~2000
甘肃灌区	2.33	3.37	4.53	6.36	5.80	4.79	3.68	6.07
宁夏灌区	23.61	28.56	28.59	30.64	35.18	30.21	27.75	33.02
内蒙古灌区	46.35	52.15	52.04	62.15	61.17	56.04	51.14	61.64
下游引黄灌区	64.77	43.70	89.49	124.3	107.5	89.26	66.29	115.5

从近 21 年平均情况看,二级区中,花园口以下及兰州—河口镇区间是用耗水量大户,分别达到了 109.8 亿 m³ 和 103.7 亿 m³,分别占黄河流域用水还原总水量的 37% 和 35%。用耗水量最少的是内流区和龙羊峡以上两个二级区,均在 0.5% 以下。

从省(区)来看,山东和内蒙古是用耗水量大户,近 21 年平均分别达到了 93.92 亿 m³ 和 65.09 亿 m³,分别占黄河流域用水还原总水量的 32% 和 22%。四川和青海用耗水量较少,近 21 年平均分别只有 0.15 亿 m³ 和 9.61 亿 m³,分别占黄河流域用水还原总水量的 0.1% 和 3.2%。

表 3-4 给出了黄河流域二级区用水还原水量及其年代变化过程。表 3-5 给出了黄河流域各省(区)用水还原水量及其年代变化过程。

表 3-4　黄河流域二级区用水还原水量各年代统计　　　　（单位：亿 m³）

二级区	省（区）	1956～1959	1960～1969	1970～1979	1980～1989	1990～2000	1956～2000	1956～1979	1980～2000
龙羊峡以上	小计	1.22	1.23	1.24	1.23	1.32	1.25	1.23	1.28
	青海	0.97	0.98	0.99	0.98	1.07	1.00	0.98	1.03
	四川	0.15	0.15	0.15	0.15	0.15	0.15	0.15	0.15
	甘肃	0.10	0.10	0.10	0.10	0.10	0.10	0.10	0.10
龙羊峡—兰州	小计	8.98	8.15	14.48	17.47	20.57	14.74	10.93	19.09
	青海	4.62	4.99	6.31	7.83	9.27	6.93	5.48	8.58
	甘肃	4.36	3.16	8.17	9.64	11.30	7.81	5.45	10.51
兰州—河口镇	小计	75.96	86.28	87.47	101.53	105.64	93.75	85.06	103.69
	甘肃	2.42	3.51	4.82	6.82	6.53	5.18	3.88	6.67
	宁夏	24.18	29.37	29.51	30.79	34.48	30.50	28.56	32.73
	内蒙古	49.36	53.40	53.14	63.92	64.63	58.07	52.62	64.29
河口镇—龙门	小计	1.13	1.49	2.57	3.24	3.87	2.67	1.88	3.57
	内蒙古	0.80	0.82	0.83	0.81	0.80	0.81	0.82	0.80
	山西	0.12	0.17	0.41	0.90	0.94	0.57	0.26	0.92
	陕西	0.21	0.50	1.33	1.53	2.13	1.29	0.80	1.85
龙门—三门峡	小计	16.27	20.29	33.85	32.92	35.41	29.45	25.27	34.22
	甘肃	1.01	1.48	3.24	3.70	3.77	2.88	2.14	3.73
	宁夏	0.03	0.05	0.12	0.12	0.15	0.11	0.08	0.14
	山西	8.30	10.31	12.18	11.34	9.56	10.59	10.75	10.41
	陕西	6.33	7.85	17.71	17.16	20.98	15.18	11.70	19.16
	河南	0.60	0.60	0.60	0.60	0.95	0.69	0.60	0.78
三门峡—花园口	小计	38.80	25.11	25.18	25.92	24.05	26.26	27.42	24.94
	山西	0.00	0.38	2.16	2.59	2.18	1.67	1.06	2.38
	陕西	0.00	0.13	0.11	0.11	0.18	0.12	0.10	0.14
	河南	38.80	24.60	22.91	23.22	21.69	24.47	26.26	22.42
花园口以下	小计	38.13	33.77	84.45	116.93	103.34	80.90	55.61	109.82
	河南	12.49	7.20	14.94	16.76	13.66	13.09	11.30	15.14
	山东	25.64	26.57	69.51	100.17	88.24	67.46	44.31	93.92
	河北、天津	0.00	0.00	0.00	0.00	1.44	0.35	0.00	0.76
内流区	小计	0.00	0.00	0.00	0.00	0.00	0.00	0.00	0.00
	宁夏	0.00	0.00	0.00	0.00	0.00	0.00	0.00	0.00
	内蒙古	0.00	0.00	0.00	0.00	0.00	0.00	0.00	0.00
	陕西	0.00	0.00	0.00	0.00	0.00	0.00	0.00	0.00
黄河流域		180.5	176.3	249.2	299.2	294.2	249.0	207.4	296.6

表3-5　黄河流域各省(区)用水还原水量各年代统计 （单位:亿 m³）

省(区)	二级区	1956~1959	1960~1969	1970~1979	1980~1989	1990~2000	1956~2000	1956~1979	1980~2000
青海	小计	5.59	5.97	7.30	8.81	10.34	7.93	6.46	9.61
	龙羊峡以上	0.97	0.98	0.99	0.98	1.07	1.00	0.98	1.03
	龙羊峡—兰州	4.62	4.99	6.31	7.83	9.27	6.93	5.48	8.58
四川	小计	0.15	0.15	0.15	0.15	0.15	0.15	0.15	0.15
	龙羊峡以上	0.15	0.15	0.15	0.15	0.15	0.15	0.15	0.15
甘肃	小计	7.89	8.25	16.33	20.26	21.70	15.97	11.57	21.01
	龙羊峡以上	0.10	0.10	0.10	0.10	0.10	0.10	0.10	0.10
	龙羊峡—兰州	4.36	3.16	8.17	9.64	11.30	7.81	5.45	10.51
	兰州—河口镇	2.42	3.51	4.82	6.82	6.53	5.18	3.88	6.67
	龙门—三门峡	1.01	1.48	3.24	3.70	3.77	2.88	2.14	3.73
宁夏	小计	24.21	29.42	29.63	30.91	34.63	30.61	28.64	32.87
	兰州—河口镇	24.18	29.37	29.51	30.79	34.48	30.50	28.56	32.73
	龙门—三门峡	0.03	0.05	0.12	0.12	0.15	0.11	0.08	0.14
	内流区	0.00	0.00	0.00	0.00	0.00	0.00	0.00	0.00
内蒙古	小计	50.16	54.22	53.97	64.73	65.43	58.88	53.44	65.09
	兰州—河口镇	49.36	53.40	53.14	63.92	64.63	58.07	52.62	64.29
	河口镇—龙门	0.80	0.82	0.83	0.81	0.80	0.81	0.82	0.80
	内流区	0.00	0.00	0.00	0.00	0.00	0.00	0.00	0.00
山西	小计	8.42	10.86	14.75	14.83	12.68	12.83	12.07	13.71
	河口镇—龙门	0.12	0.17	0.41	0.90	0.94	0.57	0.26	0.92
	龙门—三门峡	8.30	10.31	12.18	11.34	9.56	10.59	10.75	10.41
	三门峡—花园口	0.00	0.38	2.16	2.59	2.18	1.67	1.06	2.38
陕西	小计	6.54	8.48	19.15	18.80	23.29	16.59	12.60	21.15
	河口镇—龙门	0.21	0.50	1.33	1.53	2.13	1.29	0.80	1.85
	龙门—三门峡	6.33	7.85	17.71	17.16	20.98	15.18	11.70	19.16
	三门峡—花园口	0.00	0.13	0.11	0.11	0.18	0.12	0.10	0.14
	内流区	0.00	0.00	0.00	0.00	0.00	0.00	0.00	0.00
河南	小计	51.89	32.40	38.45	40.58	36.30	38.25	38.16	38.34
	龙门—三门峡	0.60	0.60	0.60	0.60	0.95	0.69	0.60	0.78
	三门峡—花园口	38.80	24.60	22.91	23.22	21.69	24.47	26.26	22.42
	花园口以下	12.49	7.20	14.94	16.76	13.66	13.09	11.30	15.14
山东	小计	25.64	26.57	69.51	100.17	88.24	67.46	44.31	93.92
	花园口以下	25.64	26.57	69.51	100.17	88.24	67.46	44.31	93.92
河北天津	小计	0.00	0.00	0.00	0.00	1.44	0.35	0.00	0.76
	花园口以下	0.00	0.00	0.00	0.00	1.44	0.35	0.00	0.76
黄河流域		180.5	176.3	249.2	299.2	294.2	249.0	207.4	296.6

　　表3-6给出了不同河段及干支流用水还原水量年代间变化过程。近21年流域平均用水还原总水量中,直接引黄226.7亿 m³,占76.4%;支流还原69.87亿 m³,占23.6%。

从上中下游对比来看,上游用水还原水量 124.1 亿 m³,占全流域的 42%;中游用水还原水量 62.73 亿 m³,占全流域的 21%;下游用水还原水量 109.8 亿 m³,占全流域的 37%。从流域内外对比来看,流域内用水还原水量 188.3 亿 m³,占全流域的 63%;流域外用水还原水量 108.3 亿 m³,占全流域的 37%。

表 3-6　黄河流域干支流用水还原水量各年代统计　　　　（单位:亿 m³）

类型	二级区	时段							
		1956～1959	1960～1969	1970～1979	1980～1989	1990～2000	1956～2000	1956～1979	1980～2000
干支流	小计	180.5	176.3	249.2	299.2	294.2	249.0	207.4	296.6
	直接引黄	143.6	133.3	183.9	232.5	221.4	189.1	156.1	226.7
	支流	36.92	43.06	65.31	66.68	72.77	59.97	51.31	69.87
上中下游	小计	180.5	176.3	249.2	299.2	294.2	249.0	207.4	296.6
	上游	86.17	95.67	103.2	120.2	127.5	109.7	97.22	124.1
	中游	56.19	46.89	61.60	62.07	63.32	58.37	54.57	62.73
	下游	38.12	33.77	84.44	116.9	103.3	80.90	55.61	109.8
流域内外	小计	180.5	176.3	249.2	299.2	294.2	249.0	207.4	296.6
	流域内	128.2	140.9	177.1	184.7	191.5	169.9	153.9	188.3
	流域外	52.29	35.44	72.07	114.5	102.7	79.09	53.51	108.3

图 3-1 给出了黄河流域上中下游用水还原结果的对比,可以看出,上游用水还原量稳步上升,中下游年际间呈现突变现象(主要是河南、山东 1959 年和 1960 年),不过总的趋势仍呈稳步上升。

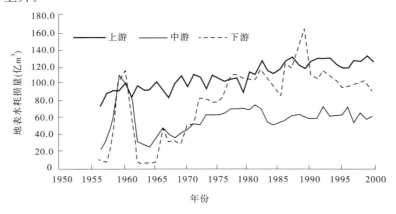

图 3-1　黄河流域上中下游用水还原量逐年对比情况

四、用水还原计算成果合理性分析

目前,关于黄河地表水用水还原计算的成果,比较成熟的有"黄河水资源开发利用"

（系列为 1919～1975 年）、"黄河流域（片）第一次水资源评价"（系列为 1956～1979 年）、"黄河历年实测资料审查及天然径流量计算"（系列为 1952～1997 年）等。表 3-7、表 3-8、表 3-9 分别给出了相同时段内本次用水还原计算成果与黄河水资源开发利用成果、黄河流域（片）第一次水资源评价成果、黄河历年实测资料审查及天然径流量计算等成果的比较。通过比较，本次黄河流域用水还原水量成果基本可信。

表 3-7　花园口以上本次用水还原计算结果与黄河水资源开发利用成果的对比

（单位：亿 m³）

项目	时段			
	1956～1959	1960～1969	1970～1975	1956～1975
本次评价结果	142.4	142.6	160.9	148.0
水资源开发利用成果	148.3	147.7	161.8	152.1
差值	−5.9	−5.1	−0.9	−4.1
相对误差（%）	−3.98	−3.45	−0.56	−2.70

表 3-8　本次用水还原计算结果与黄河流域（片）第一次水资源评价成果的对比

（单位：亿 m³）

站名	项目	时段			
		1956～1959	1960～1969	1970～1979	1956～1979
花园口	本次评价结果	142.4	142.6	164.8	151.8
	第一次水资源评价成果	136.9	152.6	171.8	158.0
	差值	5.5	−10.0	−7.0	−6.2
	相对误差（%）	4.02	−6.55	−4.07	−3.92
利津	本次评价结果	178.5	174.3	247.2	205.4
	第一次水资源评价成果	168.5	181.1	250.6	208.0
	差值	10.0	−6.8	−3.4	−2.6
	相对误差（%）	5.93	−3.75	−1.36	−1.25

表 3-9　本次用水还原计算结果与黄河历年实测资料审查及天然径流量计算成果的对比

（单位：亿 m³）

站名	项目	时段					
		1956～1959	1960～1969	1970～1979	1980～1989	1990～1997	1956～1997
花园口	本次评价结果	142.4	142.6	164.8	182.3	190.2	166.4
	历年实测资料审查成果	138.7	146.4	167.6	180.3	189.1	166.9
	差值	3.7	−3.8	−2.8	2.0	1.1	−0.5
	相对误差（%）	2.67	−2.60	−1.67	1.11	0.58	−0.30
利津	本次评价结果	178.5	174.3	247.2	297.2	292.4	243.8
	历年实测资料审查成果	181.1	180.7	251.4	299.6	303.1	250.9
	差值	−2.6	−6.4	−4.2	−2.4	−10.7	−7.1
	相对误差（%）	−1.44	−3.54	−1.67	−0.80	−3.53	−2.83

第二节　河川天然径流量

河川天然径流量采用下式计算：

$$W_{天然} = W_{实测} + W_{用水还原水量} \pm W_{库蓄} \tag{3-2}$$

一、基本特征

表 3-10 给出了黄河干流兰州、三门峡、花园口、利津等水文站实测径流量、用水还原量、水库蓄变量及天然径流量年代间对比情况。可以看出，1956～2000 年平均情况和 1980～2000 年平均情况，花园口水文站平均天然年径流量分别为 563.9 亿 m³ 和 522.1 亿 m³。

表 3-10　黄河干流主要水文站实测、天然径流量各年代统计　　（单位：亿 m³）

水文站		项目	时段							
			1956～1959	1960～1969	1970～1979	1980～1989	1990～2000	1956～2000	1956～1979	1980～2000
兰州		实测	284.3	357.9	318.0	333.5	259.7	313.1	329.0	294.9
		用水还原	10.20	9.39	15.72	18.70	21.89	15.99	12.16	20.38
		水库蓄变	0	3.61	0.58	14.80	−0.99	3.98	1.75	6.53
		天然	294.5	370.9	334.3	367.0	280.6	333.1	342.9	321.8
三门峡		实测	422.6	453.8	358.2	370.9	235.1	357.9	408.8	299.8
		用水还原	103.6	117.5	139.6	156.4	166.8	141.9	124.4	161.8
		水库蓄变	0	3.61	0.68	15.00	−0.67	4.12	1.79	6.8
		天然	526.2	574.9	498.5	542.3	401.2	503.9	534.9	468.4
花园口		实测	463.1	505.9	381.6	411.7	248.6	390.6	447.0	326.3
		用水还原	142.4	142.6	164.8	182.3	190.8	168.1	151.8	186.8
		水库蓄变	0	3.61	0.68	15.00	3.62	5.17	1.79	9.04
		天然	605.5	652.1	547.1	609.0	443.0	563.9	600.6	522.1
利津	方法1	实测	437.8	501.1	311	285.8	132.4	315.3	411.4	205.4
		用水还原	175.2	172.6	246.5	296.6	290.4	245.6	205.4	293.6
		水库蓄变	0	3.61	0.68	15.00	3.75	5.20	1.79	9.11
		天然	613	679.1	559.0	598.1	426.5	567.1	618.6	508.2
	方法2	花园口	605.5	652.1	547.1	609.0	443.0	563.9	600.6	522.1
		大汶河	17.48	20.38	17.64	10.90	17.42	16.68	18.76	14.32
		天然文岩渠	4.54	5.69	4.36	3.43	4.64	4.53	4.95	4.06
		干流区间	1.75	2.93	2.59	1.54	2.82	2.41	2.59	2.21
		河道损失	19.0	19.0	19.0	19.0	19.0	19.0	19.0	19.0
		天然	610.3	662.1	552.8	605.9	448.9	568.5	607.9	523.7

注：根据黄河水利委员会水资源管理与调度局联合设计院、水文局于 2003 年初完成的"黄河下游河段冬季枯水调度模型研究"成果，下游各引黄口门基本关闭期间，2003 年河道损失水量达到 50～60 m³/s，这也就意味着现状条件下黄河下游河道水面蒸发、侧渗量加上少许滩地漫滩等损失水量合计为 16 亿～19 亿 m³，这里取值 19 亿 m³。

利津水文站天然径流量计算有两种途径：一是根据利津水文站实测径流量加上用水还原水量以及水库蓄变量，但出现了一些年份天然径流量较花园口偏少的现象；二是根据花园口天然径流量加上花园口以下自产地表水资源量（主要是大汶河和天然文岩渠地表水资源量）扣除河道水面蒸发和河道侧向渗漏量得到。

黄河水资源开发利用成果就是采用后一种计算方法。考虑下游引黄水量统计误差等原因，这里采用后一种计算方法得到利津天然径流量。于是，黄河利津水文站多年平均天然径流量 568.6 亿 m³，但 20 世纪 90 年代只有 448.9 亿 m³。

从利津水文站河川天然径流量年代间对比来看，20 世纪 50、60 年代和 80 年代偏丰，70 年代和 90 年代偏枯。

图 3-2 给出了兰州水文站和花园口水文站 1956～2000 年逐年天然径流量逐年变化过程。可以看出，黄河上、中、下游天然径流量逐年对应关系较好，这意味着黄河上、中、下游丰枯变化基本同步。

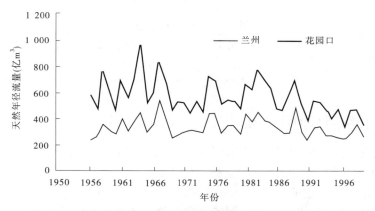

图 3-2　兰州水文站和花园口水文站 1956～2000 年天然年径流量逐年变化过程

黄河流域大多数支流，20 世纪 50、60 年代偏丰，80 年代丰枯参差不齐，70、90 年代偏枯（90 年代偏枯幅度更大）。1980～2000 年年均值与 1956～1979 年年均值相比，除上游部分支流水量偏多外，其余支流偏少，偏少程度一般为 13%～44%。

表 3-11 给出了主要支流把口站实测径流量和天然径流量逐年代对比情况。

表 3-11　黄河流域主要支流把口站实测、天然径流量逐年代对比情况（单位：亿 m³）

河流名称	控制站名称	项目	时段							
			1956～1959	1960～1969	1970～1979	1980～1989	1990～2000	1956～2000	1956～1979	1980～2000
湟水	民和	实测	18.87	18.20	14.62	17.63	13.57	16.21	16.82	15.51
		天然	22.28	21.31	18.51	22.83	18.91	20.52	20.30	20.77
大通河	享堂	实测	31.02	28.03	27.04	31.81	26.29	28.49	28.12	28.91
		天然	31.18	28.23	27.30	32.10	27.44	28.95	28.33	29.66

续表 3-11

| 河流名称 | 控制站名称 | 项目 | 时段 | | | | | | | |
			1956~1959	1960~1969	1970~1979	1980~1989	1990~2000	1956~2000	1956~1979	1980~2000
渭河	华县	实测	88.39	96.17	59.41	79.15	42.99	70.53	79.56	60.21
		天然	93.43	103.46	77.38	96.21	63.64	85.43	90.92	79.15
汾河	河津	实测	19.75	17.85	10.36	6.68	4.76	10.67	15.05	5.68
		天然	29.00	28.82	23.13	18.77	15.61	22.11	26.48	17.11
伊洛河	黑石关	实测	45.57	35.48	20.46	30.16	14.47	26.72	30.90	21.94
		天然	47.22	38.04	25.61	35.89	20.98	31.45	34.39	28.08
沁河	武陟	实测	17.61	14.04	6.15	5.47	3.76	8.19	11.35	4.57
		天然	22.67	18.53	12.71	13.14	10.74	14.50	16.79	11.88
大汶河	戴村坝	实测	17.78	16.57	10.12	3.76	8.11	10.33	14.08	6.04
		天然	17.96	18.91	17.58	9.08	14.59	15.29	18.20	11.97

二、不同补给类型河流特点

黄河径流受季风影响,多集中于汛期(7~10 月),主要由暴雨形成,暴涨暴落,汛期过后,随降雨减少而消退。

(一)以降水补给为主的支流

根据湿润半湿润区、半干旱区气候条件和下垫面条件等原则选取。

具有代表性的支流主要有:黄河上游一级支流隆务河,该支流以连绵阴雨天气为主,下垫面呈土、石质山区;黄河中游一级支流清涧河,该支流径流补给以暴雨补给为主,下垫面呈黄土丘陵沟壑区;黄河上游一级支流洮河岷县以上,洮河岷县以上属于湿润半湿润区,下垫面呈土、石质山区;黄河中游一级支流三川河,该支流属于半湿润半干旱区,下垫面呈黄土丘陵沟壑区;黄河上游一级支流清水河,该支流属于半干旱区。

(二)降水补给为主,辅以融雪水、冰川补给的河流

具有代表性的是黄河上游干游玛曲站以上。

(三)以地下水补给为主的河流

具有代表性的是黄河中游一级支流无定河韩家峁站以上。

(四)水土流失治理较好的支流

具有代表性的是黄河中游一级支流无定河。

下垫面类型、降水量级、补给来源不同,其天然径流量年际变化、年内分配也有较大差异。例如,以降水补给为主的支流,其汛期来水一般可占 60%以上,个别可达到 85%,年内变化很大。下垫面条件发生较大变化的支流,其汛期来水比例一般在 45%左右。以地下水补给为主的支流,其汛期来水比例一般只有 35%左右。表 3-12 给出了上述 8 个干支

流把口水文站天然径流量各年代变化情况。表3-13给出了上述8站平均天然径流量年内分配及各年代变化情况。

表3-12　黄河流域不同补给类型干支流天然径流量各年代变化情况

河流	站名	控制面积（km²）	项目	时段							
				1956～1959	1960～1969	1970～1979	1980～1989	1990～2000	1956～2000	1956～1979	1980～2000
隆务河	隆务河口	4 959	降水（mm）	430.9	436.6	421.0	421.0	394.2	418.8	429.1	407.0
			径流深（mm）	138.3	158.5	113.0	126.5	93.5	123.6	136.2	109.2
			天然径流（亿m³）	6.86	7.86	5.60	6.27	4.64	6.13	6.75	5.42
清涧河	延川	3 468	降水（mm）	551.3	548.1	495.8	511.4	441.7	502.6	526.8	474.9
			径流深（mm）	52.83	44.56	45.73	35.07	46.43	43.90	46.43	41.02
			天然径流（亿m³）	1.83	1.55	1.59	1.22	1.61	1.52	1.61	1.42
洮河	岷县	14 912	降水（mm）	501.3	628.4	588.7	558.9	529.3	568.6	590.7	543.4
			径流深（mm）	212.5	289.8	233.5	237.9	160.4	227.2	253.4	197.3
			天然径流（亿m³）	31.69	43.21	34.82	35.48	23.92	33.89	37.79	29.42
三川河	后大成	4 102	降水（mm）	532.6	480.9	433.4	467.3	461.6	467.2	469.7	464.3
			径流深（mm）	69.43	73.53	55.90	53.84	46.95	58.38	65.50	50.23
			天然径流（亿m³）	2.85	3.02	2.29	2.21	1.93	2.39	2.69	2.06
清水河	泉眼山	14 480	降水（mm）	326.8	327.8	299.8	286.4	302.3	306.1	316.0	294.8
			径流深（mm）	15.69	15.71	13.83	11.15	14.39	13.96	14.93	12.85
			天然径流（亿m³）	2.27	2.28	2.00	1.61	2.08	2.02	2.16	1.86
黄河	玛曲	86 048	降水（mm）	488.6	523.4	505.9	537.2	502.3	514.3	510.3	518.9
			径流深（mm）	131.0	180.1	169.4	196.3	148.3	169.2	167.4	171.2
			天然径流（亿m³）	112.7	154.9	145.7	168.9	127.6	145.6	144.1	147.3
无定河	韩家峁	2 452	降水（mm）	492.4	449.8	436.5	402.3	397.9	427.4	451.4	400.0
			径流深（mm）	39.63	45.36	35.96	37.99	25.55	36.21	40.53	31.47
			天然径流（亿m³）	0.97	1.11	0.88	0.93	0.63	0.89	0.99	0.77
无定河	白家川	30 261	降水（mm）	443.1	408.4	360.9	361.5	333.6	372.2	394.4	346.8
			径流深（mm）	52.60	51.22	42.81	37.41	34.67	42.36	47.94	35.98
			天然径流（亿m³）	15.92	15.50	12.95	11.32	10.49	12.82	14.51	10.89

表 3-13 不同类型补给来源支流天然径流量年内分配及各年代变化情况

站名	时段	年内分配（%）												
		1月	2月	3月	4月	5月	6月	7月	8月	9月	10月	11月	12月	汛期
隆务河口	1956～1959	1.8	1.4	3.1	5.0	7.9	12.2	18.7	16.4	16.3	9.4	5.1	2.9	60.8
	1960～1969	1.7	1.4	2.8	5.6	9.2	9.3	16.5	15.6	16.1	12.7	6.1	3.0	61.0
	1970～1979	1.7	1.5	2.7	5.7	8.5	9.5	11.8	21.1	16.9	11.8	5.8	2.9	61.6
	1980～1989	1.7	1.5	2.6	5.8	9.0	13.3	17.1	13.5	15.1	11.3	6.1	3.0	57.0
	1990～1999	1.9	1.8	2.9	7.3	8.3	11.3	16.6	17.1	14.0	10.5	5.5	2.8	58.2
	1956～2000	1.7	1.5	2.8	5.9	8.7	10.9	15.9	16.6	15.7	11.5	5.8	3.0	59.7
	1956～1979	1.7	1.5	2.8	5.5	8.7	9.9	15.3	17.6	16.4	11.8	5.8	3.0	61.2
	1980～2000	1.8	1.6	2.7	6.5	8.6	12.4	16.9	15.1	14.6	10.9	5.8	2.9	57.5
延川	1956～1959	0.8	2.4	4.9	2.7	2.3	7.0	23.8	44.9	4.6	2.7	2.2	1.6	76.0
	1960～1969	1.3	3.3	7.6	4.7	5.3	3.7	27.8	21.0	10.2	7.7	5.0	2.4	66.7
	1970～1979	1.7	3.4	6.5	3.8	3.0	3.9	28.7	26.5	9.6	5.9	4.3	2.7	70.7
	1980～1989	3.0	4.2	8.6	5.1	5.1	8.8	16.9	19.5	12.3	7.7	5.5	3.4	56.3
	1990～1999	2.7	3.9	5.0	3.7	5.0	8.3	20.6	25.7	11.7	6.9	3.8	2.7	64.8
	1956～2000	2.0	3.5	6.5	4.1	4.3	6.2	23.8	25.8	10.2	6.5	4.3	2.7	66.3
	1956～1979	1.4	3.2	6.6	3.9	3.8	4.4	27.4	27.8	8.9	6.0	4.2	2.4	70.1
	1980～2000	2.8	4.0	6.4	4.3	5.1	8.5	19.1	23.2	12.0	7.2	4.5	3.0	61.4
岷县	1956～1959	3.2	2.7	3.6	4.9	9.4	11.0	11.7	19.6	13.9	10.6	5.7	3.7	55.9
	1960～1969	2.8	2.4	3.1	4.6	9.3	7.6	14.9	13.9	16.7	14.6	6.5	3.7	60.0
	1970～1979	2.6	2.4	3.2	4.9	8.4	9.2	11.0	18.1	17.7	12.3	6.4	3.8	59.1
	1980～1989	2.8	2.6	3.2	5.0	8.7	12.5	15.9	11.8	15.0	12.3	6.5	3.7	55.0
	1990～1999	2.9	2.9	4.1	6.4	9.7	11.5	15.3	15.0	11.9	10.3	6.3	3.6	52.7
	1956～2000	2.8	2.5	3.4	5.1	9.0	10.1	14.1	15.0	15.5	12.5	6.4	3.7	57.0
	1956～1979	2.8	2.4	3.2	4.8	8.9	8.7	13.0	16.3	16.7	13.1	6.4	3.7	59.0
	1980～2000	2.8	2.7	3.6	5.6	9.1	12.1	15.7	13.7	13.7	11.5	6.4	3.7	54.0
后大成	1956～1959	3.0	3.1	4.5	3.6	3.4	5.9	21.8	32.2	8.2	5.6	4.9	3.9	67.8
	1960～1969	3.7	3.7	5.7	5.2	6.2	4.9	20.2	15.5	13.3	10.0	6.8	4.6	59.1
	1970～1979	4.4	4.5	6.3	5.5	5.2	6.8	13.9	21.7	12.1	8.0	6.5	5.2	55.7
	1980～1989	5.0	4.9	6.4	6.0	6.6	10.0	15.5	16.7	10.0	7.3	6.4	5.2	49.5
	1990～1999	4.6	4.5	5.6	6.0	7.1	8.9	15.8	19.8	9.1	6.9	6.2	5.4	51.7
	1956～2000	4.2	4.2	5.8	5.4	6.0	7.2	17.2	19.7	11.0	8.0	6.4	4.9	55.9
	1956～1979	3.8	3.9	5.7	5.0	5.3	5.7	18.2	20.7	12.0	8.5	6.4	4.7	59.4
	1980～2000	4.8	4.7	6.0	6.0	6.9	9.5	15.6	18.2	9.6	7.1	6.3	5.3	50.6

续表 3-13

站名	时段	年内分配（%）												
		1月	2月	3月	4月	5月	6月	7月	8月	9月	10月	11月	12月	汛期
泉眼山	1956~1959	0.6	1.0	4.9	2.0	1.7	2.8	27.0	46.3	9.0	2.3	1.4	0.9	84.6
	1960~1969	1.6	2.0	7.3	4.7	3.9	5.5	16.2	28.5	14.1	7.3	5.1	3.7	66.2
	1970~1979	1.7	2.8	7.8	4.5	3.5	5.5	25.3	24.7	15.5	5.0	1.9	1.6	70.6
	1980~1989	1.5	2.7	4.8	3.7	6.0	10.4	22.4	29.2	10.4	4.2	2.9	1.7	66.3
	1990~1999	2.2	3.0	3.9	3.0	3.9	8.7	26.7	29.8	8.7	4.3	3.2	2.6	69.5
	1956~2000	1.7	2.4	5.9	3.8	4.0	6.9	23.0	29.9	11.9	5.0	3.2	2.3	69.9
	1956~1979	1.5	2.1	7.1	4.2	3.4	5.0	21.6	30.2	13.8	5.5	3.2	2.4	71.1
	1980~2000	1.9	2.9	4.2	3.3	4.8	9.4	24.9	29.6	9.4	4.3	3.1	2.2	68.2
玛曲	1956~1959	2.8	2.4	3.5	5.1	7.9	13.1	16.5	14.0	13.9	11.7	6.2	2.9	56.0
	1960~1969	2.1	1.9	2.8	4.4	7.0	8.9	18.0	13.5	18.2	14.2	6.2	2.6	63.9
	1970~1979	2.2	2.0	3.2	5.5	8.1	11.3	14.7	14.3	15.6	14.0	6.3	2.9	58.6
	1980~1989	1.8	1.6	2.4	3.9	6.6	12.1	19.7	12.1	17.3	13.9	6.0	2.5	63.1
	1990~1999	1.9	1.8	2.8	5.8	9.5	13.3	17.0	14.8	13.1	11.8	5.8	2.4	56.7
	1956~2000	2.1	1.9	2.9	4.8	7.7	11.5	17.4	13.6	16.0	13.4	6.1	2.6	60.4
	1956~1979	2.2	2.0	3.1	4.9	7.6	10.5	16.4	13.9	16.6	13.8	6.3	2.8	60.7
	1980~2000	1.8	1.7	2.6	4.7	7.9	12.6	18.5	13.3	15.4	13.0	5.9	2.5	60.2
韩家岇	1956~1959	11.0	9.9	10.8	10.0	9.8	8.9	10.8	18.2	11.9	11.1	10.4	10.6	52.0
	1960~1969	8.3	7.6	8.5	8.1	7.0	5.8	7.6	12.4	9.5	9.1	7.8	8.2	38.7
	1970~1979	8.9	8.3	9.0	8.2	7.1	6.1	7.8	8.7	8.5	9.2	9.0	9.2	34.2
	1980~1989	8.8	7.9	8.3	7.7	7.3	7.1	7.8	9.2	9.0	9.1	8.9	9.0	35.1
	1990~1999	10.0	9.4	8.6	6.9	6.4	6.4	8.7	8.8	8.5	7.7	8.6	9.9	33.7
	1956~2000	9.1	8.3	8.7	8.0	7.2	6.5	8.1	10.5	9.2	9.0	8.7	9.1	36.8
	1956~1979	8.9	8.2	9.0	8.5	7.4	6.3	8.1	11.6	9.5	9.4	8.6	8.9	38.6
	1980~2000	9.3	8.5	8.4	7.4	6.9	6.8	8.2	9.0	8.8	8.5	8.8	9.4	34.5
白家川	1956~1959	3.6	6.1	10.4	5.6	4.7	5.4	15.8	22.6	8.3	6.7	6.0	4.9	53.3
	1960~1969	4.8	6.7	11.7	7.1	5.8	4.3	13.0	14.5	10.4	9.1	7.9	5.3	47.0
	1970~1979	5.7	7.2	12.2	6.7	5.0	4.3	11.1	16.4	9.6	8.4	7.5	5.9	45.5
	1980~1989	6.1	7.5	12.5	7.1	5.9	7.3	10.0	10.7	9.6	9.0	8.4	5.9	39.2
	1990~1999	6.4	8.1	10.9	6.8	5.1	5.8	10.4	13.6	9.2	8.5	8.6	6.6	41.8
	1956~2000	5.4	7.2	11.7	6.8	5.4	5.3	11.8	14.9	9.6	8.5	7.7	5.8	44.8
	1956~1979	4.9	6.8	11.7	6.7	5.3	4.5	12.8	16.7	9.7	8.4	7.1	5.5	47.6
	1980~2000	6.2	7.8	11.7	7.0	5.5	6.5	10.2	12.2	9.4	8.7	8.5	6.3	40.5

三、不同保证率天然径流量

表 3-14 给出了黄河干支流主要水文站不同保证率河川天然径流量计算成果。以河口镇水文站计算,黄河上游天然来水量,保证率为 20%、50%、75% 和 95% 条件下数值分别为 394.8 亿 m³、327.6 亿 m³、282.1 亿 m³、228.9 亿 m³。这意味着黄河上游天然来水量,4 年一遇的枯水年数值为 282.1 亿 m³,20 年一遇的枯水年数值为 228.9 亿 m³,5 年一遇的丰水年数值为 394.8 亿 m³。

表 3-14　黄河部分干支流水文站不同保证率河川天然径流量计算成果

水文站	最大		最小		多年平均		C_v	C_s/C_v	不同频率年径流量(亿 m³)			
	径流量 (亿 m³)	出现年份	径流量 (亿 m³)	出现年份	径流量 (亿 m³)	径流深 (mm)			20%	50%	75%	95%
唐乃亥	329.30	1989	134.40	1956	205.10	168.20	0.26	3.0	246.20	198.50	167.10	131.80
兰州	540.50	1967	234.60	1997	333.00	149.60	0.22	3.0	391.30	325.00	280.20	227.70
河口镇	541.70	1967	235.70	1991	335.80	86.99	0.22	3.0	394.80	327.60	282.10	228.90
龙门	637.70	1967	258.90	2000	389.30	78.24	0.21	3.0	453.90	380.90	331.00	271.80
三门峡	798.30	1964	301.60	2000	503.80	73.19	0.22	3.0	593.40	491.50	422.50	342.10
花园口	979.40	1964	335.10	1997	563.90	77.25	0.23	3.0	669.40	548.20	467.30	374.20
民和	34.47	1989	12.65	1991	20.52	134.60	0.24	4.0	24.35	19.72	16.85	13.88
红旗	95.76	1967	27.02	2000	48.26	193.26	0.32	2.5	60.30	46.30	37.00	27.00
享堂	50.33	1989	20.57	1962	28.95	191.40	0.19	2.5	33.42	28.42	24.96	20.78
泉眼山	5.40	1964	0.88	1987	2.02	13.95	0.40	2.0	2.69	1.90	1.39	0.83
白家川	20.37	1964	8.37	2000	12.82	42.36	0.22	2.5	15.33	12.54	10.70	8.51
华县	193.9	1964	35.43	1997	85.43	80.20	0.37	2.0	110.00	81.64	62.80	41.26
河津	44.25	1964	10.15	1999	22.11	57.90	0.35	3.0	27.86	20.81	16.51	12.15
黑石关	97.50	1964	12.18	1997	31.45	169.40	0.56	2.0	42.85	27.10	19.07	13.02
武陟	35.58	1963	6.08	1997	14.50	112.60	0.50	3.0	19.52	12.75	9.16	6.28
戴村坝	62.50	1964	1.14	1989	15.29	185.00	0.71	2.0	22.93	12.80	7.29	2.67

黄河干流花园口水文站,20%、50%、75% 和 95% 条件下天然径流量数值分别为 669.4 亿 m³、548.2 亿 m³、467.3 亿 m³、374.2 亿 m³。这说明黄河上中游 4 年一遇的枯水年天然径流量数值为 467.3 亿 m³,20 年一遇的枯水年数值为 374.2 亿 m³,5 年一遇的丰水年数值为 669.4 亿 m³。

黄河最大的支流渭河华县水文站,20%、50%、75% 和 95% 条件下天然径流量数值分别为 110.0 亿 m³、81.64 亿 m³、62.80 亿 m³、41.26 亿 m³。其 4 年一遇的枯水年天然径流量数值为

62.80 亿 m^3,20 年一遇的枯水年数值为 41.26 亿 m^3,5 年一遇的丰水年数值为 110.0 亿 m^3。

黄河下游最大的支流大汶河戴村坝水文站,20%、50%、75% 和 95% 条件下天然径流量数值分别为 22.93 亿 m^3、12.80 亿 m^3、7.29 亿 m^3、2.67 亿 m^3。其 4 年一遇的枯水年天然径流量数值为 7.29 亿 m^3,20 年一遇的枯水年数值为 2.67 亿 m^3,5 年一遇的丰水年数值为 22.93 亿 m^3。

四、系列代表性分析

(一)均值与方差比较

表 3-15 给出了黄河部分干支流水文站不同系列均值与 C_v 值的比较情况。由表 3-15 可以得出,各系列均值相对差值仅为 $-2.5\% \sim 3.5\%$,各系列 C_v 值基本一致。

表 3-15 黄河部分干支流水文站不同系列均值与 C_v 值的比较情况

水文站		时段		
		1919～1975	1920～2000	1956～2000
兰州	均值(亿 m^3)	322.6	326.3	333.0
	C_v	0.22	0.22	0.22
龙门	均值(亿 m^3)	385.1	385.4	389.3
	C_v	0.21	0.21	0.21
三门峡	均值(亿 m^3)	498.4	493.4	503.9
	C_v	0.24	0.23	0.22
花园口	均值(亿 m^3)	559.2	553.1	563.9
	C_v	0.24	0.24	0.24
华县	均值(亿 m^3)	87.40	85.21	85.43
	C_v	0.34	0.37	0.37

(二)丰枯统计

丰枯统计标准为:频率小于 37.5% 为丰水年,频率在 37.5%～62.5% 之间为平水年,频率大于 62.5% 为枯水年。表 3-16 给出了根据 1920～2000 年系列丰枯标准统计出的兰州水文站和三门峡水文站两系列丰、平、枯对比结果。可以看出,长、短系列丰、平、枯年数出现几率基本一致。

表 3-16 兰州水文站和三门峡水文站两系列丰、平、枯对比结果

水文站	统计结果	时段					
		1920～2000			1956～2000		
		丰	平	枯	丰	平	枯
兰州	出现年次数	32	19	30	18	9	18
	占系列长度(%)	39.5	23.5	37.0	40.0	20.0	40.0
三门峡	出现年次数	30	21	30	17	12	16
	占系列长度(%)	37.0	26.0	37.0	37.8	26.7	35.6

(三)滑动平均与相对差累积曲线

图 3-3 给出了兰州水文站与三门峡水文站 1920～2000 年 5 年滑动平均过程线。图 3-4 给出了兰州水文站与三门峡水文站 1920～2000 年系列相对差累积曲线。

图 3-3　兰州水文站与三门峡水文站 1920～2000 年 5 年滑动平均过程线

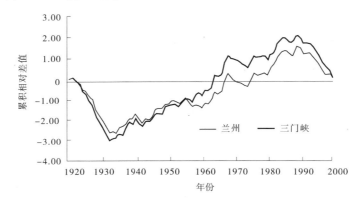

图 3-4　兰州水文站与三门峡水文站 1920～2000 年系列相对差累积曲线的比较

从图 3-3、图 3-4 可以看出,黄河上中游,1920～2000 年间,1922～1932 年处于连续偏枯水时段;1933～1968 年处于连续平偏丰水时段;1969～1974 年处于连续偏枯水时段;1975～1990 年处于连续平偏丰水时段;1991～2000 年处于连续偏枯水时段。1956～2000 年间,1956～1968 年处于连续偏枯水时段;1969～1974 年处于连续偏枯水时段;1975～1990 年处于连续平偏丰水时段;1991～2000 年处于连续偏枯水时段。

总的来看,1956～2000 年共 45 年系列与 1920～2000 年共 81 年系列变化周期基本一致。说明 45 年系列具有一定的代表性。

第三节　系列一致性处理

人类活动改变了流域下垫面条件,导致入渗、径流、蒸发等水平衡要素发生一定的变化,从而造成径流的减少(或增加)。下垫面变化对产流的影响非常复杂,在还原计算中没有考虑;而在半干旱半湿润地区,许多流域的径流因下垫面变化而衰减的现象已经非常明显,必须予以考虑,以保证系列成果的一致性。因此,根据《黄河流域(片)水资源综合规划技术细则》要求,要对选用站检查 1956～2000 年天然年径流系列的一致性。

目前,黄河水资源问题上存在如下事实:

(1)上中游水土保持工程利用了一部分地表水资源量。截至 2000 年,黄河中上游水土流失治理面积达到了 18.45 万 km²(占黄土高原总水土流失面积 43.4 万 km² 的 43%)。其中,兴建基本农田 669.5 万 hm²,栽植水土保持林草 1 175.6 万 hm²,建成沟道和田间拦蓄工程 420 万座(处)(其中治沟骨干工程 1 298 座)。这些治理措施有效地拦蓄了泥沙,改善了生态、生产条件,解决了人畜饮水困难,增强了抗灾能力,促进了当地经济的发展。一些小流域的综合治理程度已达 70% 以上。

根据黄河近期治理规划成果,1970 年以来,黄河上中游水土保持用水量,年平均一般在 10 亿 m³ 左右,大致分布情况是:兰州—河口镇区间的清水河、祖厉河等 0.5 亿 m³,河口镇—龙门区间 6.4 亿 m³,龙门—三门峡区间 2.8 亿 m³,其余的 0.3 亿 m³ 在三门峡—花园口区间(成果来自于《黄河水沙变化研究》)。

(2)地下水过量开采导致河川径流量减少。根据黄河流域(片)水资源开发利用情况调查评价成果,1980 年黄河流域浅层地下水开采量只有 93 亿 m³,2000 年开采量达到了 145 亿 m³,较 1980 年增加了 52 亿 m³,超过了地下水净可消耗量约 33 亿 m³。地下水的过量开采,必然影响到河川径流量。

(3)水利工程建设引起水面蒸发损失量增大。截至 2000 年,黄河流域现有小(Ⅰ)型以上水库 492 座,总库容 797 亿 m³,其中死库容 176 亿 m³,供水库容 517 亿 m³(见表 1-1)。水利工程尤其是黄河干流大型水库的修建,增加了水面蒸发附加损失量。

(4)山丘区地下水开采净消耗量增加。本次地下水评价成果中(见本书第四章),地下水开采净消耗量,尤其是山丘区达到了近 20 亿 m³。分布于唐乃亥—兰州区间(1.3 亿 m³)、兰州—河口镇区间(2.8 亿 m³)、河口镇—龙门区间(1.0 亿 m³)、龙门—三门峡区间(5.4 亿 m³)、三门峡—花园口区间(4.3 亿 m³)、花园口以下(4.9 亿 m³)。与 1956～1979 年时段相比,全流域 1980～2000 年时段山丘区地下水开采净消耗量增加了 18.5 亿 m³。

(5)河川基流量不断减少。同时,本次评价的黄河流域 1956～1979 年时段降水入渗净补给量即地下水与地表水之间的不重复计算量(114 亿 m³),较第一次水资源评价成果(82 亿 m³)偏多了 32 亿 m³。其中最主要的原因是降水入渗所形成的河川基流量不断减少。

(6)集雨工程直接利用了一部分雨量。截至 2000 年,黄河流域集雨工程达到了近 225 万个,能够利用雨水 1.0 亿 m³ 左右。

根据《黄河流域(片)水资源综合规划技术细则》要求,还原计算时段内还原计算项目没有包括水土保持建设减水量、地下水过量开采影响地表水资源量、水利工程建设引起的水面蒸发附加损失量、集雨工程影响量等因素。因此,为将黄河天然径流量反映到近期或现状下垫面条件下,必须将这些因素考虑进去,对黄河流域单站天然径流量进行系列一致性处理。

结合黄河流域的实际情况,采用了降水径流关系修正方法与成因分析相结合的途径。表 3-17 给出了黄河流域河川天然径流量系列一致性处理方法汇总情况。

表 3-17　黄河流域天然径流量系列一致性处理方法汇总

二级区	主要影响因素	一致性处理方法
唐乃亥以上		年降水径流关系修正方法
唐乃亥—兰州	水面蒸发附加损失量、地下水开采影响地表水量	成因分析方法、年降水径流关系修正方法
兰州—河口镇	水土保持减水量、地下水开采影响地表水量	成因分析方法、年降水径流关系修正方法
河口镇—龙门	水土保持减水量、地下水开采影响地表水量	年降水径流关系修正方法
龙门—三门峡	水土保持减水量、地下水开采影响地表水量	成因分析方法、年降水径流关系修正方法
三门峡—花园口	水面蒸发附加损失量、水土保持减水量、地下水开采影响地表水量	成因分析方法、年降水径流关系修正方法
花园口以下	地下水开采影响地表水量	成因分析方法、年降水径流关系修正方法

一、降水径流关系修正方法

《黄河流域(片)水资源综合规划》专题"黄河流域典型支流活动对径流泥沙的影响"研究,专门对降水径流关系修正方法进行了详细的说明和应用。这里以黄河中游支流无定河白家川站为例,说明系列一致性处理方法。

(1)在降水量和天然径流量 1956～2000 年系列的基础上,点绘用双累积相关法(年降水量累积值与天然径流量累积值相关)大致判断年降水径流变化的转折年份,以转折年份为界,分前后两段对控制站以上所有选用站点或区间点都要进行系列一致性分析。如年降水径流没有明显的转折年份,可不作系列一致性分析。

这里以黄河中游一级支流无定河为例。点绘无定河白家川水文站 1956～2000 年降水量累积值与天然径流量累积值相关线(见图 3-5),发现 1972 年出现了转折点。这与无定河 1970 年以后开始的大规模水土保持建设能够吻合。

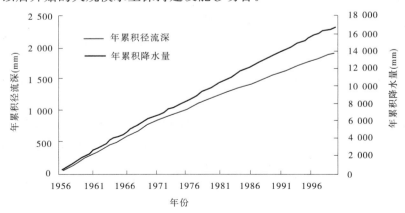

图 3-5　白家川水文站 1956～2000 年降水量与天然径流量双累积相关线

（2）点绘白家川水文站 1956～1972 年和 1973～2000 年两个时段的降水径流关系图（见图 3-6）进行比较。由图 3-6 可以看出，在同量级降水条件下，20 世纪 50、60 年代大多数点据位于右边，70、80、90 年代大多数点据位于左边，表明年径流量呈衰减态势。

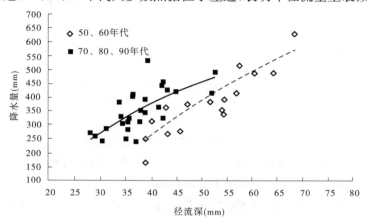

图 3-6　白家川水文站两个时段的降水径流关系对比图

（3）通过点群中心绘制其年降水径流关系曲线（图 3-6）。右边虚线代表 1950～1972 年的年降水径流关系，左边实线代表 1973～2000 年的年降水径流关系，两根曲线之间的横坐标距离即为年径流衰减值。

选定一个年降水值，从图 3-6 中两根曲线上可查出两个年径流深值（R_1 和 R_2），用下列公式计算年径流衰减率和年径流修正系数：

$$\alpha = (R_1 - R_2)/R_1$$
$$\beta = R_2/R_1 \tag{3-3}$$

式中　α——年径流衰减率，%；

　　　β——年径流修正系数；

　　　R_1——1956～1972 年下垫面条件的产流深；

　　　R_2——1973～2000 年下垫面条件的产流深。

根据查算的不同年降水量的 α 值和 β 值（见表 3-18），可以绘制 $P\sim\beta$ 关系曲线（见图 3-7），作为修正 1956～1972 年天然年径流系列的依据。根据需要修正年份的降水量，从 $P\sim\beta$ 关系曲线上查得修正系数，乘以该年修正前的天然年径流量，即可求得修正后的天然年径流量。

表 3-18　白家川水文站不同年降水量的 α 值和 β 值

P(mm)	150	200	250	300	350	400	450	500	550	600
α(%)	0.231	0.213	0.171	0.140	0.133	0.113	0.084	0.069	0.032	0.000
β	0.769	0.788	0.829	0.860	0.867	0.887	0.916	0.931	0.968	1.000

（4）修正结果。这样，得到无定河 1956～2000 年修正后的多年平均年天然径流量 11.51 亿 m³，较修正前均值 12.82 亿 m³ 减少了 10.2%。

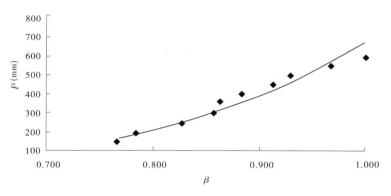

图 3-7　白家川水文站 $P \sim \beta$ 关系曲线

采用同样方法,可以对黄河流域其他支流进行系列一致性分析处理。采用降水径流关系修正的支流站点主要集中在黄河中游河口镇—龙门区间。

整个黄河中游河口镇—龙门区间修正数值主要是针对 1956～1972 年系列。1956～2000 年平均值 6.17 亿 m^3。

二、成因分析方法

对于降水径流关系变化不明显的支流如渭河、汾河、伊洛河、沁河、大汶河等,以及黄河干流各主要水文站,均采用成因分析方法。成因分析时,针对黄河实际情况,水土保持影响量主要修正 1956～1969 年时段,地下水开采影响量修正 1956～1989 年时段,水利工程影响量修正水利工程投入运用以前时段。

表 3-19～表 3-23 给出了黄河不同河段具体修正数值。可以看出,花园口以上不同河段合计,1956～2000 年平均修正了近 31 亿 m^3。

表 3-19　唐乃亥—兰州区间天然径流量修正数值　　　　（单位:亿 m^3）

项目	时段				
	1956～1968	1969～1986	1987～1997	1956～1979	1956～2000
水面蒸发损失	3.85	3.25	0.20	3.58	2.46
开采净消耗	1.30	0.80	0.00	1.30	0.70
合计	5.15	4.05	0.20	4.88	3.16

表 3-20　兰州—河口镇区间天然径流量修正数值　　　　（单位:亿 m^3）

项目	时段			
	1956～1969	1970～1979	1956～1979	1956～2000
水土保持	0.50	0.00	0.30	0.11
开采净消耗	1.30	1.30	1.30	0.69
合计	1.80	1.30	1.60	0.80

表 3-21 河口镇—龙门区间天然径流量修正数值 （单位:亿 m³）

项目	时段				
	1956~1959	1960~1969	1970~1979	1956~1979	1956~2000
降水径流关系	21.60	14.67	4.46	11.58	6.17

表 3-22 龙门—三门峡区间天然径流量修正数值 （单位:亿 m³）

项目	时段					
	1956~1959	1960~1969	1970~1979	1980~1989	1956~1979	1956~2000
地下水超采	13.39	13.39	13.39	13.39	13.39	10.12
水土保持	2.80	2.80	0.00	0.00	1.63	0.87
合计	16.19	16.19	13.39	13.39	15.02	10.99

表 3-23 三门峡—花园口区间天然径流量修正数值 （单位:亿 m³）

项目	时段						
	1956~1959	1960~1969	1970~1979	1980~1989	1990~2000	1956~1979	1956~2000
地下水超采	8.55	8.55	8.55	8.55	0.00	8.55	6.46
水土保持	0.30	0.30	0.00	0.00	0.00	0.18	0.10
水面蒸发损失	3.04	2.94	2.78	2.78	2.10	2.89	2.67
合计	11.89	11.79	11.33	11.33	2.10	11.62	9.23

　　全流域 1956~2000 年平均修正了 35.3 亿 m³（其中干流区间修正 8.7 亿 m³,面上修正 26.6 亿 m³）。其中,1956~1979 年修正了 50.2 亿 m³（其中干流区间修正 12.9 亿 m³,面上修正 37.3 亿 m³）,1980~2000 年修正了 18.1 亿 m³（其中干流区间修正 3.9 亿 m³,面上修正 14.2 亿 m³）。表 3-24 给出了黄河流域二级水资源分区修正数值汇总成果。

表 3-24 黄河流域二级水资源分区修正数值汇总成果 （单位:亿 m³）

河段	时段					
	1956~1979		1980~2000		1956~2000	
	干流区间	面上	干流区间	面上	干流区间	面上
唐乃亥—兰州	4.6	0.0	1.4	0.0	3.2	0.0
兰州—河口镇	1.6	0.0	0.0	0.0	0.8	0.0
河口镇—龙门	0.0	11.6	0.0	0.0	0.0	6.2
龙门—三门峡	3.0	11.5	6.9	1.6	9.4	
三门峡—花园口	3.7	7.9	2.5	4.0	3.1	6.1
花园口以下	0.0	6.3	0.0	3.3	0.0	4.9
合计	12.9	37.3	3.9	14.2	8.7	26.6

此外,黄河流域大力推行的集雨工程利用量,在黄河干流花园口和利津断面进行考虑。

三、系列一致性处理结果

(一)黄河干流成果

表 3-25 给出了黄河干流主要水文站现状下垫面条件下的天然径流量与本次评价黄河水资源量的对比。花园口和利津水文站,系列一致性处理后的多年平均天然径流量分别为 532.8 亿 m³ 和 534.8 亿 m³,较评价成果 563.9 亿 m³ 和 568.6 亿 m³ 分别偏少了 5.5% 和 5.9%。

表 3-25　黄河干流主要水文站现状下垫面条件下的天然径流量与本次评价成果对比

（单位:亿 m³）

水文站	项目		时段							
			1956~1959	1960~1969	1970~1979	1980~1989	1990~2000	1956~2000	1956~1979	1980~2000
兰州	评价	天然量	294.5	370.9	334.3	367.0	280.6	333.0	342.9	321.8
	修正后	天然量	289.3	365.9	330.2	364.1	280.5	329.9	338.3	320.3
河口镇	评价	天然量	299.0	370.3	336.9	374.1	281.8	335.8	344.5	325.7
	修正后	天然量	292.1	363.5	331.5	371.2	281.7	331.7	338.3	324.3
龙门	评价	天然量	378.5	437.4	390.9	414.4	325.2	389.3	408.2	367.7
	修正后	天然量	349.9	415.9	381.1	411.5	325.1	379.1	390.4	366.2
三门峡	评价	天然量	526.2	574.9	498.5	542.3	401.2	503.9	534.9	468.4
	修正后	天然量	481.5	537.2	475.3	526.0	401.1	482.7	502.1	460.6
花园口	评价	天然量	605.4	652.1	547.0	609.0	443.0	563.9	600.5	522.1
	修正后	天然量	547.8	601.6	511.5	580.4	440.8	532.8	555.1	507.3
利津	评价	天然量	610.2	662.1	552.6	605.9	448.9	568.6	607.8	523.7
	修正后	天然量	547.7	606.9	512.2	577.3	446.6	534.8	557.5	508.9

图 3-8 和图 3-9 分别给出了利津水文站评价和现状降水径流关系 1980~2000 年与 1956~1979 年时段的对比情况。可以看出,现状降水径流关系更加集中。

表 3-26 给出了黄河干流主要水文站不同保证率现状河川天然径流量计算成果。黄河花园口水文站,4 年一遇的枯水年河川天然径流量 442.3 亿 m³,20 年一遇的枯水年河川天然径流量 354.8 亿 m³,5 年一遇的丰水年河川天然径流量 631.6 亿 m³。利津水文站,4 年一遇的枯水年河川天然径流量 441.1 亿 m³,20 年一遇的枯水年河川天然径流量 351.7 亿 m³,5 年一遇的丰水年河川天然径流量 636.7 亿 m³。

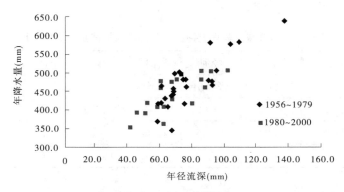

图 3-8　利津水文站评价降水径流关系 1980～2000 年与 1956～1979 年时段对比

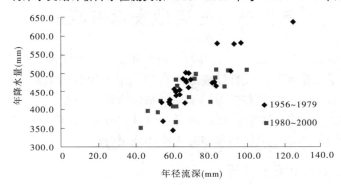

图 3-9　利津水文站现状降水径流关系 1980～2000 年与 1956～1979 年时段对比

表 3-26　黄河干流主要水文站不同保证率现状河川天然径流量计算成果

水文站	最大		最小		多年平均		C_v	C_s/C_v	不同频率年径流量（亿 m³）			
	径流量（亿 m³）	出现年份	径流量（亿 m³）	出现年份	径流量（亿 m³）	径流深（mm）			20％	50％	75％	95％
唐乃亥	329.3	1989	134.4	1956	205.1	168.2	0.26	3.0	246.2	198.5	167.1	131.8
兰州	535.4	1967	234.4	1997	329.9	148.2	0.22	3.0	387.5	321.9	277.6	225.5
河口镇	534.7	1967	233.3	1956	331.7	86.0	0.22	3.0	390.2	323.6	278.7	226.1
龙门	609.1	1967	258.9	2000	379.1	76.2	0.21	3.0	441.9	371.0	322.5	264.9
三门峡	777.4	1964	301.6	2000	482.7	70.1	0.22	3.0	567.4	471.0	405.8	329.5
花园口	945.7	1964	332.4	1997	532.8	73.0	0.24	3.0	631.6	518.2	442.3	354.8
利津	1 011.1	1964	322.6	1997	534.8	71.1	0.23	3.0	636.7	519.2	441.1	351.7

（二）支流成果

经分析，黄河上游各支流基本上都不需要修正，需要修正的支流主要集中在中下游。表 3-27 给出了修正的主要支流结果。可以看出，黄河支流修正幅度在 2.4％～22.7％之间。

表 3-27　黄河流域主要支流把口站天然径流量修正前后的对比　　（单位:亿 m³）

支流	无定河	北洛河	泾河	渭河	汾河	伊洛河	沁河	大汶河
站点	白家川	洑头	张家山	华县	河津	黑石关	武陟	戴村坝
修正前	12.82	9.18	19.02	85.43	22.11	31.45	14.50	15.29
修正后	11.51	8.96	18.46	80.93	18.47	28.32	13.00	11.81
修正比例(%)	−10.2	−2.4	−2.9	−5.0	−16.5	−9.9	−10.3	−22.7

第四节　分区地表水资源量

分区地表水资源量由两部分组成,即支流控制站天然径流量和未控区天然径流量。这里的天然径流量是指系列一致性处理后的数值。水资源分区地表水资源量系列计算,是以大江大河一级支流控制站和中等河流控制站作为骨干站点,计算各水资源三级区(或四级区)1956～2000 年的天然年径流量系列,再利用小河径流站或水文比拟法将水资源三级区(或四级区)天然年径流量系列划分为所属地级行政区系列。

一、未控区天然径流量计算

对于未控区天然径流量,其计算采用如下方法:

(1)如果分区内河流自然条件相近,并有代表性较好的水文站一个或若干个,能控制该分区大部分集水面积时,则可根据控制站逐年天然径流量,按面积比进行放大,求得全区天然年径流量系列,即

$$W_{ab} = W_a + W_b = W_a \frac{F_a + F_b}{F_a} \tag{3-4}$$

式中　W_{ab}、W_a、W_b——全区、控制站、未控区某年径流量,万 m³;

　　　F_a、F_b——控制站、未控区面积,km²。

(2)如果控制站上下游降水量相差较大而其他条件相近时,可按上、下游面平均降水量和面积之比,加权计算未控区天然年径流系列,即

$$W_b = W_a \frac{\overline{P_b} \cdot F_b}{\overline{P_a} \cdot \overline{F_a}} \tag{3-5}$$

此时分区径流量为

$$W_{ab} = W_a (1 + \frac{\overline{P_b} \cdot F_b}{\overline{P_a} \cdot F_a}) \tag{3-6}$$

式中　$\overline{P_a}$、$\overline{P_b}$——控制站、未控区平均年降水量,mm。

(3)当未控区与上(下)游站或参证站的水文下垫面条件接近,并且有计算年份的年降水资料时,可以通过上(下)游站或参证站的年降水与年径流关系,推求天然年径流系列。

(4)如果未控区所属分区无控制站并缺少资料时,可选定相似流域作为参证站,借助

参证站年径流系列从多年平均年径流深等值线图分别量算未控区和参证站径流深值,乘以各自面积得到年径流量并求其比值 K,即

$$K = \frac{\overline{R_b} \cdot F_b}{\overline{R_a} \cdot F_a} = \frac{\overline{W_b}}{\overline{W_a}} \tag{3-7}$$

式中　$\overline{R_a}$、$\overline{R_b}$——参证站、未控区多年平均径流深,mm;

　　　$\overline{W_a}$、$\overline{W_b}$——参证站、未控区多年平均径流量,万 m^3。

K 值乘以参证站逐年天然年径流系列,即得未控区径流量系列:

$$W_b = W_a \cdot K \tag{3-8}$$

二、分区地表水资源量

根据以上估算方法,推求黄河流域 1956~2000 年多年平均地表水资源量 594.4 亿 m^3,折合径流深 74.77 mm,C_v 值 0.21,最大 1 027 亿 m^3(1964 年),最小 379.0 亿 m^3(1997 年);不包括内流区,1956~2000 年多年平均 591.8 亿 m^3,C_v 值 0.22,最大 1 022 亿 m^3(1964 年),最小 376.1 亿 m^3(1997 年)。

表 3-28 给出了黄河流域二级区分区地表水资源量及其基本特征值。表 3-29 给出了黄河流域各省(区)分区地表水资源量及其基本特征值。

表 3-28　黄河流域二级区分区地表水资源量及其基本特征值

二级区	省(区)	面积 (km²)	年径流量		C_v	C_s/C_v	不同频率径流量(亿 m³)			
			mm	亿 m³			20%	50%	75%	95%
龙羊峡以上	小计	131 340	157.4	206.6	0.25	3.0	247.3	200.2	169.1	133.8
	青海	104 946	130.6	137.1	0.26	3.0	164.8	132.6	111.5	87.67
	四川	16 960	267.2	45.31	0.24	2.0	54.28	44.41	37.42	28.73
	甘肃	9 434	256.8	24.23	0.24	3.0	28.80	23.55	20.04	16.02
龙羊峡—兰州	小计	91 090	145.8	132.8	0.24	3.0	157.8	129.0	109.9	87.89
	青海	47 304	147.2	69.64	0.22	3.0	82.02	67.90	58.37	47.25
	甘肃	43 786	144.2	63.15	0.30	3.0	77.57	60.41	49.50	37.75
兰州—河口镇	小计	163 644	10.81	17.68	0.28	3.0	21.71	17.21	14.09	10.32
	甘肃	30 113	9.33	2.81	0.34	2.5	3.53	2.65	2.11	1.56
	宁夏	41 757	11.11	4.64	0.31	2.0	5.79	4.49	3.61	2.56
	内蒙古	91 774	11.15	10.23	0.33	2.0	12.94	9.86	7.78	5.34
河口镇—龙门	小计	111 272	38.20	42.51	0.27	2.5	51.66	41.20	34.17	25.97
	内蒙古	22 828	38.81	8.86	0.38	2.0	11.50	8.43	6.41	4.12
	山西	33 276	28.10	9.35	0.32	3.0	11.63	8.88	7.16	5.37
	陕西	55 168	44.05	24.30	0.31	2.0	29.42	23.42	19.52	15.19

续表 3-28

二级区	省(区)	面积(km²)	年径流量 mm	年径流量 亿 m³	C_v	C_s/C_v	不同频率径流量(亿 m³) 20%	50%	75%	95%
龙门—三门峡	小计	191 109	63.05	120.5	0.30	2.5	149.0	115.9	94.08	69.35
	甘肃	59 908	53.20	31.87	0.38	2.0	40.82	29.63	23.00	16.57
	宁夏	8 236	58.28	4.80	0.34	2.0	6.10	4.61	3.61	2.44
	山西	48 201	43.17	20.81	0.33	3.0	25.99	19.71	15.81	11.78
	陕西	70 557	82.00	57.86	0.34	2.0	72.61	54.63	43.58	32.26
	河南	4 207	121.5	5.11	0.51	3.0	6.90	4.48	3.21	2.20
三门峡—花园口	小计	41 694	124.6	51.96	0.49	3.0	69.60	46.01	33.36	22.95
	山西	15 661	95.72	14.99	0.44	3.0	19.68	13.60	10.17	7.12
	陕西	3 064	215.7	6.61	0.58	2.0	9.43	5.89	3.81	1.81
	河南	22 969	132.2	30.36	0.54	3.0	41.36	26.18	18.44	12.59
花园口以下	小计	22 621	87.31	19.75	0.60	2.0	28.39	17.47	11.09	5.08
	河南	8 988	64.09	5.76	0.58	2.5	8.10	4.99	3.31	1.92
	山东	13 633	102.6	13.99	0.69	3.0	20.82	11.83	6.88	2.63
内流区	小计	42 271	6.17	2.62	0.32	3.0	3.25	2.48	2.01	1.51
	宁夏	1 399	3.57	0.05	0.58	2.0	0.07	0.04	0.03	0.01
	内蒙古	36 360	5.09	1.85	0.37	3.0	2.36	1.72	1.34	0.97
	陕西	4 512	15.96	0.72	0.50	2.0	0.99	0.66	0.45	0.25
黄河流域		795 041	74.77	594.4	0.21	3.0	695.6	580.9	502.9	410.8

表 3-29　黄河流域各省(区)分区地表水资源量及其基本特征值

省(区)	二级区	面积(km²)	年径流量 mm	年径流量 亿 m³	C_v	C_s/C_v	不同频率径流量(亿 m³) 20%	50%	75%	95%
青海	小计	152 250	135.8	206.7	0.22	3.0	243.0	201.7	173.8	141.1
	龙羊峡以上	104 946	130.6	137.1	0.26	3.0	164.8	132.6	111.5	87.67
	龙羊峡—兰州	47 304	147.2	69.64	0.22	3.0	82.02	67.90	58.37	47.25
四川	小计	16 960	267.2	45.31	0.24	2.0	54.28	44.41	37.42	28.73
	龙羊峡以上	16 960	267.2	45.31	0.24	2.0	54.28	44.41	37.42	28.73
甘肃	小计	143 241	85.2	122.1	0.28	2.0	149.4	118.9	97.7	72.0
	龙羊峡以上	9 434	256.8	24.23	0.24	3.0	28.8	23.55	20.04	16.02
	龙羊峡—兰州	43 786	144.2	63.15	0.3	3.0	77.57	60.41	49.5	37.75
	兰州—河口镇	30 113	9.33	2.81	0.34	2.5	3.53	2.65	2.11	1.56
	龙门—三门峡	59 908	53.20	31.87	0.38	2.0	40.82	29.63	23.00	16.57

续表 3-29

省（区）	二级区	面积（km²）	年径流量 mm	年径流量 亿 m³	C_v	C_s/C_v	不同频率径流量（亿 m³）20%	50%	75%	95%
宁夏	小计	51 392	18.5	9.49	0.30	2.0	11.76	9.20	7.44	5.33
	兰州—河口镇	41 757	11.11	4.64	0.31	2.0	5.79	4.49	3.61	2.56
	龙门—三门峡	8 236	58.28	4.80	0.34	2.0	6.10	4.61	3.61	2.44
	内流区	1 399	3.57	0.05	0.58	2.0	0.07	0.04	0.03	0.01
内蒙古	小计	150 962	13.9	20.94	0.31	3.0	25.91	19.95	16.20	12.23
	兰州—河口镇	91 774	11.1	10.23	0.33	2.0	12.94	9.86	7.78	5.34
	河口镇—龙门	22 828	38.8	8.86	0.38	2.0	11.5	8.43	6.41	4.12
	内流区	36 360	5.09	1.85	0.37	2.0	2.36	1.72	1.34	0.97
山西	小计	97 138	46.48	45.15	0.32	3.0	56.05	42.92	34.70	26.07
	河口镇—龙门	33 276	28.10	9.35	0.32	3.0	11.63	8.88	7.16	5.37
	龙门—三门峡	48 201	43.17	20.81	0.33	3.0	25.99	19.71	15.81	11.78
	三门峡—花园口	15 661	95.72	14.99	0.44	3.0	19.68	13.60	10.17	7.12
陕西	小计	133 301	67.13	89.49	0.29	2.0	110.4	86.96	70.75	51.24
	河口镇—龙门	55 168	44.05	24.30	0.31	2.0	29.42	23.42	19.52	15.19
	龙门—三门峡	70 557	82.00	57.86	0.34	2.0	72.61	54.63	43.58	32.26
	三门峡—花园口	3 064	215.7	6.61	0.58	2.0	9.43	5.89	3.81	1.81
	内流区	4 512	15.96	0.72	0.5	2.0	0.99	0.66	0.45	0.25
河南	小计	36 164	114.0	41.23	0.50	2.5	56.76	37.91	26.25	14.23
	龙门—三门峡	4 207	121.5	5.11	0.51	3.0	6.90	4.48	3.21	2.20
	三门峡—花园口	22 969	132.2	30.36	0.54	3.0	41.36	26.18	18.44	12.59
	花园口以下	8 988	64.09	5.76	0.58	2.5	8.10	4.99	3.31	1.92
山东	小计	13 633	102.6	13.99	0.69	3.0	20.82	11.83	6.88	2.63
	花园口以下	13 633	102.6	13.99	0.69	3.0	20.82	11.83	6.88	2.63
黄河流域		795 041	74.77	594.4	0.21	3.0	695.6	580.9	502.9	410.8

从表 3-28 和表 3-29 可以看出,黄河流域地表水资源主要分布于龙羊峡以上、龙羊峡—兰州及龙门—三门峡等二级区,这 3 个二级区地表水资源量分别占黄河流域地表水资源总量的 34.8%、22.3%、20.3%。二级区中,内流区和兰州—河口镇区间地表水资源

量较少,分别仅占黄河流域地表水资源总量的 0.4%、3.0%。

从各省(区)来看,青海最多(多年平均 206.7 亿 m³,占黄河流域地表水资源总量的 34.8%),甘肃次之(多年平均 122.1 亿 m³,占黄河流域地表水资源总量的 20.5%),最少的是宁夏(多年平均 9.49 亿 m³,占黄河流域地表水资源总量的 1.6%)和山东(多年平均 13.99 亿 m³,占黄河流域地表水资源总量的 2.4%)。

从黄河流域地表水资源量年际变化来看,自上游至下游,变化幅度逐渐加大。例如,龙羊峡以上,C_v 值仅 0.25;至河口镇—龙门区间,上升到了 0.27;至黄河下游,更是达到了 0.60。

从黄河流域不同保证率地表水资源量来看,20%、50%、75% 和 95% 条件下的地表水资源量分别为 695.6 亿 m³、580.9 亿 m³、502.9 亿 m³、410.8 亿 m³。这意味着黄河流域 4 年一遇的枯水年地表水资源量为 502.9 亿 m³,20 年一遇的枯水年地表水资源量为 410.8 亿 m³,5 年一遇的丰水年地表水资源量为 695.6 亿 m³。

三、地区分布特征

从黄河流域 1956～2000 年多年平均径流深等值线图(见图 3-10)可以看出,黄河流域径流深等值线分布与降水量等值线分布十分相似。地区分布总的趋势是:由东南向西北递减,最高为南部的巴颜喀拉山脉—秦岭—伏牛山—嵩山一线,多年平均径流深一般都在 300 mm 以上,个别小区最大可达 700 mm;西部的祁连山、太子山、贺兰山,中部的六盘山以及东部、东南部的吕梁山、中条山、泰山等石质或土石山区,都分布着径流深的局部极大值。黄土高原和黄土丘陵区,下垫面性质比较均一,相对高差不大,径流深等值线分布比较均匀,并随降雨变化依次由东南向西北递减,到兰州—托克托区间,径流深降低在 10 mm 以下。

(一)地区分布特点

黄河流域径流深等值线图的分布规律大致可分为以下几点:

(1)下垫面因素比较一致的黄土高原丘陵沟壑区,相对高差不大,区内植被条件较为一致,产流主要受降水制约,等值线分布较均匀。

(2)石质山区,由于受植被、地形、土质、降水等综合因素的影响,等值线曲度大,线级密,在祁连山、太子山、六盘山、贺兰山、秦岭以及吕梁山、伏牛山、中条山局部形成了径流的相对高值区。如太子山受地形和局部降雨的影响,与秦岭径流深最高级同级。

(3)接近内流区的窟野河至无定河区间各支流,受内流区地下径流补给影响,径流深形成相对高值区。

从黄河流域各区平均径流深分布来看,龙羊峡以上区域径流深居于首位,多年平均为 157.4 mm;龙羊峡—兰州区间次之,为 145.8 mm;内流区最少,为 6.2 mm;5 mm 以下不作产流估算的面积为 2.6 万 km²,约占兰州—河口镇区间面积的 16%。

(二)地带分布特点

虽然径流深等值线与降水等值线分布相似,但由于下垫面因素的影响,地区分布的不均匀性较降水更为严重。按照径流深的多少,对应于降水量,可划分为多水带、过渡带、少水带、干涸带四个地带。

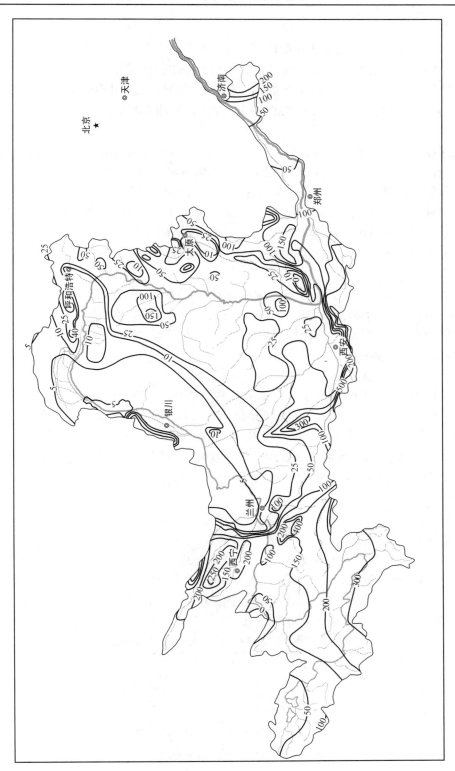

图 3-10　黄河流域 1956～2000 年多年平均径流深等值线图

1. 多水带

年径流深 300 mm 以上,分布于秦岭山区、四川白河、青海久治一带以及祁连山、太子山、六盘山、伏牛山等小面积区。控制面积 3.5 万 km²,占流域面积的 4.7%,径流量 120 亿 m³,占流域径流量的 20.2%。由于下垫面因素影响,其面积大于由降水量划分的湿润区面积,年径流系数一般在 0.4~0.6 之间,最大可达 0.72,即秦岭山区的益门镇站。

2. 过渡带

年径流深在 50~300 mm 之间,分布于兰州以上绝大部分地区、渭河以南、六盘山区、吕梁山区、大青山局部地区、黄龙、潼关以下及陕北黄甫川以南—无定河以北地区,相当于降水量划分的半湿润区。由于黄土丘陵沟壑的作用,渭河以北除六盘山、黄龙山、子午岭局部地区以外,产流条件差,土壤含蓄能力强,陆地蒸发大,使径流偏小,与降水量划分的半湿润区不相对应。该区面积 34.4 万 km²,占流域面积的 43.4%,径流量 455 亿 m³,占流域径流量的 76.7%,年径流系数一般在 0.1~0.4 之间。

3. 少水带

年径流深在 10~50 mm 之间,分布于黄河河源区北部、龙羊峡以北沙漠区、湟水河谷、洮河下游、祖厉河、清水河上游、贺兰山区、大青山、乌拉山以及河口镇—潼关区间大部分地区。该区面积 25.6 万 km²,占流域面积的 32.2%,径流量 82 亿 m³,占流域径流量的 13.8%,年径流系数一般在 0.03~0.1 之间。

4. 干涸带

年径流深在 10 mm 以下,分布于与内陆河片腾格里沙漠交界的兰州附近黄河以北、祖厉河、清水河中下游以及内流区西部、宁蒙河套灌区,基本在 300 mm 降水等值线以西部分。与降水量划分的干旱半干旱区相对应,面积为 15.9 万 km²,占流域面积的 20.0%,径流量为 4 亿 m³,占流域径流量的 0.7%,比降水量划分的干旱区范围大 2.3 倍,径流系数都小于 0.03,有相当大的面积径流深小于 5 mm。

四、年内分配特点

从黄河流域河川天然径流量年内分配来看,主要集中于 7~10 月,可占年径流量的 58% 左右。最小月径流量多发生在 1 月,仅占年径流量的 2.4% 左右;最大月径流量多发生在 7、8 月,可占年径流量的 14%~16%。表 3-30 给出了干流兰州、龙门、三门峡、花园口水文站 1956~2000 年多年平均天然径流量年内分配情况。图 3-11 给出了黄河部分干支流水文站多年平均天然径流量年内分配情况。

表 3-30　黄河干流主要水文站多年平均天然径流量年内分配情况　（单位:亿 m³）

水文站	1 月	2 月	3 月	4 月	5 月	6 月	7 月	8 月	9 月	10 月	11 月	12 月	年
兰州	8.49	7.73	11.08	16.14	26.73	35.65	52.90	49.15	49.50	40.27	21.19	11.06	329.9
龙门	7.62	10.26	20.86	20.43	30.78	35.10	55.67	60.92	54.97	49.02	24.55	8.93	379.1
三门峡	11.65	14.49	26.79	27.81	38.18	41.63	67.16	75.26	69.75	62.00	33.86	14.14	482.7
花园口	13.73	15.40	28.44	30.04	41.31	43.92	74.16	84.75	77.31	68.68	38.14	16.89	532.8
利津	13.04	15.56	27.58	30.37	41.58	42.60	71.83	87.30	79.00	69.51	39.14	17.30	534.8

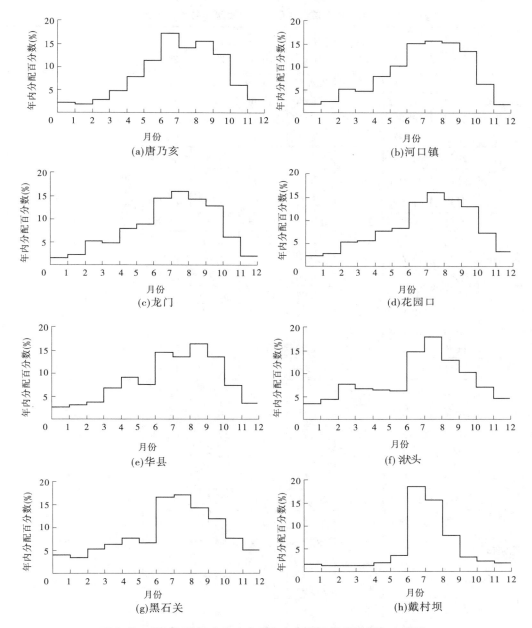

图 3-11　黄河部分干支流水文站多年平均天然径流量年内分配

五、年代间变化特点

表 3-31 和表 3-32 分别给出了黄河流域二级区和各省(区)地表水资源量不同年代的对比情况。

表 3-31　黄河流域二级区地表水资源量各年代对比情况　　　（单位:亿 m³）

二级区	省(区)	面积 (km²)	1956~1959	1960~1969	1970~1979	1980~1989	1990~2000	1956~2000	1956~1979	1980~2000
龙羊峡以上	小计	131 340	164.87	220.85	205.29	243.96	176.40	206.64	205.01	208.60
	青海	104 946	110.30	145.80	135.60	163.60	116.40	137.10	135.60	138.90
	四川	16 960	35.06	48.23	45.36	52.59	39.71	45.31	44.84	45.85
	甘肃	9 434	19.51	26.82	24.33	27.77	20.29	24.23	24.57	23.85
龙羊峡—兰州	小计	91 090	141.55	155.37	127.40	136.34	110.76	132.79	141.41	122.94
	青海	47 304	78.44	77.16	61.60	73.59	63.32	69.64	70.89	68.21
	甘肃	43 786	63.11	78.21	65.80	62.75	47.44	63.15	70.52	54.73
兰州—河口镇	小计	163 644	23.03	17.84	17.26	15.51	17.97	17.69	18.45	16.80
	甘肃	30 113	3.45	2.81	2.78	2.55	2.84	2.81	2.90	2.70
	宁夏	41 757	5.05	4.97	4.83	3.76	4.82	4.64	4.92	4.32
	内蒙古	91 774	14.53	10.06	9.65	9.20	10.31	10.23	10.63	9.78
河口镇—龙门	小计	111 272	49.91	44.60	45.08	39.96	37.88	42.51	45.69	38.87
	内蒙古	22 828	11.07	10.02	10.11	7.48	7.09	8.86	10.24	7.28
	山西	33 276	9.73	9.30	10.07	9.03	8.88	9.35	9.69	8.96
	陕西	55 168	29.11	25.28	24.89	23.44	21.90	24.30	25.76	22.63
龙门—三门峡	小计	191 109	138.65	141.96	112.64	126.51	95.88	120.45	129.20	110.46
	甘肃	59 908	32.89	40.74	32.17	31.92	23.12	31.87	35.86	27.31
	宁夏	8 236	4.74	6.02	4.51	4.56	4.18	4.80	5.18	4.36
	山西	48 201	27.62	25.74	20.20	17.39	17.51	20.81	23.75	17.45
	陕西	70 557	66.02	63.76	51.87	66.74	46.91	57.86	59.18	56.35
	河南	4 207	7.38	5.70	3.89	5.90	4.16	5.11	5.23	4.99
三门峡—花园口	小计	41 694	78.01	61.85	42.10	54.52	40.14	51.96	56.31	46.99
	山西	15 661	21.83	18.24	12.96	14.11	12.17	14.99	16.64	13.10
	陕西	3 064	10.24	8.22	5.02	7.17	4.78	6.61	7.22	5.92
	河南	22 969	45.94	35.39	24.13	33.24	23.18	30.36	32.45	27.97
花园口以下	小计	22 621	19.49	22.63	19.07	13.26	23.73	19.75	20.63	18.75
	河南	8 988	6.00	7.08	5.61	4.41	5.85	5.76	6.29	5.16
	山东	13 633	13.49	15.55	13.46	8.85	17.88	13.99	14.34	13.58
内流区	小计	42 271	2.93	3.10	2.18	2.41	2.61	2.62	2.69	2.52
	宁夏	1 399	0.05	0.04	0.06	0.03	0.05	0.05	0.05	0.04
	内蒙古	36 360	1.75	2.00	1.52	1.82	2.06	1.85	1.76	1.95
	陕西	4 512	1.13	1.06	0.60	0.56	0.50	0.72	0.88	0.53
黄河流域		795 041	618.4	668.2	571.0	632.5	505.3	594.4	619.4	565.9

表 3-32　黄河流域各省(区)地表水资源量各年代对比情况　（单位：亿 m³）

省(区)	二级区	面积(km²)	1956～1959	1960～1969	1970～1979	1980～1989	1990～2000	1956～2000	1956～1979	1980～2000
青海	小计	152 250	188.74	222.96	197.1	237.19	179.72	206.74	206.49	207.11
	龙羊峡以上	104 946	110.30	145.80	135.60	163.60	116.40	137.10	135.60	138.90
	龙羊峡—兰州	47 304	78.44	77.16	61.60	73.59	63.32	69.64	70.89	68.21
四川	小计	16 960	35.06	48.23	45.36	52.59	39.71	45.31	44.84	45.85
	龙羊峡以上	16 960	35.06	48.23	45.36	52.59	39.71	45.31	44.84	45.85
甘肃	小计	143 241	118.96	148.58	125.08	124.99	93.69	122.06	133.85	108.59
	龙羊峡以上	9 434	19.51	26.82	24.33	27.77	20.29	24.23	24.57	23.85
	龙羊峡—兰州	43 786	63.11	78.21	65.80	62.75	47.44	63.15	70.52	54.73
	兰州—河口镇	30 113	3.45	2.81	2.78	2.55	2.84	2.81	2.90	2.70
	龙门—三门峡	59 908	32.89	40.74	32.17	31.92	23.12	31.87	35.86	27.31
宁夏	小计	51 392	9.84	11.03	9.40	8.35	9.05	9.49	10.15	8.72
	兰州—河口镇	41 757	5.05	4.97	4.83	3.76	4.82	4.64	4.92	4.32
	龙门—三门峡	8 236	4.74	6.02	4.51	4.56	4.18	4.80	5.18	4.36
	内流区	1 399	0.05	0.04	0.06	0.03	0.05	0.05	0.05	0.04
内蒙古	小计	150 962	27.35	22.08	21.28	18.50	19.46	20.94	22.63	19.01
	兰州—河口镇	91 774	14.53	10.06	9.65	9.20	10.31	10.23	10.63	9.78
	河口镇—龙门	22 828	11.07	10.02	10.11	7.48	7.09	8.86	10.24	7.28
	内流区	36 360	1.75	2.00	1.52	1.82	2.06	1.85	1.76	1.95
山西	小计	97 138	59.18	53.28	43.23	40.53	38.56	45.15	50.08	39.51
	河口镇—龙门	33 276	9.73	9.30	10.07	9.03	8.88	9.35	9.69	8.96
	龙门—三门峡	48 201	27.62	25.74	20.20	17.39	17.51	20.81	23.75	17.45
	三门峡—花园口	15 661	21.83	18.24	12.96	14.11	12.17	14.99	16.64	13.10
陕西	小计	133 301	106.50	98.32	82.38	97.91	74.09	89.49	93.04	85.43
	河口镇—龙门	55 168	29.11	25.28	24.89	23.44	21.90	24.30	25.76	22.63
	龙门—三门峡	70 557	66.02	63.76	51.87	66.74	46.91	57.86	59.18	56.35
	三门峡—花园口	3 064	10.24	8.22	5.02	7.17	4.78	6.61	7.22	5.92
	内流区	4 512	1.13	1.06	0.60	0.56	0.50	0.72	0.88	0.53
河南	小计	36 164	59.32	48.17	33.63	43.55	33.19	41.23	43.97	38.12
	龙门—三门峡	4 207	7.38	5.70	3.89	5.90	4.16	5.11	5.23	4.99
	三门峡—花园口	22 969	45.94	35.39	24.13	33.24	23.18	30.36	32.45	27.97
	花园口以下	8 988	6.00	7.08	5.61	4.41	5.85	5.76	6.29	5.16
山东	小计	13 633	13.49	15.55	13.46	8.85	17.88	13.99	14.34	13.58
	花园口以下	13 633	13.49	15.55	13.46	8.85	17.88	13.99	14.34	13.58
黄河流域		795 041	618.4	668.2	571.0	632.5	505.3	594.4	619.4	565.9

值得注意的是，黄河河源区虽然 20 世纪 90 年代地表水资源量有所减少（较多年均值偏少近 15%），但从近 20 年平均情况看，由于降水量较以前（1956～1979 年时段）略有所增加，导致地表水资源量也有所增加（偏多近 2%）。其他二级区都有所减少。

　　1956～1979 年时段,本次评价结果为 619.4 亿 m³,较第一次评价成果(662.0 亿 m³)减少了近 43 亿 m³,减少幅度约为 6.4%,是系列一致性处理的结果。全流域近 21 年较以往(1956～1979 年时段)偏少了 8.6%。从年代对比来看,20 世纪 50、60 年代和 80 年代偏丰,70、90 年代偏枯。

六、年径流系数及其变化特点

　　表 3-33 和表 3-34 分别给出了黄河流域二级区和各省(区)年径流系数不同年代的对比结果。从大趋势来看,各二级区和各省(区)都存在随年代变化而逐渐减小的趋势。

表 3-33　黄河流域二级区年径流系数各年代对比结果

二级区	省(区)	面积 (km²)	1956～ 1959	1960～ 1969	1970～ 1979	1980～ 1989	1990～ 2000	1956～ 2000	1956～ 1979	1980～ 2000
龙羊峡 以上	小计	131 340	0.272	0.340	0.324	0.366	0.286	0.324	0.322	0.326
	青海	104 946	0.247	0.316	0.297	0.341	0.267	0.300	0.297	0.304
	四川	16 960	0.341	0.390	0.397	0.429	0.323	0.380	0.386	0.373
	甘肃	9 434	0.348	0.412	0.385	0.434	0.348	0.391	0.391	0.391
龙羊峡 — 兰州	小计	91 090	0.327	0.347	0.287	0.312	0.264	0.304	0.319	0.287
	青海	47 304	0.348	0.341	0.280	0.326	0.299	0.315	0.317	0.313
	甘肃	43 786	0.303	0.353	0.294	0.296	0.229	0.293	0.320	0.261
兰州— 河口镇	小计	163 644	0.049	0.040	0.040	0.040	0.042	0.041	0.041	0.041
	甘肃	30 113	0.036	0.029	0.030	0.030	0.031	0.031	0.030	0.031
	宁夏	41 757	0.045	0.044	0.046	0.040	0.047	0.044	0.045	0.044
	内蒙古	91 774	0.056	0.042	0.041	0.043	0.045	0.044	0.044	0.044
河口镇 — 龙门	小计	111 272	0.089	0.086	0.094	0.086	0.086	0.088	0.090	0.086
	内蒙古	22 828	0.116	0.113	0.117	0.098	0.090	0.106	0.115	0.094
	山西	33 276	0.054	0.055	0.063	0.059	0.058	0.058	0.058	0.058
	陕西	55 168	0.103	0.097	0.107	0.100	0.104	0.102	0.102	0.102
龙门— 三门峡	小计	191 109	0.124	0.129	0.111	0.120	0.102	0.117	0.121	0.111
	甘肃	59 908	0.106	0.123	0.107	0.107	0.083	0.105	0.114	0.095
	宁夏	8 236	0.115	0.139	0.118	0.123	0.114	0.123	0.127	0.119
	山西	48 201	0.099	0.099	0.084	0.069	0.078	0.084	0.093	0.073
	陕西	70 557	0.145	0.146	0.128	0.151	0.127	0.139	0.139	0.139
	河南	4 207	0.236	0.200	0.144	0.200	0.171	0.185	0.185	0.186
三门峡 — 花园口	小计	41 694	0.253	0.217	0.156	0.194	0.158	0.189	0.199	0.176
	山西	15 661	0.202	0.178	0.134	0.149	0.135	0.155	0.165	0.142
	陕西	3 064	0.381	0.339	0.224	0.277	0.222	0.278	0.302	0.251
	河南	22 969	0.266	0.223	0.161	0.208	0.163	0.197	0.206	0.186
花园口 以下	小计	22 621	0.121	0.156	0.126	0.086	0.165	0.135	0.138	0.131
	河南	8 988	0.103	0.127	0.105	0.096	0.113	0.110	0.114	0.105
	山东	13 633	0.131	0.173	0.138	0.080	0.192	0.148	0.152	0.144
内流区	小计	42 271	0.024	0.024	0.019	0.023	0.025	0.023	0.022	0.024
	宁夏	1 399	0.013	0.010	0.017	0.010	0.014	0.014	0.013	0.012
	内蒙古	36 360	0.018	0.018	0.016	0.020	0.023	0.019	0.017	0.022
	陕西	4 512	0.063	0.063	0.041	0.038	0.036	0.047	0.055	0.037
黄河流域		795 041	0.164	0.179	0.161	0.178	0.151	0.167	0.169	0.165

表 3-34　黄河流域各省(区)年径流系数各年代对比结果

省(区)	二级区	面积 (km²)	1956~ 1959	1960~ 1969	1970~ 1979	1980~ 1989	1990~ 2000	1956~ 2000	1956~ 1979	1980~ 2000
青海	小计	152 250	0.281	0.324	0.291	0.336	0.278	0.305	0.303	0.307
	龙羊峡以上	104 946	0.247	0.316	0.297	0.341	0.267	0.300	0.297	0.304
	龙羊峡—兰州	47 304	0.348	0.341	0.280	0.326	0.299	0.315	0.317	0.313
四川	小计	16 960	0.341	0.390	0.397	0.429	0.323	0.380	0.386	0.373
	龙羊峡以上	16 960	0.341	0.390	0.397	0.429	0.323	0.380	0.386	0.373
甘肃	小计	143 241	0.178	0.207	0.183	0.190	0.147	0.182	0.193	0.168
	龙羊峡以上	9 434	0.348	0.412	0.385	0.434	0.348	0.391	0.391	0.391
	龙羊峡—兰州	43 786	0.303	0.353	0.294	0.296	0.229	0.293	0.320	0.261
	兰州—河口镇	30 113	0.036	0.029	0.030	0.030	0.031	0.031	0.030	0.031
	龙门—三门峡	59 908	0.106	0.123	0.107	0.107	0.083	0.105	0.114	0.095
宁夏	小计	51 392	0.063	0.069	0.064	0.062	0.063	0.064	0.066	0.063
	兰州—河口镇	41 757	0.045	0.044	0.046	0.040	0.047	0.044	0.045	0.044
	龙门—三门峡	8 236	0.115	0.139	0.118	0.123	0.114	0.123	0.127	0.119
	内流区	1 399	0.013	0.010	0.017	0.010	0.014	0.014	0.013	0.012
内蒙古	小计	150 962	0.060	0.051	0.050	0.049	0.049	0.051	0.052	0.049
	兰州—河口镇	91 774	0.056	0.042	0.041	0.043	0.045	0.044	0.044	0.044
	河口镇—龙门	22 828	0.116	0.113	0.117	0.098	0.090	0.106	0.115	0.094
	内流区	36 360	0.018	0.018	0.016	0.020	0.023	0.019	0.017	0.022
山西	小计	97 138	0.104	0.100	0.087	0.081	0.082	0.090	0.096	0.082
	河口镇—龙门	33 276	0.054	0.055	0.063	0.059	0.058	0.058	0.058	0.058
	龙门—三门峡	48 201	0.099	0.099	0.084	0.069	0.078	0.084	0.093	0.073
	三门峡—花园口	15 661	0.202	0.178	0.134	0.149	0.135	0.155	0.165	0.142
陕西	小计	133 301	0.136	0.133	0.122	0.137	0.120	0.129	0.129	0.129
	河口镇—龙门	55 168	0.103	0.097	0.107	0.100	0.104	0.102	0.102	0.102
	龙门—三门峡	70 557	0.145	0.146	0.128	0.151	0.127	0.139	0.139	0.139
	三门峡—花园口	3 064	0.381	0.339	0.224	0.277	0.222	0.278	0.302	0.251
	内流区	4 512	0.063	0.063	0.041	0.038	0.036	0.047	0.055	0.037
河南	小计	36 164	0.226	0.198	0.146	0.185	0.152	0.176	0.182	0.168
	龙门—三门峡	4 207	0.236	0.200	0.144	0.200	0.171	0.185	0.185	0.186
	三门峡—花园口	22 969	0.266	0.223	0.161	0.208	0.163	0.197	0.206	0.186
	花园口以下	8 988	0.103	0.127	0.105	0.096	0.113	0.110	0.114	0.105
山东	小计	13 633	0.131	0.173	0.138	0.080	0.192	0.148	0.152	0.144
	花园口以下	13 633	0.131	0.173	0.138	0.080	0.192	0.148	0.152	0.144
黄河流域		795 041	0.164	0.179	0.161	0.178	0.151	0.167	0.169	0.165

黄河流域 1956～2000 年平均年径流系数 0.167,C_v 值 0.13;最大年径流系数 0.212 (1964 年),最小 0.174(2000 年)。不包括内流区,1956～2000 年平均年径流系数 0.139, C_v 值 0.14;最大年径流系数 0.220(1964 年),最小 0.142(2000 年)。从年代对比来看,20 世纪 60、80 年代偏大,50 年代正常,70、90 年代偏小。

第五节　出入省境水量与入海水量

一、出入省境水量

出入省境水量的计算,主要是选取省界附近的水文站,根据实测径流资料计算入省境 水量、出省境水量及流入省际界河水量。当选用水文站距省界较远时,应根据水文站的具 体位置,采用合适的方法,对出入省境水量及流入省际界河水量进行已控区间或未控区间 水量的修正。表 3-35 给出了黄河流域二级区和各省(区)出入省境水量不同年代的对比 情况。

(一)龙羊峡以上

四川、甘肃省的出省境水量为青海省的入省境水量,1956～2000 年各年代出、入省境 水量在 51.6 亿～66.2 亿 m^3 之间变化,均值为 61.2 亿 m^3;20 世纪 90 年代为 58.4 亿 m^3,与 70 年代基本持平;80 年代为 66.2 亿 m^3,与 60 年代 65.2 亿 m^3 基本持平。最大值 与最小值之比为 1.28。

(二)龙羊峡—兰州

青海的出省境水量为甘肃省的入省境水量,1956～2000 年间,各年代出、入省境水量 在 243.0 亿～295.8 亿 m^3 之间变化,均值为 264.3 亿 m^3;最大值为 20 世纪 60 年代 295.8 亿 m^3,最小值为 90 年代 243.0 亿 m^3,最大值与最小值之比为 1.22。

(三)兰州—河口镇

甘肃的出省境水量为宁夏的入省境水量,1956～2000 年各年代出、入省境水量在 255.8 亿～355.7 亿 m^3 之间变化,均值为 310.2 亿 m^3;自 20 世纪 60 年代以来呈减少的 趋势;最大值与最小值之比为 1.39。宁夏的出省境水量为内蒙古的入省境水量,1956～ 2000 年各年代出、入省境水量在 224.5 亿～329.0 亿 m^3 之间变化,均值为 281.4 亿 m^3; 自 60 年代以来呈减少的趋势;最大值与最小值之比为 1.47。内蒙古流入省际界河的水 量 1956～2000 年代间在 155.2 亿～271.0 亿 m^3 之间变化,均值为 222.0 亿 m^3;自 60 年 代以来呈减少的趋势;最大值与最小值之比为 1.75。

(四)河口镇—龙门

黄河干流作为内蒙古、山西、陕西省的省际界河,出入境水量计算涉及内蒙古、山西、 陕西等省(区)。内蒙古的出境水量为山西、陕西省的入省境水量,1956～2000 年各年代 出、入省境水量在 5.2 亿～9.6 亿 m^3 之间变化,均值为 7.4 亿 m^3;自 20 世纪 70 年代以 来呈现逐渐减少的趋势,最大值与最小值之比为 1.85。山西省流入省际界河的水量 1956～2000 年各年代在 7.7 亿～17.6 亿 m^3 之间变化,均值为 11.5 亿 m^3;自 50 年代以 来呈现逐渐减少的趋势;最大值与最小值之比为 2.29。陕西省流入省际界河的水量 1956～

（单位：亿m³）

表3-35　黄河流域出入境水量统计结果

二级区	省(区)	1956~1959 入境	出境	入省界	1960~1969 入境	出境	入省界	1970~1979 入境	出境	入省界	1980~1989 入境	出境	入省界	1990~2000 入境	出境	入省界	1956~2000 入境	出境	入省界	1956~1979 入境	出境	入省界	1980~2000 入境	出境	入省界
龙羊峡以上	小计	0.0	161.6	0.0	0.0	216.5	0.0	0.0	203.9	0.0	0.0	241.1	0.0	0.0	174.0	0.0	0.0	203.9	0.0	0.0	202.1	0.0	0.0	205.9	0.0
	青海	51.6	161.6	0.0	65.2	216.5	0.0	58.9	203.9	0.0	66.2	241.1	0.0	58.4	174.0	0.0	61.2	203.9	0.0	60.3	202.1	0.0	62.1	205.9	0.0
	四川	0.0	39.4	0.0	0.0	48.3	0.0	0.0	43.0	0.0	0.0	47.8	0.0	0.0	44.5	0.0	0.0	45.3	0.0	0.0	44.6	0.0	0.0	46.1	0.0
	甘肃	0.0	12.2	0.0	0.0	16.9	0.0	0.0	15.9	0.0	0.0	18.4	0.0	0.0	13.9	0.0	0.0	15.8	0.0	0.0	15.7	0.0	0.0	16.0	0.0
龙羊峡—兰州	小计	161.6	284.3	0.0	216.5	357.9	0.0	203.9	318.0	0.0	241.1	333.5	0.0	174.0	259.7	0.0	203.9	313.1	0.0	202.1	329.0	0.0	205.9	294.9	0.0
	青海	161.6	242.6	0.0	136.9	295.8	0.0	203.9	262.5	0.0	241.1	284.6	0.0	174.0	243.0	0.0	203.9	264.3	0.0	202.1	273.1	0.0	205.9	262.8	0.0
	甘肃	242.6	284.3	0.0	295.8	357.9	0.0	262.5	318.0	0.0	284.6	333.5	0.0	243.0	259.7	0.0	264.3	313.1	0.0	273.1	329.0	0.0	262.8	294.9	0.0
兰州—河口镇	小计	284.3	0.0	212.8	357.9	0.0	271.0	318.0	0.0	233.1	333.5	0.0	239.0	259.7	0.0	155.2	313.1	0.0	222.0	329.0	0.0	245.5	294.9	0.0	195.1
	甘肃	284.3	283.6	0.0	357.9	355.7	0.0	318.0	315.1	0.0	333.5	330.0	0.0	259.7	255.8	0.0	313.1	310.0	0.0	329.0	326.8	0.0	294.9	291.2	0.0
	宁夏	283.6	263.2	0.0	355.7	329.0	0.0	315.1	288.6	0.0	330.0	300.6	0.0	255.8	224.5	0.0	310.0	281.4	0.0	326.8	301.2	0.0	291.2	260.7	0.0
	内蒙古	263.2	0.0	212.8	329.0	0.0	271.0	288.6	0.0	233.1	300.6	0.0	239.0	224.5	0.0	155.2	281.4	0.0	222.0	301.2	0.0	245.5	260.7	0.0	195.1
河口镇—龙门	小计	212.8	291.2	0.0	271.0	336.6	0.0	233.1	284.5	0.0	239.0	276.2	0.0	155.2	194.4	0.0	222.0	272.8	0.0	245.5	307.3	0.0	195.1	233.3	0.0
	内蒙古	0.0	9.6	0.0	0.0	8.2	0.0	0.0	8.2	0.0	0.0	7.1	0.0	0.0	5.2	0.0	0.0	7.4	0.0	0.0	8.5	0.0	0.0	6.1	0.0
	山西	0.1	0.0	17.6	0.1	0.0	16.5	0.1	0.0	11.9	0.1	0.0	8.0	0.1	0.0	7.7	0.1	0.0	11.5	0.1	0.0	14.8	0.1	0.0	7.9
	陕西	9.5	0.0	44.2	8.1	0.0	41.6	8.1	0.0	36.1	7.0	0.0	29.2	5.1	0.0	25.0	7.3	0.0	33.8	8.4	0.0	39.8	6.0	0.0	27.0
龙门—三门峡	小计	291.2	422.6	0.0	336.6	453.8	0.0	284.5	358.2	0.0	276.2	370.9	0.0	194.4	235.1	0.0	272.8	357.9	0.0	307.3	408.8	0.0	233.3	299.8	0.0
	甘肃	3.1	35.5	0.0	3.6	46.5	0.0	2.4	34.4	0.0	2.4	33.8	0.0	2.0	21.0	0.0	2.6	33.9	0.0	3.0	39.6	0.0	2.2	27.1	0.0
	宁夏	0.0	3.1	0.0	0.0	3.6	0.0	0.0	2.4	0.0	0.0	2.4	0.0	0.0	2.2	0.0	0.0	2.6	0.0	0.0	3.0	0.0	0.0	2.2	0.0
	山西	0.0	22.6	0.0	0.0	20.0	0.0	0.0	11.5	0.0	0.0	8.3	0.0	0.0	5.6	0.0	0.0	12.2	0.0	0.0	16.9	0.0	0.0	6.9	0.0
	陕西	35.5	99.2	0.0	46.5	108.2	6.6	34.4	68.5	0.0	33.8	89.1	0.0	21.0	49.3	0.0	33.9	80.0	0.0	39.6	90.2	0.0	27.1	68.3	0.0
	河南	411.5	422.6	8.6	444.5	453.8	6.6	351.6	358.2	4.4	361.9	370.9	6.7	228.0	235.1	4.0	349.6	357.9	5.7	400.3	408.8	6.0	291.8	299.8	5.3
三门峡—花园口	小计	422.6	463.1	0.0	453.8	505.9	0.0	358.2	381.6	0.0	370.9	411.7	0.0	235.1	248.6	0.0	357.9	390.6	0.0	408.8	447.0	0.0	299.8	326.3	0.0
	山西	0.0	29.9	0.0	0.0	23.3	0.0	0.0	16.0	0.0	0.0	16.1	0.0	0.0	11.2	0.0	0.0	17.5	0.0	0.0	21.4	0.0	0.0	13.5	0.0
	陕西	0.0	11.3	0.0	0.0	8.8	0.0	0.0	5.4	0.0	0.0	7.8	0.0	0.0	4.2	0.0	0.0	6.9	0.0	0.0	7.8	0.0	0.0	5.9	0.0
	河南	463.1	463.1	0.0	485.9	505.9	0.0	379.6	381.6	0.0	394.8	411.7	0.0	250.5	248.6	0.0	382.3	390.6	0.0	438.0	447.0	0.0	319.2	326.3	0.0
花园口以下	小计	463.1	436.4	0.0	505.9	499.6	0.0	381.8	309.5	0.0	411.7	284.3	0.0	248.6	128.6	0.0	390.6	312.2	0.0	447.0	409.8	0.0	326.3	202.7	0.0
	河南	463.1	448.6	0.0	505.9	502.4	0.0	381.8	369.8	0.0	411.7	379.6	0.0	248.6	219.4	0.0	390.6	371.7	0.0	447.0	438.2	0.0	326.3	295.6	0.0
	山东	448.6	436.4	0.0	502.4	499.6	0.0	369.8	309.5	0.0	379.6	284.3	0.0	219.4	128.6	0.0	371.7	313.2	0.0	438.2	409.8	0.0	295.6	202.7	0.0
黄河流域		0.0	436.4	0.0	0.0	499.6	0.0	0.0	309.5	0.0	0.0	284.3	0.0	0.0	128.6	0.0	0.0	313.2	0.0	0.0	409.8	0.0	0.0	202.7	0.0

2000 年各年代在 25.0 亿～44.2 亿 m³ 之间变化,均值为 33.8 亿 m³;自 50 年代以来呈现逐渐减少的趋势;最大值与最小值之比为 1.77。

(五)龙门—三门峡

黄河干流作为山西与陕西、河南省的省际界河,出入境水量计算涉及山西、宁夏、甘肃、陕西、河南等省(区)。宁夏出境水量为甘肃入境水量,1956～2000 年间各年代出、入省境水量介于 2.0 亿～3.6 亿 m³ 之间,均值为 2.6 亿 m³;自 20 世纪 60 年代以来呈减少的趋势;最大值与最小值之比为 1.8。甘肃的出省境水量为陕西的入省境水量,1956～2000 年各年代出、入省境水量介于 21.0 亿～46.5 亿 m³ 之间,均值为 33.9 亿 m³;最大值与最小值之比为 2.21。山西省流入省际界河的水量 1956～2000 年各年代介于 5.6 亿～22.6 亿 m³ 之间,均值为 12.2 亿 m³;自 50 年代以来呈减少的趋势;最大值与最小值之比为 4.04。陕西省流入省际界河的水量 1956～2000 年各年代介于 49.3 亿～108.4 亿 m³ 之间,均值为 80.0 亿 m³;最大值与最小值之比为 2.20。河南省 1956～2000 年各年代入省境水量在 228.0 亿～444.5 亿 m³ 之间变化,均值为 349.6 亿 m³;自 60 年代以来呈减少的趋势;最大值与最小值之比为 1.95。河南省流入省际界河的水量 1956～2000 年各年代在 4.0 亿～8.6 亿 m³ 之间变化,均值为 5.7 亿 m³;最大值与最小值之比为 2.15。

(六)三门峡—花园口

出入境水量计算涉及山西、陕西、河南等省。山西、陕西两省的出省境水量为河南省的入省境水量,1956～2000 年各年代出、入省境水量在 15.4 亿～41.2 亿 m³ 之间变化,均值为 24.4 亿 m³;自 20 世纪 50 年代以来呈减少的趋势;最大值与最小值之比为 2.68。

(七)花园口以下

出入境水量计算涉及河南、山东省。1956～2000 年各年代出、入省境水量在 219.4 亿～502.4 亿 m³ 之间变化,均值为 371.7 亿 m³;自 20 世纪 60 年代以来呈减少的趋势;最大值与最小值之比为 2.29。山东省的出省境水量(即入海水量),1956～2000 年各年代在 128.6 亿～499.6 亿 m³ 之间变化,均值为 313.2 亿 m³;自 60 年代以来呈减少的趋势;最大值与最小值之比为 3.88。

二、入海水量

黄河入海水量计算,采用利津水文站实测径流量扣除利津以下工农业用水得到。

黄河入海水量 1956～2000 年平均 313.2 亿 m³,其中 1956～1979 年平均 409.8 亿 m³,1980～2000 年平均 202.7 亿 m³(较 1956～1979 年均值减少了近 50%)。

从年代对比来看,20 世纪 50、60 年代平均 436.4 亿～499.6 亿 m³,70 年代以后逐年代减少(70 年代平均 309.5 亿 m³,80 年代平均 284.3 亿 m³,90 年代平均 128.6 亿 m³)。图 3-12 给出了黄河入海水量 1950～2003 年逐年变化过程。可以看出,黄河入海水量总体上基本呈逐渐减少的趋势。从成因上看,一方面是由于天然来水量不断减少,另一方面是国民经济用水量不断增加。

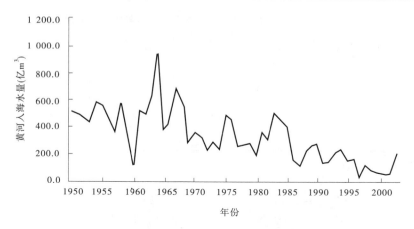

图 3-12　黄河入海水量 1950～2003 年逐年变化过程

第六节　水量平衡分析

对于某一地区,地表水水量平衡分析公式如下:

$$W_{入境} + W_{自产地表水} = W_{地表耗损量} + W_{出境} + W_{调出} \pm \Delta V + W_{河湖库水面蒸发损失}$$
$$+ W_{河道汇流损失} + W_{河道渗漏量} \tag{3-9}$$

式中　$W_{入境}$——上游流入区内的地表水量,指分区地表水资源量之和;

　　　$W_{自产地表水}$——自产地表水资源量;

　　　$W_{调入}$、$W_{调出}$——跨区调入、调出水量;

　　　$W_{地表耗损量}$——流域地表水耗损水量;

　　　$W_{出境}$——区内流入下游的地表水量;

　　　ΔV——区内水库蓄变量;

　　　$W_{河湖库水面蒸发损失}$——河流、湖泊、水库水面蒸发损失;

　　　$W_{河道汇流损失}$——河道汇流损失;

　　　$W_{河道渗漏量}$——河道渗漏量,反映河道内外补排关系。

延伸到某一干流断面来讲,则有:

$$W_{自产地表水} = W_{地表耗损量} + W_{实测} + W_{调出} \pm \Delta V + W_{河湖库水面蒸发损失}$$
$$+ W_{河道汇流损失} + W_{河道渗漏量} \tag{3-10}$$

这说明某一干流控制站的河川天然径流量与断面以上分区地表水资源之间存在 $W_{河湖库水面蒸发损失}$、$W_{河道汇流损失}$、$W_{河道渗漏量}$ 等项的差距。

对照表 3-25 和表 3-31 可以发现,黄河干流主要控制站河川天然径流量与地表水资源量之间存在一定的差值。例如,花园口和利津水文站,多年平均河川天然径流量较地表水资源量分别偏小 39.3 亿 m³ 和 57.0 亿 m³。从近 21 年平均情况看,两站差值分别为 37.1 亿 m³ 和 53.8 亿 m³。

以近 21 年平均情况为例,这里对河川天然径流量和地表水资源量的差值进行了分项分析。表 3-36 给出了分析结果。

表 3-36　河川天然径流量与地表水资源量差值分析结果　（单位：亿 m³）

水文站	差值	河道水面蒸发损失	水库蒸发损失	湖泊蒸发损失	河道渗漏	其他误差
兰州	−11.2	2.89	3.46	1.54	0.15	−3.2
河口镇	−24.0	15.16	3.60	2.12	0.15	−3.0
三门峡	−36.9	16.92	6.30	2.12	4.69	−6.9
花园口	−37.1	17.10	8.60	2.12	5.60	−3.7

注：1. 河道水面蒸发损失根据具体河段计算。

2. 水库蒸发损失按库容的 0.1% 计算。

3. 湖泊蒸发损失按其多年平均蓄水量的 1% 计算。

4. 河道渗漏取自本次地下水资源评价成果，指河道、水库渗漏扣除所形成的河道排泄量。

第七节　人类活动对地表水资源影响

由于气候因素的变化和人类活动的不断加剧，引发了如河道断流、湖泊萎缩、湿地退化等生态恶化现象。此外，水土流失治理等生态建设改变了区域下垫面条件。

一、黄河下游断流现象

黄河流域的水资源利用在历史上主要是兴办灌溉事业和漕运，且起源很早。相传在刀耕火种的原始社会，人们就经常"负水浇稼"以保证农作物生长。大禹治水时期，就曾"尽力乎沟恤"，发展水利。战国初期，黄河流域开始出现大型水利工程。秦以后，黄河流域的水利事业有了进一步发展。在漫长的封建社会里，随着各朝代的更替和重视程度不同，水利事业时有兴废，但总的形势是向前发展的。到 1949 年黄河流域利用河川径流实灌面积为 977.3 万亩，年耗水 74 亿 m³。另有纯井灌面积 222.7 万亩。

新中国成立后，特别是 20 世纪 70 年代以来，沿黄地区对黄河水资源进行了大规模的开发利用。截至 2000 年，全流域已建成小（Ⅰ）型以上水库 492 座，总库容 797 亿 m³，其中大型水库 23 座，总库容 740 亿 m³；引水工程约 9 860 处，提水工程约 23 600 处，机电井约 38 万眼；在黄河下游，还兴建了向两岸海河、淮河平原地区供水的引黄涵闸 90 座，提水站 31 座，为开发利用水资源提供了重要的基础设施。黄河流域及下游引黄地区灌溉面积由 1950 年的 1 200 万亩发展到目前的 1.1 亿亩（其中流域外 0.37 亿亩），主要分布在上游的宁蒙平原、中游的汾渭盆地和下游引黄灌区，其灌溉面积约占总灌溉面积的 64%。其余灌溉面积较为集中的地区还有青海湟水地区、甘肃沿黄台地和河南伊洛河、沁河地区，在约占耕地面积 36% 的灌溉面积上生产了 70% 的粮食和大部分经济作物。黄河还为两岸 50 多座大中城市、420 个县（旗）城镇、晋陕宁蒙地区能源基地、中原和胜利油田提供了水源保障，引黄济青为青岛市的经济发展创造了条件，引黄济津缓解了天津市缺水的燃眉之急。黄河水资源的综合开发利用，改善了部分地区的生态环境，解决了农村近 3 000 万人的饮水困难。黄河干流已建、在建的 15 座水利枢纽和水电站，发电总装机容量 1 113 万 kW，年平均发电量 401 亿 kWh。黄河水资源的开发利用有力地推动了沿黄省（区）的经济发展,取得了显著的效益。

黄河流域大部分属于干旱与半干旱地区,降水稀少,水资源贫乏。而且,河川径流含沙量大,为减缓下游河道淤积,必须保留一定的输沙入海水量。随着国民经济的发展,经济社会各部门对黄河水资源的需求不断增加,部分地区用水量已超过水资源的承载能力。黄河干流及部分支流持续长时间的断流是水资源供需矛盾突出的最集中表现,特别是 20世纪 90 年代以来几乎年年断流。1999 年黄河干流实行水量统一调度以来,断流现象虽然有所缓解,但黄河流域属资源性缺水地区,生活、生产和生态用水还很不协调,距水资源合理配置的目标还有较大差距。

表 3-37 列出了 1972 年以来黄河下游利津水文站断流情况统计结果。可以看出,在 1972~1999 年的 28 年中,黄河下游有 22 年发生断流,累计断流 1 092 天。断流年份,平均每年断流 50 天;断流河段从河口向上游延伸,平均长度为 321 km。山东泺口以下河段断流频率最高,有 5 年的断流范围扩展到河南境内。其中 1995~1998 年连续 4 年,断流范围伸展到河南境内。1997 年,花园口实测径流量是仅次于 1928 年的枯水年,断流的历时与河段长分别为 226 天和 704 km(到开封附近),创造了断流的历史记录。

表 3-37　黄河下游利津站历年断流情况统计

| 年份 | 花园口 | | 高村 | | 断流最早日期(月・日) | 7~9月断流天数 | 断流次数 | 全年断流天数(天) | | | 断流长度(km) |
	年径流量(亿 m³)	3~6 月平均流量(m³/s)	年径流量(亿 m³)	3~6 月平均流量(m³/s)				全日	间歇性	总计	
1972	294.8	865.7	281.9	739.0	4.23	0	3	15	4	19	310
1974	283.9	847.9	273.4	806.4	5.14	11	2	18	2	20	316
1975	549.4	663.2	513.7	567.6	5.31	0	2	11	2	13	278
1976	534.0	961.5	501.5	816.7	5.18	0	1	6	2	8	166
1978	349.9	580.3	313.4	403.6	6.03	0	4	0	5	5	104
1979	371.7	770.7	348.1	743.8	5.27	9	2	19	2	21	278
1980	292.2	785.3	253.6	685.1	5.14	1	3	4	4	8	104
1981	476.6	573.9	425.8	468.7	5.17	0	5	26	10	36	662
1982	427.0	972.9	398.2	830.5	6.08	0	1	8	2	10	278
1983	610.4	1 086.6	569.6	958.1	6.26	0	1	3	2	5	104
1987	227.9	763.9	185.0	602.0	10.01	0	2	14	3	17	216
1988	356.5	735.5	312.2	559.4	6.27	1	2	3	2	5	150
1989	425.5	1 041.7	372.8	873.7	4.04	14	3	19	5	24	277
1991	241.4	1 140.5	200.5	986.5	5.14	0	2	13	3	16	131
1992	267.3	660.8	232.6	523.9	3.16	27	3	73	10	83	303
1993	305.1	847.7	280.8	739.0	2.13	0	5	49	11	60	278
1994	305.3	799.6	281.0	702.1	4.03	1	4	66	8	74	308
1995	239.0	571.2	202.6	391.5	3.04	23	3	117	5	122	683
1996	277.3	682.5	235.1	476.7	2.14	15	6	123	13	136	579
1997	142.6	566.8	103.4	472.4	2.07	76	13	202	24	226	704
1998	218.0	678.6	183.2	566.7	1.01	19	16	113	29	142	437
1999	208.7	1 414.0	169.1	562.1	2.06	1	4	36	6	42	267

黄河下游断流形势演变的特点主要包括：

（1）断流次数不断增多，断流时间不断延长。利津站 20 世纪 70 年代和 80 年代累计断流天数分别为 86 天和 105 天，90 年代增加到了 901 天。

（2）年内首次断流时间提前。70 年代和 80 年代首次断流一般出现在 4 月份，到了 90 年代提前到了 2 月份，1998 年首次出现跨年度断流。

（3）断流距离延长。70 年代平均断流长度为 242 km，80 年代增加到了 256 km，90 年代增加更多，平均断流长度达到了 422 km，是 70 年代平均长度的 1.7 倍。

（4）断流月份增加。70 年代和 80 年代断流主要集中在 5、6 月份，90 年代扩展到了 1～7 月和 10 月份。

（5）主汛期断流时间延长。70 年代和 80 年代主汛期（7～9 月）累计断流天数分别为 20 天和 16 天，90 年代达到了 162 天。

近些年，黄河源头区也发生了断流现象。自 1998 年以来，黄河源头区已连续 3 年出现跨年度断流，分别发生在 1998 年 10 月 20 日～1999 年 6 月 3 日、1999 年 12 月～2000 年 3 月、2000 年 12 月～2001 年 3 月。其中除了 1998 年 10 月 20 日～1999 年 6 月 3 日断流发生在扎陵湖与鄂陵湖之间河段外，其他几次断流均发生在黄河沿河段。

二、黄河支流断流现象

河道断流现象不仅发生在黄河干流，支流也发生了多次断流现象。例如，黄河上游大夏河，1995 年以来年年发生断流，断流最长达 12.5 km，断流天数最多达 270 天。大黑河，1980 年以来年年发生断流，断流最长达 48 km，断流天数最多达近 200 天。黄河中游的渭河、汾河、沁河以及下游的大汶河等，近 21 年中也多次发生断流。尤其汾河和沁河入黄口附近更是年年断流。表 3-38 给出了黄河部分主要支流近 21 年来河道断流现象。

表 3-38　黄河部分主要支流近 21 年来河道断流统计

年份	渭河陇西—武山段			汾河柴庄站—入黄口			沁河武陟站—入黄口			大汶河		
	长度（km）	次数	天数	长度（km）	次数	天数	长度（km）	次数	天数	长度（km）	次数	天数
1980	0	0	0	120	2	27	12.3	5	204	31	2	20
1981	0	0	0	120	2	96	12.3	4	237	109	4	107
1982	8	1	12	120	3	60	12.3	2	44	109	2	147
1983	0	0	0	120	1	2	12.3	3	56	109	2	208
1984	0	0	0	120	1	12	12.3	4	21	109	2	75
1985	0	0	0	120	2	36	12.3	2	57	0	0	0
1986	0	0	0	120	2	7	12.3	5	107	50	2	36
1987	8	1	16	120	4	60	12.3	2	136	64	1	71
1988	0	0	0	120	3	26	12.3	2	186	109	3	239

续表 3-38

年份	渭河陇西—武山段			汾河柴庄站—入黄口			沁河武陟站—入黄口			大汶河		
	长度(km)	次数	天数	长度(km)	次数	天数	长度(km)	次数	天数	长度(km)	次数	天数
1989	25	2	29	120	1	4	12.3	1	53	109	3	264
1990	0	0	0	120	1	1	12.3	2	19	0	0	0
1991	0	0	0	120	3	62	12.3	2	271	90	2	120
1992	0	0	0	120	3	76	12.3	2	215	40	2	70
1993	25	3	35	120	2	51	12.3	2	124	55	1	40
1994	0	0	0	120	4	35	12.3	2	34	50	1	30
1995	25	5	61	120	2	102	12.3	2	172	70	2	55
1996	25	5	72	120	3	48	12.3	2	178	35	1	36
1997	25	7	91	120	4	34	12.3	1	272	90	2	120
1998	0	0	0	120	4	27	12.3	2	110	40	2	70
1999	29	9	204	120	4	53	12.3	1	185	0	0	0
2000	29	11	234	120	4	83	12.3	1	186	0	0	0

三、下垫面变化情况

黄河是我国第二大河,全长 5 464 km,流域面积 79.5 万 km²。其中水土流失面积 45.4 万 km²,约占流域面积的 57%。黄河流经黄土高原,由于该区土质疏松,地形破碎,沟壑纵横,植被稀少,而且暴雨集中,强度大,水土流失特别严重。大量的水土流失,不仅使当地生态环境恶化,而且淤塞河道,影响防洪。为了防治水土流失,自 20 世纪 50 年代,流域水土保持工作就已开始。50、60 年代积累了宝贵的生态及环境建设经验,确立了梯田、林、草、淤地坝四大水土保持措施,以及集中连片生态及环境建设的办法。70 年代在陕西、山西、内蒙古等地全面推广了水坠坝、机修梯田、飞播造林种草等新技术,生态及环境建设步伐加快。

80 年代以后,黄河流域的生态及环境建设稳步发展,推广了"户包"生态及环境建设经验,加强了小流域和重点支流的综合生态及环境建设。经过几十年大规模的生态及环境建设,黄河流域下垫面已有较大改观。截至 2000 年底,建成治沟骨干工程 1 200 多座,有效地拦蓄了泥沙,改善了生态、生产条件,解决了人畜饮水困难,增强了抗灾能力,促进了当地经济的发展。初步治理水土流失面积 18.45 万 km²,占黄河流域总水土流失面积 45.4 万 km² 的 41%,一些小流域的综合治理程度已达 70% 以上。

通过生态及环境建设,有效地改变了一些地区的农业生产条件,每年增产粮食 40 亿 kg 以上,生产果品 150 亿 kg,综合经济效益达到了 2 000 亿元。

同时,改善了部分地区的生态环境。原来一些半流动半固定沙地,得到了固定和开发,一定程度上延缓了荒漠化的发展,为我国防治荒漠化做出了重要贡献。

而且,黄河流域 70 年代以来生态及环境建设,平均每年减少入黄泥沙 3 亿 t 左右,减缓了黄河下游河床淤积抬高速度,为黄河几十年安澜无恙做出了贡献。平均每年利用 8 亿～10 亿 m³ 径流量,相应减少了河道输沙用水,为黄河水资源开发利用提供了有利条件。实践证明,通过生态及环境建设,黄土高原是可以治理的。

四、地下水开采对地表水影响

1980 年,黄河流域地下水开采量只有 93 亿 m³,2000 年达到了 145 亿 m³,较 1980 年增加了 52 亿 m³。地下水的过量开采,一方面导致漏斗现象加剧(见表 3-39),另一方面改变了地表水和地下水的转化关系。初步估计,目前黄河流域地下水开采对地表水的影响量已经达到了近 30 亿 m³。

表 3-39　2003 年黄河流域平原(盆地)区地下水降落漏斗统计

漏斗名称	漏斗位置	漏斗性质	漏斗面积（km²）		中心埋深（m）	
			当年末	年变化	当年末	年变化
银川漏斗	银川市	承压水	470.30	8.50	15.87	−0.58
大武口漏斗	银川市	浅层	62.93	11.06	73.06	0
宋肮漏斗	介休市	承压水	124.80	−8.60	73.69	−5.19
太原漏斗	太原市	承压水	173.10	−16.50	103.20	2.00
运城漏斗	运城市	承压水	1 548.00	−59.00	100.78	−16.01
沣东漏斗	咸阳市	浅层	52.30	31.11	28.70	1.12
兴化漏斗	兴平县	浅层	29.89	−10.49	18.27	−1.55
鲁桥漏斗	三原县	浅层	7.39	−4.58	27.09	—
渭滨漏斗	渭南市	浅层	11.80	−1.43	19.24	−1.11
武陟—温县—孟县	温县	浅层	715.00	−374.00	20.84	−1.31

第四章　地下水资源量及其可开采量

与大气降水和地表水体有直接水力联系的潜水和弱承压水,统称为浅层地下水。本次评价不同矿化度下的1980～2000年时段浅层地下水资源量及其可开采量,重点评价矿化度小于2 g/L的浅层地下水情况。

第一节　基本要求

一、评价目的、任务

本次评价目的、任务是:提出近期(1980～2000年)条件下多年平均浅层地下水资源量和可开采量(重点是矿化度小于2 g/L浅层地下水),以及1956～2000年逐年降水入渗补给量及其形成的河道排泄量系列,为计算水资源总量、可利用量和编制水资源开发利用规划提供依据,为我国西北和华北地区经济社会发展服务。

二、评价技术依据

(1)《黄河流域(片)水资源综合规划工作大纲》。
(2)《黄河流域(片)水资源综合规划技术细则》。
(3)《地下水资源量及可开采量补充细则》。
(4)《北方地区地下水资源量及可开采量评价工作的技术要求和方法》。
(5)《全国水资源综合规划工作大纲》。
(6)《全国水资源综合规划技术细则》。

三、评价方法

平原区采用传统的水均衡法,即总补给量＝总排泄量,以总补给量扣除井灌回归补给量表示多年平均浅层地下水资源量。山丘区由于水文地质条件比较复杂,资料相对缺乏,故采用排泄量法计算地下水资源量,即山丘区降水入渗补给量。

第二节　评价类型区和矿化度分区

地下水资源量评价类型区划分的目的是确定各个具有相似水文地质特征的均衡计算区。均衡计算区是选取有关水文和水文地质参数值,进行各项补给量、各项排泄量、地下水蓄变量和地下水资源量计算的最小单元,正确划分地下水资源量评价类型区是一项关系地下水资源量评价成果精度的重要基础工作。按《地下水资源量和可开采量补充细则》要求,地下水类型可划分为3种类型区。

一、Ⅰ级类型区

根据流域地形地貌可划分为平原区和山丘区两个Ⅰ级类型区。

(一)平原区

连续分布面积大于 1 000 km² 的山间平原和内陆盆地平原分别划归为山间平原和内陆盆地平原。被平原区围裹、连续分布面积不大于 1 000 km² 的残丘,可划归为平原区。

(二)山丘区

被山丘区围裹、连续分布面积不大于 1 000 km² 的山间平原,可划为山丘区。

二、Ⅱ级类型区

根据平原区所处的地理位置、次级地形地貌、水文地质条件,可将平原区划分为一般平原区、内陆盆地平原区、山间平原区(山间河谷平原、山间盆地平原、黄土高原台塬)和沙漠区 4 个Ⅱ级类型区。本次评价沙漠区除黄河流域的毛乌素沙地和库布齐沙漠进行评价外,其他沙漠区不作评价。

根据山丘区地质和水文地质条件,可将山丘区划分为一般山丘区和岩溶山丘区两个Ⅱ级类型区。本次评价按要求将山丘区面积大于 1 000 km² 的山间河谷平原、山间盆地平原和黄土高原台塬划为平原区计算地下水资源量。

三、Ⅲ级类型区

在Ⅱ级类型区的基础上,根据水文地质条件,主要是地下水埋深、包气带岩性及厚度等因素,将平原区各Ⅱ级类型区划分为若干个均衡计算区,即Ⅲ级类型区,它是正确选取水文及水文地质参数计算各项资源量的最小计算单元。本次评价采用 1980~2000 年平均地下水埋深分区图与包气带岩性分区图以及矿化度为 2 g/L 的界限叠加的方法,将被两图分割包围具有相同地下水埋深和相同包气带岩性的区域划分为一个均衡计算区。划分的均衡计算区面积小于 200 km²,可以合并到地下水埋深和包气带岩性接近的相邻计算区。

根据被选用水文站控制的流域和未被选用水文站控制的流域,将山丘区中的各Ⅱ级类型区分别划分为若干个均衡计算区,即Ⅲ级类型区。黄河流域浅层地下水资源评价类型区划分情况见表 4-1。

黄河流域平原区 2000 年年均浅层地下水埋深分布情况见附图 3。

黄河流域浅层地下水资源评价类型区分布情况见附图 4。

四、矿化度分区

本次评价矿化度分区要求分为 5 级,即 $M \leqslant 1$ g/L、1 g/L$<M \leqslant 2$ g/L、2 g/L$<M \leqslant 3$ g/L、3 g/L$<M \leqslant 5$ g/L 和 $M > 5$ g/L。1980~2000 年多年平均浅层地下水资源量评价主要是矿化度 $M \leqslant 2$ g/L 的淡水,矿化度 $M > 2$ g/L 的地下水只计算其多年平均资源量和总补给量,不参与水资源总量评价,但要计算资源量和总补给量模数,山丘区不进行矿化度分区,矿化度均按小于 1 g/L 对待。

表 4-1　黄河流域浅层地下水资源评价类型区划分情况

省（区）	均衡区数
青海	9
甘肃	5
四川	0
宁夏	24
内蒙古	56
陕西	137
山西	350
河南	24
山东	4
合计	609

第三节　主要水文地质参数

　　水文地质参数是计算各项补给量、排泄量的主要依据，合理确定各水文及水文地质参数是提高地下水资源量评价精度的关键。各省（区）分别利用当地地下水动态观测资料、抽水试验资料、均衡场试验资料，参考了第一次评价成果和水利、国土资源部门近期生产和科研成果，初步分析确定了近期条件下各水文地质参数，经 2003 年 9 月敦煌会议协调率定，最后确定了各水文地质参数的取值范围。

一、给水度

　　给水度（μ）是指饱和岩土在重力作用下自由排出重力水的体积与该饱和岩土体积的比值。μ 值的大小主要与水位变幅带岩性及其结构特征有关。本次评价多数采用抽水试验、地中渗透仪和简易测筒法测定，个别省（区）采用水量平衡法及多元回归法分析确定。黄河流域平原区浅层地下水水位变幅带岩性与给水度 μ 取值情况见表 4-2。

表 4-2　黄河流域各省（区）浅层地下水水位变幅带岩性与给水度 μ 取值统计

变幅带岩性	μ 值	变幅带岩性	μ 值
黏土	0.01～0.04	细砂	0.07～0.12
黄土状亚黏土	0.025～0.05	中砂	0.09～0.16
亚黏土	0.02～0.05	含砾中细砂	0.10～0.15
黄土状亚砂土	0.03～0.06	中粗砂	0.11～0.20
亚砂土	0.03～0.07	粗砂	0.11～0.25
粉砂土	0.05～0.09	砂砾石	0.12～0.25
粉细砂	0.055～0.095	卵砾石	0.15～0.27

二、降水入渗补给系数

降水入渗补给系数是指降水入渗补给量 P_r 与相应降水量 P 的比值,即 $\alpha = P_r/P$。α 值的分析方法主要有地下水动态资料计算法、地中渗透仪测定法、水量平衡法及多元回归分析法等。影响 α 值的因素主要有地下水埋深、包气带岩性和降水量大小及强度等。α 随包气带岩性变粗而增大;随地下水埋深和降雨量的增加而增大,但当埋深和降雨量达到一定值(最佳埋深)以后,α 的值逐渐减小直至趋于相对稳定。黄河流域平原区浅层地下水降水入渗补给系数 α 取值情况见表4-3。

表4-3　黄河流域平原区浅层地下水降水入渗补给系数 α 取值统计

包气带岩性	年降水量(mm)	地下水埋深(m)						
		<1	1~2	2~3	3~4	4~5	5~6	>6
黏土、黄土状亚黏土	<100	—	<0.06	<0.06	<0.05	<0.04	<0.04	<0.04
	100~200	—	0.05~0.10	0.06~0.08	0.05~0.07	0.04~0.06	0.04~0.05	0.03~0.04
	200~300	—	0.06~0.11	0.07~0.10	0.06~0.09	0.05~0.07	0.05~0.06	0.04~0.06
	300~400	—	0.06~0.12	0.09~0.14	0.08~0.13	0.07~0.11	0.06~0.09	0.05~0.08
	400~500	—	0.07~0.14	0.11~0.16		0.09~0.12	0.08~0.10	0.07~0.09
	500~600	—	0.08~0.15	0.12~0.17	0.11~0.16	0.10~0.13	0.10~0.12	0.08~0.10
	600~700	—	0.08~0.16	0.14~0.19	0.13~0.17	0.12~0.15	0.11~0.13	0.10~0.12
	700~800	—	0.09~0.17	0.15~0.20	0.13~0.19	0.12~0.17	0.11~0.14	0.10~0.12
	>800	—	0.09~0.18	0.18~0.27	0.18~0.21	0.15~0.18	0.12~0.15	0.10~0.12
亚黏土、黄土状亚砂土	<100	—	<0.06	<0.07	<0.07	<0.06	<0.05	<0.05
	100~200	0.06~0.11	0.07~0.12	0.07~0.09	0.06~0.08	0.05~0.07	0.04~0.06	0.03~0.05
	200~300	—	0.07~0.14	0.08~0.11	0.07~0.10	0.07~0.09	0.06~0.08	0.05~0.07
	300~400	—	0.07~0.15	0.11~0.16	0.10~0.15	0.09~0.12	0.08~0.10	0.07~0.09
	400~500	—	0.07~0.16	0.13~0.18	0.12~0.18	0.11~0.15	0.10~0.14	0.09~0.11
	500~600	—	0.08~0.18	0.15~0.20	0.14~0.20	0.13~0.17	0.10~0.14	0.09~0.13
	600~700	—	0.09~0.19	0.17~0.22	0.16~0.22	0.15~0.19	0.12~0.16	0.10~0.15
	700~800	—	0.10~0.21	0.18~0.24	0.18~0.24	0.16~0.21	0.14~0.17	0.11~0.15
	>800	—	0.10~0.22	0.20~0.25	0.21~0.25	0.18~0.22	0.15~0.18	0.13~0.15

续表 4-3

包气带岩性	年降水量（mm）	地下水埋深（m）						
		<1	1～2	2～3	3～4	4～5	5～6	>6
亚砂土	<100	—	<0.07	<0.08	<0.08	<0.07	<0.06	<0.05
	100～200	0.06～0.10	0.07～0.12	0.08～0.11	0.07～0.10	0.06～0.08	0.05～0.07	0.04～0.06
	200～300	—	0.08～0.12	0.10～0.13	0.09～0.12	0.07～0.10	0.06～0.09	0.05～0.08
	300～400	—	0.09～0.17	0.13～0.20	0.12～0.19	0.10～0.16	0.09～0.13	0.08～0.12
	400～500	—	0.10～0.21	0.16～0.23	0.15～0.23	0.14～0.20	0.12～0.17	0.14～0.15
	500～600	—	0.11～0.21	0.18～0.25	0.18～0.25	0.16～0.22	0.14～0.18	0.12～0.16
	600～700	—	0.12～0.23	0.19～0.27	0.19～0.27	0.17～0.25	0.16～0.21	0.14～0.18
	700～800	—	0.13～0.25	0.20～0.30	0.20～0.30	0.18～0.27	0.16～0.24	0.15～0.20
	>800	—	0.14～0.26	0.22～0.30	0.21～0.30	0.20～0.28	0.18～0.25	0.16～0.20
亚黏土和亚砂土互层	300～400	<0.09	0.08～0.15	0.15～0.17	0.12～0.17	0.10～0.14	0.08～0.12	0.07～0.11
	400～500	<0.10	0.09～0.18	0.17～0.21	0.16～0.21	0.14～0.18	0.12～0.16	0.09～0.12
	500～600	<0.12	0.10～0.19	0.17～0.23	0.16～0.23	0.15～0.20	0.12～0.17	0.09～0.14
	600～700	<0.15	0.11～0.21	0.19～0.24	0.18～0.24	0.16～0.22	0.14～0.19	0.10～0.16
	700～800	<0.16	0.13～0.23	0.22～0.26	0.21～0.26	0.17～0.23	0.15～0.20	0.11～0.17
	>800	<0.17	0.13～0.24	0.23～0.27	0.23～0.27	0.18～0.25	0.16～0.21	0.13～0.17
粉细砂	<100	—	<0.08	<0.10	<0.10	<0.09	<0.08	<0.07
	100～200	0.06～0.12	0.08～0.15	0.09～0.13	0.08～0.12	0.08～0.11	0.07～0.10	0.06～0.08
	200～300	—	0.09～0.17	0.11～0.16	0.11～0.15	0.10～0.14	0.09～0.12	0.08～0.11
	300～400	—	0.09～0.21	0.14～0.25	0.13～0.25	0.12～0.24	0.13～0.20	0.10～0.17
	400～500	—	0.10～0.25	0.17～0.28	0.17～0.28	0.16～0.24	0.15～0.23	0.14～0.20
	500～600	—	0.11～0.26	0.20～0.30	0.20～0.30	0.18～0.26	0.16～0.23	0.15～0.20
	600～700	—	0.12～0.28	0.21～0.32	0.20～0.32	0.20～0.27	0.18～0.24	0.16～0.22
	700～800	—	0.13～0.26	0.22～0.33	0.22～0.33	0.20～0.29	0.19～0.24	0.17～0.22
	>800	—	0.15～0.26	0.22～0.33	0.22～0.33	0.21～0.29	0.20～0.25	0.17～0.22
细砂	<100	<0.09	<0.10	<0.13	<0.12	<0.11	<0.10	<0.09
	100～200	0.07～0.13	0.09～0.15	0.11～0.16	0.10～0.14	0.09～0.12	0.08～0.10	0.06～0.07
	200～300	—	0.11～0.16	0.14～0.19	0.14～0.18	0.12～0.16	0.11～0.15	0.10～0.14
	300～400	—	0.11～0.24	0.17～0.29	0.17～0.29	0.15～0.28	0.14～0.23	0.13～0.20
	400～500	—	0.12～0.28	0.21～0.31	0.21～0.31	0.19～0.29	0.18～0.25	0.17～0.22

续表 4-3

包气带岩性	年降水量（mm）	地下水埋深（m）						
		<1	1～2	2～3	3～4	4～5	5～6	>6
中细砂、中砂、中粗砂、粗砂	200～300	—	—	—	—	—	—	0.14～0.20
	300～400	—	—	—	—	—	—	0.17～0.24
	400～500	—	—	—	—	—	—	0.21～0.29
	500～600	—	—	—	—	—	—	0.23～0.31
	600～700	—	—	—	—	—	—	0.24～0.32
	700～800	—	—	—	—	—	—	0.25～0.35
砂砾石、砂卵石、砾石	<100	—	—	—	—	—	—	<0.15
	100～200	—	—	—	—	—	—	0.12～0.19
	200～300	—	—	—	—	—	—	0.15～0.23
	300～400	—	—	—	—	—	—	0.19～0.27
	400～500	—	—	—	—	—	—	0.21～0.29
	500～600	—	—	—	—	—	—	0.23～0.31
	600～700	—	—	—	—	—	—	0.24～0.32
	700～800	—	—	—	—	—	—	0.25～0.35

三、潜水蒸发系数

潜水蒸发系数是指潜水蒸发量 E 与相应计算时段的水面蒸发量 E_0（E601 观测值）的比值，即 $C = E/E_0$。C 值的分析方法，主要用潜水蒸发经验公式（修正后的阿维里扬诺夫公式）和地下水均衡场观测资料计算。影响 E 值的主要因素有气候条件、包气带岩性、地下水埋深和植被情况，一般在地下水极限埋深（毛管水上升最大高度）时 C 值接近于零。黄河流域平原区浅层地下水潜水蒸发系数 C 取值情况见表 4-4。

表 4-4　黄河流域平原区浅层地下水潜水蒸发系数 C 取值统计

包气带岩性	地下水埋深（m）					
	0～1	1～2	2～3	3～4	4～5	>5
黏　　土	0.25～0.60	0.10～0.25	0.01～0.10	0.005～0.01	0.001～0.005	<0.001
亚黏土	0.30～0.80	0.10～0.55	0.05～0.25	0.01～0.05	<0.01	0
亚黏土亚砂土互层	0.30～0.50	0.10～0.35	0.04～0.15	0.01～0.05	<0.01	0
亚砂土	0.30～0.80	0.10～0.55	0.05～0.20	0.01～0.05	<0.01	0
粉　　砂	0.20～0.80	0.02～0.40	<0.05	0	0	0
细　　砂	0.10～0.50	0.01～0.10	<0.01	0	0	0
砂卵砾石	0.10～0.50	0.01～0.12	<0.01	0	0	0

四、灌溉入渗补给系数

灌溉入渗补给系数（包括渠灌和井灌）是指田间灌溉入渗补给量 h_r 与进入田间的灌溉水量 $h_{灌}$（井灌时为地下水实际开采量）的比值，即 $\beta = h_r / h_{灌}$。β 值一般都用灌溉试验资料分析计算。影响 β 值的主要因素有包气带岩性、地下水埋深和灌溉定额。黄河流域平原区浅层地下水田间灌溉入渗补给系数 β 取值情况见表 4-5。

表 4-5　黄河流域平原区浅层地下水田间灌溉入渗补给系数 β 取值统计

包气带岩性	灌水定额（m³/亩次）	地下水埋深（m）						
		0~1	1~2	2~3	3~4	4~5	5~6	>6
黏土	40~60	0.06~0.15		0.05~0.10		0.02~0.05		0.01
	60~80	0.09~0.18		0.06~0.15		0.03~0.08		0.01~0.05
	80~100	0.10~0.20		0.08~0.16		0.05~0.12		0.02~0.08
亚黏土	40~50	0.10~0.18	0.10~0.16	0.09~0.14	0.08~0.12	0.06~0.10	0.04~0.08	0.04
	40~60	0.10~0.18		0.06~0.14		0.04~0.10		0.04
	40~70	0.12~0.20	0.06~0.15		0.04~0.08			0.04
	50~70	0.12~0.20	0.10~0.18	0.08~0.15	0.06~0.11	0.05~0.10	0.04~0.08	0.04
	50~80	0.10~0.18		0.08~0.16	0.07~0.12	0.06~0.10	0.04~0.08	0.04
	60~80	0.13~0.20		0.08~0.15		0.05~0.10		0.05
	70~100	0.15~0.25	0.14~0.20	0.12~0.16	0.10~0.14	0.08~0.12	0.06~0.10	0.06
	80~100	0.15~0.25		0.10~0.20		0.08~0.15		0.08
	>100	0.16~0.25		0.12~0.20		0.10~0.18		0.10
黏性土	40~50	—	0.11~0.20	0.12~0.18	0.11~0.15	0.10~0.13	0.08~0.12	0.08
	50~70	—	0.11~0.22	0.12~0.20	0.11~0.18	0.10~0.15	0.08~0.14	0.08
	70~100	—	0.126	0.144	0.132	0.118	0.101	0.100
	>100	—	0.138	0.168	0.156	0.137	0.120	0.120
砂性土	40~50	—	0.15~0.22	0.16~0.20	0.15~0.18	0.13~0.15	0.12~0.14	0.10~0.12
	50~70	—	0.15~0.27	0.16~0.25	0.15~0.22	0.13~0.20	0.12~0.16	0.10~0.14
	70~100	—	0.20	0.22	0.20	0.18	0.16	0.15
	>100	—	0.234	0.260	0.244	0.223	0.200	0.180
亚砂土	40~50	0.11~0.22	0.15~0.20	0.14~0.18	0.12~0.16	0.10~0.14	0.06~0.10	0.06
	40~60	0.12~0.18		0.08~0.15		0.04~0.12		0.04~0.10
	40~70	0.15~0.25	0.10~0.20		0.05~0.08			0.05
	50~70	0.16~0.25	0.15~0.22	0.14~0.20	0.12~0.18	0.10~0.15	0.06~0.10	0.06
	50~80	0.15~0.25		0.14~0.20	0.12~0.20	0.10~0.15	0.06~0.12	0.06

续表 4-5

包气带岩性	灌水定额(m³/亩次)	地下水埋深(m)						
		0~1	1~2	2~3	3~4	4~5	5~6	>6
亚砂土	60~80	0.15~0.25		0.12~0.20		0.06~0.15		0.06
	70~100	0.18~0.28	0.16~0.25	0.15~0.22	0.14~0.20	0.12~0.18	0.10~0.14	0.10
	80~100	0.18~0.30		0.16~0.25	0.14~0.20	0.12~0.18	0.10~0.14	0.10
	>100	0.25~0.35		0.18~0.30		0.15~0.25	0.12~0.20	0.10~0.15	0.10
粉细砂	40~60	0.13~0.20		0.09~0.16		0.08~0.14		0.08
	50~80	0.15~0.25		0.10~0.20	0.08~0.18	0.06~0.16	0.05~0.14	0.03~0.10
	60~80	0.18~0.25		0.12~0.20		0.08~0.16		0.06~0.10
	80~100	0.20~0.30		0.15~0.25	0.10~0.20	0.10~0.18	0.08~0.16	0.06~0.12
	>100	—	—	0.20~0.25	0.15~0.22	0.12~0.20	0.10~0.18	0.08~0.15

五、渠系渗漏补给系数

渠系渗漏补给系数是指渠系渗漏补给量 $Q_{渠补}$(干支二级)与渠首引水量 $Q_{渠首引}$ 的比值,即 $m=Q_{渠补}/Q_{渠首引}$。计算方法主要用引水灌溉试验或利用渠系有效利用系数 η 和渠系渗漏修正系数 γ 计算,即 $m=\gamma(1-\eta)$。影响 m 值的主要因素有包气带岩性、地下水埋深和 η、γ 的大小。

六、渗透系数

含水层渗透系数 K 是指水力坡度等于 1 时的渗透速度(m/d)。影响 K 值的主要因素是含水层岩性及其结构特征。计算方法主要通过抽水试验求得。黄河流域平原区浅层地下水含水层渗透系数 K 取值情况见表 4-6。

表 4-6　黄河流域平原区浅层地下水含水层渗透系数 K 取值统计

含水层岩性	K 值	含水层岩性	K 值
黏　土	0.001~0.05	中　砂	8~30
黄土状亚黏土	0.01~0.10	含砾中细砂	25~35
亚黏土	0.02~0.50	中粗砂	10~35
黄土状亚砂土	0.05~0.50	粗　砂	15~50
亚砂土	0.20~1.0	砂砾石	30~150
粉砂土	0.5~1.5	砂卵砾石	30~200
粉细砂	1.0~8.0	砂砾石	50~300
细　砂	3.0~15	卵砾石	50~300

第四节　平原区地下水资源量

对于平原区来讲,要求计算各均衡计算区近期条件下地下水各项补给量、排泄量以及地下水总补给量、地下水资源量和地下水蓄变量,并将这些计算成果分配到各汇总分区(黄河流域为水资源四级区套地级行政区)中。

一、各均衡计算区矿化度≤2 g/L 补给量

各项补给量包括降水入渗补给量 P_r、山前侧向补给量 $Q_{山侧补}$、河道渗漏补给量 $Q_{河补}$、渠系渗漏补给量 $Q_{渠补}$、田间灌溉入渗补给量 $Q_{田补}$、库(湖)塘(坝)渗漏补给量 $Q_{库补}$ 以及井灌回归补给量 $Q_{井补}$。

(一)1980~2000 年多年平均降水入渗补给量

降水入渗补给量是指降水渗入土壤并在重力作用下渗透补给地下水的水量,一般用入渗系数法计算。

计算公式为

$$P_r = 10^{-1} P\alpha F \tag{4-1}$$

式中　P_r——降水入渗补给量,万 m^3;

　　　P——均衡计算区面平均降水量,mm;

　　　α——与均衡计算区的降水量、地下水埋深和包气带岩性相应的降水入渗补给系数,从 α 值取值表中查得;

　　　F——均衡区计算面积,km^2,即均衡区总面积扣除水面等不透水面积后的部分。

在求得各均衡区 1980~2000 年各年的 P_r 后,计算其多年平均值和降水入渗补给量模数,即多年平均 P_r 除以计算面积 F,$M_{P_r} = \overline{P_r}/F_{计}$,单位为万 $m^3/(km^2 \cdot a)$。

(二)山前侧向补给量

山前侧向补给量是指发生在山前区与平原区交界面上,山丘区的地下水以地下潜流形式补给平原区浅层地下水的水量。山前侧向补给量采用剖面法即达西公式计算。

计算公式为

$$Q_{山侧补} = 10^{-4} KIAt \tag{4-2}$$

式中　$Q_{山侧补}$——山前侧向补给量,万 m^3;

　　　K——剖面位置的渗透系数,m/d;

　　　I——垂直于剖面的水力坡度(无因次);

　　　A——剖面面积,m^2;

　　　t——时间,采用 365 天。

(三)多年平均河道渗漏补给量

当河道水位高出两岸地下水位时,河水渗漏补给地下水。首先分析内河水补给岸边地下水的河段和时段,然后用以下方法进行计算。

1. 水文分析法(水量平衡法)

计算公式为

$$Q_{河补} = (Q_上 - Q_下 + Q_{区入} - Q_{区出})(1 - \lambda)L/L' \tag{4-3}$$

式中　$Q_{河补}$——河道渗漏补给量，万 m³；

　　　$Q_上$、$Q_下$——河段上、下控制断面的实测径流量，万 m³；

　　　$Q_{区入}$、$Q_{区出}$——河段上、下游控制断面区间汇入和引出的径流量，万 m³；

　　　L——计算河段的长度，m；

　　　L'——上、下两断面间的河段长度，m；

　　　λ——渗漏损失系数（无因次）。

上述各量均为 1980～2000 年期间的多年均值。

2.用达西公式计算

计算公式为

$$Q_{河补} = 10^{-4}KIAt \tag{4-4}$$

式中　t——河段渗漏补给时间，天；

　　　其他符号含义同前。

(四)库(湖)塘(坝)渗漏补给量

当位于平原区的水库、湖泊、塘坝等水体，水位高于库边地下水位时，这些水体渗漏补给地下水。按要求，对位于平原区库容大于 1 000万 m³ 的大、中型水库和湖泊进行渗漏补给量计算。计算方法如下。

1.地下水动力学法

利用达西公式计算，方法略。

2.出入库塘水量平衡法

计算公式为

$$Q_{库补} = Q_{入库} + P_{库} - E_0 - Q_{出库} - E_{浸} \pm Q_{库蓄} \tag{4-5}$$

式中　$Q_{库补}$——库(湖)塘(坝)渗漏补给量，万 m³；

　　　$Q_{入库}$、$Q_{出库}$——入库、出库水量，万 m³；

　　　$P_{库}$——库面降水量，万 m³；

　　　E_0——库面蒸发量，万 m³；

　　　$E_{浸}$——库塘周边浸润蒸发损失量，万 m³；

　　　$Q_{库蓄}$——库塘蓄水变量，万 m³。

上述各量均为 1980～2000 年期间的多年平均值。

(五)渠系渗漏补给量

渠系渗漏补给量是指渠系输水过程中渗漏补给地下水的水量。本次评价要求计算干、支两级的渠系渗漏补给量。计算方法如下。

1.渠系渗漏补给系数法

计算公式为

$$Q_{渠系} = mQ_{渠首引} \tag{4-6}$$

式中　$Q_{渠系}$——渠系渗漏补给量，万 m³；

　　　m——渠系渗漏补给系数（无因次）；

　　　$Q_{渠首引}$——渠首引水量，万 m³。

这是本次地下水资源量评价采用的主要方法。

2. 地下水动力学法(剖面法)

计算公式和要求同河道渗漏补给量计算公式。

(六)渠灌田间入渗补给量

渠灌田间入渗补给量是指渠灌水进入田间后入渗补给地下水的水量(包括斗、农、毛三级渠道的渗漏补给量)。

计算公式为

$$Q_{渠灌} = \beta_渠 \, Q_{渠田} \tag{4-7}$$

式中　　$Q_{渠灌}$——渠灌田间入渗补给量,万 m³;

　　　　$\beta_渠$——渠灌田间入渗补给系数(无因次);

　　　　$Q_{渠田}$——进入田间的灌溉水量,万 m³,用斗渠引水量或 $Q_{渠田} = \eta \cdot Q_{渠道引}$ 计算。

(七)井灌回归补给量

井灌回归补给量是指开采的浅层地下水灌溉后入渗补给地下水的水量。

计算公式为

$$Q_{井补} = \beta_井 \, Q_{井田} \tag{4-8}$$

式中　　$Q_{井补}$——井灌田间入渗补给量,万 m³;

　　　　$\beta_井$——井灌回归系数(无因次);

　　　　$Q_{井田}$——井灌水进入田间的水量,万 m³。

(八)地表水体入渗补给量及河川基流量形成的地表水体补给量

地表水体入渗补给量为渠系渗漏补给量、渠灌田间入渗补给量、河道渗漏补给量、库(湖)塘(坝)渗漏补给量之和,即

$$Q_{表补} = Q_{河补} + Q_{渠补} + Q_{田灌} + Q_{库补} \tag{4-9}$$

地表水体补给量中由河川基流量形成的补给量根据地表水体中河川基流量占河川径流的比率确定,即

$$Q_{基补} = Q_{表补} k \tag{4-10}$$

其中

$$k = R_g / R$$

(九)地下水总补给量与地下水资源量

1980~2000 年期间各项多年平均补给量之和即为多年平均总补量。多年平均地下水总补给量减去多年平均井灌回归补给量即为多年平均地下水资源量。分别计算多年平均地下水总补给量模数和资源量模数:$M_{总补} = Q_{总补} / F_计$,$M_资 = Q_资 / F_计$,单位为万 m³/(km² · a)。

二、矿化度≤2 g/L 各均衡计算区各项排泄量

排泄量包括潜水蒸发量(E)、河道排泄量 $Q_{河排}$、侧向流出量 $Q_{侧排}$ 以及浅层地下水实际开采量 $Q_开$。

(一)潜水蒸发量

潜水蒸发量是指潜水(具有自由水面的浅层地下水)在毛细管作用下,通过包气带岩土向上运动产生的蒸发量(包括棵间和植物根系吸收后通过叶面的蒸散发量)。

1. 潜水蒸发系数法

计算公式为

$$E = 10^{-1} E_0 CF \tag{4-11}$$

式中　E——潜水蒸发量,万 m^3;

　　　E_0——水面蒸发量,mm,用 E601 蒸发器表示的水面蒸发量;

　　　C——潜水蒸发系数(无因次);

　　　F——均衡区计算面积,km^2。

2. 潜水蒸发经验公式

计算公式为

$$E = k_0 E_0 (1 - z/z_0)^n F \tag{4-12}$$

式中　E——潜水蒸发量,万 m^3;

　　　z_0——极限地下水埋深,m,即潜水停止蒸发时的地下水埋深,极限埋深随包气带岩性而变化;

　　　n——经验指数;

　　　k_0——作物修正系数。

(二)河道排泄量

当河道内水位低于岸边地下水位时,河道排泄地下水的水量称为河道排泄量,计算方法和要求同河道渗漏补给量。

(三)侧向流出量

侧向流出量是指以地下潜流的形式流出评价计算区的水量,一般用地下水动力学法(剖面法)计算。

(四)浅层地下水实际开采量

浅层地下水实际开采量主要通过调查统计取得,包括农业、工业和生活用水的地下水开采量。浅层地下水实际开采量一般都是以行政区为单位统计的。因此,在实际计算时应将开采量按实际情况分配到各均衡计算区。

(五)总排泄量

均衡区上述各项排泄量之和即为多年平均总排泄量。

三、1980～2000 年平均水层地下水蓄变量

浅层地下水蓄变量是指均衡计算区计算时段初的地下水储存量与计算时段末地下水储存量的差值。通常用下式计算

$$\Delta W = 10^2 (h_1 - h_2) \mu F / t \tag{4-13}$$

式中　ΔW——蓄变量;

　　　h_1、h_2——计算时段始、末的地下水位;

　　　F——计算面积;

　　　t——计算时段。

当 $h_1 > h_2$ 时,ΔW 为"＋",蓄变量减少;当 $h_1 < h_2$ 时,ΔW 为"－",蓄变量增加;当 $h_1 = h_2$ 时,ΔW 为"0"。

四、水均衡分析

水均衡分析是指均衡计算区或计算分区多年平均地下水总补给量（$Q_{总补}$）与总排泄量（$Q_{总排}$）和地下水量蓄变量三者之间的均衡关系，即

$$Q_{总补} - Q_{总排} \pm \Delta W = X \qquad (4\text{-}14)$$

$$\sigma = X/Q_{总补} \times 100\% \qquad (4\text{-}15)$$

式中　$Q_{总补}$——地下水总补给量，万 m^3；

$Q_{总排}$——地下水总排泄量，万 m^3；

ΔW——地下水蓄变量，万 m^3；

X——绝对均衡差，万 m^3；

σ——相对均衡差（无因次）。

X、σ 反映计算成果的计算精度，本次评价黄河流域平原区多数均衡计算区均衡差基本上都小于 $\pm 20\%$（《地下水资源量及可开采量补充细则》要求的控制精度），计算精度符合要求。

黄河流域各二级区及各省（区）平原区浅层地下水资源（$M \leqslant 2$ g/L）多年平均计算成果见表 4-7～表 4-12。

黄河流域各平原区浅层地下水（$M \leqslant 2$ g/L）总补给量模数分布情况见附图 5。黄河流域各平原区浅层地下水资源量（$M \leqslant 2$ g/L）模数分布情况见附图 6。

黄河流域平原区矿化度 $\leqslant 2$ g/L 的地下水资源量 154.57 亿 m^3，其中矿化度 $\leqslant 1$ g/L 的地下水资源量 116.54 亿 m^3，矿化度介于 $1\sim 2$ g/L 之间的地下水资源量 38.03 亿 m^3。

五、矿化度＞2 g/L 各均衡区浅层地下水资源量

矿化度＞2 g/L 各分区包括 2 g/L＜$M \leqslant 3$ g/L、3 g/L＜$M \leqslant 5$ g/L 和 M＞5 g/L 三个分区，只要求计算 1980～2000 年期间的多年平均降水入渗补给量和地表水体入渗补给量，并以这两项之和近似地作为相应矿化度分区的多年平均总补给量和地下水资源量。补给量计算方法与矿化度 $\leqslant 2$ g/L 分区相同。

矿化度＞2 g/L 各分区 1980～2000 年多年平均地下水资源量按要求不参与地下水总资源量和可开采量计算，但因编制模数图的需要，要求计算降水入渗补给量和资源量及其模数。

黄河流域各平原区多年平均浅层地下水（2 g/L＜$M \leqslant 3$ g/L）计算面积为18 589 km^2，地下水资源量为 11.09 亿 m^3，其中降水入渗补给量为 3.78 亿 m^3。

黄河流域各平原区多年平均浅层地下水（3 g/L＜$M \leqslant 5$ g/L）计算面积为10 813 km^2，地下水资源量为 6.58 亿 m^3，其中降水入渗补给量为 2.08 亿 m^3。

黄河流域各平原区多年平均浅层地下水（M＞5 g/L）计算面积为 3 020 km^2，地下水资源量为 2.27 亿 m^3，其中降水入渗补给量为 0.86 亿 m^3。

黄河流域各二级区及各省（区）平原区浅层地下水资源（M＞2 g/L）多年平均计算成果见表 4-13、表 4-14。

表 4-7 二级区套省(区)平原区多年平均浅层地下水(M≤1 g/L)各项补给量及资源量

(单位:面积 km²;水量 亿 m³;模数 万 m³/(km² · a))

| 二级区 | 省(区) | 计算面积 | 降水入渗补给量 | 降水入渗补给量模数 | 山前侧向补给量 | 地表水体补给量 | | 井灌回归补给量 | 地下水总补给量 | 地下水总补给量模数 | 地下水资源量 | 地下水资源量模数 |
						总量	其中河川基流补给量					
龙羊峡以上	青海	2 855	0.59	2.1	0.20	0.23	0.10	—	1.01	3.6	1.01	3.6
	四川											
	甘肃		—									
	小计	2 855	0.59	2.1	0.20	0.23	0.10	—	1.01	3.6	1.01	3.6
龙羊峡—兰州	青海	630	0.46	7.3	0.84	2.24	0.89	—	3.54	56.2	3.54	56.2
	甘肃											
	小计	630	0.46	7.3	0.84	2.24	0.89	—	3.54	56.2	3.54	56.2
兰州—河口镇	甘肃	82	0.01	1.2	0.03	0.04	0.01	—	0.07	8.9	0.07	8.9
	宁夏	3 137	0.54	1.7	0.14	13.29	5.32	—	13.98	44.6	13.98	44.6
	内蒙古	22 806	5.24	2.3	3.88	1.65	0.35	0.73	11.50	5.0	10.77	4.7
	小计	26 025	5.79	2.2	4.05	14.98	5.68	0.73	25.55	9.8	24.82	9.5
河口镇—龙门	内蒙古	8 644	6.16	7.1	0.40	0.09	0.04	0.08	6.74	7.8	6.65	7.7
	山西											
	陕西	8 178	7.94	9.7	0.19	0.97	0.54	0.17	9.27	11.3	9.10	11.1
	小计	16 822	14.10	8.4	0.59	1.06	0.58	0.25	16.01	9.5	15.75	9.4
龙门—三门峡	甘肃	812	0.47	5.8	—	—	—	—	0.47	5.8	0.47	5.8
	宁夏	—										
	山西	12 622	7.74	6.1	5.01	2.90	1.80	0.86	16.51	13.1	15.65	12.4
	陕西	15 694	14.82	9.4	1.52	12.44	3.70	2.04	30.82	19.6	28.78	18.3
	河南	321	0.22	7.0	—	—	—	0.02	0.24	7.5	0.22	7.0
	小计	29 449	23.25	7.9	6.53	15.34	5.50	2.93	48.05	16.3	45.12	15.3
三门峡—花园口	山西											
	陕西											
	河南	3 061	3.10	10.1	0.57	3.73	1.65	0.57	7.97	26.0	7.40	24.2
	小计	3 061	3.10	10.1	0.57	3.73	1.65	0.57	7.97	26.0	7.40	24.2
花园口以下	河南	6 475	6.27	9.7	—	3.55	1.57	1.05	10.87	16.8	9.82	15.2
	山东	1 016	1.38	13.6	0.24	0.26	0.10	0.12	2.01	19.8	1.89	18.6
	小计	7 491	7.65	10.2	0.24	3.81	1.67	1.17	12.88	17.2	11.71	15.6
内流区	宁夏		—									
	内蒙古	31 687	5.80	1.8	0.04	—	—	0.23	6.07	1.9	5.83	1.8
	陕西	1 683	1.24	7.4	0.11	—	—	0.04	1.39	8.2	1.35	8.0
	小计	33 370	7.04	2.1	0.15	—	—	0.27	7.46	2.2	7.18	2.2
黄河流域		119 703	61.97	5.2	13.18	41.40	16.06	5.92	122.46	10.2	116.54	9.7

续表 4-7

| 二级区 | 省（区） | 计算面积 | 实际开采量 | | 潜水蒸发量 | 侧向流出量 | 河道排泄量 | | 总排泄量 | 地下水蓄变量 |
			总量	其中开采净消耗量			总量	其中降水入渗补给形成的河道排泄量		
龙羊峡以上	青海	2 855	0.10	0.10	—	—	0.74	0.33	0.84	
	四川	—	—	—						
	甘肃	—	—	—						
	小计	2 855	0.10	0.10			0.74	0.33	0.84	
龙羊峡—兰州	青海	630	1.27	1.27	0.81	—	1.59	0.21	3.67	−0.09
	甘肃	—	—	—						
	小计	630	1.27	1.27	0.81		1.59	0.21	3.67	−0.09
兰州—河口镇	甘肃	82	0.11	0.11	—	—	0.04	0.01	0.15	
	宁夏	3 137	1.41	1.41	4.32	0.75	6.91	0.25	13.39	
	内蒙古	22 806	5.14	4.41	5.58	0.30	—		11.01	0.26
	小计	26 025	6.66	5.93	9.90	1.05	6.95	0.26	24.55	0.26
河口镇—龙门	内蒙古	8 644	0.81	0.73	4.95	—	0.48	0.47	6.25	0.02
	山西	—	—	—						
	陕西	8 178	0.65	0.49	6.24	—	4.00	3.31	10.89	0.38
	小计	16 822	1.46	1.22	11.19	—	4.48	3.78	17.14	−0.36
龙门—三门峡	甘肃	812	0.28	0.28	—	—	0.26	0.25	0.54	0.14
	宁夏	—	—	—						
	山西	12 622	16.53	15.67	1.51	0.65	0.09	0.07	18.78	2.68
	陕西	15 694	18.74	16.70	3.20	4.87	4.19	2.23	31.00	−1.64
	河南	321	0.30	0.28	—	—			0.30	0.03
	小计	29 449	35.85	32.93	4.71	5.52	4.54	2.55	50.62	1.21
三门峡—花园口	山西	—	—	—						
	陕西	—	—	—						
	河南	3 061	7.23	6.66	0.69	—	0.45	0.18	8.36	0.31
	小计	3 061	7.23	6.66	0.69		0.45	0.18	8.36	0.31
花园口以下	河南	6 475	7.14	6.09	3.81	—	—		10.96	0.42
	山东	1 016	1.62	1.50	0.20	—	0.24	0.15	2.06	0.03
	小计	7 491	8.76	7.59	4.01		0.24	0.15	13.02	0.45
内流区	宁夏	—	—	—						
	内蒙古	31 687	1.22	0.99	2.17	1.61	—		5.00	—
	陕西	1 683	0.19	0.15	1.50	—	—		1.69	−0.13
	小计	33 370	1.41	1.14	3.67	1.61	—		6.69	−0.13
黄河流域		119 703	62.74	56.82	34.99	8.19	18.97	7.45	124.90	1.64

表 4-8　省(区)套二级区平原区多年平均浅层地下水($M\leq1$ g/L)各项补给量及资源量

(单位:面积 km²;水量 亿 m³;模数 万 m³/(km²·a))

省(区)	二级区	计算面积	降水入渗补给量	降水入渗补给量模数	山前侧向补给量	地表水体补给量		井灌回归补给量	地下水总补给量	地下水总补给量模数	地下水资源量	地下水资源量模数
						总量	其中河川基流补给量					
青海	龙羊峡以上	2 855	0.59	2.1	0.20	0.23	0.10	—	1.01	3.6	1.01	3.6
	龙羊峡—兰州	630	0.46	7.3	0.84	2.24	0.89	—	3.54	56.2	3.54	56.2
	小计	3 485	1.05	3.0	1.04	2.47	0.99	—	4.55	13.1	4.55	13.1
四川	龙羊峡以上	—	—	—	—	—	—	—	—	—	—	—
	小计	—	—	—	—	—	—	—	—	—	—	—
甘肃	龙羊峡以上											
	龙羊峡—兰州											
	兰州—河口镇	82	0.01	1.2	0.03	0.04	0.01	—	0.07	8.9	0.07	8.9
	龙门—三门峡	812	0.47	5.8	—	—	—	—	0.47	5.8	0.47	5.8
	小计	894	0.48	5.3	0.03	0.04	0.01	—	0.54	6.1	0.54	6.1
宁夏	兰州—河口镇	3 137	0.54	1.7	0.14	13.29	5.32	—	13.98	44.6	13.98	44.6
	龙门—三门峡											
	内流区											
	小计	3 137	0.54	1.7	0.14	13.29	5.32	—	13.98	44.6	13.98	44.6
内蒙古	兰州—河口镇	22 806	5.24	2.3	3.88	1.65	0.35	0.73	11.50	5.0	10.77	4.7
	河口镇—龙门	8 644	6.16	7.1	0.40	0.09	0.04	0.08	6.74	7.8	6.65	7.7
	内流区	31 687	5.80	1.8	0.04	—	—	0.23	6.07	1.9	5.83	1.8
	小计	63 137	17.2	2.7	4.32	1.74	0.39	1.04	24.31	3.8	23.25	3.7
山西	河口镇—龙门	—	—	—	—	—	—	—	—	—	—	—
	龙门—三门峡	12 622	7.74	6.1	5.01	2.90	1.80	0.86	16.51	13.1	15.65	12.4
	三门峡—花园口	—	—	—	—	—	—	—	—	—	—	—
	小计	12 622	7.74	6.1	5.01	2.90	1.80	0.86	16.51	13.1	15.65	12.4
陕西	河口镇—龙门	8 178	7.94	9.7	0.19	0.97	0.54	0.17	9.27	11.3	9.10	11.1
	龙门—三门峡	15 694	14.82	9.4	1.52	12.44	3.70	2.04	30.82	19.6	28.78	18.3
	三门峡—花园口											
	内流区	1 683	1.24	7.4	0.11	—	—	0.04	1.39	8.2	1.35	8.0
	小计	25 555	24.00	9.4	1.82	13.41	4.24	2.25	41.48	16.2	39.23	15.4
河南	龙门—三门峡	321	0.22	7.0	—	—	—	0.02	0.24	7.5	0.22	7.0
	三门峡—花园口	3 061	3.10	10.1	0.57	3.73	1.65	0.57	7.97	26.0	7.40	24.2
	花园口以下	6 475	6.27	9.7	—	3.55	1.57	1.05	10.87	16.8	9.82	15.2
	小计	9 857	9.59	9.7	0.57	7.28	3.22	1.64	19.08	19.4	17.44	17.7
山东	花园口以下	1 016	1.38	13.6	0.24	0.26	0.10	0.12	2.01	19.8	1.89	18.6
	小计	1 016	1.38	13.6	0.24	0.26	0.10	0.12	2.01	19.8	1.89	18.6
黄河流域		119 703	61.97	5.2	13.18	41.40	16.06	5.92	122.46	10.2	116.54	9.7

续表 4-8

省（区）	二级区	计算面积	实际开采量		潜水蒸发量	侧向流出量	河道排泄量		总排泄量	地下水蓄变量
			总量	其中开采净消耗量			总量	其中降水入渗补给形成的河道排泄量		
青海	龙羊峡以上	2 855	0.10	0.10	—	—	0.74	0.33	0.84	—
	龙羊峡—兰州	630	1.27	1.27	0.81	—	1.59	0.21	3.67	−0.09
	小计	3 485	1.37	1.37	0.81	—	2.33	0.54	4.51	−0.09
四川	龙羊峡以上	—	—	—	—	—	—	—	—	—
	小计	—	—	—	—	—	—	—	—	—
甘肃	龙羊峡以上									
	龙羊峡—兰州									
	兰州—河口镇	82	0.11	0.11	—	—	0.04	0.01	0.15	
	龙门—三门峡	812	0.28	0.28	—	—	0.26	0.25	0.54	0.14
	小计	894	0.39	0.39	—	—	0.30	0.26	0.69	0.14
宁夏	兰州—河口镇	3 137	1.41	1.41	4.32	0.75	6.91	0.25	13.39	—
	龙门—三门峡									
	内流区									
	小计	3 137	1.41	1.41	4.32	0.75	6.91	0.25	13.39	
内蒙古	兰州—河口镇	22 806	5.14	4.41	5.58	0.30			11.01	0.26
	河口镇—龙门	8 644	0.81	0.73	4.95		0.48	0.47	6.25	0.02
	内流区	31 687	1.22	0.99	2.17	1.61	—		5.00	
	小计	63 137	7.17	6.13	12.70	1.91	0.48	0.47	22.26	0.28
山西	河口镇—龙门	—								
	龙门—三门峡	12 622	16.53	15.67	1.51	0.65	0.09	0.07	18.78	2.68
	三门峡—花园口									
	小计	12 622	16.53	15.67	1.51	0.65	0.09	0.07	18.78	2.68
陕西	河口镇—龙门	8 178	0.65	0.49	6.24		4.00	3.31	10.89	−0.38
	龙门—三门峡	15 694	18.74	16.70	3.20	4.87	4.19	2.23	31.00	−1.64
	三门峡—花园口	—								
	内流区	1 683	0.19	0.15	1.50	—	—		1.69	−0.13
	小计	25 555	19.58	17.34	10.94	4.87	8.19	5.54	43.58	−2.15
河南	龙门—三门峡	321	0.30	0.28	—	—	—		0.30	0.03
	三门峡—花园口	3 061	7.23	6.66	0.69	—	0.45	0.18	8.36	0.31
	花园口以下	6 475	7.14	6.09	3.81	—	—		10.96	0.42
	小计	9 857	14.67	13.03	4.50	—	0.45	0.18	19.62	0.76
山东	花园口以下	1 016	1.62	1.50	0.20	—	0.24	0.15	2.06	0.03
	小计	1 016	1.62	1.50	0.20	—	0.24	0.15	2.06	0.03
黄河流域		119 703	62.74	56.82	34.99	8.19	18.97	7.45	124.90	1.64

表4-9　二级区套省(区)平原区多年平均浅层地下水(1 g/L<M≤2 g/L)各项补给量及资源量

(单位:面积 km²;水量 亿 m³;模数 万 m³/(km²·a))

二级区	省(区)	计算面积	降水入渗补给量	降水入渗补给量模数	山前侧向补给量	地表水体补给量		井灌回归补给量	地下水总补给量	地下水总补给量模数	地下水资源量	地下水资源量模数
						总量	其中河川基流补给量					
龙羊峡以上	青海	—	—	—	—	—	—	—	—	—	—	—
	四川	—	—	—	—	—	—	—	—	—	—	—
	甘肃	—	—	—	—	—	—	—	—	—	—	—
	小计	—	—	—	—	—	—	—	—	—	—	—
龙羊峡—兰州	青海	—	—	—	—	—	—	—	—	—	—	—
	甘肃	—	—	—	—	—	—	—	—	—	—	—
	小计	—	—	—	—	—	—	—	—	—	—	—
兰州—河口镇	甘肃	59	0.01	2.5	0.02	0.04	0.01	—	0.08	13.7	0.08	13.7
	宁夏	2 838	0.46	1.6	0.17	7.87	3.15	0.01	8.51	30.0	8.50	30.0
	内蒙古	18 479	4.56	2.5	4.61	8.00	3.14	0.58	17.76	9.8	17.17	9.0
	小计	21 376	5.03	2.4	4.80	15.91	6.30	0.59	26.35	12.3	25.75	12.1
河口镇—龙门	内蒙古	417	0.24	5.7	0.18	0.04	0.02	0.01	0.47	11.8	0.46	11.1
	山西			—						—		—
	陕西	1 135	1.09	9.6	0.03	0.15	0.09	0.03	1.30	11.5	1.28	11.2
	小计	1552	1.33	8.5	0.21	0.19	0.11	0.04	1.77	11.4	1.74	11.2
龙门—三门峡	甘肃											
	宁夏											
	山西	2 878	1.76	6.1	—	0.73	0.37	0.31	2.80	9.7	2.49	8.7
	陕西	3 544	3.05	8.6	0.05	1.57	0.42	0.36	5.03	14.2	4.67	13.2
	河南											
	小计	6 422	4.81	7.5	0.05	2.30	0.79	0.67	7.83	12.2	7.16	11.1
三门峡—花园口	山西											
	陕西											
	河南	115	0.09	7.9	—	0.13	0.06	0.03	0.25	21.6	0.22	19.1
	小计	115	0.09	7.9	—	0.13	0.06	0.03	0.25	21.6	0.22	19.1
花园口以下	河南	1 241	1.43	11.5	—	1.02	0.45	0.09	2.53	20.4	2.44	19.7
	山东	108	0.15	13.9	—			0.01	0.16	15.2	0.15	13.9
	小计	1 349	1.58	11.7	—	1.02	0.45	0.10	2.69	20.0	2.59	19.2
内流区	宁夏	—	—	—	—	—	—	—	—	—	—	—
	内蒙古	1 575	0.26	1.6	—			0.01	0.27	2.0	0.26	1.6
	陕西	393	0.28	7.1	0.03			0.01	0.31	8.0	0.31	7.8
	小计	1 968	0.54	2.7	0.03	—	—	0.02	0.58	3.0	0.57	2.9
黄河流域		32 782	13.38	4.1	5.09	19.56	7.70	1.45	39.48	12.0	38.03	11.6

续表 4-9

二级区	省(区)	计算面积	实际开采量		潜水蒸发量	侧向流出量	河道排泄量		总排泄量	地下水蓄变量
			总量	其中开采净消耗量			总量	其中降水入渗补给形成的河道排泄量		
龙羊峡以上	青海	—	—	—	—	—	—	—	—	—
	四川	—	—	—	—	—	—	—	—	—
	甘肃	—	—	—	—	—	—	—	—	—
	小计	—	—	—	—	—	—	—	—	—
龙羊峡—兰州	青海	—	—	—	—	—	—	—	—	—
	甘肃	—	—	—	—	—	—	—	—	—
	小计	—	—	—	—	—	—	—	—	—
兰州—河口镇	甘肃	59	—	—	0.01	—	0.03	—	0.03	—
	宁夏	2 838	1.36	1.35	3.49	0.22	3.38	0.16	8.45	—
	内蒙古	18 479	5.51	4.92	12.56	0.36	—	—	18.42	0.18
	小计	21 376	6.87	6.27	16.06	0.58	3.41	0.16	26.90	0.18
河口镇—龙门	内蒙古	417	0.12	0.12	0.03	—	—	—	0.16	0.01
	山西	—	—	—	—	—	—	—	—	—
	陕西	1 135	0.10	0.07	1.24	—	0.45	0.36	1.79	—0.05
	小计	1 552	0.22	0.19	1.27	—	0.45	0.36	1.95	—0.04
龙门—三门峡	甘肃	—	—	—	—	—	—	—	—	—
	宁夏	—	—	—	—	—	—	—	—	—
	山西	2 878	1.41	1.09	1.16	—	—	—	2.56	—
	陕西	3 544	3.24	2.88	0.84	0.41	0.99	0.62	5.48	—0.49
	河南	—	—	—	—	—	—	—	—	—
	小计	6 422	4.65	3.97	2.00	0.41	0.99	0.62	8.04	—0.49
三门峡—花园口	山西	—	—	—	—	—	—	—	—	—
	陕西	—	—	—	—	—	—	—	—	—
	河南	115	0.27	0.24	—	—	—	—	0.27	0.01
	小计	115	0.27	0.24	—	—	—	—	0.27	0.01
花园口以下	河南	1 241	0.79	0.70	1.63	—	—	—	2.42	0.02
	山东	108	0.18	0.17	0.02	—	—	—	0.20	—
	小计	1 349	0.97	0.87	1.65	—	—	—	2.62	0.02
内流区	宁夏	—	—	—	—	—	—	—	—	—
	内蒙古	1 575	0.05	0.04	0.20	—	—	—	0.26	—
	陕西	393	0.04	0.03	0.38	—	—	—	0.42	—0.03
	小计	1 968	0.10	0.07	0.58	—	—	—	0.68	—0.03
黄河流域		32 782	13.06	11.61	21.56	0.99	4.85	1.15	40.46	—0.35

表 4-10　省(区)套二级区平原区多年平均浅层地下水(1 g/L＜M≤2 g/L)各项补给量及资源量

(单位:面积 km²;水量 亿 m³;模数 万 m³/(km²·a))

省(区)	二级区	计算面积	降水入渗补给量	降水入渗补给量模数	山前侧向补给量	地表水体补给量		井灌回归补给量	地下水总补给量	地下水总补给量模数	地下水资源量	地下水资源量模数
						总量	其中河川基流补给量					
青海	龙羊峡以上	—	—	—	—	—	—	—	—	—	—	—
	龙羊峡—兰州	—	—	—	—	—	—	—	—	—	—	—
	小计	—	—	—	—	—	—	—	—	—	—	—
四川	龙羊峡以上	—	—	—	—	—	—	—	—	—	—	—
	小计	—	—	—	—	—	—	—	—	—	—	—
甘肃	龙羊峡以上	—	—	—	—	—	—	—	—	—	—	—
	龙羊峡—兰州	—	—	—	—	—	—	—	—	—	—	—
	兰州—河口镇	59	0.01	2.5	0.02	0.04	0.01	—	0.08	13.7	0.08	13.7
	龙门—三门峡											
	小计	59	0.01	2.5	0.02	0.04	0.01	—	0.08	13.7	0.08	13.7
宁夏	兰州—河口镇	2 838	0.46	1.6	0.17	7.87	3.15	0.01	8.51	30.0	8.50	30.0
	龙门—三门峡											
	内流区											
	小计	2 838	0.46	1.6	0.17	7.87	3.15	0.01	8.51	30.0	8.50	30.0
内蒙古	兰州—河口镇	18 479	4.56	2.5	4.61	8.00	3.14	0.58	17.76	9.8	17.17	9.0
	河口镇—龙门	417	0.24	5.7	0.18	0.04	0.02	0.01	0.47	11.8	0.46	11.1
	内流区	1 575	0.26	1.6	—	—	—	0.01	0.27	2.0	0.26	1.6
	小计	20 471	5.06	2.5	4.79	8.04	3.16	0.60	18.50	9.0	17.89	8.7
山西	河口镇—龙门	—	—	—	—	—	—	—	—	—	—	—
	龙门—三门峡	2 878	1.76	6.1	—	0.73	0.37	0.31	2.80	9.7	2.49	8.7
	三门峡—花园口											
	小计	2 878	1.76	6.1	—	0.73	0.37	0.31	2.80	9.7	2.49	8.7
陕西	河口镇—龙门	1 135	1.09	9.6	0.03	0.15	0.09	0.03	1.30	11.5	1.28	11.2
	龙门—三门峡	3 544	3.05	8.6	0.05	1.57	0.42	0.36	5.03	14.2	4.67	13.2
	三门峡—花园口											
	内流区	393	0.28	7.1	0.03	—	—	0.01	0.31	8.0	0.31	7.8
	小计	5 072	4.42	8.7	0.11	1.72	0.51	0.40	6.64	13.1	6.26	12.3
河南	龙门—三门峡											
	三门峡—花园口	115	0.09	7.9	—	0.13	0.06	0.03	0.25	21.6	0.22	19.1
	花园口以下	1 241	1.43	11.5	—	1.02	0.45	0.09	2.53	20.4	2.44	19.7
	小计	1 356	1.52	11.2	—	1.15	0.51	0.12	2.78	20.5	2.66	19.6
山东	花园口以下	108	0.15	13.9	—	—	—	0.01	0.16	15.2	0.15	13.9
	小计	108	0.15	13.9	—	—	—	0.01	0.16	15.2	0.15	13.9
黄河流域		32 782	13.38	4.1	5.09	19.56	7.70	1.45	39.48	12.0	38.03	11.6

续表 4-10

| 省(区) | 二级区 | 计算面积 | 实际开采量 | | 潜水蒸发量 | 侧向流出量 | 河道排泄量 | | 总排泄量 | 地下水蓄变量 |
			总量	其中开采净消耗量			总量	其中降水入渗补给形成的河道排泄量		
青海	龙羊峡以上	—	—	—	—	—	—	—	—	—
	龙羊峡—兰州	—	—	—	—	—	—	—	—	—
	小计	—	—	—	—	—	—	—	—	—
四川	龙羊峡以上	—	—	—	—	—	—	—	—	—
	小计	—	—	—	—	—	—	—	—	—
甘肃	龙羊峡以上	—	—	—	—	—	—	—	—	—
	龙羊峡—兰州	—	—	—	—	—	—	—	—	—
	兰州—河口镇	59	—	—	0.01	—	0.03	—	0.03	—
	龙门—三门峡	—	—	—	—	—	—	—	—	—
	小计	59	—	—	0.01	—	0.03	—	0.03	—
宁夏	兰州—河口镇	2 838	1.36	1.35	3.49	0.22	3.38	0.16	8.45	—
	龙门—三门峡	—	—	—	—	—	—	—	—	—
	内流区	—	—	—	—	—	—	—	—	—
	小计	2 838	1.36	1.35	3.49	0.22	3.38	0.16	8.45	—
内蒙古	兰州—河口镇	18 479	5.51	4.92	12.56	0.36			18.42	0.18
	河口镇—龙门	417	0.12	0.12	0.03	—			0.16	0.01
	内流区	1 575	0.05	0.04	0.20				0.26	—
	小计	20 471	5.68	5.08	12.79	0.36			18.84	0.19
山西	河口镇—龙门	—	—	—	—	—	—	—	—	—
	龙门—三门峡	2 878	1.41	1.09	1.16	—	—	—	2.56	—
	三门峡—花园口	—	—	—	—	—	—	—	—	—
	小计	2 878	1.41	1.09	1.16	—	—	—	2.56	—
陕西	河口镇—龙门	1 135	0.10	0.07	1.24	—	0.45	0.36	1.79	−0.05
	龙门—三门峡	3 544	3.24	2.88	0.84	0.41	0.98	0.62	5.48	−0.49
	三门峡—花园口	—	—	—	—	—	—	—	—	—
	内流区	393	0.04	0.03	0.38	—	—	—	0.42	−0.03
	小计	5 072	3.38	2.98	2.46	0.41	1.44	0.98	7.69	−0.57
河南	龙门—三门峡	—	—	—	—	—	—	—	—	—
	三门峡—花园口	115	0.27	0.24	—	—	—	—	0.27	0.01
	花园口以下	1 241	0.79	0.70	1.63	—	—	—	2.42	0.02
	小计	1 356	1.06	0.94	1.63	—	—	—	2.69	0.03
山东	花园口以下	108	0.18	0.17	0.02	—	—	—	0.20	—
	小计	108	0.18	0.17	0.02	—	—	—	0.20	—
黄河流域		32 782	13.06	11.61	21.56	0.99	4.85	1.15	40.46	−0.35

表 4-11 二级区套省(区)平原区多年平均浅层地下水($M \leqslant 2$ g/L)各项补给量及资源量

(单位:面积 km²;水量 亿 m³;模数 万 m³/(km²·a))

二级区	省(区)	计算面积	降水入渗补给量	降水入渗补给量模数	山前侧向补给量	地表水体补给量 总量	地表水体补给量 其中河川基流补给量	井灌回归补给量	地下水总补给量	地下水总补给量模数	地下水资源量	地下水资源量模数
龙羊峡以上	青海	2 855	0.59	2.1	0.20	0.23	0.10	—	1.01	3.6	1.01	3.6
	四川	—										
	甘肃	—										
	小计	2 855	0.59	2.1	0.20	0.23	0.10	—	1.01	3.6	1.01	3.6
龙羊峡—兰州	青海	630	0.46	7.3	0.84	2.24	0.89	0	3.54	56.2	3.54	56.2
	甘肃	—										
	小计	630	0.46	7.3	0.84	2.24	0.89		3.54	56.2	3.54	56.2
兰州—河口镇	甘肃	141	0.02	1.7	0.05	0.08	0.03	—	0.15	10.9	0.15	10.9
	宁夏	5 975	1.00	1.7	0.32	21.16	8.47	0.01	22.49	37.6	22.48	37.6
	内蒙古	41 285	9.80	2.4	8.49	9.65	3.49	1.31	29.26	7.1	27.95	6.6
	小计	47 401	10.82	2.3	8.86	30.89	11.99	1.32	51.90	11.0	50.58	10.7
河口镇—龙门	内蒙古	9 061	6.39	7.1	0.59	0.13	0.05	0.09	7.21	8.1	7.12	7.9
	山西	—										
	陕西	9 313	9.03	9.7	0.22	1.12	0.63	0.20	10.57	11.3	10.37	11.1
	小计	18 374	15.42	8.4	0.81	1.25	0.68	0.29	17.78	9.7	17.49	9.5
龙门—三门峡	甘肃	812	0.47	5.8	—	—	—	—	0.47	5.8	0.47	5.8
	宁夏	—										
	山西	15 500	9.50	6.1	5.01	3.63	2.16	1.18	19.31	12.5	18.14	11.7
	陕西	19 238	17.87	9.3	1.57	14.01	4.12	2.40	35.85	18.6	33.45	17.4
	河南	321	0.22	7.0				0.02	0.24	7.5	0.22	7.0
	小计	35 871	28.06	7.8	6.58	17.64	6.28	3.60	55.87	15.6	52.28	14.6
三门峡—花园口	山西											
	陕西											
	河南	3 176	3.19	10.0	0.57	3.86	1.70	0.60	8.22	25.9	7.62	24.0
	小计	3 176	3.19	10.0	0.57	3.86	1.70	0.60	8.22	25.9	7.62	24.0
花园口以下	河南	7 716	7.69	10.0	—	4.57	2.02	1.14	13.40	17.4	12.26	15.9
	山东	1 124	1.53	13.6	0.24	0.26	0.10	0.14	2.18	19.4	2.04	18.2
	小计	8 840	9.22	10.4	0.24	4.83	2.12	1.28	15.58	17.6	14.30	16.2
内流区	宁夏	—										
	内蒙古	33 262	6.05	1.8	0.04	—	—	0.24	6.34	2.0	6.09	1.8
	陕西	2 076	1.52	7.3	0.14	—	—	0.05	1.70	8.2	1.65	8.0
	小计	35 338	7.57	2.1	0.18	—	—	0.29	8.04	2.3	7.74	2.2
黄河流域		152 485	75.34	4.9	18.27	60.96	23.76	7.37	161.94	10.6	154.57	10.1

续表 4-11

二级区	省(区)	计算面积	实际开采量		潜水蒸发量	侧向流出量	河道排泄量		总排泄量	地下水蓄变量
			总量	其中开采净消耗量			总量	其中降水入渗补给形成的河道排泄量		
龙羊峡以上	青海	2 855	0.10	0.10	—	—	0.74	0.33	0.84	—
	四川	—	—	—	—	—	—	—	—	—
	甘肃	—	—	—	—	—	—	—	—	—
	小计	2 855	0.10	0.10	—	—	0.74	0.33	0.84	—
龙羊峡—兰州	青海	630	1.27	1.27	0.81	—	1.59	0.21	3.67	−0.09
	甘肃									
	小计	630	1.27	1.27	0.81	—	1.59	0.21	3.67	−0.09
兰州—河口镇	甘肃	141	0.11	0.11	0.01	—	0.06	0.01	0.18	—
	宁夏	5 975	2.77	2.76	7.82	0.98	10.29	0.41	21.85	—
	内蒙古	41 285	10.65	9.34	18.13	0.65	—	—	29.43	0.44
	小计	47 401	13.53	12.21	25.96	1.63	10.35	0.42	51.46	0.44
河口镇—龙门	内蒙古	9 061	0.94	0.85	4.99	—	0.48	0.47	6.40	0.02
	山西	—	—	—	—	—	—	—	—	—
	陕西	9 313	0.75	0.55	7.47	—	4.46	3.67	12.68	−0.43
	小计	18 374	1.69	1.40	12.46	—	4.94	4.14	19.08	−0.41
龙门—三门峡	甘肃	812	0.28	0.28	—	—	0.26	0.25	0.54	0.14
	宁夏									
	山西	15 500	17.94	16.76	2.67	0.65	0.09	0.07	21.34	2.68
	陕西	19 238	21.98	19.58	4.04	5.28	5.17	2.85	36.48	−2.13
	河南	321	0.30	0.28	—	—	—	—	0.30	0.03
	小计	35 871	40.50	36.90	6.71	5.93	5.52	3.17	58.66	0.72
三门峡—花园口	山西	—	—	—	—	—	—	—	—	—
	陕西	—	—	—	—	—	—	—	—	—
	河南	3 176	7.49	6.89	0.69	—	0.45	0.18	8.63	0.32
	小计	3 176	7.49	6.89	0.69	—	0.45	0.18	8.63	0.32
花园口以下	河南	7 716	7.93	6.79	5.45	—	—	—	13.37	0.44
	山东	1 124	1.80	1.67	0.22	—	0.24	0.15	2.26	0.03
	小计	8 840	9.73	8.46	5.67	—	0.24	0.15	15.63	0.47
内流区	宁夏	—	—	—	—	—	—	—	—	—
	内蒙古	33 262	1.27	1.03	2.37	1.61	—	—	5.26	—
	陕西	2 076	0.23	0.18	1.88	—	—	—	2.11	−0.16
	小计	35 338	1.50	1.21	4.25	1.61	—	—	7.37	−0.16
黄河流域		152 485	75.81	68.44	56.56	9.18	23.82	8.61	165.36	1.29

表 4-12　省(区)套二级区平原区多年平均浅层地下水(M≤2 g/L)各项补给量及资源量

(单位:面积 km²;水量 亿 m³;模数 万 m³/(km²·a))

省(区)	二级区	计算面积	降水入渗补给量	降水入渗补给量模数	山前侧向补给量	地表水体补给量 总量	其中河川基流补给量	井灌回归补给量	地下水总补给量	地下水总补给量模数	地下水资源量	地下水资源量模数
青海	龙羊峡以上	2 855	0.59	2.1	0.20	0.23	0.10	—	1.01	3.6	1.01	3.6
	龙羊峡—兰州	630	0.46	7.3	0.84	2.24	0.89	—	3.54	56.2	3.54	56.2
	小计	3 485	1.05	3.0	1.04	2.47	0.99	—	4.55	13.1	4.55	13.1
四川	龙羊峡以上											
	小计											
甘肃	龙羊峡以上											
	龙羊峡—兰州											
	兰州—河口镇	141	0.02	1.7	0.05	0.08	0.03		0.15	10.9	0.15	10.9
	龙门—三门峡	812	0.47	5.8	—				0.47	5.8	0.47	5.8
	小计	953	0.49	5.2	0.05	0.08	0.03		0.62	6.6	0.62	6.5
宁夏	兰州—河口镇	5 975	1.00	1.7	0.32	21.16	8.47	0.01	22.49	37.6	22.48	37.6
	龙门—三门峡											
	内流区											
	小计	5 975	1.00	1.7	0.32	21.16	8.47	0.01	22.49	37.6	22.48	37.6
内蒙古	兰州—河口镇	41 285	9.80	2.4	8.49	9.65	3.49	1.31	29.26	7.1	27.95	6.6
	河口镇—龙门	9 061	6.39	7.1	0.59	0.13	0.05	0.09	7.21	8.1	7.12	7.9
	内流区	33 262	6.05	1.8	0.04			0.24	6.34	2.0	6.09	1.8
	小计	83 608	22.24	2.7	9.12	9.78	3.54	1.64	42.81	5.1	41.16	4.9
山西	河口镇—龙门											
	龙门—三门峡	15 500	9.50	6.1	5.01	3.63	2.16	1.18	19.31	12.5	18.14	11.7
	三门峡—花园口											
	小计	15 500	9.50	6.1	5.01	3.63	2.16	1.18	19.31	12.5	18.14	11.7
陕西	河口镇—龙门	9 313	9.03	9.7	0.22	1.12	0.63	0.20	10.57	11.3	10.37	11.1
	龙门—三门峡	19 238	17.87	9.3	1.57	14.01	4.12	2.40	35.85	18.6	33.45	17.4
	三门峡—花园口											
	内流区	2 076	1.52	7.3	0.14			0.05	1.70	8.2	1.65	8.0
	小计	30 627	28.42	9.3	1.93	15.13	4.75	2.65	48.12	15.7	45.47	14.8
河南	龙门—三门峡	321	0.22	7.0	—	—		0.02	0.24	7.5	0.22	7.0
	三门峡—花园口	3 176	3.19	10.0	0.57	3.86	1.70	0.60	8.22	25.9	7.62	24.0
	花园口以下	7716	7.69	10.0	—	4.57	2.02	1.14	13.40	17.4	12.26	15.9
	小计	11 213	11.10	9.9	0.57	8.43	3.72	1.76	21.86	19.5	20.10	17.9
山东	花园口以下	1 124	1.53	13.6	0.24	0.26	0.10	0.14	2.18	19.4	2.04	18.2
	小计	1 124	1.53	13.6	0.24	0.26	0.10	0.14	2.18	19.4	2.04	18.2
黄河流域		152 485	75.34	4.9	18.27	60.96	23.76	7.37	161.94	10.6	154.57	10.1

续表 4-12

省(区)	二级区	计算面积	实际开采量		潜水蒸发量	侧向流出量	河道排泄量		总排泄量	地下水蓄变量
			总量	其中开采净消耗量			总量	其中降水入渗补给形成的河道排泄量		
青海	龙羊峡以上	2 855	0.10	0.10	—	—	0.74	0.33	0.84	—
	龙羊峡—兰州	630	1.27	1.27	0.81	—	1.59	0.21	3.67	−0.09
	小计	3 485	1.37	1.37	0.81		2.33	0.54	4.51	−0.09
四川	龙羊峡以上	—	—	—	—	—	—	—	—	—
	小计	—	—	—	—	—	—	—	—	—
甘肃	龙羊峡以上									
	龙羊峡—兰州									
	兰州—河口镇	141	0.11	0.11	0.01		0.06	0.01	0.18	
	龙门—三门峡	812	0.28	0.28			0.26	0.25	0.54	0.14
	小计	953	0.39	0.39	0.01		0.32	0.26	0.72	0.14
宁夏	兰州—河口镇	5 975	2.77	2.76	7.82	0.98	10.29	0.41	21.85	—
	龙门—三门峡									
	内流区									
	小计	5 975	2.77	2.76	7.82	0.98	10.29	0.41	21.85	
内蒙古	兰州—河口镇	41 285	10.65	9.34	18.13	0.65			29.43	0.44
	河口镇—龙门	9 061	0.94	0.85	4.99		0.48	0.47	6.40	0.02
	内流区	33 262	1.27	1.03	2.37	1.61			5.26	
	小计	83 608	12.86	11.22	25.49	2.26	0.48	0.47	41.09	0.46
山西	河口镇—龙门	—	—	—	—	—	—	—	—	—
	龙门—三门峡	15 500	17.94	16.76	2.67	0.65	0.09	0.07	21.34	2.68
	三门峡—花园口	—	—	—	—	—	—	—	—	—
	小计	15 500	17.94	16.76	2.67	0.65	0.09	0.07	21.34	2.68
陕西	河口镇—龙门	9 313	0.75	0.55	7.47	—	4.46	3.67	12.68	−0.43
	龙门—三门峡	19 238	21.98	19.58	4.04	5.28	5.17	2.85	36.48	-2.13
	三门峡—花园口	—	—	—	—	—	—	—	—	—
	内流区	2 076	0.23	0.18	1.88	—	—	—	2.11	−0.16
	小计	30 627	22.96	20.31	13.39	5.28	9.63	6.52	51.27	−2.72
河南	龙门—三门峡	321	0.30	0.28		—			0.30	0.03
	三门峡—花园口	3 176	7.49	6.89	0.69	—	0.45	0.18	8.63	0.32
	花园口以下	7 716	7.93	6.79	5.45	—			13.37	0.44
	小计	11 213	15.72	13.96	6.14		0.45	0.18	22.30	0.79
山东	花园口以下	1 124	1.80	1.67	0.22	—	0.24	0.15	2.26	0.03
	小计	1 124	1.80	1.67	0.22		0.24	0.15	2.26	0.03
黄河流域		152 485	75.81	68.44	56.56	9.18	23.82	8.61	165.36	1.29

表 4-13 二级区套省(区)平原区多年平均浅层地下水($M>2$ g/L)补给量及资源量

(单位:面积 km²;水量 亿 m³)

二级区	省(区)	计算面积	2 g/L<M≤3 g/L			3 g/L<M≤5 g/L			M>5 g/L		
			计算面积	降水入渗补给量	地下水资源量	计算面积	降水入渗补给量	地下水资源量	计算面积	降水入渗补给量	地下水资源量
龙羊峡以上	青海	—	—	—	—	—	—	—	—	—	—
	四川										
	甘肃										
	小计	—	—	—	—	—	—	—	—	—	—
龙羊峡—兰州	青海										
	甘肃										
	小计	—									
兰州—河口镇	甘肃	473	70	0.02	0.07	118	0.03	0.11	285	0.05	0.22
	宁夏	10 061	4 797	0.31	1.87	4 826	0.50	0.98	438	0.03	0.07
	内蒙古	14 254	9 026	1.62	6.92	4 304	0.81	4.57	924	0.19	1.28
	小计	24 788	13 893	1.95	8.86	9 248	1.34	5.66	1 647	0.27	1.57
河口镇—龙门	内蒙古	107	102	0.06	0.08	5	—	—	—	—	—
	山西										
	陕西	315	315	0.19	0.22						
	小计	422	417	0.25	0.30	5	—	—	—	—	—
龙门—三门峡	甘肃	—	—								
	宁夏	—	—								
	山西	651	524	0.36	0.45	127	0.09	0.11			
	陕西	1 480	692	0.64	0.90	442	0.38	0.54	346	0.30	0.42
	河南										
	小计	2 131	1 216	1.00	1.35	569	0.47	0.65	346	0.30	0.42
三门峡—花园口	山西										
	陕西										
	河南										
	小计										
花园口以下	河南	—									
	山东										
	小计	—									
内流区	宁夏	1 400	1 120	0.14	0.14	280	0.03	0.03	—	—	—
	内蒙古	2 753	1 600	0.21	0.21	443	0.06	0.06	710	0.09	0.09
	陕西	928	343	0.23	0.23	268	0.18	0.18	317	0.20	0.20
	小计	5 081	3 063	0.58	0.58	991	0.27	0.27	1 027	0.29	0.29
黄河流域		32 422	18 589	3.78	11.09	10 813	2.08	6.58	3 020	0.86	2.27

表 4-14　省(区)套二级区平原区多年平均浅层地下水(M>2 g/L)补给量及资源量

(单位:面积 km²;水量 亿 m³)

省(区)	二级区	计算面积	2 g/L<M≤3 g/L			3 g/L<M≤5 g/L			M>5 g/L		
			计算面积	降水入渗补给量	地下水资源量	计算面积	降水入渗补给量	地下水资源量	计算面积	降水入渗补给量	地下水资源量
青海	龙羊峡以上	—									
	龙羊峡—兰州										
	小计	—									
四川	龙羊峡以上										
	小计										
甘肃	龙羊峡以上	—									
	龙羊峡—兰州										
	兰州—河口镇	473	70	0.02	0.07	118	0.03	0.11	285	0.05	0.22
	龙门—三门峡										
	小计	473	70	0.02	0.07	118	0.03	0.11	285	0.05	0.22
宁夏	兰州—河口镇	10 061	4 797	0.31	1.87	4 826	0.50	0.98	438	0.03	0.07
	龙门—三门峡										
	内流区	1 400	1 120	0.14	0.14	280	0.03	0.03			
	小计	11 461	5 917	0.45	2.01	5 106	0.53	1.01	438	0.03	0.07
内蒙古	兰州—河口镇	14 254	9 026	1.62	6.92	4 304	0.81	4.57	924	0.19	1.28
	河口镇—龙门	107	102	0.06	0.08	5	—	—			
	内流区	2 753	1 600	0.21	0.21	443	0.06	0.06	710	0.09	0.09
	小计	17 114	10 728	1.89	7.21	4 752	0.88	4.63	1 634	0.28	1.37
山西	河口镇—龙门	—									
	龙门—三门峡	651	524	0.36	0.45	127	0.09	0.11			
	三门峡—花园口	—	—			—					
	小计	651	524	0.36	0.45	127	0.09	0.11			
陕西	河口镇—龙门	315	315	0.19	0.22	—					
	龙门—三门峡	1 480	692	0.64	0.90	442	0.38	0.54	346	0.30	0.42
	三门峡—花园口										
	内流区	928	343	0.23	0.23	268	0.18	0.18	317	0.20	0.20
	小计	2 723	1 350	1.05	1.35	710	0.57	0.72	663	0.50	0.62
河南	龙门—三门峡	—									
	三门峡—花园口	—									
	花园口以下	—									
	小计	—									
山东	花园口以下	—									
	小计	—									
黄河流域		32 422	18 589	3.78	11.09	10 813	2.08	6.58	3 020	0.86	2.27

第五节　山丘区地下水资源量

山丘区用排泄量法计算地下水资源量。山丘区各项排泄量、总排泄量和地下水资源量(降水入渗补给量)计算分述如下。

一、河川基流量

河川基流量(又称地下径流量)是指河川径流中由地下水渗漏补给河水的部分,即河道对地下水的排泄量。河川基流量是一般山丘区和岩溶山区的主要排泄量。河川基流量可通过分割实测河川径流量过程线的方法计算。

(一)单站河川基流量

选择切割基流的水文站要求具有 1980～2000 年完整的实测逐日流量资料;水文站控制的流域必须闭合且地表水与地下水分水岭基本一致;按水文气象和下垫面条件,选用站应具有代表性;单站控制的流域面积一般在 300～5 000 km² 之间(个别具有代表性的控制面积大于 5 000 km² 的水文站也可选用);水文站控制流域上游如果建有集水面积超过水文站控制面积 20% 以上的水库,或上游河道上有较大引、提水工程的水文站一般不宜选用。本次评价黄河流域单站河川基流量,主要用直线斜割法分别分割选用站 1980～2000 年或期间不少于 10 年(必须包括最大最小年)的逐日实测河川径流量过程线计算求得。如果水文站以上有河川径流还原水量,则对分割的河川基流量也要进行还原。还原的方法是,首先根据各年河川径流量还原的时段,分别确定相应时段的河川基流量(R_g)占河川径流量(R)的比率(即基径比);然后将各时段的河川径流还原水量分别乘以相应时段的基径比,即得到各时段的河川基流的还原水量;最后将还原的年基流量和实际切割的年河川基流量相加,即得到该站全年的天然河川基流量。如果河川径流只有年还原水量,则河川基流的还原量可用河川径流量年还原水量乘以切割站年河川基流量与年河川径流量的比率,即求得年河川基流还原量。

(二)单站 1956～2000 年河川基流量系列

根据本次评价要求,建立 1980～2000 年期间天然河川基流量 R_g 与天然径流量 R 的关系曲线,用该站本次评价的 1956～2000 年的天然河川径流量,在 R_g～R 关系曲线上分别查得各年的河川基流量。

(三)未被选用水文站控制的各均衡计算区 1956～2000 年河川基流量系列

按本次评价要求,可用类比法计算,即借用水文气象和下垫面条件相同或相近的切割基流的 R_g～R 关系曲线,用未被选用的水文站本次评价的 1956～2000 年逐年天然河川径流量成果,在借用切割基流站 R_g～R 关系曲线上分别查得 1956～2000 年逐年的河川基流量系列。少数省(区)用类比法计算河川基流量时,采用切割基流站的基流模数类比,计算结果可能会出现基流量大于河川径流量,即基径比大于 1 的不合理现象,在审查汇总时对此均作了修正。

二、1980～2000 年逐年山前泉水溢出量

泉水溢出量是山丘区地下水的重要组成部分,是出露于山丘与平原区交界处附近,且

未计入河川径流量的诸泉水流量之和,可在实测和调查统计的基础上分析计算求得。本次评价要求调查统计均衡计算区 1980～2000 年逐年泉水流量不小于0.1 m³/s且未计入河川径流量的各单泉流量,并用下列公式分别计算各单泉溢出量

$$Q_{单泉} = 3\ 154q \tag{4-16}$$

式中　$Q_{单泉}$——单泉溢出量,万 m³;

　　　　q——单泉流量,m³/s;

　　　　3 154——时间换算系数。

各年各单泉溢出量之和即为 1980～2000 年均衡区的逐年山前泉水溢出量。

对缺少年均单泉流量的年份,可用邻近年份的年均泉水流量进行直线插补求得。

三、1980～2000 年逐年山前侧向流出量

山前侧向流出量是指山丘区地下水以地下潜流的形式向平原区排泄的水量,对平原区来说是一项补给量,因此山丘区山前侧向流出量与平原区山前侧向补给量是同一个值(实际上由于平原区矿化度大于 2 g/L 的地区不算地下水总资源量,因此造成 $Q_{山侧补}$ ＜ $Q_{山侧排}$,这是合理的),计算方法也相同。对缺乏水力坡度 I 资料的地区可用邻近地区资料类比计算;对缺乏水力坡度 I 资料的年份,可用邻近年份山前侧向流出量进行直线插补求得。

四、1980～2000 年逐年浅层地下水实际开采量和潜水蒸发量

(一)实际开采量和开采净消耗量

浅层地下水实际开采量是指在一般山丘区和岩溶山丘区(包括面积小于1 000 km² 小型山间河谷平原)工业、农业、生活用水开采的浅层地下水的量。采用调查统计法得到 1980～2000 年各年的实际开采量。缺乏统计资料的年份,用相邻年份的资料进行直线插补求得。在较大规模开采利用地下水以前的各年地下水实际开采量可按零值处理。

浅层地下水实地开采量的净消耗量是指实际开采量中扣除在利用过程中回归补给地下水部分的剩余量,一般用耗水系数法计算而得。

(二)潜水蒸发量

山丘区潜水蒸发量主要发生在未单独划分为山间平原的小型山间河谷平原地区,其意义和计算方法同平原区。本次评价要求对 1980～2000 年期间逐年计算。对缺乏地下水埋深等资料的年份,可根据其相邻年份的潜水蒸发量进行直线插补。

五、1980～2000 年总排泄量、地下水资源量

(一)总排泄量

山丘区河川基流量 R_g、山前泉水溢出量 $Q_泉$、山前侧向流出量 $Q_{山侧排}$、浅层地下水实际开采量 $Q_开$ 和潜水蒸发量 E 之和为山丘区总排泄量。

(二)地下水资源量(降水入渗补给量)

山丘区总排泄量减去回归补给地下水的部分,即得山丘区地下水资源量,也即山丘区降水入渗补给量。计算 1980～2000 年多年平均降水入渗补给量模数,$M_{Pr} = P_{r山}/F_{计}$,单位为万 m³/(km²·a)。

黄河流域各二级区及各省(区)山丘区浅层地下水($M \leqslant 2$ g/L)多年平均计算成果见表 4-15、表 4-16。

黄河流域降水入渗补给量($M \leqslant 2$ g/L)模数分布情况见附图 7。

表 4-15 二级区套省(区)山丘区浅层地下水($M \leqslant 2$ g/L)多年平均各项排泄量及资源量

(单位:面积 km²;水量 亿 m³;模数 万 m³/(km²·a))

二级区	省(区)	计算面积	河川基流量即降水入渗补给量形成的河道排泄量	山前侧向流出量	山前泉水溢出量	开采净消耗量	潜水蒸发量	地下水资源量即降水入渗补给量	降水入渗补给量模数
龙羊峡以上	青海	100 586	58.53	0.20	—	—	—	58.73	5.8
	四川	16 960	12.80	—	—	—	—	12.80	7.5
	甘肃	9 189	10.55	—	—	—	—	10.55	11.5
	小计	126 735	81.88	0.20	—	—	—	82.08	6.5
龙羊峡—兰州	青海	46 674	29.95	0.84	—	0.64	—	31.42	6.7
	甘肃	42 078	21.27	—	—	0.68	—	21.95	5.2
	小计	88 752	51.22	0.84	—	1.32	—	53.37	6.0
兰州—河口镇	甘肃	28 825	0.22	0.21	—	1.13	—	1.56	0.5
	宁夏	23 757	1.13	0.39	—	0.29	—	1.80	0.8
	内蒙古	35 877	3.01	8.68	—	1.42	—	13.11	3.7
	小计	88 459	4.36	9.28	—	2.84	—	16.47	1.9
河口镇—龙门	内蒙古	13 660	1.54	0.59	0.26	0.34	—	2.73	2.0
	山西	33 276	4.40	3.94	—	0.60	—	8.95	2.7
	陕西	45 423	7.06	0.22	—	0.09	—	7.38	1.6
	小计	92 359	13.00	4.75	0.26	1.03	—	19.06	2.1
龙门—三门峡	甘肃	58 549	8.03	—	—	1.00	—	9.04	1.5
	宁夏	8 236	2.26	—	—	0.15	—	2.40	2.9
	山西	32 050	10.01	5.48	—	3.01	—	18.50	5.8
	陕西	48 432	16.62	1.57	—	0.77	—	18.97	3.9
	河南	3 660	2.27	—	—	0.42	—	2.69	7.3
	小计	150 927	39.19	7.05	—	5.35	—	51.60	3.4
三门峡—花园口	山西	15 661	9.04	0.34	—	1.02	—	10.41	6.6
	陕西	3 064	2.64	—	—	0.09	—	2.74	8.9
	河南	19 184	13.15	0.57	—	3.20	—	16.92	8.8
	小计	37 909	24.83	0.91	—	4.31	—	30.07	7.9
花园口以下	河南	—	—	—	—	—	—	—	—
	山东	10 297	6.78	0.24	—	4.92	0.23	12.16	11.8
	小计	10 297	6.78	0.24	—	4.92	0.23	12.16	11.8
内流区	宁夏	—	—	—	—	—	—	—	—
	内蒙古	345	0.03	0.04	—	—	—	0.07	2.0
	陕西	1 352	0.03	0.14	—	—	—	0.17	1.2
	小计	1 697	0.06	0.18	—	—	—	0.24	1.4
黄河流域		597 135	221.32	23.45	0.26	19.78	0.23	265.04	4.4

表 4-16　省(区)套二级区山丘区浅层地下水($M \leqslant 2$ g/L)多年平均各项排泄量及资源量

(单位:面积 km²;水量 亿 m³;模数 万 m³/(km² · a))

省(区)	二级区	计算面积	河川基流量即降水入渗补给量形成的河道排泄量	山前侧向流出量	山前泉水溢出量	开采净消耗量	潜水蒸发量	地下水资源量即降水入渗补给量	降水入渗补给量模数
青海	龙羊峡以上	100 586	58.53	0.20	—	—	—	58.73	5.8
	龙羊峡—兰州	46 674	29.95	0.84	—	0.64	—	31.42	6.7
	小计	147 260	88.48	1.04	—	0.64	—	90.15	6.1
四川	龙羊峡以上	16 960	12.80	—	—	—	—	12.80	7.5
	小计	16 960	12.80	—	—	—	—	12.80	7.5
甘肃	龙羊峡以上	9 189	10.55	—	—	—	—	10.55	11.5
	龙羊峡—兰州	42 078	21.27	—	—	0.68	—	21.95	5.2
	兰州—河口镇	28 825	0.22	0.21	—	1.13	—	1.56	0.5
	龙门—三门峡	58 549	8.03	—	—	1.00	—	9.04	1.5
	小计	138 641	40.07	0.21	—	2.81	—	43.10	3.1
宁夏	兰州—河口镇	23 757	1.13	0.39	—	0.29	—	1.80	0.8
	龙门—三门峡	8 236	2.26	—	—	0.15	—	2.40	2.9
	内流区								
	小计	31 993	3.39	0.39	—	0.44	—	4.20	1.3
内蒙古	兰州—河口镇	35 877	3.01	8.68	—	1.42	—	13.11	3.7
	河口镇—龙门	13 660	1.54	0.59	0.26	0.34	—	2.73	2.0
	内流区	345	0.03	0.04	—	—	—	0.07	2.0
	小计	49 882	4.58	9.31	0.26	1.76	—	15.91	3.2
山西	河口镇—龙门	33 276	4.40	3.94	—	0.60	—	8.95	2.7
	龙门—三门峡	32 050	10.01	5.48	—	3.01	—	18.50	5.8
	三门峡—花园口	15 661	9.04	0.34	—	1.02	—	10.41	6.6
	小计	80 987	23.45	9.76	—	4.63	—	37.86	4.7
陕西	河口镇—龙门	45 423	7.06	0.22	—	0.09	—	7.38	1.6
	龙门—三门峡	48 432	16.62	1.57	—	0.77	—	18.97	3.9
	三门峡—花园口	3 064	2.64	—	—	0.09	—	2.74	8.9
	内流区	1 352	0.03	0.14	—	—	—	0.17	1.2
	小计	98 271	26.35	1.93	—	0.95	—	29.26	3.0
河南	龙门—三门峡	3 660	2.27	—	—	0.42	—	2.69	7.3
	三门峡—花园口	19 184	13.15	0.57	—	3.20	—	16.92	8.8
	花园口以下	—							
	小计	22 844	15.42	0.57	—	3.62	—	19.61	8.6
山东	花园口以下	10 297	6.78	0.24	—	4.92	0.23	12.16	11.8
	小计	10 297	6.78	0.24	—	4.92	0.23	12.16	11.8
黄河流域		597 135	221.32	23.45	0.26	19.78	0.23	265.04	4.4

第六节　分区地下水资源量

计算分区,可能由单一的平原区或单一的山丘区构成,也可能由平原山和山丘区共同构成。

一、单一平原区地下水资源量

首先分别确定构成计算分区的各均衡计算区(这些均衡计算区可能只有一部分在计算分区内)的计算面积和各项补给量模数(以原均衡计算区各项补给量分别除以该均衡计算区计算面积求得)、各项排泄量模数(以原均衡计算区各项排泄量分别除以该均衡计算区计算面积求得)、地下水蓄变量模数(以原均衡计算区的蓄变量除以该均衡计算区的计算面积求得);然后用面积加权法,对计算分区的各项补给量、排泄量、地下水蓄变量分别进行计算,各项补给量之和、各项排泄量之和、蓄变量之和分别为该计算分区的地下水总补给量、总排泄量和蓄变量。分区总补给量减去井灌回归补给量即为该计算分区的地下水资源量。其中,降水入渗补给量及其形成的河道排泄量要求计算 1956～2000 年逐年系列,其他各项补给量、排泄量、蓄变量、地下水总补给量和总排泄量均为近期(1980～2000年)条件下的多年平均值。

二、单一山丘区地下水资源量

同样,首先确定构成计算分区的各个均衡计算区的计算面积和各项排泄量模数(以原均衡计算区各项排泄量分别除以该均衡计算区面积求得),然后用面积加权法对计算分区的各项排泄量分别进行计算,各项排泄量之和即为计算分区的总排泄量。排泄量中地下水开采量若为净消耗量,则计算分区的总排泄量即为计算分区的地下水资源量,也即山丘区降水入渗补给量($P_{r山}$)。其中山丘区的河川基流量(R_g)即为山丘区降水入渗补给量形成的河道排泄量。山丘区降水入渗补给量及其形成的河道排泄量要求计算 1956～2000 年逐年系列。其中以 1980～2000 年降水入渗补给量的多年均值作为山丘区多年平均地下水资源量。

三、分区地下水资源量以及与地表水资源量间的重复量

首先,分别对构成计算分区的平原区和山丘区的各项补给量、排泄量、地下水蓄变量用上述方法分别计算得平原区和山丘区的地下水资源量,然后利用公式计算分区地下水资源量:

$$Q_{资} = Q_{资平} + Q_{资山} - Q_{山侧补} - Q_{基补} \tag{4-17}$$

式中　　$Q_{山侧补}$、$Q_{基补}$——平原区与山丘区地下水之间的重复计算量。

最后计算地下水资源量与地表水资源量间的重复计算量($Q_{重}$)。

计算公式为

$$Q_{重} = R_g + Q_{表补} + P_{河排} - Q_{基补} \tag{4-18}$$

式中　　R_g——山丘区河川基流量,万 m^3;

$Q_{表补}$——平原区地表水体形成的地下水补给量,万 m³;

$P_{r河排}$——平原区降水入渗补给量(P_r)形成的河道排泄量,万 m³;

$Q_{基补}$——由河川基流量产生的地表水体补给量,万 m³。

黄河流域各二级区及各省(区)($M \leqslant 2$ g/L)浅层地下水资源多年平均计算成果见表 4-17~表 4-20。黄河流域各二级区($M \leqslant 2$ g/L)多年平均(1980~2000 年)浅层地下水资源量分布情况见图 4-1。

表 4-17　黄河流域二级区套省(区)多年平均浅层地下水($M \leqslant 1$ g/L)资源量

(单位:面积 km²;水量 亿 m³)

二级区	省(区)	计算面积	山丘区			平原区							地下水资源量
			计算面积	地下水资源量	河川基流量	计算面积	降水入渗补给量	山前侧向补给量	地表水体补给		地下水资源量	降水入渗补给量形成的河道排泄量	
									补给量	其中河川基流量形成			
龙羊峡以上	青海	103 441	100 586	58.73	58.53	2 855	0.59	0.20	0.23	0.10	1.01	0.33	59.44
	四川	16 960	16 960	12.80	12.80	—	—	—	—	—	—	—	12.80
	甘肃	9 189	9 189	10.55	10.55	—	—	—	—	—	—	—	10.55
	小计	129 590	126 735	82.08	81.88	2 855	0.59	0.20	0.23	0.10	1.01	0.33	82.79
龙羊峡—兰州	青海	47 304	46 674	31.42	29.95	630	0.46	0.84	2.24	0.89	3.54	0.21	33.24
	甘肃	42 078	42 078	21.95	21.27								21.95
	小计	89 382	88 752	53.37	51.22	630	0.46	0.84	2.24	0.89	3.54	0.21	55.19
兰州—河口镇	甘肃	28 907	28 825	1.56	0.22	82	0.01	0.03	0.04	0.01	0.07	0.01	1.60
	宁夏	26 894	23 757	1.80	1.13	3 137	0.54	0.14	13.29	5.32	13.98	0.25	10.32
	内蒙古	58 683	35 877	13.11	3.01	22 806	5.24	3.88	1.65	0.35	10.77	—	19.66
	小计	114 484	88 459	16.48	4.36	26 025	5.79	4.06	14.98	5.67	24.83	0.25	31.58
河口镇—龙门	内蒙古	22 304	13 660	2.73	1.54	8 644	6.16	0.40	0.04	0.04	6.65	0.47	8.94
	山西	33 276	33 276	8.95	4.40								8.95
	陕西	53 601	45 423	7.38	7.06	8 178	7.94	0.19	0.97	0.54	9.10	3.31	15.75
	小计	109 181	92 359	19.05	13.00	16 822	14.10	0.59	1.06	0.58	15.75	3.78	33.64

续表 4-17

二级区	省（区）	计算面积	山丘区			平原区							地下水资源量
			计算面积	地下水资源量	河川基流量	计算面积	降水入渗补给量	山前侧向补给量	地表水体补给		地下水资源量	降水入渗补给量形成的河道排泄量	
									补给量	其中河川基流量形成			
龙门—三门峡	甘肃	59 361	58 549	9.04	8.03	812	0.47	—	—	—	0.47	0.25	9.51
	宁夏	8 236	8 236	2.40	2.26		—	—	—	—	—	—	2.40
	山西	44 672	32 050	18.50	10.01	12 622	7.74	5.01	2.90	1.80	15.65	0.07	27.34
	陕西	64 126	48 432	18.97	16.62	15 694	14.82	1.52	12.44	3.70	28.78	2.23	42.52
	河南	3 981	3 660	2.69	2.27	321	0.22	—	—	—	0.22		2.91
	小计	180 376	150 927	51.59	39.19	29 449	23.25	6.53	15.34	5.50	45.12	2.55	84.68
三门峡—花园口	山西	15 661	15 661	10.41	9.04		—	—	—	—	—		10.41
	陕西	3 064	3 064	2.74	2.64		—	—	—	—	—		2.74
	河南	22 245	19 184	16.92	13.15	3 061	3.10	0.57	3.73	1.65	7.40	0.18	22.10
	小计	40 970	37 909	30.06	24.83	3 061	3.10	0.57	3.73	1.65	7.40	0.18	35.25
花园口以下	河南	6 475	—	—	—	6 475	6.27	—	3.55	1.57	9.82	—	8.24
	山东	11 313	10 297	12.16	6.78	1 016	1.38	0.24	0.26	0.10	1.89	0.15	13.71
	小计	17 788	10 297	12.16	6.78	7 491	7.65	0.24	3.81	1.67	11.71	0.15	21.95
内流区	宁夏	—	—	—	—		—	—	—	—	—	—	
	内蒙古	32 032	345	0.07	0.03	31 687	5.80	0.04	—	—	5.83	—	5.87
	陕西	3 035	1 352	0.17	0.03	1 683	1.24	0.11	—	—	1.35		1.40
	小计	35 067	1 697	0.23	0.06	33 370	7.03	0.15	—	—	7.18	—	7.27
黄河流域		716 838	597 135	265.04	221.32	119 703	61.97	13.18	41.40	16.06	116.54	7.45	352.35

表 4-18　黄河流域省(区)套二级区多年平均浅层地下水(M≤1 g/L)资源量

(单位:面积 km²;水量 亿 m³)

省(区)	二级区	计算面积	山丘区 计算面积	山丘区 地下水资源量	山丘区 河川基流量	平原区 计算面积	平原区 降水入渗补给量	平原区 山前侧向补给量	地表水体补给 补给量	地表水体补给 其中河川基流量形成	平原区 地下水资源量	降水入渗补给量形成的河道排泄量	地下水资源量
青海	龙羊峡以上	103 441	100 586	58.73	58.53	2 855	0.59	0.20	0.23	0.10	1.01	0.33	59.44
	龙羊峡—兰州	47 304	46 674	31.42	29.95	630	0.46	0.84	2.24	0.89	3.54	0.21	33.24
	小计	150 745	147 260	90.15	88.48	3 485	1.05	1.04	2.47	0.99	4.55	0.54	92.68
四川	龙羊峡以上	16 960	16 960	12.80	12.80	—							12.80
	小计	16 960	16 960	12.80	12.80	—							12.80
甘肃	龙羊峡以上	9 189	9 189	10.55	10.55								10.55
	龙羊峡—兰州	42 078	42 078	21.95	21.27								21.95
	兰州—河口镇	28 907	28 825	1.56	0.22	82	0.01	0.03	0.04	0.01	0.07	0.01	1.60
	龙门—三门峡	59 361	58 549	9.04	8.03	812	0.47				0.47	0.25	9.51
	小计	139 535	138 641	43.10	40.07	894	0.48	0.03	0.04	0.01	0.54	0.26	43.61
宁夏	兰州—河口镇	26 894	23 757	1.80	1.13	3137	0.54	0.14	13.29	5.32	13.98		10.32
	龙门—三门峡	8 236	8 236	2.40	2.26								2.40
	内流区	—											
	小计	35 130	31 993	4.20	3.38	3 137	0.54	0.14	13.29	5.32	13.98	0.25	12.72
内蒙古	兰州—河口镇	58 683	35 877	13.11	3.01	22 806	5.24	3.88	1.65	0.35	10.77		19.66
	河口镇—龙门	22 304	13 660	2.73	1.54	8 644	6.16	0.40	0.09	0.04	6.65	0.47	8.94
	内流区	32 032	345	0.07	0.03	31 687	5.80	0.04			5.83		5.87
	小计	113 019	49 882	15.91	4.58	63137	17.19	4.32	1.74	0.38	23.26	0.47	34.47
山西	河口镇—龙门	33 276	33 276	8.95	4.40								8.95
	龙门—三门峡	44 672	32 050	18.50	10.01	12 622	7.74	5.01	2.90	1.80	15.65	0.07	27.34
	三门峡—花园口	15 661	15 661	10.41	9.04	—							10.41
	小计	93 609	80 987	37.85	23.45	12 622	7.74	5.01	2.90	1.80	15.65	0.07	46.70
陕西	河口镇—龙门	53 601	45 423	7.38	7.06	8 178	7.94	0.19	0.97	0.54	9.10	3.31	15.75
	龙门—三门峡	64 126	48 432	18.97	16.62	15 694	14.82	1.52	12.44	3.70	28.78	2.23	42.52
	三门峡—花园口	3 064	3 064	2.74	2.64								2.74
	内流区	3 035	1 352	0.17	0.03	1 683	1.24	0.11			1.35		1.40
	小计	123 826	98 271	29.25	26.36	25 555	23.99	1.82	13.41	4.24	39.23	5.53	62.41
河南	龙门—三门峡	3 981	3 660	2.69	2.27	321	0.22	—			0.22		2.91
	三门峡—花园口	22 245	19 184	16.92	13.15	3 061	3.10	0.57	3.73	1.65	7.40	0.18	22.10
	花园口以下	6 475	—			6 475	6.27		3.55	1.57	9.82		8.24
	小计	32 701	22 844	19.61	15.41	9 857	9.59	0.57	7.28	3.22	17.44	0.18	33.25
山东	花园口以下	11 313	10 297	12.16	6.78	1 016	1.38	0.24	0.26	0.10	1.89	0.15	13.71
	小计	11 313	10 297	12.16	6.78	1 016	1.38	0.24	0.26	0.10	1.89	0.15	13.71
黄河流域		716 838	597 135	265.04	221.32	119 703	61.97	13.18	41.40	16.06	116.54	7.45	352.35

表 4-19 黄河流域二级区套省(区)多年平均浅层地下水(M≤2g/L)资源量

(单位:面积 km²;水量 亿 m³)

二级区	省(区)	计算面积	山丘区			平原区							地下水资源量
			计算面积	地下水资源量	河川基流量	计算面积	降水入渗补给量	山前侧向补给量	地表水体补给		地下水资源量	降水入渗补给量形成的河道排泄量	
									补给量	其中河川基流量形成			
龙羊峡以上	青海	103 441	100 586	58.73	58.53	2 855	0.59	0.20	0.23	0.10	1.01	0.33	59.44
	四川	16 960	16 960	12.80	12.80	—							12.80
	甘肃	9 189	9 189	10.55	10.55	—							10.55
	小计	129 590	126 735	82.08	81.88	2 855	0.59	0.20	0.23	0.10	1.01	0.33	82.79
龙羊峡—兰州	青海	47 304	46 674	31.42	29.95	630	0.46	0.84	2.24	0.89	3.54	0.21	33.24
	甘肃	42 078	42 078	21.95	21.27	—							21.95
	小计	89 382	88 752	53.37	51.22	630	0.46	0.84	2.24	0.89	3.54	0.21	55.19
兰州—河口镇	甘肃	28 966	28 825	1.56	0.22	141	0.02	0.05	0.08	0.03	0.15	0.01	1.64
	宁夏	29 732	23 757	1.80	1.13	5 975	1.00	0.32	21.16	8.47	22.48	0.41	15.50
	内蒙古	77 162	35 877	13.11	3.01	41 285	9.80	8.49	9.65	3.49	27.95		29.08
	小计	135 860	88 459	16.47	4.36	47 401	10.82	8.84	30.89	11.99	50.58	0.42	46.22
河口镇—龙门	内蒙古	22 721	13 660	2.73	1.54	9 061	6.39	0.59	0.13	0.05	7.12	0.47	9.20
	山西	33 276	33 276	8.95	4.40	—							8.95
	陕西	54 736	45 423	7.38	7.06	9 313	9.03	0.22	1.12	0.63	10.37	3.67	16.90
	小计	110 733	92 359	19.05	13.00	18 374	15.42	0.81	1.25	0.68	17.49	4.14	35.05
龙门—三门峡	甘肃	59 361	58 549	9.04	8.03	812	0.47				0.47	0.25	9.51
	宁夏	8 236	8 236	2.40	2.26	—							2.40
	山西	47 550	32 050	18.50	10.01	15 500	9.50	5.01	3.63	2.16	18.14	0.07	29.47
	陕西	67 670	48 432	18.97	16.62	19 238	17.87	1.57	14.01	4.12	33.45	2.85	46.72
	河南	3 981	3 660	2.69	2.27	321	0.22				0.22		2.91
	小计	186 798	150 927	51.60	39.19	35 871	28.06	6.58	17.64	6.28	52.28	3.17	91.01
三门峡—花园口	山西	15 661	15 661	10.41	9.04	—							10.41
	陕西	3 064	3 064	2.74	2.64	—							2.74
	河南	22 360	19 184	16.92	13.15	3 176	3.19	0.57	3.86	1.70	7.62	0.18	22.26
	小计	41 085	37 909	30.07	24.83	3 176	3.19	0.57	3.86	1.70	7.62	0.18	35.41
花园口以下	河南	7 716	—	—	—	7 716	7.69		4.57	2.02	12.26		10.24
	山东	11 421	10 297	12.16	6.78	1 124	1.53	0.24	0.26	0.10	2.04	0.15	13.86
	小计	19 137	10 297	12.16	6.78	8 840	9.22	0.24	4.83	2.12	14.30	0.15	24.10
内流区	宁夏	—	—	—	—	—							
	内蒙古	33 607	345	0.07	0.03	33 262	6.05	0.04	—	—	6.09	—	6.12
	陕西	3 428	1 352	0.17	0.03	2 076	1.52	0.14	—	—	1.65		1.68
	小计	37 035	1 697	0.24	0.06	35 338	7.57	0.18	—	—	7.74		7.80
黄河流域		749 620	597 135	265.04	221.32	152 485	75.34	18.27	60.96	23.76	154.57	8.61	377.58

表4-20　黄河流域省(区)套二级区多年平均浅层地下水(M≤2 g/L)资源量

(单位:面积 km²;水量 亿 m³)

省(区)	二级区	计算面积	山丘区			平原区							地下水资源量
			计算面积	地下水资源量	河川基流量	计算面积	降水入渗补给量	山前侧向补给量	地表水体补给		地下水资源量	降水入渗补给量形成的河道排泄量	
									补给量	其中河川基流量形成			
青海	龙羊峡以上	103 441	100 586	58.73	58.53	2 855	0.59	0.20	0.23	0.10	1.01	0.33	59.44
	龙羊峡—兰州	47 304	46 674	31.42	29.95	630	0.46	0.84	2.24	0.89	3.54	0.21	33.24
	小计	150 745	147 260	90.15	88.48	3 485	1.05	1.03	2.47	0.99	4.55	0.53	92.68
四川	龙羊峡以上	16 960	16 960	12.80	12.80	—	—	—	—	—	—	—	12.80
	小计	16 960	16 960	12.80	12.80	—	—	—	—	—	—	—	12.80
甘肃	龙羊峡以上	9 189	9 189	10.55	10.55	—	—	—	—	—	—	—	10.55
	龙羊峡—兰州	42 078	42 078	21.95	21.27	—	—	—	—	—	—	—	21.95
	兰州—河口镇	28 966	28 825	1.56	0.22	141	0.02	0.05	0.08	0.03	0.15	0.01	1.64
	龙门—三门峡	59 361	58 549	9.04	8.03	812	0.47	—	—	—	0.47	0.25	9.51
	小计	139 594	138 641	43.10	40.07	953	0.49	0.05	0.08	0.03	0.62	0.26	43.65
宁夏	兰州—河口镇	29 732	23 757	1.80	1.13	5 975	1.00	0.32	21.16	8.47	22.48	0.41	15.50
	龙门—三门峡	8 236	8 236	2.40	2.26	—	—	—	—	—	—	—	2.40
	内流区	—	—	—	—	—	—	—	—	—	—	—	—
	小计	37 968	31 993	4.20	3.38	5 975	1.00	0.32	21.16	8.47	22.48	0.41	17.90
内蒙古	兰州—河口镇	77 162	35 877	13.11	3.01	41 285	9.80	8.49	9.65	3.49	27.95	—	29.08
	河口镇—龙门	22 721	13 660	2.73	1.54	9 061	6.39	0.59	0.13	0.05	7.12	0.47	9.20
	内流区	33 607	345	0.07	0.03	33 262	6.05	0.04	—	—	6.09	—	6.12
	小计	133 490	49 882	15.91	4.58	83 608	22.25	9.12	9.79	3.54	41.16	0.47	44.40
山西	河口镇—龙门	33 276	33 276	8.95	4.40	—	—	—	—	—	—	—	8.95
	龙门—三门峡	47 550	32 050	18.50	10.01	15 500	9.50	5.01	3.63	2.16	18.14	0.07	29.47
	三门峡—花园口	15 661	15 661	10.41	9.04	—	—	—	—	—	—	—	10.41
	小计	96 487	80 987	37.85	23.45	15 500	9.50	5.01	3.63	2.16	18.14	0.07	48.83
陕西	河口镇—龙门	54 736	45 423	7.38	7.06	9 313	9.03	0.22	1.12	0.63	10.37	3.67	16.90
	龙门—三门峡	67 670	48 432	18.97	16.62	19 238	17.87	1.57	14.01	4.12	33.45	2.85	46.72
	三门峡—花园口	3 064	3 064	2.74	2.64	—	—	—	—	—	—	—	2.74
	内流区	3 428	1 352	0.17	0.03	2 076	1.52	0.14	—	—	1.65	—	1.68
	小计	128 898	98 271	29.25	26.36	30 627	28.41	1.93	15.14	4.75	45.48	6.52	68.04
河南	龙门—三门峡	3 981	3 660	2.69	2.27	321	0.22	—	—	—	0.22	—	2.91
	三门峡—花园口	22 360	19 184	16.92	13.15	3 176	3.19	0.57	3.86	1.70	7.62	0.18	22.26
	花园口以下	7 716	—	—	—	7 716	7.69	—	4.57	2.02	12.26	—	10.24
	小计	34 057	22 844	19.61	15.42	11 213	11.10	0.57	8.43	3.72	20.10	0.18	35.41
山东	花园口以下	11 421	10 297	12.16	6.78	1 124	1.53	0.24	0.26	0.10	2.04	0.15	13.86
	小计	11 421	10 297	12.16	6.78	1 124	1.53	0.24	0.26	0.10	2.04	0.15	13.86
黄河流域		749 620	597 135	265.04	221.32	152 485	75.34	18.27	60.96	23.76	154.57	8.61	377.58

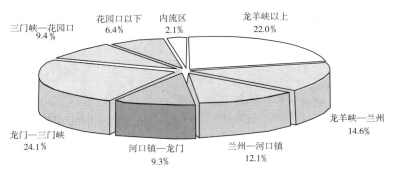

图 4-1　黄河流域二级区($M{\leqslant}2$ g/L)多年平均(1980~2000 年)浅层地下水资源量分布图

黄河流域多年平均地下水资源量($M{\leqslant}1$ g/L)352.35 亿 m³,其中山丘区 265.0 亿 m³,平原区 116.5 亿 m³,山丘区与平原区地下水资源量之间的重复计算量 29.2 亿 m³。黄河流域多年平均地下水资源量($M{\leqslant}2$ g/L)377.6 亿 m³,其中山丘区 265.0 亿 m³,平原区 154.6 亿 m³,山丘区与平原区地下水资源量之间的重复计算量 42.0 亿 m³。

第七节　地下水资源量分布

黄河流域地下水资源量的分布,与各地的地形地貌、地质构造、水文气象、水文地质条件和人类活动有着密切的联系。地下水资源量大小各地很不均匀。

一、平原区地下水资源量

(一)一般平原区

一般平原区主要分布于太行山前沁河下游和黄河下游金堤河、天然文岩渠、黄河滩区。这些地区由于主要接受大气降水和地表水体的入渗补给,地下水资源量比较丰富,地下水资源量模数在 20.0 万~30.0 万 m³/(km²·a)。

(二)山间平原区(包括山间河谷平原、山间盆地平原、黄土高原台塬)

山间平原区主要分布在黄河上游共和盆地,西宁湟水山间河谷盆地,宁蒙河套平原,关中盆地,以及山西太原、临汾、运城盆地和宁夏清水河河谷平原,灵盐台地(塬),三门峡以下河谷平原及伊洛河河谷平原,山东大汶河河谷平原,甘肃黄土高原董志塬等地区。在地表水体和降水入渗补给量以及山前侧向补给量较大的地区,山间平原区地下水资源量比较丰富,如青海西宁湟水河谷盆地、银南和卫宁灌区,地下水资源量模数大于 50.0 万 m³/(km²·a);银川平原北部、伊洛河河谷平原,地下水资源量模数在 40 万 m³/(km²·a)左右;陕西关中平原地下水资源量模数在 20.0 万~30.0 万 m³/(km²·a)之间;山西汾河山间河谷盆地平原地下水资源量模数在 20.0 万 m³/(km²·a)左右;地表水体和降水入渗补给量以及山前侧向补给量较少的地区,地下水资源量贫乏,如共和盆地、清水河河谷平原和灵盐台塬,地下水资源量模数小于 5.0 万 m³/(km²·a)。

(三)沙漠区

沙漠区地下水资源量比较贫乏,陕北风沙草原区地下水资源量模数在 10.0 万

$m^3/(km^2 \cdot a)$左右,内蒙古库布齐沙漠和毛乌素沙地大部分地区地下水资源量模数小于 5.0 万 $m^3/(km^2 \cdot a)$,其地下水资源量主要由降水入渗补给。

（四）平原区地下水资源量的主要构成

在平原区地下水资源量中,降水入渗补给量、地表水体入渗补给量构成地下水资源量的主体。一般来说,其地区分布特征是:降水入渗补给量的比重由西向东由小变大(共和盆地除外),地表水体入渗补给量则基本上由西向东由大变小。

西宁盆地降水入渗补给量 P_r 占地下水资源量的 12.7%,地表水体入渗补给量 $Q_{表补}$ 占地下水资源量的 63.8%。银川平原南部(以吴忠市为代表),降水入渗补给量 P_r 占地下水资源量的 3.0%,地表水体入渗补给量 $Q_{表补}$ 占地下水资源量的 97.0%;中部(以银川市为代表),$P_r/Q_{资}=5.0\%$,$Q_{表补}/Q_{资}=92.4\%$;北部(以石嘴山市为代表),$P_r/Q_{资}=8.0\%$,$Q_{表补}/Q_{资}=89.0\%$。内蒙古河套平原的包头市,$P_r/Q_{资}=36.0\%$,$Q_{表补}/Q_{资}=6.0\%$,$Q_{山侧补}/Q_{资}=58.0\%$;呼和浩特市 $P_r/Q_{资}=33.0\%$,$Q_{表}/Q_{资}=9.8\%$,$Q_{山侧补}/Q_{资}=57.0\%$;巴彦淖尔盟河套灌区 $P_r/Q_{资}=12.5\%$,$Q_{山侧补}/Q_{资}=77.5\%$。陕西关中平原宝鸡市,$P_r/Q_{资}=36.3\%$,$Q_{表补}/Q_{资}=48.2\%$;西安市 $P_r/Q_{资}=43.5\%$,$Q_{表补}/Q_{资}=55.2\%$;渭南市 $P_r/Q_{资}=95.4\%$,$Q_{表补}/Q_{资}=4.6\%$。山西太原盆地 $P_r/Q_{资}=23.6\%$,$Q_{表补}/Q_{资}=25.7\%$,$Q_{山侧补}/Q_{资}=50.8\%$;临汾盆地 $P_r/Q_{资}=45.0\%$,$Q_{表}/Q_{资}=29.6\%$,$Q_{山侧补}/Q_{资}=25.4\%$;运城盆地 $P_r/Q_{资}=74.7\%$,$Q_{表补}/Q_{资}=6.7\%$,$Q_{山侧补}/Q_{资}=18.6\%$。河南洛阳市 $P_r/Q_{资}=37\%$,$Q_{表补}/Q_{资}=63\%$(主要是河道渗漏补给量较大);焦作市 $P_r/Q_{资}=36.3\%$,$Q_{山侧补}/Q_{资}=11.6\%$;新乡市 $P_r/Q_{资}=56.9\%$,$Q_{表补}/Q_{资}=43.1\%$;濮阳市 $P_r/Q_{资}=61.1$,$Q_{表补}/Q_{资}=38.9$;安阳市 $P_r/Q_{资}=93.4\%$,$Q_{表补}/Q_{资}=6.6\%$。山东济南市 $P_r/Q_{资}=55.2\%$,$Q_{表补}/Q_{资}=40.1\%$;泰安市 $P_r/Q_{资}=74.8\%$,$Q_{山侧补}/Q_{资}=14.1$;$Q_{表补}/Q_{资}=11.1\%$。

兰州—河口镇间沙漠区鄂尔多斯市 $P_r/Q_{资}=82\%$,$Q_{表补}/Q_{资}=16\%$;河口镇—龙门区间 $P_r/Q_{资}=99.5\%$,几乎 100% 由降水入渗补给,陕西榆林市 $P_r/Q_{资}=87\%$,$Q_{表补}/Q_{资}=10.8\%$。

二、降水入渗补给量分布

由黄河流域降水入渗补给量模数分布图(见附图 7)可以看出:

(1)降水入渗补给量模数在 10.0 万～20.0 万 $m^3/(km^2 \cdot a)$,分布在玛曲上下黄河河谷,白河、黑河下游、洮河上游(岷县)、六盘山、乌峭岭、秦岭西段、关中盆地大部,大青山南麓(呼市)、吕梁山、太岳山一部分、丹河流域、黄河下游平原(滩区)、大汶河济南、泰安等地区。

(2)降水入渗补给量模数在 5.0 万～10.0 万 $m^3/(km^2 \cdot a)$,分布在黄河上游玛曲以上河源区、湟水、大通河大部、洮河中游、渭河源区,汾河太原、临汾、运城盆地,龙门—三门峡和三门峡—花园口干流区间,沁河流域,伊洛河中下游,内蒙古毛乌素沙地南部、陕西北部风沙草原区,渭北高原,北洛河下游,大汶河的大部分地区。

(3)上述以外的大部分地区,包括黄河上游共和盆地,龙羊峡—兰州、兰州—河口镇、河口镇—龙门的干流区间,宁蒙河套平原,广大的黄土高原和沙漠区,降水入渗补给量模数均小于 5.0 万 m³/(km²·a)。

造成上述降水入渗补给量分布不均匀的原因,主要是降水量的大小不同以及地理位置、地形地貌和水文地质条件等的差异。由于降水量的地区分布是由东向西、由南向北由大变小,因此降水入渗补给量的分布与降水量分布趋势一致。由于山区地势较高,降水量较大,因此降水入渗补给量模数相对较高。宁蒙河套平原主要由于降水量小,降水入渗补给量模数也较小。关中平原和黄河下游平原区,由于降水量较多,加上水文地质条件有利降水的入渗补给,因此降水入渗补给量模数相对较大。广大黄土高原丘陵沟壑区,由于降水量相对较小,地形地貌、水文地质条件等因素不利于降水入渗补给地下水,因此其降水入渗补给量模数相对较小。

第八节 不同系列地下水资源量对比

黄河流域 1980～2000 年多年平均(简称本次评价)与 1956～1979 年多年平均(简称第一次评价)水资源评价成果比较情况见表 4-21。

表 4-21 黄河流域本次评价与第一次评价水资源评价单项地下水成果比较

(单位:面积 万 km²;水量 亿 m³)

分区	项目		本次评价 (1980～2000 年均)		第一次评价 (1956～1979 年均)		本次与第一次比较	备注
			数据	占总量(%)	数据	占总量(%)		
平原区	计算面积		15.25	—	16.71	—	−1.46	
	补给项	降水入渗(P_r)	75.34	46.5	74.13	45.2	1.21	占 $Q_{总补}$ 的百分数
		地表水体($Q_{表补}$)	60.96	37.6	70.50	42.9	−9.54	
		山前侧向($Q_{山前}$)	18.27	11.3	12.65	7.7	5.62	
		井灌回归($Q_{井灌}$)	7.37	4.6	6.88	4.2	0.49	
		总补给量($Q_{总补}$)	161.94	100.0	164.16	100.0	−2.22	
		资源量($Q_{资源}$)	154.57	95.4	157.28	95.8	−2.71	
		基流补给($Q_{基补}$)	23.76	39.0	30.98	43.9	−7.22	占 $Q_{表补}$ 的百分数
	排泄项	实际开采($Q_{实开}$)	75.81	45.8	54.76	32.4	21.05	占 $Q_{总排}$ 的百分数
		潜水蒸发($E_{潜水}$)	56.56	34.2	79.25	46.9	−22.69	
		河道排泄($Q_{河道}$)	23.82	14.4	26.62	15.7	−2.80	
		侧向流出($Q_{侧向}$)	9.18	5.6	8.41	5.0	0.77	
		总排泄量($Q_{总排}$)	165.36	100.0	169.04	100.0	−3.68	
		降补河排($P_{河排}$)	8.61	36.1	13.66	51.3	−5.05	占 $Q_{河排}$ 的百分数
	可开采量($Q_{可开}$)		119.39	73.7	118.57	72.2	0.82	占 $Q_{总补}$ 的百分数

续表 4-21

分区	项目		本次评价 （1980～2000 年均）		第一次评价 （1956～1979 年均）		本次与第 一次比较	备注
			数据	占总量（%）	数据	占总量（%）		
山丘区		计算面积	59.71	—	60.84	—	−1.13	
	排泄项	河川基流（R_g）	221.32	83.5	269.68	92.3	−48.36	占 $P_{r山}$ 的 百分数
		山前侧向（$Q_{山前}$）	23.45	8.8	13.83	4.7	9.62	
		河床潜流（$Q_{河床}$）	—		3.03	1.0	−3.03	
		泉水溢出（$Q_{泉}$）	0.26	0.1	4.04	1.4	−3.78	
		实际开采（$Q_{山开}$）	33.50					
		开采消耗（$Q_{开净}$）	19.78	7.5	1.56	0.5	18.22	占 $P_{r山}$ 的 百分数
		潜水蒸发（E_g）	0.23	0.1			0.23	
		资源量（$P_{r山}$）	265.04	100.0	292.14	100.0	−27.10	
		可开采量（$Q_{可开}$）	18.12	6.8			18.12	占 $P_{r山}$ 的 百分数
合计	重复 计算量	地下水间（$Q_{地下}$）	42.03	11.1	43.63	10.8	−1.60	占 $Q_{地下}$ 的 百分数
		地下地表间（$Q_{下表}$）	267.13	70.7	322.86	79.6	−55.73	
	分区 资源量	资源量（$Q_{资源}$）	377.58	100.0	405.76	100.0	−28.18	
		不重复量（$Q_{不重}$）	110.23	29.2	82.18	20.3	28.05	
		可开采量（$Q_{可开}$）	137.51	36.4	118.57	29.2	18.94	

一、平原区各量项比较

(一)计算面积

本次评价（1980～2000 年）计算面积为 15.25 万 km²，第一次评价为 16.71 万 km²，本次评价较第一次评价减少 1.46 万 km²，主要是本次评价平原区扣除不透水面积比第一次评价扩大以及矿化度≤2 g/L的计算面积减少所致。

(二)各项补给量及地下水资源量

1. 降水入渗补给量

本次评价降水入渗补给量为 75.34 亿 m³，比第一次评价 74.13 亿 m³ 增加了 1.21 亿 m³。

2. 地表水体补给量及河川基流量形成的地表水体补给量

本次评价地表水体补给量为 60.96 亿 m³，比第一次评价 70.50 亿 m³ 减少了 9.54 亿

m³。主要原因是引用地表水资源量减少、地下水开采量增加和灌溉方式的改变、节水灌溉水平提高。

本次评价由河川基流量形成的地表水体补给量为 23.76 亿 m³,比第一次评价 30.98 亿 m³ 减少 7.22 亿 m³,说明河川基流量随着河川径流量减少而减少。

3. 山前侧向流出量

本次评价山前侧向流出量为 18.27 亿 m³,比第一次评价 12.65 亿 m³ 增加了 5.62 亿 m³。主要是第一次评价缺乏足够资料,本次评价分析资料较多的原因。

4. 井灌回归补给量

本次评价井灌回归补给量为 7.37 亿 m³,比第一次评价 6.88 亿 m³ 增加了 0.49 亿 m³。主要是近年来,水资源需求增加、地表水资源的缺乏带来的地下水开采量的增加,用于农田灌溉的地下水增多所致。

5. 总补给量

本次评价总补给量为 161.94 亿 m³,比第一次评价 164.16 亿 m³ 减少了 2.22 亿 m³。

6. 地下水资源量

本次评价地下水资源量为 154.57 亿 m³,比第一次评价 157.28 亿 m³ 减少了 2.71 亿 m³。

(三)各项排泄量

1. 地下水实际开采量

本次评价平原区浅层地下水实际开采量为 75.81 亿 m³,比第一次评价 54.76 亿 m³ 增加 21.05 亿 m³,说明由于工农业生产的发展导致需水量的增多,平原区地下水开采量大幅度增加。

2. 潜水蒸发量

本次评价潜水蒸发量为 56.56 亿 m³,比第一次评价 79.25 亿 m³ 减少 22.69 亿 m³。这与实际开采量增加、地下水埋深加大有密切关系。

3. 河道排泄量及降水入渗补给形成的河道排泄量

本次评价河道排泄量为 23.82 亿 m³,比第一次评价 26.62 亿 m³ 减少 2.80 亿 m³;本次评价降水入渗补给量形成的河道排泄量为 8.61 亿 m³,比第一次评价 13.66 亿 m³ 减少 5.05 亿 m³。这与实际开采量增加、地下水埋深加大、河道排泄量减少有密切关系。

4. 侧向流出量

本次评价侧向流出量为 9.18 亿 m³,比第一次评价 8.41 亿 m³ 减少 0.77 亿 m³,这与实际开采量增加、地下水侧向径流减少有关。

5. 总排泄量

本次评价总排泄量为 165.36 亿 m³,比第一次评价 169.04 亿 m³ 减少 3.68 亿 m³。

二、山丘区各量项比较

(一)计算面积

本次评价山丘区计算面积 59.71 万 km²,比第一次评价 60.84 万 km² 减少 1.13 万 km²,主要是山丘区的部分山间平原、河谷平原本次评价划到平原区计算,故山丘区计算面积相应减少。

(二)各项排泄量及地下水资源量

1.河川基流量

本次评价山丘区河川基流量为 221.32 亿 m³,比第一次评价 269.68 亿 m³ 减少 48.36 亿 m³,主要是山丘区降水量减少和地下水开采量增加所致。

2.山前侧向流出量与河床潜流量

本次评价山前侧向流出量为 23.45 亿 m³,比第一次评价 13.83 亿 m³ 增大了 9.62 亿 m³。主要是由于资料原因,计算范围比上次评价大,同时本次评价未单独计算河床潜流量,其山前侧向流出量包括河床潜流量,而第一次评价单独计算河床潜流量 3.03 亿 m³。

3.泉水溢出量

本次评价山丘区未计入河川径流的山前泉水溢出量为 0.26 亿 m³,比第一次评价 4.04 亿 m³ 减少 3.78 亿 m³,主要是山丘区地下水开采量增加所致。

4.地下水实际开采量及开采净消耗量

本次评价山丘区地下水实际开采量为 33.50 亿 m³。本次评价山丘区地下水开采净消耗量为 19.78 亿 m³,比第一次评价 1.56 亿 m³ 增加 18.22 亿 m³,说明随着经济社会的快速发展,地下水开采量大幅度增加。

5.潜水蒸发量

本次评价山丘区潜水蒸发量为 0.23 亿 m³,第一次评价没有计算。

6.地下水资源量

本次评价山丘区地下水资源量为(即降水入渗补给量)265.04 亿 m³,比第一次评价 292.14 亿 m³ 减少 27.10 亿 m³,基流量减少是其主要原因。

三、分区地下水资源量比较

本次评价计算分区地下资源量为 377.58 亿 m³,比第一次评价 405.76 亿 m³ 减少了 28.18 亿 m³,这是符合第一次评价以来气候和下垫面变化实际的。

四、同步系列与第一次评价有关成果比较

(一)平原区成果比较

1.降水入渗补给量

本次评价 1956～1979 年平原区降水入渗补给量为 87.26 亿 m³,较第一次评价平原区降水入渗补给量 74.13 亿 m³ 增加 13.13 亿 m³,原因是计算方法和选用参数不同。本次评价降水入渗补给量系列是在现状条件下的 1980～2000 年期间 $P\sim P_r$ 关系曲线上查算得到的,由于现状地下水资源利用程度高,地下水水位变幅带厚度加大,有可能使降水入渗补给量增加。

2.降水入渗补给量形成的河道排泄量

本次评价 1956～1979 年降水入渗补给量形成的河道排泄量为 9.84 亿 m³,比第一次评价 13.66 亿 m³ 减少 3.82 亿 m³。主要是计算方法不同,现状条件下地下水开采量增加、埋深加大,河道排泄量减少了,故降水入渗补给量形成的河道排泄量也随之减少。

(二)山丘区成果比较

1. 降水入渗补给量

本次评价 1956～1979 年多年平均降水入渗补给量为 270.56 亿 m^3，比第一次评价 292.14 亿 m^3 减少 21.58 亿 m^3，主要是下垫面条件的变化、计算量项和计算方法不同所致(本次评价 $P_{r山}$ 是采用 1956～1979 年逐年 P_r 在现状条件下 1980～2000 年的 $P \sim P_{r山}$ 关系曲线上查算的)。

2. 降水入渗补给量形成的河道排泄量(河川基流量)

本次评价 1956～1979 年多年平均河川基流量为 233.93 亿 m^3，比第一次评价 269.68 亿 m^3 减少 35.75 亿 m^3，主要是计算面积和计算方法不同所致。

(三)地下水资源不重复量比较

本次评价 1956～1979 年多年平均不重复的地下水资源量为 114.05 亿 m^3，比第一次评价 82.18 亿 m^3 增大 31.87 亿 m^3，主要是计算方法不一致所致。本次评价降水入渗补给量是以 1956～1979 年的降水量在 1980～2000 年的 $P \sim P_r$ 关系曲线上查得的，1956～1979 年期间山丘区只计算河川基流量，其他量项资料缺乏，地下水开采程度很低；而 1980～2000 年现状条件下，山区和平原地下水开发程度远比 1956～1979 年期间要高，致使河川基流量减少，重复计算量也减少，不重复的地下水资源量相对增加。

黄河流域本次评价与第一次评价有关成果比较见图 4-2。

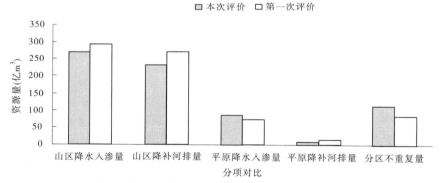

图 4-2 黄河流域本次评价与第一次评价有关成果比较

第九节 地下水可开采量

一、地下水可开采量的概念、评价范围、影响因素

(一)可开采量概念

地下水可开采量是指在可预见的时期内，通过经济合理、技术可行的措施，在不引起生态环境恶化条件下允许从含水层中获取的最大水量。

(二)可开采量评价的范围

地下水可开采量评价的范围主要为目前已经开采和有开采前景的矿化度小于 2 g/L

的平原区以及部分山丘区的浅层地下水。

(三)影响可开采量的因素

地下水可开采量的主要影响因素有总补给量大小,以及包括含水层厚度、岩性、渗透性能及单井涌水量等在内的含水层条件。

二、平原区可开采量的计算

平原区是可开采量评价的重点。计算方法主要用可开采系数(ρ)法和实际开采量调查法。

(一)可开采系数法

可开采系数(ρ)是指某一地区的地下水可开采量$Q_{可开}$与该地区地下水总补给量($Q_{总补}$)的比值,即

$$\rho = Q_{可开}/Q_{总补} \tag{4-19}$$

此法适用于含水层水文地质条件研究程度较高的地区,即对该地区浅层地下水含水层岩性、厚度、渗透性能及单井涌水量、单井影响半径等开采条件掌握得比较清楚的地区。

可开采系数(ρ)的确定主要以含水层的开采条件为依据,开采条件好,ρ值大(ρ值不能大于1),开采条件差,ρ值小。黄河流域ρ值范围一般在$0.5\sim0.9$。

在确定了均衡区的可开采系数(ρ)值后,即可根据公式$Q_{可开}=\rho \cdot Q_{总补}$计算得各均衡区的多年平均地下水可开采量($Q_{可开}$)。

(二)实际开采量调查法

本法适用于浅层地下水开采程度较高,地下水实际开采量统计资料较准确、完整且潜水蒸发量不大,地下水位多年变化相对不大的地区。顾名思义,这些地区的地下水可开采量($Q_{可开}$)即可用调查统计的实际开采量代表。

三、部分山丘区可开采量计算

山丘区可开采量计算只在部分岩溶山区和未单独划归平原区计算地下水资源量的小型山间河谷、盆地平原进行。一般采用多年平均地下水实际开采量法和未计入地表水资源量的多年平均实测泉水流量法计算。

本次评价流域内山丘区只有内蒙古、山西和陕西等少数省(区)作了可开采量计算。

黄河流域多年平均($M\leqslant2$ g/L)浅层地下水可开采量为137.51亿 m^3,其中平原区为119.39亿 m^3。黄河流域各二级区、各省(区)平原区多年平均浅层地下水($M\leqslant2$ g/L)可开采量分布情况分别见图4-3、图4-4。

黄河流域各二级区及各省(区)不同矿化度分区浅层地下水资源可开采量多年平均计算成果见表4-22～表4-27。黄河流域平原区浅层地下水可开采量($M\leqslant2$ g/L)模数分布情况见附图8。

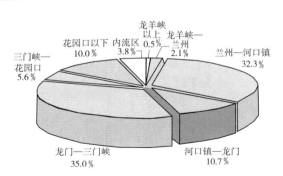

图 4-3　黄河流域二级区平原区多年平均(1980~2000 年)浅层地下水($M \leqslant 2$ g/L)可开采量分布图

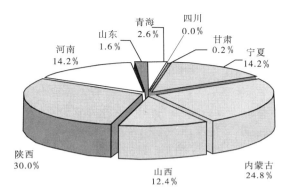

图 4-4　黄河流域各省(区)平原区多年平均(1980~2000 年)浅层地下水($M \leqslant 2$ g/L)可开采量分布图

表 4-22　二级区套省(区)多年平均浅层地下水($M \leqslant 1$ g/L)可开采量

（单位：面积 km²；水量 亿 m³；模数 万 m³/(km²·a)）

二级区	省(区)	平原区				山丘区			合计可开采量
		计算面积	地下水总补给量	可开采量	可开采量模数	计算面积	地下水资源量	可开采量	
龙羊峡以上	青海	2 855	1.01	0.61	2.1	100 586	58.73	—	0.61
	四川	—	—	—	—	16 960	12.80	—	
	甘肃	—	—	—	—	9 189	10.55	—	
	小计	2 855	1.01	0.61	2.1	126 735	82.08		0.61
龙羊峡—兰州	青海	630	3.54	2.48	39.3	46 674	31.42	—	2.48
	甘肃	—	—	—	—	42 078	21.95	—	
	小计	630	3.54	2.48	39.3	88 752	53.37		2.48
兰州—河口镇	甘肃	82	0.07	0.04	5.3	28 825	1.56	—	0.04
	宁夏	3 137	13.98	10.73	34.2	23 757	1.80	—	10.73
	内蒙古	22 806	11.50	8.85	3.9	35 877	13.11	2.03	10.88
	小计	26 025	25.55	19.62	7.5	88 459	16.47	2.03	21.65

续表 4-22

二级区	省(区)	平原区				山丘区			合计可开采量
		计算面积	地下水总补给量	可开采量	可开采量模数	计算面积	地下水资源量	可开采量	
河口镇—龙门	内蒙古	8 644	6.74	3.96	4.6	13 660	2.73	0.47	4.43
	山西	—	—	—	—	33 276	8.95	4.92	4.92
	陕西	8 178	9.27	7.41	9.1	45 423	7.38	—	7.41
	小计	16 822	16.01	11.37	6.8	92 359	19.06	5.39	16.76
龙门—三门峡	甘肃	812	0.47	0.19	2.3	58 549	9.04		0.19
	宁夏	—	—	—	—	8 236	2.40		
	山西	12 622	16.51	12.62	10.0	32 050	18.50	7.86	20.48
	陕西	15 694	30.82	23.06	14.7	48 432	18.97	0.29	23.35
	河南	321	0.24	0.22	6.8	3 660	2.69	—	0.22
	小计	29 449	48.04	36.09	12.3	150 927	51.60	8.15	44.24
三门峡—花园口	山西	—	—	—	—	15 661	10.41	2.33	2.33
	陕西	—	—	—	—	3 064	2.74	0.23	0.23
	河南	3 061	7.97	6.47	21.1	19 184	16.92	—	6.47
	小计	3 061	7.97	6.47	21.1	37 909	30.07	2.56	9.03
花园口以下	河南	6 475	10.87	8.18	12.6	—			8.18
	山东	1 016	2.01	1.72	16.9	10 297	12.16		1.72
	小计	7 491	12.88	9.90	13.2	10 297	12.16		9.90
内流区	宁夏	—	—	—	—				
	内蒙古	31 687	6.07	3.64	1.1	345	0.07		3.64
	陕西	1 683	1.39	0.57	3.4	1 352	0.17		0.57
	小计	33 370	7.46	4.21	1.3	1 697	0.24		4.21
黄河流域		119 703	122.46	90.75	7.6	597 135	265.04	18.12	108.88

表 4-23　省(区)套二级区多年平均浅层地下水($M \leqslant 1$ g/L)可开采量

(单位:面积 km²;水量 亿 m³;模数 万 m³/(km² · a))

省(区)	二级区	平原区				山丘区			合计可开采量
		计算面积	地下水总补给量	可开采量	可开采量模数	计算面积	地下水资源量	可开采量	
青海	龙羊峡以上	2 855	1.01	0.61	2.1	100 586	58.73	—	0.61
	龙羊峡—兰州	630	3.54	2.48	39.3	46 674	31.42	—	2.48
	小计	3 485	4.55	3.09	8.9	147 260	90.15	—	3.09
四川	龙羊峡以上	—	—	—	—	16 960	12.80		
	小计	—	—	—	—	16 960	12.80		
甘肃	龙羊峡以上	—				9 189	10.55		
	龙羊峡—兰州					42 078	21.95		
	兰州—河口镇	82	0.07	0.04	5.3	28 825	1.56		0.04
	龙门—三门峡	812	0.47	0.19	2.3	58 549	9.04		0.19
	小计	894	0.54	0.23	2.6	138 641	43.10		0.23
宁夏	兰州—河口镇	3 137	13.98	10.73	34.2	23 757	1.80		10.73
	龙门—三门峡					8 236	2.40		
	内流区								
	小计	3 137	13.98	10.73	34.2	31 993	4.20		10.73
内蒙古	兰州—河口镇	22 806	11.50	8.85	3.9	35 877	13.11	2.03	10.88
	河口镇—龙门	8 644	6.74	3.96	4.6	13 660	2.73	0.47	4.43
	内流区	31 687	6.07	3.64	1.1	345	0.07		3.64
	小计	63 137	24.31	16.45	2.6	49 882	15.91	2.50	18.95
山西	河口镇—龙门	—	—	—	—	33 276	8.95	4.92	4.92
	龙门—三门峡	12 622	16.51	12.62	10.0	32 050	18.50	7.86	20.48
	三门峡—花园口	—	—	—	—	15 661	10.41	2.33	2.33
	小计	12 622	16.51	12.62	10.0	80 987	37.86	15.11	27.73
陕西	河口镇—龙门	8 178	9.27	7.41	9.1	45 423	7.38	—	7.41
	龙门—三门峡	15 694	30.82	23.06	14.7	48 432	18.97	0.29	23.35
	三门峡—花园口	—	—	—	—	3 064	2.74	0.23	0.23
	内流区	1 683	1.39	0.57	3.4	1 352	0.17	—	0.57
	小计	25 555	41.48	31.05	12.1	98 271	29.26	0.52	31.56
河南	龙门—三门峡	321	0.24	0.22	6.8	3 660	2.69	—	0.22
	三门峡—花园口	3 061	7.97	6.47	21.1	19 184	16.92	—	6.47
	花园口以下	6 475	10.87	8.18	12.6	—	—		8.18
	小计	9 857	19.08	14.87	15.1	22 844	19.61		14.87
山东	花园口以下	1 016	2.01	1.72	16.9	10 297	12.16	—	1.72
	小计	1 016	2.01	1.72	16.9	10 297	12.16		1.72
黄河流域		119 703	122.46	90.75	7.6	597 135	265.04	18.12	108.88

表 4-24　二级区套省(区)多年平均浅层地下水(1 g/L＜M≤2 g/L)可开采量

(单位:面积 km²;水量 亿 m³;模数 万 m³/(km² · a))

二级区	省(区)	平原区				山丘区			合计可开采量
		计算面积	地下水总补给量	可开采量	可开采量模数	计算面积	地下水资源量	可开采量	
龙羊峡以上	青海	—	—	—	—	—	—	—	—
	四川	—	—	—	—	—	—	—	—
	甘肃	—	—	—	—	—	—	—	—
	小计	—	—	—	—	—	—	—	—
龙羊峡—兰州	青海	—	—	—	—	—	—	—	—
	甘肃	—	—	—	—	—	—	—	—
	小计	—	—	—	—	—	—	—	—
兰州—河口镇	甘肃	59	0.08	0.05	8.2	—	—	—	0.05
	宁夏	2 838	8.51	6.22	21.9	—	—	—	6.22
	内蒙古	18 479	17.76	12.63	6.8	—	—	—	12.63
	小计	21 376	26.35	18.90	8.8	—	—	—	18.90
河口镇—龙门	内蒙古	417	0.47	0.37	8.8	—	—	—	0.37
	山西	—	—	—	—	—	—	—	—
	陕西	1 135	1.30	1.04	9.2	—	—	—	1.04
	小计	1 552	1.77	1.41	9.1	—	—	—	1.41
龙门—三门峡	甘肃	—	—	—	—	—	—	—	—
	宁夏	—	—	—	—	—	—	—	—
	山西	2 878	2.80	2.21	7.7	—	—	—	2.21
	陕西	3 544	5.03	3.57	10.1	—	—	—	3.57
	河南	—	—	—	—	—	—	—	—
	小计	6 422	7.83	5.78	9.0	—	—	—	5.78
三门峡—花园口	山西	—	—	—	—	—	—	—	—
	陕西	—	—	—	—	—	—	—	—
	河南	115	0.25	0.21	18.2	—	—	—	0.21
	小计	115	0.25	0.21	18.2	—	—	—	0.21
花园口以下	河南	1 241	2.53	1.90	15.3	—	—	—	1.90
	山东	108	0.16	0.14	12.9	—	—	—	0.14
	小计	1 349	2.69	2.04	15.1	—	—	—	2.04
内流区	宁夏	—	—	—	—	—	—	—	—
	内蒙古	1 575	0.27	0.16	1.0	—	—	—	0.16
	陕西	393	0.31	0.13	3.3	—	—	—	0.13
	小计	1 968	0.58	0.29	1.5	—	—	—	0.29
黄河流域		32 782	39.48	28.64	8.7	—	—	—	28.64

表 4-25　省(区)套二级区多年平均浅层地下水(1 g/L<M≤2 g/L)可开采量

(单位:面积 km²;水量 亿 m³;模数 万 m³/(km²·a))

省(区)	二级区	平原区				山丘区			合计可开采量
		计算面积	地下水总补给量	可开采量	可开采量模数	计算面积	地下水资源量	可开采量	
青海	龙羊峡以上	—	—	—	—	—	—	—	—
	龙羊峡—兰州	—	—	—	—	—	—	—	—
	小计	—	—	—	—	—	—	—	—
四川	龙羊峡以上	—	—	—	—	—	—	—	—
	小计	—	—	—	—	—	—	—	—
甘肃	龙羊峡以上								
	龙羊峡—兰州								
	兰州—河口镇	59	0.08	0.05	8.2	—	—	—	0.05
	龙门—三门峡								
	小计	59	0.08	0.05	8.2	—	—	—	0.05
宁夏	兰州—河口镇	2 838	8.51	6.22	21.9	—	—	—	6.22
	龙门—三门峡								
	内流区								
	小计	2 838	8.51	6.22	21.9	—	—	—	6.22
内蒙古	兰州—河口镇	18 479	17.76	12.63	6.8	—	—	—	12.63
	河口镇—龙门	417	0.47	0.37	8.8	—	—	—	0.37
	内流区	1 575	0.27	0.16	1.0	—	—	—	0.16
	小计	20 471	18.50	13.16	6.4	—	—	—	13.16
山西	河口镇—龙门	—	—	—	—	—	—	—	—
	龙门—三门峡	2 878	2.80	2.21	7.7	—	—	—	2.21
	三门峡—花园口	—	—	—	—	—	—	—	—
	小计	2 878	2.80	2.21	7.7	—	—	—	2.21
陕西	河口镇—龙门	1 135	1.30	1.04	9.2	—	—	—	1.04
	龙门—三门峡	3 544	5.03	3.57	10.1	—	—	—	3.57
	三门峡—花园口								
	内流区	393	0.31	0.13	3.3	—	—	—	0.13
	小计	5 072	6.64	4.74	9.4	—	—	—	4.74
河南	龙门—三门峡	—	—	—	—	—	—	—	—
	三门峡—花园口	115	0.25	0.21	18.2	—	—	—	0.21
	花园口以下	1 241	2.53	1.90	15.3	—	—	—	1.90
	小计	1 356	2.78	2.11	15.6	—	—	—	2.11
山东	花园口以下	108	0.16	0.14	12.9	—	—	—	0.14
	小计	108	0.16	0.14	12.9	—	—	—	0.14
黄河流域		32 782	39.48	28.64	8.7	—	—	—	28.64

表 4-26　二级区套省(区)多年平均浅层地下水($M \leqslant 2$ g/L)可开采量

(单位:面积 km²;水量 亿 m³;模数 万 m³/(km²·a))

二级区	省(区)	平原区				山丘区			合计可开采量
		计算面积	地下水总补给量	可开采量	可开采量模数	计算面积	地下水资源量	可开采量	
龙羊峡以上	青海	2 855	1.01	0.61	2.1	100 586	58.73	—	0.61
	四川					16 960	12.80	—	
	甘肃					9 189	10.55	—	
	小计	2 855	1.01	0.61	2.1	126 735	82.08	—	0.61
龙羊峡—兰州	青海	630	3.54	2.48	39.3	46 674	31.42	—	2.48
	甘肃					42 078	21.95	—	
	小计	630	3.54	2.48	39.3	88 752	53.37	—	2.48
兰州—河口镇	甘肃	141	0.15	0.09	6.5	28 825	1.56	—	0.09
	宁夏	5 975	22.49	16.95	28.4	23 757	1.80	—	16.95
	内蒙古	41 285	29.26	21.48	5.2	35 877	13.11	2.03	23.51
	小计	47 401	51.90	38.52	8.1	88 459	16.47	2.03	40.55
河口镇—龙门	内蒙古	9 061	7.21	4.33	4.8	13 660	2.73	0.47	4.80
	山西	—	—	—	—	33 276	8.95	4.92	4.92
	陕西	9 313	10.57	8.46	9.1	45 423	7.38	—	8.46
	小计	18 374	17.78	12.79	7.0	92 359	19.06	5.39	18.18
龙门—三门峡	甘肃	812	0.47	0.19	2.3	58 549	9.04	—	0.19
	宁夏	—	—	—	—	8 236	2.40	—	—
	山西	15 500	19.31	14.83	9.6	32 050	18.50	7.86	22.69
	陕西	19 238	35.85	26.63	13.8	48 432	18.97	0.29	26.92
	河南	321	0.24	0.22	6.8	3 660	2.69	—	0.22
	小计	35 871	55.87	41.87	11.7	150 927	51.60	8.15	50.02
三门峡—花园口	山西	—	—	—	—	15 661	10.41	2.33	2.33
	陕西	—	—	—	—	3 064	2.74	0.23	0.23
	河南	3 176	8.22	6.68	21.0	19 184	16.92	—	6.68
	小计	3 176	8.22	6.68	21.0	37 909	30.07	2.56	9.24
花园口以下	河南	7 716	13.40	10.09	13.1	—	—	—	10.09
	山东	1 124	2.18	1.86	16.5	10 297	12.16	—	1.86
	小计	8 840	15.58	11.94	13.5	10 297	12.16	—	11.94
内流区	宁夏	—	—	—	—	—	—	—	—
	内蒙古	33 262	6.34	3.80	1.1	345	0.07	—	3.80
	陕西	2 076	1.70	0.71	3.4	1 352	0.17	—	0.71
	小计	35 338	8.04	4.51	1.3	1 697	0.24	—	4.51
黄河流域		152 485	161.94	119.39	7.8	597 135	265.04	18.12	137.51

表 4-27 省(区)套二级区多年平均浅层地下水($M \leqslant 2$ g/L)可开采量

(单位:面积 km²;水量 亿 m³;模数 万 m³/(km² · a))

省(区)	二级区	平原区				山丘区			合计可开采量
		计算面积	地下水总补给量	可开采量	可开采量模数	计算面积	地下水资源量	可开采量	
青海	龙羊峡以上	2 855	1.01	0.61	2.1	100 586	58.73	—	0.61
	龙羊峡—兰州	630	3.54	2.48	39.3	46 674	31.42	—	2.48
	小计	3 485	4.55	3.09	8.9	147 260	90.15		3.09
四川	龙羊峡以上	—	—	—	—	16 960	12.80		—
	小计	—	—	—	—	16 960	12.80		—
甘肃	龙羊峡以上					9 189	10.55		
	龙羊峡—兰州					42 078	21.95		
	兰州—河口镇	141	0.15	0.09	6.5	28 825	1.56		0.09
	龙门—三门峡	812	0.47	0.19	2.3	58 549	9.04		0.19
	小计	953	0.62	0.28	2.9	138 641	43.10		0.28
宁夏	兰州—河口镇	5 975	22.49	16.95	28.4	23 757	1.80		16.95
	龙门—三门峡					8 236	2.40		
	内流区								
	小计	5 975	22.49	16.95	28.4	31 993	4.20	—	16.95
内蒙古	兰州—河口镇	41 285	29.26	21.48	5.2	35 877	13.11	2.03	23.51
	河口镇—龙门	9 061	7.21	4.33	4.8	13 660	2.73	0.47	4.80
	内流区	33 262	6.34	3.80	1.1	345	0.07	—	3.80
	小计	83 608	42.81	29.61	3.5	49 882	15.91	2.50	32.11
山西	河口镇—龙门	—	—	—	—	33 276	8.95	4.92	4.92
	龙门—三门峡	15 500	19.31	14.83	9.6	32 050	18.50	7.86	22.69
	三门峡—花园口	—	—	—	—	15 661	10.41	2.33	2.33
	小计	15 500	19.31	14.83	9.6	80 987	37.86	15.11	29.94
陕西	河口镇—龙门	9 313	10.57	8.46	9.1	45 423	7.38	—	8.46
	龙门—三门峡	19 238	35.85	26.63	13.8	48 432	18.97	0.29	26.92
	三门峡—花园口					3 064	2.74	0.23	0.23
	内流区	2 076	1.70	0.71	3.4	1 352	0.17	—	0.71
	小计	30 627	48.12	35.80	11.7	98 271	29.26	0.52	36.32
河南	龙门—三门峡	321	0.24	0.22	6.8	3 660	2.69	—	0.22
	三门峡—花园口	3 176	8.22	6.68	21.0	19 184	16.92	—	6.68
	花园口以下	7 716	13.40	10.09	13.1	—			10.09
	小计	11 213	21.86	16.99	15.1	22 844	19.61	—	16.99
山东	花园口以下	1 124	2.18	1.86	16.5	10 297	12.16	—	1.86
	小计	1 124	2.18	1.86	16.5	10 297	12.16	—	1.86
黄河流域		152 485	161.94	119.39	7.8	597 135	265.04	18.12	137.51

四、不同系列浅层地下水可开采量对比分析

(一)平原区地下水可开采量

本次评价平原区矿化度小于2 g/L的浅层地下水可开采量为 119.39 亿 m^3，比第一次评价 118.57 亿 m^3 增加 0.82 亿 m^3，基本接近。

(二)山丘区地下水可开采量

本次评价山丘区地下水可开采量为 18.12 亿 m^3，第一次评价没有计算。

黄河流域本次评价成果(1980～2000 年多年平均)与第一次评价成果(1956～1979 年多年平均)比较情况见表 4-21 和图 4-5。

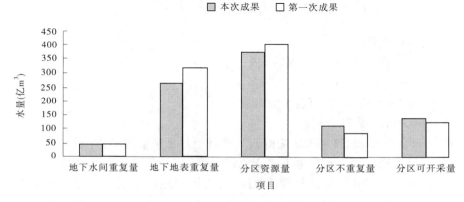

图 4-5　黄河流域本次评价(1980～2000 年均值)与第一次评价(1956～1979 年均值)成果比较

第五章　水资源总量

　　一定区域内的水资源总量是指当地降水形成的地表和地下产水量,即地表径流量与降水入渗净补给量之和。本次调查评价要求计算近期下垫面条件下各计算分区 1956～2000 年的水资源总量系列。

第一节　计算方法

　　水资源总量可采用下式计算:

$$W = R + P_r - R_g \qquad (5\text{-}1)$$

式中　　W——水资源总量;

　　　　R——河川径流量(即地表水资源量);

　　　　P_r——降水入渗补给量;

　　　　R_g——河川基流量(平原区为降水入渗补给量形成的河道排泄量)。

　　各分量直接采用了地表水和地下水资源量评价的系列成果。在某些特殊地区如岩溶山区难以计算降雨入渗补给量和分割基流的,可根据当地情况采用其他方法估算水资源总量。

一、平原区降水入渗补给量及其形成的河道排泄量

(一)1956～2000 年降水入渗补给量系列

　　根据 1980～2000 年逐年的降水量和降水入渗补给量,在各均衡计算区建立 $P \sim P_r$ 关系曲线。用本次评价的各均衡计算区 1956～1979 年逐年的面降水量 P,在 1980～2000 年的 $P \sim P_r$ 关系曲线上查算 1956～1979 年逐年的 P_r,然后与 1980～2000 年 P_r 系列合成即可得到 1956～2000 年的 P_r 系列。

(二)1956～2000 年降水入渗补给量形成的河道排泄量系列

　　(1)用前面所述平原区河道排泄量的计算方法(地下水动力学法和水文分析法)分别计算各计算分区 1980～2000 年逐年的河道排泄量。

　　(2)计算各计算分区多年平均降水入渗补给量(P_r)占多年平均地下水总补给量 $Q_{总补}$ 的比率,即

$$Y = P_r / Q_{总补} \qquad (5\text{-}2)$$

以此比率近似地代表各计算分区 1980～2000 年逐年降水入渗补给量形成的河道排泄量占相应河道排泄量的比率,即

$$Y = P_{r河排} / Q_{河排} = P_r / Q_{总补} \qquad (5\text{-}3)$$

　　(3)用 1980～2000 年逐年的 $Q_{河排}$ 分别乘以 Y,得到 1980～2000 年逐年的 $P_{r河排}$ 系列,利用各计算分区 1980～2000 年逐年的降水入渗补给量(P_r)和 $P_{r河排}$ 系列建立 $P_r \sim P_{r河排}$

关系,同时计算 1980～2000 年期间多年平均降水入渗补给量形成的河道排泄量和相应的多年平均降水量入渗补给量的比值,即

$$\overline{P}_{\text{r河排}}/\overline{P}_{\text{r}} = Y' \tag{5-4}$$

(三)1956～2000 年逐年降水入渗补给量形成的河道排泄量($P_{\text{r河排}}$)系列

当建立的 $P_{\text{r河排}}\sim P_{\text{r}}$ 关系较好时,则用 1956～2000 年逐年的降水入渗补给量在 $P_{\text{河排}}\sim P_{\text{r}}$ 关系曲线上查得相应的 1956～1979 年的 $P_{\text{r河排}}$ 系列;当 $P_{\text{r河排}}\sim P_{\text{r}}$ 关系不好时,则可采用1956～1979年逐年的降水入渗补给量(P_{r})分别乘以 $\overline{P}_{\text{r河排}}/\overline{P}_{\text{r}}$ 的比值Y',得到 1956～1979 年逐年的降水入渗补给量形成的河道排泄量($P_{\text{r河排}}$)系列,将 1956～1979 年和1980～2000 年的 $P_{\text{r河排}}$ 系列合成为 1956～2000 年逐年的降水入渗补给量形成的河道排泄量系列。

二、山丘区降水入渗补给量及其形成的河道排泄量

根据前面 1980～2000 年逐年降水入渗补给量($P_{\text{r山}}$)和本次降水量评价成果 1980～2000 年逐年降水量($P_{\text{山}}$)成果,建立 $P_{\text{r山}}\sim P_{\text{山}}$ 关系曲线,再用本次评价的1956～1979 年逐年的降水量($P_{\text{山}}$)在 $P_{\text{r山}}\sim P_{\text{山}}$ 关系曲线上分别查得 1956～1979 年逐年降水入渗补给量(P_{r})系列,组成 1956～2000 年系列。山丘区降水入渗补给量($P_{\text{r山}}$)形成的河道排泄量即为山丘区河川基流量 R_{g}。山丘区 1956～2000 年逐年河川基流量系列成果在山丘区河川基流量计算中已求得。

第二节　分区水资源总量

一、水资源总量组成及其分布

根据计算公式,黄河流域分区水资源总量由 5 部分组成,即地表水资源量、山丘区降水入渗补给量、山丘区降水入渗补给量所形成的河川基流量、平原区降水入渗补给量、平原区降水入渗补给量所形成的河道排泄量。表 5-1 和表 5-2 分别给出了黄河流域二级区水资源总量组成情况和各省(区)水资源总量组成情况。

黄河流域水资源总量 706.6 亿 m³,产水模数 8.89 万 m³/(km²·a)。其中,地表水资源量 594.4 亿 m³(占水资源总量 84.1%),降水入渗净补给量 112.2 亿 m³(占水资源总量 15.9%)(其中,山丘区降水入渗补给量 267.9 亿 m³,所形成的河川基流量 228.1 亿 m³;平原区降水入渗补给量 81.70 亿 m³,所形成的河道排泄量 9.27 亿 m³)。

黄河流域分区水资源总量,C_{v} 值 0.20,最大 1 185 亿 m³(1964 年),最小 473.1 亿 m³(1997 年);不包括内流区,1956～2000 年多年平均 665.8 亿 m³,C_{v} 值0.20,最大 1 164 亿 m³(1964 年),最小 464.8 亿 m³(1997 年)。

表 5-3 给出了黄河流域二级区分区水资源总量及其基本特征值,表 5-4 给出了黄河流域各省(区)分区水资源总量及其基本特征值。可以看出,黄河流域水资源总量主要分布于龙羊峡以上、龙羊峡—兰州及龙门—三门峡等二级区,这 3 个二级区水资源总量分

别占黄河流域分区水资源总量的 29.3%、19.0%、22.2%。二级区中,内流区和花园口以下区间水资源总量最少,分别仅占黄河流域分区水资源总量的 1.6%、5.0%。

从各省(区)水资源总量来看,青海最多(多年平均 208.3 亿 m³,占黄河流域分区水资源总量的 29.5%),甘肃次之(多年平均 124.7 亿 m³,占黄河流域地表水资源总量的 17.6%),较少的是宁夏(多年平均 10.50 亿 m³,占黄河流域分区水资源总量的 1.5%)和山东(多年平均 20.96 亿 m³,占黄河流域水资源总量的 3.0%)。从年际变化来看,自上游至下游,变化幅度逐渐加大。例如,龙羊峡以上,C_v 值仅 0.25;至河口镇 — 龙门区间,上升到了 0.29;至黄河下游,更是达到了 0.49。

从产流模数来看,黄河流域各二级区中,最大的是龙羊峡以上,达到了 15.77 万 m³/(km² · a);最小的是内流区,只有 2.69 万 m³/(km² · a)。最大最小比值达到了 6.4。从各省(区)来看,四川最大,达到了 26.72 万 m³/(km² · a);宁夏最小,只有 2.04 万 m³/(km² · a)。

从黄河流域不同保证率分区水资源总量来看,20%、50%、75% 和 95% 条件下数值分别为 817.3 亿 m³、693.2 亿 m³、607.6 亿 m³、504.6 亿 m³。这意味着黄河流域 4 年一遇的枯水年分区水资源总量 607.6 亿 m³,20 年一遇的枯水年水资源总量 504.6 亿 m³,5 年一遇的丰水年水资源总量 817.3 亿 m³。

表 5-1　黄河流域二级区水资源总量组成　　　　　　　　　　(单位:亿 m³)

二级区	省(区)	面积 (km²)	降水总量	地表水资源量	山丘区 P_r	山丘区 R_g	平原区 P_r	平原区 R_g	水资源总量	产水模数 (万 m³/(km² · a))
龙羊峡以上	小计	131 340	638.18	206.64	80.25	80.05	0.58	0.32	207.14	15.77
	青海	104 946	456.90	137.10	56.90	56.70	0.58	0.32	137.60	13.11
	四川	16 960	119.30	45.31	12.80	12.80	—	—	45.31	26.72
	甘肃	9 434	61.98	24.23	10.55	10.55	—	—	24.23	25.68
龙羊峡—兰州	小计	91 090	436.20	132.79	54.86	53.56	0.47	0.21	134.35	14.75
	青海	47 304	221.00	69.64	31.53	30.69	0.47	0.21	70.73	14.95
	甘肃	43 786	215.20	63.15	23.33	22.87	—	—	63.62	14.53
兰州—河口镇	小计	163 644	428.50	17.68	16.02	4.69	11.82	0.45	40.37	2.47
	甘肃	30 113	91.90	2.81	1.31	0.23	0.03	0.01	3.90	1.30
	宁夏	41 757	104.60	4.64	1.41	1.11	1.09	0.44	5.59	1.34
	内蒙古	91 774	232.00	10.23	13.30	3.35	10.70	—	30.88	3.36
河口镇—龙门	小计	111 272	482.37	42.51	19.99	13.95	17.41	4.77	61.18	5.50
	内蒙古	22 828	83.57	8.86	3.01	1.76	6.96	0.48	16.58	7.26
	山西	33 276	160.50	9.35	9.38	4.85	—	—	13.88	4.17
	陕西	55 168	238.30	24.30	7.60	7.34	10.45	4.29	30.72	5.57

续表 5-1

二级区	省(区)	面积（km²）	降水总量	地表水资源量	山丘区 P_r	山丘区 R_g	平原区 P_r	平原区 R_g	水资源总量	产水模数（万 m³/(km²·a)）
龙门—三门峡	小计	191 109	1 032.85	120.45	52.82	42.48	29.42	3.14	157.08	8.22
	甘肃	59 908	303.10	31.87	9.66	8.88	0.51	0.27	32.90	5.49
	宁夏	8 236	38.92	4.80	2.51	2.44	—	—	4.86	5.90
	山西	48 201	246.60	20.81	19.19	11.92	10.19	0.07	38.20	7.93
	陕西	70 557	416.60	57.86	18.82	16.89	18.48	2.80	75.48	10.70
	河南	4 207	27.63	5.11	2.64	2.35	0.24	—	5.64	13.41
三门峡—花园口	小计	41 694	274.93	51.96	31.12	26.20	3.33	0.20	60.00	14.39
	山西	15 661	96.98	14.99	11.30	9.23	—	—	17.06	10.89
	陕西	3 064	23.75	6.61	2.97	2.92	—	—	6.65	21.70
	河南	22 969	154.20	30.36	16.85	14.05	3.33	0.20	36.29	15.80
花园口以下	小计	22 621	146.53	19.75	12.61	7.14	10.11	0.16	35.17	15.55
	河南	8 988	52.26	5.76	—	—	8.45	—	14.21	15.81
	山东	13 633	94.27	13.99	12.61	7.14	1.66	0.16	20.96	15.37
内流区	小计	42 271	114.92	2.62	0.24	0.06	8.56		11.36	2.69
	宁夏	1 399	3.50	0.05	—	—	—	—	0.05	0.36
	内蒙古	36 360	96.19	1.85	0.07	0.03	6.85		8.74	2.40
	陕西	4 512	15.23	0.72	0.17	0.03	1.71		2.57	5.70
黄河流域		795 041	3 554	594.4	267.9	228.1	81.70	9.27	706.6	8.89

表 5-2　黄河流域各省(区)水资源总量组成　　　　　　（单位：亿 m³)

省(区)	二级区	面积（km²）	降水总量	地表水资源量	山丘区 P_r	山丘区 R_g	平原区 P_r	平原区 R_g	水资源总量	产水模数（万 m³/(km²·a)）
青海	小计	152 250	677.90	206.74	88.43	87.39	1.05	0.53	208.33	13.68
	龙羊峡以上	104 946	456.90	137.10	56.90	56.70	0.58	0.32	137.60	13.11
	龙羊峡—兰州	47 304	221.00	69.64	31.53	30.69	0.47	0.21	70.73	14.95
四川	小计	16 960	119.30	45.31	12.80	12.80	—	—	45.31	26.72
	龙羊峡以上	16 960	119.30	45.31	12.80	12.80	—	—	45.31	26.72

续表 5-2

省(区)	二级区	面积（km²）	降水总量	地表水资源量	山丘区 P_r	山丘区 R_g	平原区 P_r	平原区 R_g	水资源总量	产水模数（万 m³/(km²·a)）
甘肃	小计	143 241	672.18	122.06	44.85	42.53	0.54	0.28	124.65	8.70
	龙羊峡以上	9 434	61.98	24.23	10.55	10.55	—	—	24.23	25.68
	龙羊峡—兰州	43 786	215.20	63.15	23.33	22.87	—	—	63.62	14.53
	兰州—河口镇	30 113	91.90	2.81	1.31	0.23	0.03	0.01	3.90	1.30
	龙门—三门峡	59 908	303.10	31.87	9.66	8.88	0.51	0.27	32.90	5.49
宁夏	小计	51 392	147.02	9.49	3.92	3.55	1.09	0.44	10.50	2.04
	兰州—河口镇	41 757	104.60	4.64	1.41	1.11	1.09	0.44	5.59	1.34
	龙门—三门峡	8 236	38.92	4.80	2.51	2.44	—	—	4.86	5.90
	内流区	1 399	3.50	0.05	—	—	—	—	0.05	·0.33
内蒙古	小计	150 962	411.76	20.94	16.38	5.14	24.51	0.48	56.20	3.72
	兰州—河口镇	91 774	232.00	10.23	13.30	3.35	10.70	—	30.88	3.36
	河口镇—龙门	22 828	83.57	8.86	3.01	1.76	6.96	0.48	16.58	7.26
	内流区	36 360	96.19	1.85	0.07	0.03	6.85	—	8.74	2.40
山西	小计	97 138	504.08	45.15	39.87	26.00	10.19	0.07	69.14	7.12
	河口镇—龙门	33 276	160.50	9.35	9.38	4.85	—	—	13.88	4.17
	龙门—三门峡	48 201	246.60	20.81	19.19	11.92	10.19	0.07	38.20	7.93
	三门峡—花园口	15 661	96.98	14.99	11.30	9.23	—	—	17.06	10.89
陕西	小计	133 301	693.88	89.49	29.56	27.18	30.64	7.09	115.42	8.66
	河口镇—龙门	55 168	238.30	24.30	7.60	7.34	10.45	4.29	30.72	5.57
	龙门—三门峡	70 557	416.60	57.86	18.82	16.89	18.48	2.80	75.48	10.70
	三门峡—花园口	3 064	23.75	6.61	2.97	2.92	—	—	6.65	21.70
	内流区	4 512	15.23	0.72	0.17	0.03	1.71	—	2.57	5.69
河南	小计	36 164	234.09	41.23	19.49	16.40	12.02	0.20	56.14	15.52
	龙门—三门峡	4 207	27.63	5.11	2.64	2.35	0.24	—	5.64	13.41
	三门峡—花园口	22 969	154.20	30.36	16.85	14.05	3.33	0.20	36.29	15.80
	花园口以下	8 988	52.26	5.76	—	—	8.45	—	14.21	15.81
山东	小计	13 633	94.27	13.99	12.61	7.14	1.66	0.16	20.96	15.37
	花园口以下	13 633	94.27	13.99	12.61	7.14	1.66	0.16	20.96	15.37
黄河流域		795 041	3 554	594.4	267.9	228.1	81.70	9.27	706.6	8.89

表 5-3　黄河流域二级区分区水资源总量分布特征

二级区	省(区)	面积 (km²)	年水资源总量		G_v	C_s/C_v	不同频率水资源总量(亿 m³)			
			mm	亿 m³			20%	50%	75%	95%
龙羊峡以上	小计	131 340	157.70	207.14	0.25	3.0	247.8	200.7	169.5	134.2
	青海	104 946	131.10	137.60	0.26	3.0	165.3	133.1	111.9	88.05
	四川	16 960	267.20	45.31	0.24	3.0	54.03	43.96	37.28	29.65
	甘肃	9 434	256.80	24.23	0.24	3.0	28.80	23.55	20.04	16.02
龙羊峡一兰州	小计	91 090	147.50	134.35	0.23	3.0	159.2	130.7	111.6	89.57
	青海	47 304	149.50	70.73	0.22	3.0	83.11	69.03	59.50	48.34
	甘肃	43 786	145.30	63.62	0.29	3.0	78.03	60.91	49.99	38.21
兰州一河口镇	小计	163 644	24.70	40.37	0.23	2.0	48.01	39.64	33.68	26.22
	甘肃	30 113	13.00	3.90	0.28	3.0	4.76	3.75	3.10	2.39
	宁夏	41 757	13.40	5.59	0.30	2.0	6.92	5.43	4.40	3.17
	内蒙古	91 774	33.60	30.88	0.24	2.5	36.73	30.16	25.64	20.20
河口镇一龙门	小计	111 272	55.00	61.18	0.26	3.0	73.12	59.32	50.19	39.81
	内蒙古	22 828	72.60	16.58	0.32	2.5	20.75	15.87	12.70	9.17
	山西	33 276	41.70	13.88	0.21	3.5	16.22	13.51	11.72	9.69
	陕西	55 168	55.70	30.72	0.27	2.5	36.94	29.49	24.80	19.82
龙门一三门峡	小计	191 109	82.20	157.08	0.26	3.0	188.8	151.9	127.7	100.5
	甘肃	59 908	54.90	32.90	0.37	2.0	42.46	31.41	24.10	15.76
	宁夏	8 236	59.00	4.86	0.33	2.0	6.15	4.69	3.70	2.54
	山西	48 201	79.30	38.20	0.31	3.5	45.15	37.19	31.85	25.66
	陕西	70 557	107.00	75.48	0.29	2.5	92.81	72.82	59.55	44.36
	河南	4 207	132.10	5.64	0.46	3.0	7.49	5.05	3.72	2.58
三门峡一花园口	小计	41 694	143.90	60.00	0.43	3.0	78.50	54.68	41.15	28.92
	山西	15 661	108.90	17.06	0.38	3.0	21.87	15.84	12.27	8.83
	陕西	3 064	217.20	6.65	0.57	3.0	9.15	5.63	3.89	2.66
	河南	22 969	158.00	36.29	0.46	3.0	48.12	32.56	24.00	16.64
花园口以下	小计	22 621	155.50	35.17	0.40	3.0	45.50	32.41	24.79	17.65
	河南	8 988	158.10	14.21	0.42	2.0	18.89	13.37	9.81	5.93
	山东	13 633	153.70	20.96	0.47	3.0	27.86	18.75	13.76	9.52
内流区	小计	42 271	26.90	11.36	0.35	3.0	14.34	10.67	8.45	6.20
	宁夏	1 399	3.60	0.05	0.58	3.0	0.06	0.04	0.03	0.02
	内蒙古	36 360	24.00	8.74	0.38	3.0	11.19	8.13	6.31	4.55
	陕西	4 512	57.00	2.57	0.31	3.0	3.17	2.45	2.00	1.51
黄河流域		795 041	88.88	706.6	0.20	3.0	817.3	693.2	607.6	504.6

表 5-4　黄河流域各省(区)分区水资源总量分布特征

省(区)	二级区	面积 (km²)	年水资源总量		C_v	C_s/C_v	不同频率水资源总量(亿 m³)			
			mm	亿 m³			20%	50%	75%	95%
青海	小计	152 250	136.80	208.3	0.22	3.0	244.6	203.3	175.4	142.5
	龙羊峡以上	104 946	131.10	137.6	0.26	3.0	165.3	133.1	111.9	88.05
	龙羊峡—兰州	47 304	149.50	70.73	0.22	3.0	83.11	69.03	59.5	48.34
四川	小计	16 960	267.20	45.31	0.24	3.0	54.03	43.96	37.28	29.65
	龙羊峡以上	16 960	267.20	45.31	0.24	3.0	54.03	43.96	37.28	29.65
甘肃	小计	143 241	87.10	124.7	0.27	3.0	151.1	120.1	100	77.73
	龙羊峡以上	9 434	256.80	24.23	0.24	3.0	28.8	23.55	20.04	16.02
	龙羊峡—兰州	43 786	145.30	63.62	0.29	3.0	78.03	60.91	49.99	38.21
	兰州—河口镇	30 113	13.00	3.90	0.28	3.0	4.76	3.75	3.1	2.39
	龙门—三门峡	59 908	54.90	32.9	0.37	2.0	42.46	31.41	24.1	15.76
宁夏	小计	51 392	20.40	10.50	0.29	2.0	12.92	10.21	8.34	6.09
	兰州—河口镇	41 757	13.40	5.59	0.30	2.0	6.92	5.43	4.4	3.17
	龙门—三门峡	8 236	59.00	4.86	0.33	2.0	6.15	4.69	3.7	2.54
	内流区	1 399	3.60	0.05	0.58		0.06	0.04	0.03	0.02
内蒙古	小计	150 962	37.20	56.20	0.27	3.0	67.89	54.22	45.31	35.39
	兰州—河口镇	91 774	33.60	30.88	0.24	2.5	36.73	30.16	25.64	20.20
	河口镇—龙门	22 828	72.60	16.58	0.32	2.5	20.75	15.87	12.70	9.17
	内流区	36 360	24.00	8.74	0.38	3.0	11.19	8.13	6.31	4.55
山西	小计	97 138	71.20	69.14	0.24	3.0	82.01	67.23	57.35	45.96
	河口镇—龙门	33 276	41.70	13.88	0.21	3.5	16.22	13.51	11.72	9.69
	龙门—三门峡	48 201	79.30	38.20	0.31	3.0	45.54	36.83	31.27	25.23
	三门峡—花园口	15 661	108.90	17.06	0.38	3.0	21.87	15.84	12.27	8.83
陕西	小计	133 301	86.60	115.4	0.26	3.0	138.7	111.6	93.84	73.83
	河口镇—龙门	55 168	55.70	30.72	0.27	2.5	36.94	29.49	24.80	19.82
	龙门—三门峡	70 557	107.00	75.48	0.29	2.5	92.81	72.82	59.55	44.36
	三门峡—花园口	3 064	217.20	6.65	0.57	3.0	9.15	5.63	3.89	2.66
	内流区	4 512	57.00	2.57	0.31	3.0	3.17	2.45	2.00	1.51
河南	小计	36 164	155.20	56.14	0.41	3.0	72.84	51.59	39.31	27.88
	龙门—三门峡	4 207	132.10	5.64	0.46	3.0	7.49	5.05	3.72	2.58
	三门峡—花园口	22 969	158.00	36.29	0.46	3.0	48.12	32.56	24.00	16.64
	花园口以下	8 988	158.10	14.21	0.42	2.0	18.89	13.37	9.81	5.93
山东	小计	13 633	153.70	20.96	0.47	3.0	27.86	18.75	13.76	9.52
	花园口以下	13 633	153.70	20.96	0.47	3.0	27.86	18.75	13.76	9.52
	黄河流域	795 041	88.88	706.6	0.20	3.0	817.3	693.2	607.6	504.6

二、二级区水量平衡分析

在天然情况下,区域水量平衡方程为:

$$\begin{cases} P = R + E + U_g \\ R = R_s + R_g \\ E = E_s + E_g \\ W = R + E_g + U_g = P - E_s \end{cases} \tag{5-5}$$

式中　　P——降水量;

　　　　R——河川径流量;

　　　　E——蒸发量;

　　　　U_g——地下水潜流量(多年平均条件下为零);

　　　　R_s——地表径流量;

　　　　R_g——河川基流量;

　　　　E_s——地表蒸散发量;

　　　　E_g——潜水蒸发量。

由于本次地下水评价是 1980～2000 年时段,因此这里对 1980～2000 年时段的二级区水量平衡对比情况进行了统计分析。表 5-5 给出了黄河流域二级区水量平衡分析结果。

黄河流域 1980～2000 年平均降水量 3 435.0 亿 m³(合降水深 432.1 mm),有近 17% 形成了河川径流,有 83% 消耗于地表水体、植被的蒸散发以及潜水蒸发。同时,降水量 3 435.0 亿 m³ 中,形成的降水入渗补给量 340.3 亿 m³(合降水深 42.8 mm),占 10%;由降水形成的地表径流量 335.8 亿 m³(合降水深 42.3 mm),占降水量 10%。黄河流域 1980～2000 年平均地表水资源量 565.9 亿 m³(折合径流深 71.2 mm),有 41% 由地下水补给。黄河流域 1980～2000 年平均总蒸发量 2 869.1 亿 m³(折合水深 360.9 mm),占降水量 84%,其中只有 4% 为平原区淡水的潜水蒸发量(该部分可以通过地下水开采而截取利用),有 80% 的降水量为地表蒸散发量。黄河流域 1980～2000 年平均水资源总量 676.0 亿 m³(折合径流深 85.0 mm),占降水量 20%,其中河川基流量与平原区淡水区潜水蒸发量之和占 50%,其余 50% 为地表径流量。

通过水量平衡对比分析可以看出黄河流域内的三水转化关系。水资源总量与河川径流量的差值即为潜水蒸发量,其量 110.1 亿 m³,该数值也就是地表水与地下水之间的不重复计算量。表 5-5 中的河川基流量与潜水蒸发量之和为 340.3 亿 m³,是水资源总量中由降水入渗补给的地下水资源量,其中有 68% 即 230.1 亿 m³ 转化为河川径流量。

应该指出,本书第四章中评价的黄河流域地下水资源量 377.58 亿 m³,与这里的 340.3 亿 m³ 有差异数值 37.28 亿 m³。这主要是因为评价区地下水资源量中包括了由地表径流补给的量 37.28 亿 m³,即地表水体补给量与它自身中引用河川基流量的差值。

水量平衡要素在各二级区的分配是很不均匀的。例如,从二级区来看,由降水形成的河川径流量最多的是龙羊峡以上,即黄河河源区,降水量的 33% 形成了河川径流量;最少的兰州—河口镇区间和内流区,分别只有降水量的 4% 和 2% 形成了河川径流。

各二级区的水资源总量,仍是黄河河源区最多,达到了 33%;最少的仍是兰州—河口

表 5-5　1980～2000 年时段黄河流域二级区水量平衡分析结果

二级区	单位	P	R	P_r	R_s	R_g	E	E_s	E_g	W	R/P	W/P	R_g/R	P_r/P	R_s/P	E_g/E	$(R_g+E_g)/W$
龙羊峡以上	亿 m³	640.7	208.6	82.6	126.5	82.1	432.1	431.7	0.4	209.0	0.326	0.326	0.394	0.129	0.197	0.001	0.395
	mm	487.8	158.8	62.9	96.3	62.5	329.0	328.7	0.3	159.1							
龙羊峡— 兰州	亿 m³	427.8	122.9	53.8	71.5	51.4	304.9	302.5	2.4	125.3	0.287	0.293	0.418	0.126	0.167	0.008	0.429
	mm	469.7	134.9	59.1	78.5	56.4	334.7	332.1	2.6	137.6							
兰州— 河口镇	亿 m³	408.3	16.8	27.2	12.1	4.7	391.5	369.1	22.4	39.2	0.041	0.096	0.280	0.067	0.030	0.057	0.691
	mm	249.5	10.3	16.6	7.4	2.9	239.3	225.6	13.7	23.9							
河口镇— 龙门	亿 m³	452.4	38.9	34.5	21.7	17.2	413.6	396.2	17.4	56.2	0.086	0.124	0.442	0.076	0.048	0.042	0.616
	mm	406.8	34.9	31.0	19.4	15.5	371.9	356.3	15.6	50.5							
龙门— 三门峡	亿 m³	992.8	110.5	79.7	67.2	43.3	882.4	845.9	36.5	146.9	0.111	0.148	0.392	0.080	0.068	0.041	0.543
	mm	519.3	57.7	41.7	35.0	22.7	461.7	442.6	19.1	76.7							
三门峡— 花园口	亿 m³	266.4	47.0	33.2	22.8	24.2	219.4	210.5	8.9	55.9	0.176	0.210	0.515	0.125	0.086	0.041	0.592
	mm	639.0	112.6	79.6	54.6	58.0	526.3	504.9	21.4	134.1							
花园口以下	亿 m³	140.1	18.8	21.4	11.8	7.0	121.4	106.9	14.5	33.2	0.134	0.237	0.372	0.153	0.084	0.119	0.648
	mm	619.2	80.9	94.6	50.0	30.9	538.3	474.4	63.9	144.8							
内流区	亿 m³	106.5	2.5	7.9	2.4	0.1	104.0	96.2	7.8	10.3	0.023	0.097	0.040	0.074	0.023	0.075	0.767
	mm	251.9	6.0	18.7	5.8	0.2	245.9	227.6	18.3	24.3							
黄河 流域	亿 m³	3 435.0	565.9	340.3	335.8	230.1	2 869.1	2 759.0	110.1	676.0	0.165	0.197	0.407	0.099	0.098	0.038	0.503
	mm	432.1	71.2	42.8	42.3	28.9	360.9	347.1	13.8	85.0							

镇区间和内流区,都只有 10% 左右。

各二级区的降水入渗补给量,最多的是花园口以下(15%),最少的是兰州—河口镇区间(6.7%)。由降水形成的地表径流量,最多的是龙羊峡以上(20%),最少的是内流区(2%)。

各二级区河川基流量占河川径流的比重,最大的是三门峡—花园口区间,达到了52%;最小的是内流区,只有 4%;其他二级区,比重在 28% ~ 44% 之间。

各二级区潜水蒸发占总蒸发量的比重来看,最大的是花园口以下,达到了 12%;最小的是龙羊峡以上,只有 0.1%;其他二级区,比重在 0.8% ~ 6% 之间。

各二级区河川基流量与平原区淡水区潜水蒸发量之和占黄河流域水资源总量的比重,最大的是内流区,达到了 77%;最小的是龙羊峡以上,只有 40%;其他二级区,比重在43% ~ 69% 之间。

三、年代间变化特点

表 5-6 和表 5-7 分别给出了黄河流域二级区和各省(区)分区水资源总量不同年代的对比情况。

表 5-6 黄河流域二级区水资源总量各年代统计 （单位:亿 m³）

二级区	省(区)	面积 （km²）	1956~ 1959	1960~ 1969	1970~ 1979	1980~ 1989	1990~ 2000	1956~ 2000	1956~ 1979	1980~ 2000
龙羊峡 以上	小计	131 340	165.3	221.3	205.7	244.5	176.8	207.1	205.5	209.0
	青海	104 946	110.7	146.2	136.0	164.1	116.8	137.6	136.1	139.3
	四川	16 960	35.06	48.23	45.36	52.59	39.71	45.31	44.84	45.85
	甘肃	9 434	19.51	26.82	24.33	27.77	20.29	24.23	24.57	23.85
龙羊峡 — 兰州	小计	91 090	142.4	156.2	128.4	138.5	113.3	134.4	142.3	125.3
	青海	47 304	78.91	77.64	62.23	75.18	65.17	70.73	71.43	69.94
	甘肃	43 786	63.47	78.56	66.12	63.31	48.10	63.62	70.86	55.34
兰州— 河口镇	小计	163 644	47.14	40.51	40.08	35.29	42.67	40.37	41.44	39.16
	甘肃	30 113	4.28	3.70	3.63	3.69	4.39	3.90	3.77	4.06
	宁夏	41 757	5.70	5.68	5.50	4.91	6.17	5.59	5.61	5.57
	内蒙古	91 774	37.16	31.13	30.95	26.69	32.11	30.88	32.06	29.53
河口镇— 龙门	小计	111 272	70.76	65.13	63.80	56.70	55.82	61.18	65.51	56.24
	内蒙古	22 828	19.66	18.56	17.89	14.12	14.72	16.58	18.46	14.43
	山西	33 276	14.25	13.82	14.60	13.44	13.55	13.88	14.22	13.50
	陕西	55 168	36.85	32.75	31.31	29.14	27.55	30.72	32.83	28.31

续表 5-6

二级区	省（区）	面积 （km²）	1956～ 1959	1960～ 1969	1970～ 1979	1980～ 1989	1990～ 2000	1956～ 2000	1956～ 1979	1980～ 2000
龙门— 三门峡	小计	191 109	178.8	179.1	147.7	164.4	131.1	157.1	165.9	146.9
	甘肃	59 908	33.72	41.66	32.99	33.03	24.44	32.90	36.72	28.53
	宁夏	8 236	4.74	6.02	4.51	4.65	4.37	4.86	5.18	4.51
	山西	48 201	46.91	43.65	36.89	35.21	33.97	38.20	41.38	34.56
	陕西	70 557	85.62	81.68	68.92	84.97	63.48	75.48	77.02	73.71
	河南	4 207	7.77	6.08	4.37	6.52	4.82	5.64	5.65	5.63
三门峡— 花园口	小计	41 694	85.03	68.64	49.90	62.96	49.53	60.00	63.56	55.93
	山西	15 661	23.78	20.32	15.09	15.99	14.40	17.06	18.72	15.16
	陕西	3 064	10.24	8.22	5.02	7.23	4.90	6.65	7.22	6.01
	河南	22 969	51.01	40.10	29.79	39.74	30.23	36.29	37.62	34.76
花园口 以下	小计	22 621	36.85	38.47	35.32	26.96	38.88	35.17	36.89	33.21
	河南	8 988	16.00	16.26	14.30	11.34	14.23	14.21	15.40	12.86
	山东	13 633	20.85	22.21	21.02	15.62	24.65	20.96	21.49	20.35
内流区	小计	42 271	12.26	13.49	11.15	9.98	10.53	11.36	12.30	10.27
	宁夏	1 399	0.05	0.04	0.06	0.03	0.05	0.05	0.05	0.04
	内蒙古	36 360	9.00	10.31	8.54	7.89	8.17	8.74	9.35	8.04
	陕西	4 512	3.21	3.14	2.55	2.06	2.31	2.57	2.90	2.19
黄河流域		795 041	738.5	782.8	682.0	739.2	618.6	706.6	733.4	676.0

表 5-7 黄河流域各省（区）水资源总量各年代统计　　　（单位：亿 m³）

省（区）	二级区	面积 （km²）	1956～ 1959	1960～ 1969	1970～ 1979	1980～ 1989	1990～ 2000	1956～ 2000	1956～ 1979	1980～ 2000
青海	小计	152 250	189.6	223.8	198.2	239.3	182.0	208.3	207.5	209.2
	龙羊峡以上	104 946	110.7	146.2	136.0	164.1	116.8	137.6	136.1	139.3
	龙羊峡—兰州	47 304	78.91	77.64	62.23	75.18	65.17	70.73	71.43	69.94
四川	小计	16 960	35.06	48.23	45.36	52.59	39.71	45.31	44.84	45.85
	龙羊峡以上	16 960	35.06	48.23	45.36	52.59	39.71	45.31	44.84	45.85
甘肃	小计	143 241	121.0	150.7	127.1	127.8	97.2	124.7	135.9	111.8
	龙羊峡以上	9 434	19.51	26.82	24.33	27.77	20.29	24.23	24.57	23.85
	龙羊峡—兰州	43 786	63.47	78.56	66.12	63.31	48.1	63.62	70.86	55.34
	兰州—河口镇	30 113	4.28	3.7	3.63	3.69	4.39	3.9	3.77	4.06
	龙门—三门峡	59 908	33.72	41.66	32.99	33.03	24.44	32.9	36.72	28.53

续表 5-7

省(区)	二级区	面积（km²）	1956~1959	1960~1969	1970~1979	1980~1989	1990~2000	1956~2000	1956~1979	1980~2000
宁夏	小计	51 392	10.49	11.74	10.07	9.59	10.59	10.50	10.84	10.12
	兰州—河口镇	41 757	5.70	5.68	5.50	4.91	6.17	5.59	5.61	5.57
	龙门—三门峡	8 236	4.74	6.02	4.51	4.65	4.37	4.86	5.18	4.51
	内流区	1 399	0.05	0.04	0.06	0.03	0.05	0.05	0.05	0.04
内蒙古	小计	150 962	65.82	60.00	57.38	48.70	55.00	56.20	59.87	52.00
	兰州—河口镇	91 774	37.16	31.13	30.95	26.69	32.11	30.88	32.06	29.53
	河口镇—龙门	22 828	19.66	18.56	17.89	14.12	14.72	16.58	18.46	14.43
	内流区	36 360	9.00	10.31	8.54	7.89	8.17	8.74	9.35	8.04
山西	小计	97 138	84.94	77.79	66.58	64.64	61.92	69.14	74.32	63.22
	河口镇—龙门	33 276	14.25	13.82	14.60	13.44	13.55	13.88	14.22	13.50
	龙门—三门峡	48 201	46.91	43.65	36.89	35.21	33.97	38.20	41.38	34.56
	三门峡—花园口	15 661	23.78	20.32	15.09	15.99	14.40	17.06	18.72	15.16
陕西	小计	133 301	135.9	125.8	107.8	123.4	98.2	115.4	120.0	110.2
	河口镇—龙门	55 168	36.85	32.75	31.31	29.14	27.55	30.72	32.83	28.31
	龙门—三门峡	70 557	85.62	81.68	68.92	84.97	63.48	75.48	77.02	73.71
	三门峡—花园口	3 064	10.24	8.22	5.02	7.23	4.90	6.65	7.22	6.01
	内流区	4 512	3.21	3.14	2.55	2.06	2.31	2.57	2.90	2.19
河南	小计	36 164	74.78	62.44	48.46	57.60	49.28	56.14	58.67	53.25
	龙门—三门峡	4 207	7.77	6.08	4.37	6.52	4.82	5.64	5.65	5.63
	三门峡—花园口	22 969	51.01	40.10	29.79	39.74	30.23	36.29	37.62	34.76
	花园口以下	8 988	16.00	16.26	14.30	11.34	14.23	14.21	15.40	12.86
山东	小计	13 633	20.85	22.21	21.02	15.62	24.65	20.96	21.49	20.35
	花园口以下	13 633	20.85	22.21	21.02	15.62	24.65	20.96	21.49	20.35
黄河流域		795 041	738.5	782.8	682.0	739.2	618.6	706.6	733.4	676.0

同样值得注意的是,黄河河源区,虽然 20 世纪 90 年代水资源总量有所减少(较多年均值偏少近 15%),但近 20 年平均情况看,由于降水量较以前略有增加,导致水资源总量也有所增加(偏多近 1%)。其他二级区都有所减少。

全流域年代对比来看,20 世纪 50、60 年代和 80 年代偏丰,70、90 年代偏枯。

四、本次评价与第一次评价成果比较

(一)总体情况

表 5-8 给出了本次水资源调查评价成果与第一次水资源调查评价成果的比较。

表 5-8　本次评价成果与第一次评价成果的对比

评价成果	评价时段	降水量（mm）	地表水资源量（亿 m³）	地下水资源量（亿 m³）	降水入渗净补给量（亿 m³）	水资源总量（亿 m³）
第一次水资源调查评价成果	1956～1979	465.7	662.0	405.8	82.2	744.2
本次水资源调查评价成果	1956～2000	447.1	594.4	377.6	112.3	706.6
本次成果较第一次成果（%）		−4.0	−10.2	−6.9	36.6	−5.1

注:地下水评价时段为 1980～2000 年。

由表 5-8 可以看出,本次评价成果与第一次水资源评价成果相比,降水量偏少了 4.0%,地表水资源量偏少了 10.2%,地下水资源量偏少了 6.9%,水资源总量偏少了 5.1%。

(二)降水入渗补给量和降水入渗补给量形成的河道排泄量

表 5-9 和表 5-10 分别给出了各二级区和各省(区)本次水资源评价成果与第一次水资源评价成果的对比。

表 5-9　二级区降水入渗补给量和降水入渗补给量形成的河道排泄量对比结果

(单位:亿 m³)

二级区	省(区)	本次评价成果								第一次评价成果			
		1956～1979 年				1980～2000 年				1956～1979 年			
		山丘区 P_r	山丘区 R_g	平原 P_r	平原 R_g	山丘区 P_r	山丘区 R_g	平原 P_r	平原 R_g	山丘区 P_r	山丘区 R_g	平原 P_r	平原 R_g
龙羊峡以上	小计	78.7	78.5	0.6	0.3	82.0	81.8	0.6	0.3	87.2	87.2	—	—
	青海	55.3	55.1	0.6	0.3	58.7	58.5	0.6	0.3	55.1	55.1		
	四川	12.8	12.8	—	—	12.8	12.8			21.5	21.5		
	甘肃	10.6	10.6			10.5	10.5			10.6	10.6		
龙羊峡—兰州	小计	56.2	55.5	0.5	0.2	53.3	51.2	0.5	0.2	65.1	65.1		
	青海	31.6	31.3	0.5	0.2	31.4	29.9	0.5	0.2	37.8	37.8		
	甘肃	24.6	24.2			21.9	21.3			27.3	27.3		
兰州—河口镇	小计	15.8	4.9	12.7	0.5	16.4	4.3	10.8	0.4	13.8	5.3	14	0.1
	甘肃	1.1	0.2	—	—	1.6	0.2			0.8	0.8		
	宁夏	1.1	1.1	1.2	0.5	1.8	1.1	1.0	0.4	1.3	1.0	1.0	
	内蒙古	13.6	3.6	11.5	—	13.0	3.0	9.8		11.7	3.5	13.0	0.1
河口镇—龙门	小计	20.8	14.8	19.1	5.3	19.1	13.0	15.4	4.2	23.8	20.9	16.5	
	内蒙古	3.2	2.0	7.7	0.5	2.8	1.5	6.4		3.2	2.9	6.6	
	山西	9.8	5.2	—	—	8.9	4.4			9.1	6.5		
	陕西	7.8	7.6	11.7	4.8	7.4	7.1	9.0	3.7	11.5	11.5	9.9	

续表 5-9

二级区	省(区)	本次评价成果								第一次评价成果			
		1956～1979年				1980～2000年				1956～1979年			
		山丘区 P_r	山丘区 R_g	平原 P_r	平原 R_g	山丘区 P_r	山丘区 R_g	平原 P_r	平原 R_g	山丘区 P_r	山丘区 R_g	平原 P_r	平原 R_g
龙门—三门峡	小计	53.9	44.6	30.6	3.2	51.6	40.0	28.1	3.3	63.8	59.1	24.8	5.6
	甘肃	10.2	9.6	0.6	0.3	9.0	8.0	0.5	0.3	12.6	12.6	0.3	—
	宁夏	2.6	2.6	—	—	2.4	2.3	—	—	2.5	2.5	—	—
	山西	19.8	12.9	10.8	0.1	18.5	10.8	9.5	0.1	21.0	16.7	9.1	—
	陕西	18.7	17.1	19.0	2.8	19.0	16.6	17.9	2.9	24.9	24.5	15.1	5.6
	河南	2.6	2.4	0.2	—	2.7	2.3	0.2	—	2.8	2.8	0.3	—
三门峡—花园口	小计	32.1	28.0	3.5	0.2	30.0	24.0	3.2	0.2	30.0	27.8	2.4	—
	山西	12.1	10.0	—	—	10.4	8.3	—	—	14.1	12.1	—	—
	陕西	3.2	3.2	—	—	2.7	2.6	—	—	3.5	3.5	—	—
	河南	16.8	14.8	3.5	0.2	16.9	13.1	3.2	0.2	12.4	12.2	2.4	—
花园口以下	小计	13.0	7.5	10.9	0.2	12.2	6.8	9.2	0.2	8.4	8.2	10.2	3.8
	河南	—	—	9.1	—	—	—	7.7	—	—	—	8.7	2.5
	山东	13.0	7.5	1.8	0.2	12.2	6.8	1.5	0.2	8.4	8.2	1.5	1.3
内流区	小计	0.3	—	9.4	—	0.3	—	7.6	—	0.2	0.2	6.4	—
	宁夏	—	—	—	—	—	—	—	—	—	—	—	—
	内蒙古	0.1	—	7.5	—	0.1	—	6.1	—	—	—	5.1	—
	陕西	0.2	—	1.9	—	0.2	—	1.5	—	0.2	0.2	1.3	—
黄河流域		270.6	234.0	87.3	9.8	264.9	221.5	75.3	8.6	292.1	273.7	74.3	9.5

表 5-10　　各省(区)降水入渗补给量和降水入渗补给量形成的河道排泄量对比结果

(单位:亿 m³)

省(区)	二级区	本次评价成果								第一次评价成果			
		1956～1979年				1980～2000年				1956～1979年			
		山丘区 P_r	山丘区 R_g	平原 P_r	平原 R_g	山丘区 P_r	山丘区 R_g	平原 P_r	平原 R_g	山丘区 P_r	山丘区 R_g	平原 P_r	平原 R_g
青海	小计	86.9	86.4	1.1	0.5	90.1	88.4	1.1	0.5	92.9	92.9	—	—
	龙羊峡以上	55.3	55.1	0.6	0.3	58.7	58.5	0.6	0.3	55.1	55.1	—	—
	龙羊峡—兰州	31.6	31.3	0.5	0.2	31.4	29.9	0.5	0.2	37.8	37.8	—	—
四川	小计	12.8	12.8	—	—	12.8	12.8	—	—	21.5	21.5	—	—
	龙羊峡以上	12.8	12.8	—	—	12.8	12.8	—	—	21.5	21.5	—	—
甘肃	小计	46.5	44.6	0.6	0.3	43.0	40.0	0.5	0.3	51.3	51.3	—	—
	龙羊峡以上	10.6	10.6	—	—	10.5	10.5	—	—	10.6	10.6	—	—
	龙羊峡—兰州	24.6	24.2	—	—	21.9	21.3	—	—	27.3	27.3	—	—
	兰州—河口镇	1.1	0.2	—	—	1.6	0.2	—	—	0.8	0.8	—	—
	龙门—三门峡	10.2	9.6	0.6	0.3	9.0	8.0	0.5	0.3	12.6	12.6	—	—

续表 5-10

省(区)	二级区	本次评价成果								第一次评价成果			
		1956～1979年				1980～2000年				1956～1979年			
		山丘区 P_r	山丘区 R_g	平原 P_r	平原 R_g	山丘区 P_r	山丘区 R_g	平原 P_r	平原 R_g	山丘区 P_r	山丘区 R_g	平原 P_r	平原 R_g
宁夏	小计	3.7	3.7	1.2	0.5	4.2	3.4	1.0	0.4	3.8	3.5	1.0	—
	兰州—河口镇	1.1	1.1	1.2	0.5	1.8	1.1	1.0	0.4	1.3	1.0	1.0	—
	龙门—三门峡	2.6	2.6	—	—	2.4	2.3	—	—	2.5	2.5	—	—
	内流区	—	—	—	—	—	—	—	—	—	—	—	—
内蒙古	小计	16.9	5.6	26.4	0.5	15.9	4.5	22.3	0.5	14.9	6.4	24.7	0.1
	兰州—河口镇	13.6	3.6	11.5	—	13.0	3.0	9.8	—	11.7	3.5	13.0	0.1
	河口镇—龙门	3.2	2.0	7.4	0.5	2.8	1.5	6.4	0.5	3.2	2.9	6.6	—
	内流区	0.1	—	7.5	—	0.1	—	6.1	—	—	—	5.1	—
山西	小计	41.7	28.1	10.8	0.1	37.8	23.5	9.5	0.1	44.2	35.3	9.1	—
	河口镇—龙门	9.8	5.2	—	—	8.9	4.4	—	—	9.1	6.5	—	—
	龙门—三门峡	19.8	12.9	10.8	0.1	18.5	10.8	9.5	0.1	21.0	16.7	9.1	—
	三门峡—花园口	12.1	10.0	—	—	10.4	8.3	—	—	14.1	12.1	—	0
陕西	小计	29.9	27.9	32.6	7.6	29.3	26.3	28.4	6.6	40.1	39.7	26.3	5.6
	河口镇—龙门	7.8	7.6	11.7	4.8	7.4	7.1	9.0	3.7	11.5	11.5	9.9	—
	龙门—三门峡	18.7	17.1	19.0	2.8	19.0	16.6	17.9	2.9	24.9	24.5	15.1	5.6
	三门峡—花园口	3.2	3.2	—	—	2.7	2.6	—	—	3.5	3.5	—	—
	内流区	0.2	—	1.9	—	0.2	—	1.5	—	0.2	0.2	1.3	—
河南	小计	19.4	17.2	12.8	0.2	19.6	15.4	11.1	0.2	15.2	15	11.4	2.5
	龙门—三门峡	2.6	2.4	0.2	—	2.7	2.3	0.2	—	2.8	2.8	0.3	—
	三门峡—花园口	16.8	14.8	3.5	0.2	16.9	13.1	3.2	0.2	12.4	12.2	2.4	—
	花园口以下	—	—	9.1	—	—	—	7.7	—	—	—	8.7	2.5
山东	小计	13.0	7.5	1.8	0.2	12.2	6.8	1.5	0.2	8.4	8.2	1.5	1.3
	花园口以下	13.0	7.5	1.8	0.2	12.2	6.8	1.5	0.2	8.4	8.2	1.5	1.3
黄河流域		270.6	234.0	87.3	9.8	264.9	221.5	75.3	8.6	292.1	273.7	74.3	9.5

1. 本次评价 1956～1979 年时段成果与第一次评价成果比较

1) 山丘区

本次水资源调查评价与第一次水资源评价成果相比,山丘区降水入渗净补给量增加了 18.2 亿 m³。主要表现在花园口以下(5.3 亿 m³)、龙门 — 三门峡(4.6 亿 m³)、河口镇 — 龙门(3.1 亿 m³)、兰州 — 河口镇(2.4 亿 m³)等二级区。

2)平原区

本次水资源调查评价与第一次水资源评价成果相比,平原区降水入渗净补给量增加了 12.7 亿 m³。主要表现在龙门—三门峡(8.16 亿 m³)、花园口以下(4.3 亿 m³)等二级区。

3)水资源分区

本次水资源调查评价与第一次水资源评价成果相比,降水入渗净补给总量增加了 30.90 亿 m³。主要表现在龙门—三门峡(12.76 亿 m³)、花园口以下(9.60 亿 m³)等二级区。

2. 本次评价 1980～2000 年时段成果与第一次评价成果比较

1)山丘区

本次水资源调查评价与第一次水资源评价成果相比,山丘区降水入渗净补给量增加了 25.0 亿 m³。主要表现在龙门—三门峡(6.9 亿 m³)、花园口以下(5.2 亿 m³)、三门峡—花园口(3.8 亿 m³)、兰州—河口镇(3.6 亿 m³)、河口镇—龙门(3.2 亿 m³)等二级区。

2)平原区

本次水资源调查评价与第一次水资源评价成果相比,虽然黄河流域整个平原区降水入渗净补给量仅增加了 1.9 亿 m³,但各二级区表现不一,有的增多,有的减少。例如,龙门—三门峡区间增多了 5.56 亿 m³,河口镇—龙门区间减少了 5.3 亿 m³。

3)水资源分区

本次水资源调查评价与第一次水资源评价成果相比,降水入渗净补给总量增加了 26.90 亿 m³。主要表现在龙门 — 三门峡(12.46 亿 m³)、花园口以下(7.8 亿 m³)等二级区。

第三节　黄河现状下垫面条件下水资源总量

根据黄河水资源的特点,黄河现状下垫面条件下的水资源总量的计算应采取下式:

$$W = R + P_r - R_g \tag{5-6}$$

式中　　W—— 水资源总量;

R—— 现状下垫面条件下的河川天然径流量;

P_r—— 降水入渗补给量;

R_g—— 河川基流量(平原区为降水入渗补给量形成的河道排泄量)。

一、基本特征

以利津水文站计算,现状下垫面条件下的水资源总量 638.3 亿 m³,产水模数 8.49 万 m³/(km² • a)。其中,河川天然径流量 534.8 亿 m³(占水资源总量的 83.8%),降水入渗净补给量 103.5 亿 m³(占水资源总量的 16.2%)。C_v 值 0.22,黄河水资源总量最大 1 153 亿 m³(1964 年),最小 411.3 亿 m³(1997 年)。

表 5-11 给出了黄河干支流主要水文站现状水资源总量基本特征。

表 5-11　黄河干支流主要水文站现状水资源总量基本特征

河流	水文站	集水面积（km²）	年水资源总量		C_v	C_s/C_v	不同频率水资源总量（亿 m³）			
			mm	亿 m³			20％	50％	75％	95％
黄河	唐乃亥	121 972	168.6	205.6	0.26	3.0	246.7	199.0	167.6	132.1
黄河	兰州	222 551	149.1	331.9	0.22	3.0	389.6	324.0	279.6	227.5
黄河	河口镇	385 966	92.3	356.5	0.21	3.0	416.2	348.6	302.5	247.9
黄河	龙门	497 552	84.9	422.5	0.20	3.0	488.8	414.4	363.2	301.5
黄河	三门峡	688 421	81.7	562.7	0.20	3.0	653.6	551.3	481.1	397.2
黄河	花园口	730 036	85.0	620.8	0.21	3.0	726.4	606.7	525.4	429.3
黄河	利津	751 869	84.9	638.3	0.22	3.0	748.0	623.4	538.8	439.3
湟水	民和	15 342	141.0	21.63	0.24	3.0	25.66	21.03	17.95	14.39
渭河	华县	106 498	89.6	95.38	0.34	3.0	120.0	89.9	71.5	52.8
泾河	张家山	43 216	44.1	19.03	0.32	3.0	23.73	18.05	14.52	10.85
北洛河	洑头	25 154	40.4	10.05	0.32	3.0	12.49	9.55	7.72	5.80
汾河	河津	38 728	80.8	31.28	0.23	3.0	37.16	30.40	25.90	20.72
伊洛河	黑石关	18 563	184.7	31.16	0.52	3.0	42.17	27.16	19.34	13.23
沁河	武陟	12 880	126.2	16.25	0.37	3.0	20.71	15.18	11.86	8.60
大汶河	戴村坝	8 264	250.1	18.78	0.44	3.0	24.68	17.02	12.72	8.90

从不同保证率黄河水资源总量来看，20％、50％、75％ 和 95％ 条件下数值分别为 748.0 亿 m³、623.4 亿 m³、538.8 亿 m³、439.3 亿 m³。即 4 年一遇的枯水年黄河水资源总量 538.8 亿 m³，20 年一遇的枯水年水资源总量 439.3 亿 m³，5 年一遇的丰水年水资源总量 748.0 亿 m³。

二、黄河干流水量平衡分析

表 5-12 给出了黄河干流主要水文站 1980～2000 年时段水量平衡分析结果。可以看出，黄河利津水文站 1980～2000 年平均降水量 3 329 亿 m³（合降水深 442.0 mm），有 15％ 形成了河川径流，有 85％ 消耗于地表水体、植被的蒸散发以及潜水蒸发。

同时，降水量 3 329 亿 m³ 中，形成的降水入渗补给量 332.4 亿 m³（合降水深 44.21 mm），占 10％；由降水形成的地表径流量 279.0 亿 m³（合降水深 37.1 mm），占降水量 8％。

利津水文站 1980～2000 年平均河川天然径流量 508.9 亿 m³（折合径流深 67.7 mm），有 45％ 由地下水补给。

利津断面以上 1980～2000 年平均总蒸发量 2 820 亿 m³（折合水深 375.1 mm），占降水量 85％，其中只有 4％ 为平原区淡水的潜水蒸发量（该部分可以通过地下水开采而截取利用），有 81％ 的降水量为地表蒸散发量。

利津水文站 1980～2000 年平均水资源总量 611.3 亿 m³（折合径流深 81.3 mm），占降水量 18%，其中河川基流量与平原区淡水区潜水蒸发量之和占 54%，其余 46% 为地表径流量。

表 5-12　黄河干流主要水文站 1980～2000 年时段水量平衡分析结果（单位：亿 m³）

水文站	唐乃亥	兰州	河口镇	龙门	三门峡	花园口	利津
集水面积（km²）	121 972	222 551	385 966	497 552	688 421	730 036	751 869
P	640.7	1 069	1 477	1 929	2 922	3 188	3 329
R	207.2	320.3	324.3	366.2	460.6	507.3	508.9
P_r	82.6	136.4	163.6	198.1	277.8	311	332.4
R_s	125.1	186.8	186.1	210.8	261.9	284.4	279.0
R_g	82.1	133.5	138.2	155.4	198.7	222.9	229.9
E	433.5	748.2	1 153	1 563	2 461	2 681	2 820
E_s	433.0	745.9	1 128	1 520	2 382	2 593	2 718
E_g	0.5	2.3	25.1	42.6	79.0	87.9	102.4
W	207.7	323.1	349.4	408.8	539.6	595.2	611.3
R/P	0.323	0.300	0.220	0.190	0.158	0.159	0.153
W/P	0.324	0.302	0.237	0.212	0.185	0.187	0.184
P_r/P	0.129	0.128	0.111	0.103	0.095	0.098	0.100
R_s/P	0.195	0.175	0.126	0.109	0.090	0.089	0.084
R_g/R	0.396	0.416	0.426	0.424	0.431	0.439	0.452
E_g/E	0.001	0.003	0.022	0.027	0.032	0.033	0.036
$(R_g+E_g)/W$	0.398	0.420	0.467	0.484	0.515	0.522	0.544

三、年代变化特征

表 5-13 给出了黄河干支流主要水文站现状水资源总量不同年代的对比情况。黄河干流花园口水文站，多年平均水资源总量 620.8 亿 m³。其中，1956～1979 年平均 643.2 亿 m³，1980～2000 年平均 595.2 亿 m³（较 1956～1979 年时段偏少了 7.5%）。与多年均值相比，20 世纪 50、60 年代和 80 年代偏丰，70、90 年代偏枯，其中 90 年代偏少了 14.4%。

黄河干流利津水文站多年平均水资源总量 638.3 亿 m³。其中，1956～1979 年平均 661.9 亿 m³，1980～2000 年平均 611.3 亿 m³（较 1956～1979 年时段偏少了 7.6%）。与多年均值相比，不同年代对比来看，50、60 年代和 80 年代偏丰，70、90 年代偏枯，其中 90 年代偏枯 13.5%。

从黄河主要支流不同年代对比来看，基本上也呈 50、60、80 年代偏丰，70、90 年代偏枯状况。

表 5-13　黄河干支流主要水文站现状水资源总量各年代统计　　（单位：亿 m³）

河流	水文站	集水面积 （km²）	1956～ 1959	1960～ 1969	1970～ 1979	1980～ 1989	1990～ 2000	1956～ 2000	1956～ 1979	1980～ 2000
黄河	唐乃亥	121 972	163.3	218.2	205.6	242.8	175.8	205.6	203.8	207.7
黄河	兰州	222 551	290.6	367.2	331.6	366.7	283.4	331.9	339.6	323.1
黄河	河口镇	385 966	317.4	387.4	355.8	393.6	309.3	356.5	362.6	349.4
黄河	龙门	497 552	396.1	460.4	424.0	450.7	370.7	422.5	434.5	408.8
黄河	三门峡	688 421	567.7	618.8	553.3	602.5	482.4	562.7	583.0	539.6
黄河	花园口	730 036	641.1	690.1	597.3	665.4	531.4	620.8	643.2	595.2
黄河	利津	751 869	658.3	711.0	614.2	675.9	552.4	638.3	661.9	611.3
湟水	民和	15 342	22.75	21.80	19.15	24.43	20.78	21.63	20.85	22.52
渭河	华县	106 498	105.4	109.0	89.36	103.7	77.34	95.38	100.2	89.89
泾河	张家山	43 216	19.76	21.65	17.95	19.22	17.21	19.03	19.79	18.17
北洛河	㳇头	25 154	9.61	11.79	9.43	10.40	8.89	10.05	10.44	9.61
汾河	河津	38 728	37.28	36.40	30.94	27.08	28.59	31.28	34.27	27.87
伊洛河	黑石关	18 563	45.33	35.61	24.10	35.18	24.71	31.16	32.44	29.69
沁河	武陟	12 880	23.14	19.20	14.58	14.56	14.14	16.25	17.93	14.34
大汶河	戴村坝	8 264	19.29	19.87	19.00	14.42	21.36	18.78	19.41	18.05

　　图 5-1 和图 5-2 分别给出了花园口水文站和利津水文站 1956～2000 年降水量、天然径流深、水资源总量深度逐年对比情况。可以看出，三者丰枯变化对应关系较好。

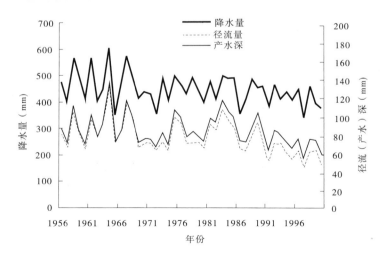

图 5-1　花园口水文站 1956～2000 年降水量、天然径流深和水资源总量深度逐年变化过程对比

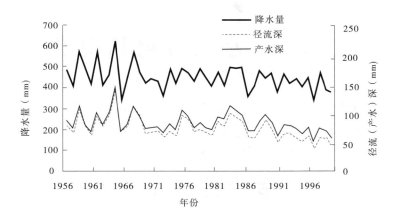

**图 5-2　利津水文站 1956～2000 年降水量、天然径流深和
水资源总量深度逐年变化过程对比**

四、现状水资源量与第一次评价成果的比较

以利津站为例,本次评价(1956～2000 年)的黄河降水量 456.9 mm,现状天然径流量 534.8 亿 m³,现状水资源总量 638.3 亿 m³,与第一次评价成果(数值分别为 476.3 mm、621.0 亿 m³、697.9 亿 m³)相比,分别偏少了 4.1%、13.8%、8.5%。

与第一次水资源评价相同的 1956～1979 年时段,本次评价的降水量基本一致,现状天然径流量偏少了 10.2%,现状水资源总量偏少了 5.2%。

本次评价的 1980～2000 年时段成果,与第一次水资源评价成果相比,降水量、现状天然径流量、现状水资源总量分别偏少了 7.2%、18.1%、12.4%。

表 5-14 给出了黄河干流主要水文站现状水资源总量不同时段成果与第一次水资源评价成果的对比结果。

表 5-14　黄河现状水资源量与第一次评价成果比较

水文站	本次评价成果						第一次评价成果		
	1956～1979 年			1980～2000 年			1956～1979 年		
	降水量（mm）	天然径流（亿 m³）	总量（亿 m³）	降水量（mm）	天然径流（亿 m³）	总量（亿 m³）	降水量（mm）	天然径流（亿 m³）	总量（亿 m³）
兰州	485.4	338.3	339.6	480.4	320.3	323.1	493.4	340.0	340.0
河口镇	395.1	338.3	362.6	382.5	324.3	349.4	401.6	344.0	366.8
龙门	409.0	390.4	434.5	387.9	366.2	408.8	415.2	411.0	452.8
三门峡	450.7	502.1	583.0	424.4	460.6	539.6	457.4	544.0	609.7
花园口	463.5	555.1	643.2	436.5	507.3	595.2	469.8	606.0	676.3
利津	469.8	557.5	661.9	442.0	508.9	611.3	476.3	621.0	697.9

第六章　水资源可利用量

水资源可利用量是从资源的角度分析可能被消耗利用的水资源量,是指在可预见的时期内,在统筹考虑生活、生产和生态环境用水的基础上,通过经济合理、技术可行的措施在当地水资源中可以一次性利用的最大水量。

第一节　地表水可利用量

地表水资源可利用量是指在可预见的时期内,在统筹考虑河道内生态环境和其他用水的基础上,通过经济合理、技术可行的措施,可供河道外生活、生产、生态用水的一次性最大水量(不包括回归水的重复利用)。本次调查评价地表水可利用量只计算了黄河干流河口镇、龙门、花园口水文站以及支流湟水民和站、洮河红旗站、渭河华县站、汾河河津站、伊洛河黑石关站等。

一、计算原则

地表水资源可利用量计算遵循以下原则。

(一)水资源可持续利用的原则

水资源可利用量是以水资源可持续开发利用为前提的,水资源的开发利用要对经济社会的发展起促进和保障作用,且又不对生态环境造成破坏。水资源可利用量分析水资源合理开发利用的最大限度和潜力,将水资源的开发利用控制在合理的范围内,充分利用当地水资源和合理配置水资源,保障水资源的可持续利用。

(二)统筹兼顾及优先保证最小生态环境需水的原则

水资源开发利用遵循高效、公平和可持续利用的原则,统筹协调生活、生产和生态等各项用水。同时,为了保持人与自然的和谐相处,保护生态环境,促进经济社会的可持续发展,必须维持生态环境最基本的需水要求。因此,在统筹河道内与河道外各项用水中,应优先保证河道内最小生态环境需水要求。

(三)以流域水系为系统的原则

地表水资源的分布以流域水系为特征。流域内的水资源具有水力联系,它们之间相互影响、相互作用,形成一个完整的水资源系统。水资源量是按流域和水系独立计算的,同样,水资源可利用量也应按流域和水系进行分析,以保持计算成果的一致性、准确性和完整性。

(四)因地制宜的原则

由于受地理条件和经济发展水平的制约,各地水资源条件、生态环境状况和经济社会发展程度不同,水资源开发利用的模式也不同。因此,不同地区、不同流域水系的水资源可利用量分析的重点与计算的方法也应有所不同。要根据资料条件和具体情况,选择相适宜的方法,计算水资源可利用量。

二、计算方法

大江大河及其支流采用倒扣计算法,从多年平均地表水资源量中扣除非汛期河道内最小生态环境用水和生产用水,以及汛期难以控制利用的洪水量,剩余的水量可供河道外用水户利用,该部分水量即为地表水资源可利用量。

(一)河道内需水量

河道内需水量包括河道内生态环境需水量和河道内生产需水量。由于河道内需水具有基本不消耗水量、可满足多项功能以及水量重复利用等特点,因此应在河道内各项需水量中选择最大的,作为河道内需水量。

1. 河道内生态环境需水分类及其估算

河道内生态环境需水量主要有:① 维持河道基本功能的需水量(包括防止河道断流、保持水体一定的自净能力、河道冲沙输沙以及维持河湖水生生物生存的水量等);② 通河湖泊湿地需水量(包括湖泊、沼泽地需水);③ 河口生态环境需水量(包括冲淤保港、防潮压咸及河口生物需水等)。

1)维持河道基本功能需水量

(1) 河道基流量。河道基流量是指维持河床基本形态,保障河道输水能力,防止河道断流保持水体一定的自净能力的最小流量,是维系河流的最基本环境功能不受破坏,必须在河道中常年流动着的最小水量阈值。

通常可供选用的估算方法有以下 3 种:

第一种是以多年平均径流量的百分数(一般取 10% ~ 20%)作为河流最小生态环境需水量。计算公式为:

$$W_r = \frac{1}{n}(\sum_{i=1}^{n} W_i)K \tag{6-1}$$

式中　　W_r—— 河流最小生态环境需水量;

W_i—— 第 i 年的地表水资源量;

K—— 选取的百分数;

n—— 统计年数。

第二种是根据近 10 年最小月平均流量或 90% 保证率最小月平均流量,计算多年平均最小生态需水量。计算公式为

$$W_r = 12 \times \min(W_{ij}) \tag{6-2}$$

或 $$W_r = 12 \times \min(W_{ij})_{P=90\%} \tag{6-3}$$

式中　　W_r—— 河流最小生态环境需水量;

$\min(W_{ij})$ —— 近 10 年最小的月径流量;

$\min(W_{ij})_{P=90\%}$—— 90% 保证率最小月径流量。

第三种是典型年法。选择满足河道基本功能、未断流,又未出现较大生态环境问题的某一年作为典型年,将典型年最小月平均流量或月径流量作为满足年生态环境需水的平均流量或月平均的径流量。公式为

$$W_r = 12 \times W_{\text{最小月径流量}} \tag{6-4}$$

或
$$W_r = 365 \times 24 \times 3\,600 \times Q_{\text{最小月平均流量}} \tag{6-5}$$

（2）冲沙输沙水量。冲沙输沙水量是为了维持河流中下游侵蚀与淤积的动态平衡，必须在河道内保持的水量。输沙需水量主要与输沙总量和水流的含沙量大小有关。水流的含沙量则取决于流域产沙量的多少、流量的大小以及水沙动力条件。一般情况下，根据来水来沙条件，可将全年冲沙输沙需水分为汛期和非汛期输沙需水。对于北方河流而言，汛期的输沙量占全年输沙总量的 80% 左右。但汛期含沙量大，输送单位泥沙的用水量比非汛期小得多。根据对黄河的分析，汛期输送单位泥沙的用水量为 $30 \sim 40 \text{ m}^3/\text{t}$，非汛期为 $100 \text{ m}^3/\text{t}$。

汛期输沙需水量计算公式为
$$W_{\text{m1}} = S_1 / C_{\text{max}} \tag{6-6}$$

或
$$W_{\text{m1}} = S_1 \cdot C_{\text{ws1}} \tag{6-7}$$

式中　　W_{m1}—— 汛期输沙需水量；

S_1—— 多年平均汛期输沙量；

C_{ws1}—— 多年平均汛期输送单位泥沙用水量；

C_{max}—— 多年最大月平均含沙量的平均值，可用下式计算：

$$C_{\text{max}} = \frac{1}{n} \sum_{i=1}^{n} \max_{j=1}^{12}(C_{ij}) \tag{6-8}$$

式中　　C_{ij}—— 第 i 年 j 月的平均含沙量；

n—— 统计年数。

非汛期输沙需水量计算公式为
$$W_{\text{m2}} = S_2 \cdot C_{\text{ws2}} \tag{6-9}$$

式中　　W_{m2}—— 非汛期输沙需水量；

S_2—— 多年平均非汛期输沙量；

C_{ws2}—— 多年平均非汛期输送单位泥沙用水量。

全年输沙需水量 W_{m} 为汛期与非汛期输沙需水量之和，即
$$W_{\text{m}} = W_{\text{m1}} + W_{\text{m2}} \tag{6-10}$$

（3）水生生物保护水量。维持河流系统水生生物生存的最小生态环境需水量，是指维系水生生物生存与发展，即保存一定数量和物种的生物资源，河道中必须保持的水量。

水生生物保护需水量可按照河道多年平均年径流量的比例估算，比例应不低于 30%。

此外，还应考虑河道水生生物及水生生态保护对水质和水量的一些特殊要求，以及稀有物种保护的特殊需求。对于这些河段，其水生生物保护需水量的取值百分数应适当提高。

对于较大的河流，不同河段水生生物物种及对水质、水量的要求不一样，可分段设定最小生态需水量。

2）通河湖泊湿地生态环境需水量

通河湖泊湿地生态环境需水量一般为维持湖泊湿地生态和环境功能所消耗的、需补

充的水量。由于通河湖泊湿地这些水量是靠天然河道的水量自然补给的,因此可以作为河道内需水考虑。

（1）通河湖泊生态环境需水量。根据湖泊的功能确定满足其生态功能的最低水位,具有多种功能的应进行综合分析确定。根据最低水位,确定相应的水面面积和容量,推算维持该最低水位、湖泊蒸发与渗漏损失的水量,以此作为湖泊的生态环境需水量。

（2）通河湿地生态环境需水量。此处所指的湿地主要是通河的沼泽地。沼泽湿地生态环境需水量是指维持沼泽湿地自身存在和发展以及发挥其应有的环境效益所需要的水量。

沼泽湿地生态环境需水量包括湿地植物需水量、土壤需水量、野生生物栖息地需水量等。

植物需水量根据植物种类、组成结构、植被面积及覆盖度、各种植物的耗水强度等影响因素进行计算。土壤需水量通过土壤水量平衡关系,根据土壤饱和持水量的要求进行计算。生物栖息地需水量计算要找出关键物种,分析确定对保护物种和生物多样性最佳的水面面积与沼泽植被面积的比例,据此计算需水量。

湿地各项生态环境需水量具有兼容性,在各项需水量计算的基础上,综合确定湿地生态环境需水量。也可根据湿地的功能和面积,结合当地的降水和蒸发状况,计算需水量。或选择典型年份湿地耗用的水量作为生态环境需水量。

3）河口生态环境需水量

（1）冲淤保港水量。冲淤保港水量是指用于入海口河段排沙,防止港口泥沙淤积所需要的水量,与入海水量关系密切。丰水和平水年份利用汛期的排水及灌溉回归水冲淤,枯水年份需要保持一定的入海水量,满足冲淤保港的需要。

（2）防潮压咸水量。感潮河流为防止枯水期潮水上溯,保持河口地区不受海水入侵的影响,必须保持河道一定的防潮压咸水量。可根据某一设计潮水位上溯可能造成的影响,分析计算河流的最小入海压咸水量。也可在历史系列中,选择河口地区未受海水入侵影响的最小月入海水量,计算相应的入海月平均流量,作为防潮压咸的控制流量。

（3）河口生物保护需水量。河口生物保护需水主要指河口栖息地保护的需水量。河口栖息地不同于一般通河湿地栖息地,它受河流和海洋动力的双重制约,河口栖息地保护是要维持河口入海水量与海水入侵的动态平衡,维持这种平衡所需的河流入海水量即为河口生物保护（生态环境）需水量。一般通过典型年入海水量的分析,确定其需水量。

2. 河道内生产需水量

河道内生产需水量主要包括航运、水力发电、旅游、水产养殖等部门的用水。河道内生产用水一般不消耗水量,可以"一水多用",但要通过在河道中预留一定的水量给予保证。河道内生产需水量要与河道内生态环境需水量综合考虑,其超过河道内生态环境需水量的部分,要与河道外需水量统筹协调。

1）航运需水量

航运需要通航河段保持一定的水位和流量,以维持航道必要的深度和宽度。在设计航运基流时,根据治理以后的航道等级标准及航道条件,计算确定相应设计最低通航水深保证率的流量,以此作为通航河段河道内航运用水的控制流量。

通航河段设计最小通航流量,可采用《内河航道与港口水文规范》(JTJ214—2000)中的保证率频率法及综合历时曲线法计算。

2)水力发电需水量

水力发电用水一般指为保持梯级电站、年调节及调峰等电站的正常运行,需要向下游下泄并在河道中保持一定的水量。水力发电一般不消耗水量,但要满足在特定时间和河段内保持一定水量的要求。在统筹协调发电用水与其他各项用水的基础上,计算确定水力发电需水量。

3)旅游用水

旅游用水主要有两个方面:一是依赖于水体的休闲娱乐业,包括游泳、游艇、滑水等水上运动与娱乐项目;二是改善旅游景观环境,需要河湖水体保持一定的水量和流动性。对于休闲娱乐用水,可按景区水面面积大小估算旅游用水;对于景观环境用水,可根据旅游景观环境保护的要求,估算河道需要保持的流量和湖泊需要补充和替换的水量。

3. 河道内总需水量

河道内总需水量是在上述各项河道内生态环境需水量及河道内生产需水量计算的基础上,逐月取外包值并将每月的外包值相加,由此得出多年平均情况下的河道内总需水量。计算公式如下:

$$W_{河道内总需水量} = \sum_{j=1}^{n} \max_{i=1}^{m}(W_{ij}) \tag{6-11}$$

式中　　W_{ij}——上述 i 项 j 月河道内需水量;

　　　　n——月数,$n = 1,2,\cdots,12$;

　　　　m——项数。

(二)汛期难以控制利用洪水量分析计算

汛期难以控制利用洪水量是指在可预期的时期内,不能被工程措施控制利用的汛期洪水量。汛期水量中除一部分可供当时利用,还有一部分可通过工程蓄存起来供今后利用外,其余水量即为汛期难以控制利用的洪水量。对于支流而言是指支流泄入干流的水量,对于入海河流是指最终泄弃入海的水量。汛期难以控制利用洪水量是根据最下游的控制节点分析计算的,不是指水库工程的弃水量,一般水库工程的弃水量到下游还可能被利用。

由于洪水量年际变化大,在总弃水量长系列中,往往一次或数次大洪水弃水量占很大比重,而一般年份、枯水年份弃水较少,甚至没有弃水。因此,要计算多年平均情况下的汛期难以控制利用洪水量,不宜采用简单地选择某一典型年的计算方法,而应以未来工程最大调蓄与供水能力为控制条件,采用天然径流量长系列资料,逐年计算汛期难以控制利用下泄的水量,在此基础上统计计算多年平均情况下汛期难以控制利用下泄洪水量。

将流域控制站汛期的天然径流量减去流域调蓄和耗用的最大水量,剩余的水量即为汛期难以控制利用下泄洪水量。汛期难以控制利用下泄洪水量的计算方法与步骤如下。

1. 确定汛期时段

各地进入汛期的时间不同,工程的调蓄能力和用户在不同时段的需水量要求也不同,因而在进行汛期难以控制利用下泄洪水量计算时所选择的汛期时段不一样。一般来说,北方地区汛期时段集中,7～8月是汛期洪水出现最多最大的时期,8～9月汛后是水库等工程调蓄水量最多的时期,而5～6月份是用水(特别是农业灌溉用水)的高峰期。北方地区汛期时段选择7～9月为宜。南方地区,汛期出现的时间较长,一般在4～10月,且又分成两个或多个相对集中的高峰期。南方地区中小型工程、引提水工程的供水能力所占比例大,同时用水时段也不像北方地区那样集中。南方地区汛期时段宜分段选取,一般4～6月为一个汛期时段,7～9月为另一个汛期时段,分别分析确定各汛期时段的难以控制利用洪水量W_m。

2. 计算汛期最大的调蓄和耗用水量W_m

对于现状水资源开发利用程度较高、在可预期的时期内基本没有新的控制性调蓄工程的流域水系,可以根据近10年来实际用水消耗量(由天然径流量与实测径流量之差计算),选择最大值作为汛期最大用水消耗量。

对于现状水资源开发利用程度较高,但尚有新的控制性调蓄工程的流域水系,可在对新建工程供水能力和作用分析的基础上,适当调整根据上述原则统计的近10年实际出现的最大用水消耗量,作为汛期最大用水消耗量。

对于现状水资源开发利用程度较低、潜力较大的地区,可根据未来规划水平年供水预测或需水预测的成果,扣除重复利用的部分,折算成用水消耗量。对于流域水系内调蓄能力较强的控制性骨干工程,分段进行计算,控制工程以上主要考虑上游的用水消耗量、向外流域调出的水量以及水库的调蓄水量;控制工程以下主要考虑下游区间的用水消耗量。全水系汛期最大调蓄及用水消耗量为上述各项相加之和。

3. 计算多年平均汛期难以控制利用下泄洪水量$W_泄$

用控制站汛期天然径流系列资料$W_天$减W_m得出逐年汛期难以控制利用洪水量$W_泄$(若$W_天-W_m<0$,则$W_泄$为0),并计算其多年平均值。

$$W_泄 = \frac{1}{n}\sum(W_{i天}-W_m) \tag{6-12}$$

式中　　$W_泄$——多年平均汛期难以控制利用洪水量;

$W_{i天}$——第i年汛期天然径流量;

W_m——流域汛期最大调蓄及用水消耗量;

n——系列年数。

(三)地表水可利用量

大江大河一般采用扣除非汛期河道内生态环境和生产需水,以及汛期难以控制利用的洪水量的方法估算地表水资源可利用量。

多年平均河川天然径流量减去非汛期河道内需水量的外包值,再减去汛期难以控制利用的洪水量的多年平均值,得出多年平均情况下地表水资源可利用量。可用下式表示:

$$W_{地表水资源可利用量} = W_{地表水资源量} - W_{河道内需水量外包} - W_{洪水弃水} \tag{6-13}$$

上述计算的河道内生态环境需水量一般为水量的年值。

三、黄河支流计算成果

(一)河道内最小生态环境需水量

表6-1给出了5支流不同计算方法得到的河道内最小生态环境需水量数值。采用年

径流量百分数法计算结果,根据北方河流的特点,河道内生态环境需水量数值取年径流量15%,湟水、洮河、渭河、汾河、伊洛河的河道内最小生态环境需水量分别为3.08亿 m³、7.24亿 m³、12.14亿 m³、2.77亿 m³ 及4.25亿 m³。

表 6-1　5 支流河道内最小生态环境需水量计算结果

支流	水文站	集水面积(km²)	计算方法	生态环境需水量(亿 m³)
湟水	民和	15 342	年径流量 10%	2.05
			年径流量 15%	3.08
			年径流量 20%	4.11
			最小月径流量系列($P=90\%$)	5.12
			近 10 年最小的月径流量	3.10
洮河	红旗	24 973	年径流量 10%	4.83
			年径流量 15%	7.24
			年径流量 20%	9.65
			最小月径流量系列($P=90\%$)	9.81
			近 10 年最小的月径流量	8.42
渭河	华县	106 498	年径流量 10%	8.10
			年径流量 15%	12.14
			年径流量 20%	16.19
			最小月径流量系列($P=90\%$)	14.87
			近 10 年最小的月径流量	8.80
汾河	河津	38 728	年径流量 10%	1.85
			年径流量 15%	2.77
			年径流量 20%	3.69
			最小月径流量系列($P=90\%$)	5.01
			近 10 年最小的月径流量	4.08
伊洛河	黑石关	18 563	年径流量 10%	2.83
			年径流量 15%	4.25
			年径流量 20%	5.67
			最小月径流量系列($P=90\%$)	6.22
			近 10 年最小的月径流量	6.10

(二)汛期难以利用的洪水量

表 6-2 给出了 5 支流汛期难以利用的洪水量计算成果。可以看出,湟水、洮河、渭河、汾河、伊洛河等 5 支流汛期难以利用的洪水量分别为 3.92亿 m³、9.76亿 m³、39.86亿 m³、2.23亿 m³、4.75亿 m³。

(三)地表水可利用量

表 6-2 给出了 5 支流地表水可利用量计算成果。可以看出,湟水、洮河、渭河、汾河、伊洛河等 5 支流地表水可利用量分别为 13.53亿 m³、31.25亿 m³、28.93亿 m³、13.47亿 m³、

19.32 亿 m³,可利用率分别为 60%、65%、37%、73%、68%。

表 6-2　5 支流汛期难以利用的洪水量及地表水可利用量计算结果

支流	水文站	集水面积 （km²）	现状多年平均 天然径流量 （亿 m³）	汛期难以利用 的洪水量 （亿 m³）	河道内生态 需水量 （亿 m³）	地表水可 利用量 （亿 m³）
湟水	民和	15 342	20.52	3.92	3.08	13.53
洮河	红旗	24 973	48.26	9.76	7.24	31.25
渭河	华县	106 498	80.93	39.86	12.14	28.93
汾河	河津	38 728	18.47	2.23	2.77	13.47
伊洛河	黑石关	18 563	28.32	4.75	4.25	19.32

四、黄河干流计算成果

这里以黄河干流河口镇、龙门、花园口以及利津 4 站为例进行分析计算。

(一)河道内最小生态环境需水量

表 6-3 给出了黄河干流 4 个控制断面计算得到的河道内生态环境需水量数值。可以看出,采用年径流量百分数法计算结果,河口镇、龙门、花园口、利津 4 断面的河道内最小生态环境需水量分别为 49.76 亿 m³、56.87 亿 m³、79.92 亿 m³ 及 80.22 亿 m³。

表 6-3　黄河干流 4 个控制断面河道内最小生态环境需水量计算结果

站名	现状多年平均天然径流量（亿 m³）	计算方法	河道内生态环境需水量（亿 m³）
河口镇	331.7	年径流量 15%	49.76
龙门	379.1	年径流量 15%	56.87
花园口	532.8	年径流量 15%	79.92
利津	534.8	年径流量 15%	80.22

(二)汛期难以利用的洪水量

表 6-4 给出了干流 4 断面汛期难以利用洪水量和冲沙水量计算成果。可以看出,河口镇、龙门、花园口、利津 4 断面汛期难以利用的洪水量和冲沙水量分别为 150.8 亿 m³、142.6 亿 m³、132.8 亿 m³ 和 130.0 亿 m³。

表 6-4　黄河干流 4 个控制断面汛期难以利用的洪水量和冲沙水量及地表水可利用量计算结果

站　名	集水面积 （km²）	现状多年平均 天然径流量 （亿 m³）	汛期难以利用的 洪水量和冲沙水量 （亿 m³）	河道内生态 环境需水量 （亿 m³）	地表水可利用量 （亿 m³）
河口镇	385 966	331.7	150.8	49.76	131.1
龙门	497 552	379.1	142.6	56.87	179.6
花园口	730 036	532.8	132.8	79.92	320.1
利津	751 869	534.8	130.0	80.22	324.8

（三）地表水可利用量

河口镇、龙门、花园口 3 个断面地表水可利用量分别为 131.1 亿 m³、179.6 亿 m³、320.1 亿 m³，地表水可开发利用程度分别为 40%、47% 和 60%。全黄河地表水可利用量为 324.8 亿 m³，可开发利用程度为 61%。

第二节　水资源可利用总量

水资源可利用总量是指地表水资源可利用量加上降水入渗补给量与其所形成的河川基流量之差的可开采部分。其估算公式为

$$W_{可利用总量} = W_{地表水可利用量} + \rho(P_r - R_g) \qquad (6-14)$$

式中　　P_r —— 降水入渗补给量；

　　　　R_g —— 降水入渗形成的河川基流量；

　　　　ρ —— 可利用系数。

从水安全角度出发，并参照黄河流域的特点，ρ 值取 0.75 ～ 0.80。表 6-5 出了黄河主要干支流水文站多年平均水资源可利用量计算成果。可以看出，湟水、洮河、渭河、汾河、伊洛河等 5 支流水资源可利用总量分别为 14.3 亿 m³、31.4 亿 m³、40.9 亿 m³、22.4 亿 m³、21.3 亿 m³。水资源可开发利用程度分别为 66%、65%、42%、72%、68%。

表 6-5　黄河主要干支流水资源可利用总量计算结果　　　　　　（单位：亿 m³）

河流	水文站	现状水资源总量	地表水可利用量	降水入渗净补给量	水资源可利用总量
黄河	河口镇	356.5	131.1	24.71	149.8
黄河	龙门	422.5	179.6	43.39	211.9
黄河	花园口	620.8	320.1	88.05	388.6
黄河	利津	638.3	324.8	103.4	406.3
湟水	民和	21.63	13.53	1.11	14.3
洮河	红旗	48.42	31.25	0.16	31.4
渭河	华县	95.38	28.93	17.07	40.9
汾河	河津	31.28	13.47	12.82	22.4
伊洛河	黑石关	31.16	19.32	2.83	21.3

黄河干流河口镇、龙门、花园口水资源可利用总量分别为 149.8 亿 m³、211.9 亿 m³、388.6 亿 m³，水资源可开发利用程度分别为 42%、50%、61%。全黄河水资源可利用总量为 406.3 亿 m³，水资源可开发利用程度为 57%（水资源总量为 706.6 亿 m³）。

与长江、淮河、海河相比，黄河地表水资源可利用率最高；水资源总量可利用率仅次于海河，居全国大江大河第二位（见表 6-6）。

表 6-6　黄河与周边流域水资源可利用率比较

流域	地表水资源量 （亿 m³）	水资源总量 （亿 m³）	地表水 可利用量 （亿 m³）	地表水可 利用率 （%）	水资源 可利用总量 （亿 m³）	水资源总量 可利用率 （%）
长江	9 857.4	9 959.7	2 960.0	30.0	2 960.0	29.7
淮河	676.9	916.3	276.0	40.8	430.0	46.9
黄河	594.4	706.6	324.8	54.6	406.3	57.5
海河	216.1	370.4	108.0	50.0	232.0	62.6

第三节　黄河水资源开发利用现状

一、供水设施和供水能力

据统计，截至 2000 年，黄河流域共建成蓄水工程 19 025 座，总库容 715.98 亿 m³，设计供水能力 55.79 亿 m³，现状供水能力 41.23 亿 m³，其中大型水库 21 座，总库容 627.53 亿 m³；引水工程 12 852 处，设计供水能力 283.51 亿 m³，现状供水能力 223.7 亿 m³；提水工程 22 338 处，设计供水能力 68.99 亿 m³，现状供水能力 62.95 亿 m³；建成机电井 60.32 万眼，现状供水能力 148.23 亿 m³。此外，还建成了少量污水回用工程和雨水利用工程。各类工程的地区分布大致为：大型水库主要分布在上、中游地区，其中中小型水库、塘堰坝、提水和机电井工程主要分布在中游地区，而引水工程多位于黄河上游和下游地区。

此外，在黄河下游，还兴建了向两岸海河、淮河平原地区供水的引黄涵闸 90 座，提水站 31 座，为开发利用水资源提供了重要的基础设施。黄河下游的海河、淮河平原地区引黄灌溉面积目前已经达到了 0.37 亿亩。

二、供（用）水量

2000 年流域各部门总用水量 419 亿 m³，其中农田灌溉用水量 297 亿 m³，占总用水量的 71%，为第一用水大户；工业用水量 59 亿 m³，占总用水量的 14%；林牧渔用水量 28 亿 m³，占总用水量的 7%；城镇生活用水量 18 亿 m³，占总用水量的 4%；农村生活用水量 17 亿 m³，占总用水量的 4%。黄河流域内各部门用水现状见表 6-7。

表 6-7　2000 年黄河流域总用水量统计　　　　　　（单位：亿 m³）

区域	城镇生活	农村生活	工业	农田灌溉	林牧渔	总用水
龙羊峡以上	0.06	0.67	0.04	1.09	0.77	2.63
龙羊峡 — 兰州	1.58	1.48	9.90	19.01	2.03	34.00
兰州 — 河口镇	4.02	2.17	12.35	149.44	17.37	185.35
河口镇 — 龙门	0.52	1.26	1.75	8.03	0.82	12.38
龙门 — 三门峡	8.12	6.29	20.95	66.68	4.07	106.11
三门峡 — 花园口	2.07	2.32	8.27	15.38	0.48	28.52
花园口以下	1.64	2.64	6.07	34.54	1.30	46.18
内流区	0.07	0.16	0.16	2.33	0.87	3.60
青海	0.76	1.24	2.82	11.33	1.79	17.93
四川	0	0.13	0.01	0	0	0.14
甘肃	2.55	2.55	12.14	24.29	1.80	43.32
宁夏	1.28	0.68	4.59	71.30	8.90	86.75
内蒙古	2.01	1.48	5.36	74.51	9.37	92.73
陕西	4.70	3.52	12.90	36.96	3.27	61.35
山西	3.17	2.74	7.30	28.69	0.77	42.68
河南	2.13	3.40	9.36	36.65	0.88	52.41
山东	1.48	1.25	5.02	12.78	0.93	21.46
总计	18.08	16.99	59.49	296.50	27.71	418.77

此外，2000 年黄河向流域外供水 66 亿 m³，因此 2000 年黄河供水区供水总量达到了 485 亿 m³，其中，地表用水量达到了 340 亿 m³（其中供给流域内 274 亿 m³，供给流域外 66 亿 m³），地下水用水量 145 亿 m³（其中开采浅层地下水 122 亿 m³，开采深层承压水 23 亿 m³）。黄河有限的水资源，不仅支撑着流域内经济社会的发展，还对邻近地区的经济社会发展起到了积极的作用。

同时，2000 年与 1950 年相比，总用水量约增加了 3.0 倍，其中地表用水量约增加了 2.8 倍，地下用水量约增加了 3.8 倍。图 6-1 给出了黄河流域用水量 1950 年、1980 年、2000 年对比情况。

不过，在过去的 20 多年中，由于节水力度加大、用水结构调整、水资源管理加强等因素，单方水产生的 GDP 大幅度增加，而人均用水量自 1985 年以后基本稳定在 395 m³ 左右。这样的发展趋势与全国情况基本一致。表 6-8 是黄河流域 1980 ～ 2000 年用水量及其用水效益变化（表中用水量不包括向流域外供水量，价格水平按 2000 年）。

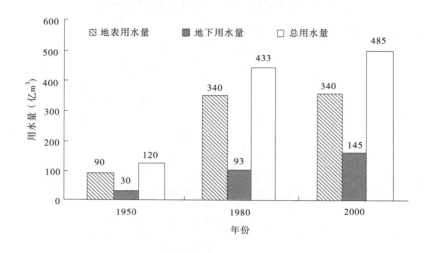

图 6-1 黄河流域不同年份用水量对比

表 6-8 黄河流域内用水变化

水平年	人口（万人）	GDP（亿元）	地表用水 （亿 m³）	总用水量 （亿 m³）	人均用水量 （m³／人）	单方水创造的 GDP（元／m³）
1980	8 176.98	916.39	249.16	342.94	419	2.67
1985	8 771.44	1 515.75	245.19	333.06	380	4.55
1990	9 574.36	2 279.96	271.75	381.12	398	5.98
1995	10 185.55	3 842.75	266.22	404.61	397	9.50
2000	10 920.06	6 216.44	272.22	418.77	383	26.08

三、近几年用水情况

黄河干流水量统一调度开始于 1999 年。由于近几年黄河流域基本处于平偏枯年份（平均降水量 431 mm，较多年均值偏少近 4%），相应地，天然来水量也有所减少，其用水量变化幅度较大。表 6-9 给出了各省（区）1999～2004 年用耗水量情况以及与国务院"87"分水方案（即南水北调生效前黄河可供水量的分配方案）（见表 6-10）的比较。

从表 6-9 中虽然可以看出，黄河干流水量统一调度以来，各省（区）地表用耗水指标没有超过国务院"87"分水方案，但由于近几年一直处于平偏枯年份，若按枯水年分水指标，实际上宁夏、内蒙古、山东等用耗水已经超过了分水指标。

图 6-2 给出了黄河供水区两个用水大户 1999 年以来地表用耗水量对比情况。可以更清楚地看出，仅 1999～2004 年共 6 年间，宁夏自治区超过国务院"87"分水方案的年份有1 年，内蒙古有 4 年，山东有 2 年。若以枯水年分水指标判别，这三个用水大户几乎所有年份都超。

表 6-9　　黄河干流水量统一调度以来用耗水量统计　　　　　（单位：亿 m³）

时段	青海	四川	甘肃	宁夏	内蒙古	山西	陕西	河南	山东	河北、天津	黄河流域
1999～2004年地表用水	15.9	0.3	37.5	76.7	67.6	24.1	11.2	33.1	66.0	6.6	335.2
1999～2004年耗水	11.7	0.2	27.4	37.5	58.4	20.9	10.0	31.0	65.0	6.6	265.4
"87"分水方案	14.1	0.4	30.4	40.0	58.6	38.0	43.1	55.4	70.0	20.0	370.0
1999～2004年地下用水	3.5	0	6.8	6.0	22.7	30.3	24.6	27.8	12.6	0	135.2

表 6-10　　南水北调生效前黄河可供水量的分配方案

省（区）	年分配水量（亿 m³）		
	农　业	生活及工业	合　计
青　海	12.1	2.0	14.1
四　川	—	0.4	0.4
甘　肃	25.8	4.6	30.4
宁　夏	38.9	1.1	40.0
内蒙古	52.3	6.3	58.6
陕　西	33.6	4.4	38.0
山　西	28.5	14.6	43.1
河　南	46.9	8.5	55.4
山　东	53.5	16.5	70.0
河北、天津	—	20.0	20.0
合　计	291.6	78.4	370.0

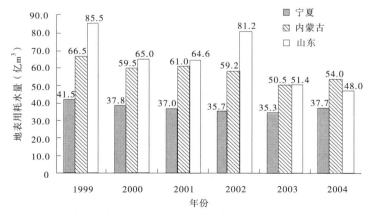

图 6-2　黄河流域用水大户 1999 年以来地表用耗水量逐年对比

第七章　地表水水质

地表水水质是指地表水体的物理、化学和生物学的特征和性质。主要评价内容包括水化学类型分析、河流现状水质评价、河流水质变化趋势分析、水功能区水质达标分析、地表水供水水源地水质评价等。

第一节　水化学类型

一、评价基本项目及方法

本次评价是在第一次全国水资源评价相关成果及其他有关工作成果的基础上进行必要的补充、分析。采用的资料多是 1990 年以后的资料。

(一)评价项目

评价项目包括矿化度、总硬度、水化学类型(钾、钠、钙、镁、重碳酸盐、氯化物、硫酸盐、碳酸盐)。水化学特征项目代表值采用年平均值。

(二)评价方法

按水体优势成分和离子间比例的水质类型分类方案,称阿列金分类法。首先,按优势阴离子将天然水划分为 3 类:重碳酸盐水($HCO_3^- + CO_3^{2-}$)、硫酸盐水和氯化物水。它们的矿化度依次增加,水质变差。然后,在每一类中又按优势阳离子分为钙质、镁质和钠质(钾加钠)3 个组。在每个组内再按阴阳离子含量的相对比例关系划分为 4 个水型。

Ⅰ 型:$HCO_3^- > Ca^{2+} + Mg^{2+}$

Ⅱ 型:$HCO_3^- < Ca^{2+} + Mg^{2+} < HCO_3^- + SO_4^{2-}$

Ⅲ 型:$HCO_3^- + SO_4^{2-} < Ca^{2+} + Mg^{2+}$ 或 $Cl^- > Na^+$

Ⅳ 型:$HCO_3^- = 0$

Ⅰ 型水的特点是 $HCO_3^- > Ca^{2+} + Mg^{2+}$。这一型水是含有大量 Na^+ 与 K^+ 的火成岩地区形成的,水中主要含 HCO_3^-,并且含较多 Na^+。这一型水多半是矿化度低、硬度小、水质好。

Ⅱ 型水的特点是 $HCO_3^- < Ca^{2+} + Mg^{2+} < HCO_3^- + SO_4^{2-}$,硬度大于碱度。从成因上看,本型水与各种沉积岩有关。大多属低矿化度和中矿化度的河水。湖水和地下水属于这一类型(有 SO_4^{2-} 硬度)。

Ⅲ 型水的特点是 $HCO_3^- + SO_4^{2-} < Ca^{2+} + Mg^{2+}$ 或者为 $Cl^- > Na^+$。从成因上看,该型水是混合水,由于离子交换使水的成分激烈地变化。成因是天然水中的 Na^+ 被土壤底泥或含水层中的 Ca^{2+} 或 Mg^{2+} 所交换。海水、残留水和许多高矿化度的地下水属于此种类型(有氯化物硬度)。

Ⅳ 型水的特点是 $HCO_3^- = 0$,此型水为酸性水。在重碳酸类水中不包括此型,只有硫酸盐与氯化物类水中的 Ca^{2+} 组与 Mg^{2+} 组中才有这一型水。天然水中一般无此类型（$pH < 4.0$）。

本分类中每一性质的水用符号表示，"类"采用相应的阴离子的符号表示（C,S,Cl），"组"采用阳离子的符号表示，写做"类"的方次的形式。"型"则用罗马字标在"类"符号的下面。全符号写成下列形式：如 C_{II}^{Ca} 表示重碳酸盐类钙组 II 型水；S_{II}^{Na} 表示硫酸盐类钠组 II 型水。

水的上述类型的差异是由水体所处水文地质环境造成的，它们有一定的地质分布规律。

二、分区水化学类型

分区评价项目包括矿化度、总硬度、水化学类型等。附图 9、附图 10、附图 11 分别给出了黄河流域地表水矿化度、总硬度、水化学类型分布基本特征。

(一)矿化度

黄河流域水资源三级区矿化度分布数值统计见表 7-1。

表 7-1 黄河流域水资源三级区矿化度分布数值统计　　　　　（单位：mg/L）

水资源三级区	均值	最小值	最大值
河源 — 玛曲	293	197	386
玛曲 — 龙羊峡	324	250	429
大通河享堂以上	335	264	530
湟水	546	174	1 700
大夏河、洮河	354	275	824
龙羊峡 — 兰州干流区间	390	256	824
兰州 — 下河沿	7 496	448	12 000
清水河、苦水河	8 187	370	39 900
下河沿 — 石嘴山	1 196	452	3 875
石嘴山 — 河口镇北岸	484	222	722
石嘴山 — 河口镇南岸	490	315	1 010
河口镇 — 龙门左岸	514	389	671
吴堡以上右岸	444	365	548
吴堡以下右岸	1 166	659	1 440
汾河	533	306	998
北洛河狱头以上	1 019	413	2 730
泾河张家山以上	1 022	300	7 510
渭河宝鸡峡以上	987	230	3 910

续表 7-1

水资源三级区	均值	最小值	最大值
渭河宝鸡峡 — 咸阳	372	159	598
渭河咸阳 — 潼关	827	286	2 030
龙门 — 三门峡干流区间	578	335	701
三门峡 — 小浪底干流区间	670	670	670
沁丹河	641	421	1 000
伊洛河	462	284	1 020
小浪底 — 花园口干流区间	801	640	961
金堤河、天然文岩渠	747	225	1 430
大汶河	877	202	4 010
花园口以下干流区间	609	296	810
内流区	1 320	1 320	1 320

矿化度是水中所含无机矿物成分的总量,是水化学的重要属性之一,常用于天然水分析中主要阴阳离子总和的质量表示。它可以直接反映出水中的总含盐量,又可以间接地反映出盐类物积累或稀释的环境条件。因矿化度受自然条件所制约,黄河流域地表水的矿化度在地区分布上差异很大。

黄河兰州断面以上区域是黄河径流的主要来源区,该区地势高,气温低,蒸发能力弱,又多石质山,河水矿化度大多属 $300 \sim 500$ mg/L 的中等矿化度水。秦岭以北、渭河以南各支流河流矿化度一般介于 $100 \sim 200$ mg/L,属低矿化度水。渭河以北的陕、甘、宁黄土高原地区和鄂尔多斯高原中西部,干旱少雨,蒸发量大,加之土壤含盐分多,河沟大多下切到第三纪红色岩系,河水矿化度很高,在 $1 000$ mg/L 以上。清水河、苦水河流域最高,平均值达到 $8 000$ mg/L 以上;碱泉口水库更是高达 $39 900$ mg/L,该地区缺水严重,当地居民只能将高矿化度水用于农田灌溉和生活,情况令人担忧。托克托至吴堡黄河两侧各支流及汾河义棠以上为 $300 \sim 500$ mg/L 的中等矿化度水。渭河以北的陕西泾河和山西汾河义棠以下区域,大部分为 $500 \sim 1000$ mg/L。黄河潼关以下,大部分区域为 $300 \sim 500$ mg/L。

(二)总硬度

黄河流域水资源三级区总硬度分布数值统计见表7-2。与水中碳酸盐及重碳酸盐结合的钙镁所形成的硬度称为碳酸盐硬度。当水中钙镁的含量超出与它们结合的碳酸盐和重碳酸盐含量时,多余的钙镁就与水中氯化物、硫酸盐、硝酸盐结成非碳酸盐硬度。碳酸盐硬度与非碳酸盐硬度的总和,即暂时硬度与永久硬度的总和,称为总硬度(钙和镁的总浓度)。河水总硬度随矿化度的增加而增加,地区分布规律基本与矿化度相似。

黄河流域总硬度的地区分布规律与矿化度相似,大部分地区为大于170 mg/L 的硬水或极硬水。

表 7-2 黄河流域水资源三级区总硬度分布数值统计 　　　　（单位：mg/L）

水资源三级区	均值	最小值	最大值
河源 — 玛曲	151	112	179
玛曲 — 龙羊峡	173	122	210
大通河享堂以上	191	146	284
湟水	264	115	650
大夏河、洮河	196	149	378
龙羊峡 — 兰州干流区间	213	162	351
兰州 — 下河沿	2 683	229	4 220
清水河、苦水河	2 396	241	14 992
下河沿 — 石嘴山	415	96	1 192
石嘴山 — 河口镇北岸	233	136	344
石嘴山 — 河口镇南岸	221	128	311
河口镇 — 龙门左岸	226	146	284
吴堡以上右岸	194	136	240
吴堡以下右岸	313	252	405
汾河	273	151	444
北洛河洑头以上	416	207	1 138
泾河张家山以上	412	131	3 148
渭河宝鸡峡以上	369	130	1 128
渭河宝鸡峡 — 咸阳	161	68	229
渭河咸阳 — 潼关	286	132	506
龙门 — 三门峡干流区间	513	176	1 302
三门峡 — 小浪底干流区间	284	284	284
沁丹河	277	198	376
伊洛河	265	173	570
小浪底 — 花园口干流区间	360	280	439
金堤河、天然文岩渠	263	102	395
大汶河	484	119	3 060
花园口以下干流区间	274	198	370
内流区	431	431	431

(三)水化学类型

天然水中主要含有 K^+、Na^+、Ca^{2+}、Mg^{2+}、Cl^-、SO_4^{2-}、HCO_3^- 和 CO_3^{2-} 等 8 大离子。它们的总量又常接近河水的矿化度。采用阿列金分类法,按水体中阴阳离子的优势成分和阴阳离子间的比例关系确定水质化学类型。

根据黄河流域 316 个代表站的资料统计,重碳酸盐类(C) 的测站为 220 个,占总测站数的 69.6%;以 C_{II}^{Ca}、C_{III}^{Ca}、C_{II}^{Na} 水型居多,分别占 30.5%、22.7%、17.7%,其余类型合计占 29.1%。氯化物类(Cl) 为 39 个,占 12.3%;以 Cl_{II}^{Na}、Cl_{III}^{Na}、Cl_{III}^{Ca} 型水居多,分别占 59.0%、17.9%、12.8%,其余占 10.3%。硫酸盐类(S) 为 57 个,占 18.1%;以 S_{II}^{Na}、S_{II}^{Ca} 型居多,分别占 71.9%、19.3%,其余占 8.8%。黄河流域 II 型水较多,其特点是硬度大于碱度。从成因上讲,II 型水与各种沉积岩有关,大多属低矿化度和中矿化度的河水。

黄河流域各水资源三级区水化学类型统计见表 7-3。按水化学类型分述如下:

(1)重碳酸盐类:河源—玛曲、玛曲—龙羊峡、大通河享堂以上、河口镇—龙门左岸、渭河宝鸡峡—咸阳、三门峡—小浪底干流区间、沁丹河、伊洛河、小浪底—花园口干流区间、金堤河天然文岩渠等 10 个三级区的测站水化学类型全部为重碳酸盐类,趋于单一化,以 C_{II}^{Ca}、C_{II}^{Na}、C_{III}^{Ca} 为主。

(2)重碳酸盐类为主兼有氯化物类:吴堡以下右岸、北洛河㳇头以上、龙门—三门峡干流区间等 3 个三级区水化学类型以重碳酸盐类为主兼有氯化物类,氯化物类占23.1%。

(3)重碳酸盐类为主兼有硫酸盐类:大夏河洮河、龙羊峡—兰州干流区间、石嘴山—河口镇南岸、吴堡以上右岸、渭河咸阳—潼关等 5 个三级区的水化学类型以重碳酸盐类为主并兼有硫酸盐类,硫酸盐类占 14.0%。

(4)重碳酸盐类为主兼有氯化物类和硫酸盐类:湟水、下河沿—石嘴山、石嘴山—河口镇北岸、汾河、大汶河、花园口以下干流区间等 6 个三级区水化学类型以重碳酸盐类为主兼有氯化物类和硫酸盐类,氯化物类占 12.9%,主要为 Cl_{II}^{Na},硫酸盐类占 14.9%,主要为 S_{II}^{Na} 和 S_{II}^{Ca}。

(5)重碳酸盐类、氯化物类和硫酸盐类兼而有之:兰州—下河沿、泾河张家山以上、渭河宝鸡峡以上等 3 个三级区水化学类型重碳酸盐类、氯化物类和硫酸盐类兼而有之。重碳酸盐类占 55.1%,主要为 C_{II}^{Ca}、C_{II}^{Na}、C_{III}^{Ca} 等;氯化物类占 16.7%,主要为 Cl_{II}^{Na}、Cl_{III}^{Ca} 和 Cl_{III}^{Na};硫酸盐类占 28.2%,主要为 S_{II}^{Na}。

(6)氯化物类或硫酸盐类为主:清水河苦水河区硫酸盐类占 50%,主要为 S_{II}^{Na};氯化物类占 38.5%,主要为 Cl_{II}^{Na}。内流区全部为 S_{II}^{Na} 型。

(四)主要河流水化学特征及其变化特点

1. 黄河干流

黄河干流矿化度介于 256～810 mg/L;总硬度介于 162～325 mg/L;水化学类型以 C_{II}^{Na}、C_{III}^{Na}、C_{II}^{Ca} 等为主。

根据 1998 年的资料,黄河干流矿化度平均值为 569 mg/L,总硬度平均值为 261 mg/L,水化学类型以 C_{II}^{Na} 为主。而 20 世纪 80 年代以前,黄河干流矿化度平均值为 447 mg/L,总硬度平均值为 191 mg/L,水化学类型以 C_I^{Na} 为主。这主要是人类活动影响和水土流失加剧造成的。黄河干流 1998 年矿化度、总硬度沿程变化情况分别见图 7-1 和图 7-2。

表 7-3　黄河流域水资源三级区水化学类型统计

水资源三级区	C_I^{Ca}	C_{II}^{Ca}	C_{III}^{Ca}	C_I^{Mg}	C_{II}^{Mg}	C_{III}^{Mg}	C_I^{Na}	C_{II}^{Na}	C_{III}^{Na}	Cl_{III}^{Ca}	Cl_{II}^{Mg}	Cl_{III}^{Mg}	Cl_I^{Na}	Cl_{II}^{Na}	Cl_{III}^{Na}	S_{II}^{Ca}	S_{III}^{Ca}	S_{III}^{Mg}	S_I^{Na}	S_{III}^{Na}	合计
河源—玛曲	1	2	1	1	1																6
玛曲—龙羊峡	1	2	2																		5
大通河享堂以上	1	7																			8
湟水		6	17	1		2		1								1				1	29
大夏河、洮河	10	2	1					1													14
龙羊峡—兰州干流区间	2	3	4				1														10
兰州—下河沿			1				1	1	1				1			1					6
清水河、苦水河			1				3	7	3					3						12	26
下河沿—石嘴山	1		2				1	6	1					6	2	1				3	27
石嘴山—河口镇北岸		1			5	1		1						1						1	9
石嘴山—河口镇南岸		2			1	1		1			3			1						1	9
河口镇—龙门左岸					1		1	3			1									1	6
吴堡以上右岸					2		2		1												5
吴堡以下右岸								2				1									3
汾河		4	2					1			1										8
北洛河状头以上		1				1		3				1							1		6
泾河张家山以上		5	1	3	6		2	4						3	1	7	1	1		4	38
渭河宝鸡峡以上		11	4				2	3						1	1			4		8	34
渭河宝鸡峡—咸阳	3	1					1	1													6
渭河咸阳—潼关	1							2								1				1	5
龙门—三门峡干流区间		1						2					1								4
三门峡—小浪底干流区间																				1	1
沁丹河		1	3													1					5
伊洛河	1	7	1			1	1														10
小浪底—花园口干流区间		1						1													2
金堤河、天然文岩渠		2						3													5
大汶河	6	6	6					1								3	1			2	19
花园口以下干流区间			3					2						2						2	9
内流区																				1	1
合计	19	67	50	9	17	3	13	39	3	1	5	2	1	23	7	11	2	2	1	41	316

可以看出，黄河干流上游从上到下，矿化度和总硬度逐渐增大，经过中游黄土高原比较稳定，从中游到下游直至入海口略有下降趋势，矿化度在 650 mg/L 左右，总硬度在 280 mg/L 左右。黄河干流石嘴山断面以上水化学类型全部为 C_{II}^{Ca} 或 C_{I}^{Ca}，石嘴山断面以下除头道拐断面为 Cl_{II}^{Na}（与地质、农灌退水等有关）以外，全部为 C_{II}^{Na} 型。

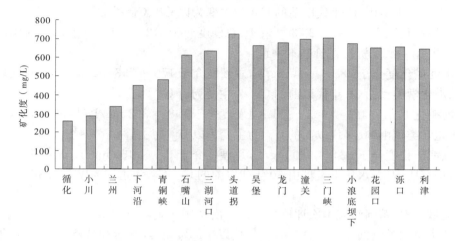

图 7-1　黄河干流 1998 年矿化度沿程变化情况

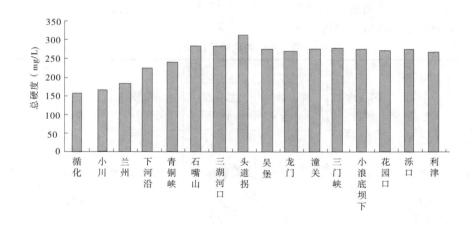

图 7-2　黄河干流 1998 年总硬度沿程变化情况

2. 主要支流

洮河矿化度介于 290～332 mg/L；总硬度介于 174～197 mg/L；水化学类型以 C_{I}^{Ca} 为主。与第一次水资源评价基本一致。

湟水矿化度介于 336～1 100 mg/L，总硬度介于 193～650 mg/L；与 80 年代以前相比，两者均有所增大。水化学类型由 80 年代以前的 C_{II}^{Ca}、C_{III}^{Ca} 为主变为以 C_{III}^{Ca} 为主。

汾河矿化度介于 354～998 mg/L；总硬度介于 151～444 mg/L；水化学类型以 C_{II}^{Ca} 为

主。与第一次水资源评价基本一致。

渭河矿化度介于 374～774 mg/L；总硬度介于 180～355 mg/L；水化学类型以 C_{II}^{Na}、C_{II}^{Ca}、C_{I}^{Na} 为主。与第一次水资源评价基本一致。

泾河矿化度介于 359～1 060 mg/L，总硬度介于 151～384 mg/L；与80年代以前基本一致。水化学类型由80年代以前的 C_{I}^{Na} 为主变为以 C_{II}^{Na}、C_{II}^{Mg} 为主。

北洛河矿化度介于 703～2 730 mg/L；总硬度介于 312～1 138 mg/L；水化学类型以 C_{II}^{Na} 为主。与第一次水资源评价基本一致。

伊洛河矿化度介于 288～494 mg/L，总硬度介于 176～293 mg/L；与80年代以前基本一致。水化学类型由80年代以前的 C_{I}^{Na} 为主变为以 C_{II}^{Ca} 为主。

沁河矿化度介于 421～603 mg/L；总硬度介于 198～303 mg/L；与80年代以前基本一致。水化学类型由80年代以前的 C_{II}^{Ca} 为主变为以 C_{III}^{Ca} 为主。

大汶河矿化度介于 334～960 mg/L，总硬度介于 170～468 mg/L。与80年代以前相比，两者均有所增大。水化学类型由80年代以前的 C_{II}^{Ca}、C_{III}^{Ca} 为主变为以 C_{II}^{Ca}、S_{II}^{Ca}、S_{II}^{Na} 为主。

3. 变化特点

全流域来看，黄河流域本次评价是在第一次全国水资源评价35个测站的基础上，扩充至316个水化学测站，所选大多为90年代以来的资料，经评价和分析比较后，结果与第一次全国水资源评价基本一致。

由于历史原因，一些测站在此次评价前已经取消。与此同时，又增加了许多站点。为了更好地对20多年来黄河流域地表水化学特征的变化有所了解，特将两次水化学评价均涉及到的21个测站的评价结果进行对比，详见表7-4。

表 7-4　两次评价比较

河名	站名	矿化度（mg/L）		总硬度（mg/L）		水化学类型	
		第一次评价	第二次评价	第一次评价	第二次评价	第一次评价	第二次评价
黄河	兰州	355	333	174	191	C_{III}^{Ca}	C_{II}^{Ca}
黄河	头道拐	466	722	230	325	C_{III}^{Ca}	Cl_{III}^{Na}
黄河	龙门	513	671	131	280	C_{II}^{Na}	C_{II}^{Na}
黄河	三门峡	504	701	194	289	C_{II}^{Na}	C_{II}^{Na}
黄河	花园口	463	640	182	280	C_{II}^{Na}	C_{II}^{Na}
黄河	利津	424	630	193	279	C_{II}^{Ca}	C_{II}^{Na}
北洛河	状头	699	703	250	312	C_{II}^{Na}	C_{II}^{Na}
大汶河	戴村坝	256	732	134	396	C_{III}^{Ca}	C_{II}^{Ca}

续表 7-4

河名	站名	矿化度(mg/L)		总硬度(mg/L)		水化学类型	
		第一次评价	第二次评价	第一次评价	第二次评价	第一次评价	第二次评价
湟水	西宁	389	661	205	281	C_{II}^{Na}	C_{III}^{Ca}
湟水	民和	595	1 100	334	650	C_{III}^{Ca}	Cl_{III}^{Ca}
泾河	张家山	662	867	250	345	C_{II}^{Na}	C_{II}^{Na}
伊洛河	长水	295	292	148	176	C_{I}^{Ca}	C_{II}^{Ca}
伊洛河	陆浑	287	284	127	173	C_{I}^{Ca}	C_{II}^{Ca}
沁河	五龙口	415	603	198	254	C_{II}^{Ca}	C_{II}^{Ca}
清水河	韩府湾	4 060	5 886	1 175	1 625	S_{II}^{Na}	S_{II}^{Na}
清水河	泉眼山	5 450	8 457	1 885	2 456	S_{II}^{Na}	S_{II}^{Na}
洮河	红旗	323	300	180	184	C_{II}^{Ca}	C_{II}^{Ca}
渭河	林家村	567	615	224	278	C_{II}^{Na}	C_{II}^{Na}
渭河	咸阳	409	542	160	229	C_{I}^{Na}	C_{II}^{Na}
渭河	华县	474	774	184	276	C_{I}^{Na}	C_{II}^{Na}
祖厉河	靖远	6 820	11 000	2 410	4 060	S_{II}^{Na}	Cl_{III}^{Na}

由表 7-4 可以看出，除个别站点外，大多数测站的矿化度和总硬度均有不同程度的增大。水化学类型个别站点有所变差，如黄河的头道拐、湟水的民和、祖厉河的靖远等；这与面源污染有一定关系。

第二节 河流现状水质评价

一、评价基本要求

(一)评价项目、标准和基准年

1. 评价项目

(1)必评项目：溶解氧、高锰酸盐指数、化学需氧量、氨氮、挥发酚和砷。

(2)选评项目：pH 值、五日生化需氧量、氟化物、氰化物、汞、铜、铅、锌、镉、铬(六价)、石油类项目。

(3)参考项目：流量、水温、总硬度、总磷、总氮。

2. 评价标准

采用《地表水环境质量标准》(GB3838—2002)。

3. 评价基准年

以 2000 年资料为基础，2000 年资料不全的以 2000 年前后 1～2 年对应时期的数据代替或进行了补测,缺乏水质监测资料无污染加入的河段根据相邻站的水质监测成果进行了插值。

(二)评价范围、站点、河长

在黄河流域水功能区划的基础上,按照本次综合规划要求的评价范围选择原则进行了较大扩充。本次规划黄河流域选择评价的河流176条,水功能一级区356个,评价河长29 740 km(见表7-5)。评价湖泊456.2 km²,水库蓄水量58.43亿 m³。

表 7-5　黄河流域水资源分区评价河流情况

二级区名称	河流长度(km)	湖泊面积(km²)	水库蓄水量(亿 m³)
龙羊峡以上	5 029.14		
龙羊峡 — 兰州	3 732.5		0.536
兰州 — 河口镇	4 932.0	301.2	1.134
河口镇 — 龙门	4 363.5		3.183
龙门 — 三门峡	7 668.8		21.34
三门峡 — 花园口	2 035.1		25.99
花园口以下	1 978.9	155.0	6.247

现状水质评价黄河流域共选择176条河流,586个水质测站。其中河流评价站点568个,评价河长为29 740.2 km,湖泊评价站点3个,评价面积456.2 km²,水库评价站点33个(与河流站点重复18个),评价水库蓄水量58.43亿 m³。各级水资源区详细情况如下:

(1)水资源一级区:评价河流站点568个,评价河长为29 740.2 km,湖泊3个站点,评价面积510.2 km²,水库33个站点,蓄水量58.43亿 m³。

(2)水资源二级区:评价河流站点574个,评价河长为29 740.2 km,湖泊评价面积456.2 km²,水库评价蓄水量58.43亿 m³。

(三)评价方法

1. 单指标评价

选用评价测站汛期、非汛期、全年均值作为评价代表值,采用单指标评价法(最差的项目赋全权,又称一票否决法),以地表水环境质量 Ⅲ 类标准值作为水体是否超标的判定值(Ⅰ、Ⅱ、Ⅲ 类水质定义为达标,Ⅳ、Ⅴ、劣于 Ⅴ 类水质定义为超标),当出现不同类别的标准值相同的情况时,按最优类别确定水质类别(如铜从 Ⅱ ～ Ⅴ 类的标准值均为 1.0 mg/L,当实测铜浓度为1.0 mg/L时,水质类别确定为 Ⅱ 类,实测铜浓度为 1.1 mg/L时,水质类别确定为劣于 Ⅴ 类)。

根据评价结果进行测站水情期超标率和超标倍数统计以及单指标评价水质监测站数及河长水质类别统计。

其中

$$超标率 = \frac{超标次数}{监测次数}$$

$$超标倍数 = \frac{水情期代表值 － Ⅲ 类标准值}{Ⅲ 类标准值}$$

$$DO 的超标倍数 = \frac{Ⅲ 类标准值 － 水情期代表值}{Ⅲ 类标准值}$$

2. 综合评价

在单指标评价基础上,以最差项目水质类别作为测站水质类别,表征测站代表河长(面积、库容)的水质状况。

二、河流现状水质评价

(一)单项评价

(1)溶解氧。全年期评价河长 27 922.7 km,水质为Ⅰ类的河长占总评价河长的53.9%,Ⅱ类占 29.8%,Ⅲ类占 6.6%,Ⅳ类占 5.0%,Ⅴ类占 2.4%,劣Ⅴ类占 2.3%。汛期和非汛期评价河长分别为 26 601.3 km 和 26 628.6 km,其劣于Ⅲ类水质河长比例分别为 12.7%和9.1%。

(2)高锰酸盐指数。全年期评价河长 29 275.9 km,水质为Ⅰ类的河长占总评价河长的 24.7%,Ⅱ类占 44.3%,Ⅲ类占 15.1%,Ⅳ类占 6.7%,Ⅴ类占 2.7%,劣Ⅴ类占 6.4%。汛期和非汛期评价河长分别为 28 358.3 km 和 28 078.7 km,其劣于Ⅲ类水质河长分别占 16.1%和16.3%。

(3)化学需氧量。全年期评价河长 28 513.3 km,水质为Ⅰ类的河长占总评价河长的 58.6%,Ⅲ类占 8.1%,Ⅳ类占 11.9%,Ⅴ类占 7.7%,劣Ⅴ类占 13.8%。汛期和非汛期评价河长分别为 27 840.6 km 和 26 262.4 km,其劣于Ⅲ类水质河长分别占 33.3%和 34.5%。

(4)氨氮。全年期评价河长 29 649.9 km,水质为Ⅰ类的河长占总评价河长的 27.1%,Ⅱ类占 29.3%,Ⅲ类占 19.7%,Ⅳ类占 7.8%,Ⅴ类占 2.0%,劣Ⅴ类占 14.1%。汛期和非汛期评价河长分别为 28 956.9 km 和 28 328.5 km,其劣于Ⅲ类水质河长比例为 18.3%和27.1%。

(5)挥发酚。全年期评价河长 28 743.4 km,水质为Ⅰ类的河长占总评价河长的 80.4%,Ⅱ类占 0.2%,Ⅲ类占 7.9%,Ⅳ类占 4.5%,Ⅴ类占 4.8%,劣Ⅴ类占 2.2%。汛期和非汛期评价河长分别为 28 182.1 km 和 28 272.9 km,其劣于Ⅲ类水质河长比例为 7.8%和11.2%。

(6)砷。全年期评价河长 27 695.3 km,水质为Ⅰ类的河长占总评价河长的 99.2%,Ⅳ类占 0.8%。汛期和非汛期评价河长分别为 27 233.5 km 和 27 340.8 km,其劣于Ⅲ类水质河长比例为 2.6%和0.9%。

黄河流域单项及综合评价水质状况统计见表 7-6。

(二)二级区评价

黄河流域有 8 个水资源二级区,除内流区外,其他 7 个水资源二级区均进行了水质评价,评价河长 29 740.2 km。龙羊峡以上和龙羊峡 — 兰州区间水质较好,达到Ⅲ类和优于Ⅲ类水质的河长分别达到 100%和 86.8%,而花园口以下区间污染较重,劣于Ⅲ类水质

表7-6　黄河流域单项及综合评价水质状况统计

项目	时段	评价测站数	评价河长(km)	I类 测站数	I类 河长(km)	I类 占评价河长(%)	II类 测站数	II类 河长(km)	II类 占评价河长(%)	III类 测站数	III类 河长(km)	III类 占评价河长(%)	IV类 测站数	IV类 河长(km)	IV类 占评价河长(%)	V类 测站数	V类 河长(km)	V类 占评价河长(%)	劣于V类 测站数	劣于V类 河长(km)	劣于V类 占评价河长(%)
溶解氧	全年	539	27 922.7	244	15 050.5	53.9	158	8 314.7	29.8	43	1 852.5	6.6	38	1 403	5.0	24	658.3	2.4	32	643.7	2.3
溶解氧	汛期	501	26 601.3	123	6 797.9	25.6	195	12 548.9	47.2	83	3 878	14.6	42	1 535.5	5.8	20	827	3.1	38	1 014	3.8
溶解氧	非汛期	523	26 628.6	274	15 954.6	59.9	126	6 723.4	25.2	32	1 499	5.6	33	1 176.8	4.4	19	412.2	1.5	39	862.6	3.2
高锰酸盐指数	全年	560	29 275.9	130	7 238.1	24.7	206	12 974.7	44.3	81	4 429.4	15.1	47	1 950.3	6.7	27	800.3	2.7	69	1 883.1	6.4
高锰酸盐指数	汛期	537	28 358.3	124	7 467.5	26.3	196	12 511.6	44.1	75	3 836.9	13.5	58	2 005.9	7.1	33	1 263.3	4.5	51	1 273.1	4.5
高锰酸盐指数	非汛期	543	28 078.7	156	9 036.1	32.2	181	11 329.6	40.3	66	3 139.7	11.2	47	2 092.1	7.5	22	648.6	2.3	71	1 832.6	6.5
化学需氧量	全年	538	28 513.3	262	16 705.1	58.6	—	—	—	57	2 299.5	8.1	68	3 382.1	11.9	51	2 201.6	7.7	100	3 925	13.8
化学需氧量	汛期	519	27 840.6	246	16 244.9	58.3	—	—	—	57	2 342.7	8.4	73	3 080.7	11.1	53	2 616.1	9.4	90	3 556.2	12.8
化学需氧量	非汛期	509	26 262.4	257	15 617.6	59.5	—	—	—	38	1 573.1	6.0	71	3 514.6	13.4	39	1 581.8	6	104	3 975.1	15.1
氨氮	全年	564	29 649.9	108	8 034	27.1	149	8 682.4	29.3	100	5 836.7	19.7	49	2 309.6	7.8	15	594.4	2	143	4 192.8	14.1
氨氮	汛期	540	28 956.9	116	7 404.9	25.6	158	10 386.3	35.9	101	5 850.7	20.2	34	1 593.4	5.5	13	435.7	1.5	118	3 285.9	11.3
氨氮	非汛期	547	28 328.5	107	8 009.7	28.3	147	7 566.4	26.7	88	5 101.7	18.0	39	2 310.3	8.2	21	1 065.1	3.8	145	4 275.3	15.1
挥发酚	全年	559	28 743.4	394	23 100.8	80.4	1	70.2	0.2	67	2 272.3	7.9	26	1 288.9	4.5	49	1 372.9	4.8	22	638.3	2.2
挥发酚	汛期	539	28 182.1	419	24 278.2	86.1	1	32.3	0.1	46	1 642.7	5.8	22	886.1	3.1	41	995.9	3.5	10	346.9	1.2
挥发酚	非汛期	545	28 272.9	379	22 589.2	79.9	2	92.2	0.3	59	2 420.9	8.6	31	819.2	2.9	51	1 645.9	5.8	23	705.5	2.5
砷	全年	538	27 695.3	531	27 466.5	99.2	—	—	—	—	—	—	6	217.4	0.8	—	—	—	1	11.4	0.0
砷	汛期	521	27 233.5	513	26 538.8	97.4	—	—	—	—	—	—	6	564.3	2.1	—	—	—	2	130.4	0.5
砷	非汛期	526	27 340.8	519	27 104.4	99.1	—	—	—	—	—	—	5	218.2	0.8	—	—	—	2	18.2	0.1
测站水质状况	全年	564	29 649.9	25	1 075.3	3.6	117	9 090.5	30.7	106	5 689.9	19.2	81	4 342.9	14.6	54	2 667.6	9.0	181	6 783.7	22.9
测站水质状况	汛期	544	29 088.6	23	986.1	3.4	105	8 653.6	29.7	107	5 599.7	19.3	96	4 911.2	16.9	49	2 516.2	8.7	164	6 421.8	22.1
测站水质状况	非汛期	548	28 362.4	30	1 751.9	6.2	120	8 681.3	30.6	92	4 648.7	16.4	72	4 123.0	14.5	46	2 372.9	8.4	188	6 784.6	23.9

河长达91.2%,其余区间劣于Ⅲ类水质河长在43.1%～63.3%之间。黄河流域水资源二级区全年期水质超标河长比例见图7-3,二级区测站水质状况统计见表7-7。

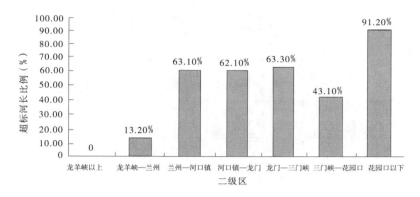

图7-3　黄河流域水资源二级区全年期水质超标河长比例

(三)综合评价

在本次黄河流域实际评价的29 649.9 km河长中,全年期综合评价水质为Ⅰ类的河长占总评价河长的3.6%,Ⅱ类占30.7%,Ⅲ类占19.2%,Ⅳ类占14.6%,Ⅴ类占9.0%,劣Ⅴ类占22.9%(见表7-6、图7-4)。

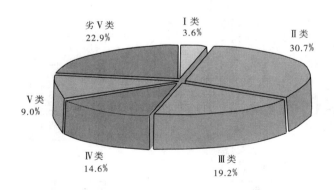

图7-4　黄河流域综合评价河流各类水质河长比例

汛期评价河长29 088.6 km,综合评价为Ⅰ类的河长占总评价河长的3.4%,Ⅱ类占29.7%,Ⅲ类占19.3%,Ⅳ类占16.9%,Ⅴ类占8.7%,劣Ⅴ类占22.1%。非汛期评价河长28 362.4 km,综合评价为Ⅰ类的河长占总评价河长的6.2%,Ⅱ类占30.6%,Ⅲ类占16.4%,Ⅳ类占14.5%,Ⅴ类占8.4%,劣Ⅴ类占23.9%。汛期和非汛期劣于Ⅲ类水质河长比例分别为47.7%和46.8%,说明黄河流域水污染形势仍较严重。

黄河流域主要河流水质现状评价结果见附图12。

表 7-7 黄河流域二级区测站水质状况统计

项目	时段	评价测站数	评价河长(km)	I类			II类			III类			IV类			V类			劣于V类		
				测站数	河长(km)	占评价河长(%)	测站数	河长(km)	占评价河长(%)	测站数	河长(km)	占评价河长(%)	测站数	河长(km)	占评价河长(%)	测站数	河长(km)	占评价河长(%)	测站数	河长(km)	占评价河长(%)
龙羊峡以上	全年	25	5 029.4	—	—	—	22	4 070.7	80.9	3	958.7	19.1	—	—	—	—	—	—	—	—	—
	汛期	25	5 029.4	—	—	—	22	4 070.7	80.9	3	958.7	19.1	—	—	—	—	—	—	—	—	—
	非汛期	22	4 196.4	2	212.5	5.1	19	3 751	89.4	1	232.9	5.5	—	—	—	—	—	—	—	—	—
龙羊峡—兰州	全年	67	3 732.5	6	406.7	10.9	35	2 363	63.3	11	470.8	12.6	3	183.4	4.9	5	168	4.5	7	140.6	3.8
	汛期	67	3 732.5	3	216.9	5.8	36	2 431	65.1	14	681.1	18.2	5	236.5	6.3	2	41.1	1.1	7	125.9	3.4
	非汛期	67	3 732.5	10	722.5	19.4	29	2 013.9	54.0	12	433.1	11.6	3	177.1	4.7	5	236.5	6.3	8	149.4	4.0
兰州—河口镇	全年	78	4 932	—	—	—	5	295.3	6	23	1 519.8	30.8	4	292.8	5.9	14	810	16.4	32	2 014.1	40.8
	汛期	78	4 932	—	—	—	3	228.5	4.6	13	740.7	15	20	1 337.9	27.1	8	431.4	8.7	34	2 193.5	44.5
	非汛期	74	4 762.9	1	42.6	0.9	6	249.9	5.2	21	1 735.2	36.4	4	292.7	6.1	12	661.7	13.9	30	1 780.8	37.4
河口镇—龙门	全年	98	4 363.5	—	—	—	16	818.3	18.8	21	834.3	19.1	34	1 713.1	39.3	11	402.6	9.2	16	595.2	13.6
	汛期	92	4 177.6	3	118.1	2.8	8	541.8	13.0	32	1 464.9	35.1	28	1 252.8	30.0	10	449.1	10.8	11	350.9	8.4
	非汛期	92	4 190.7	—	—	—	17	908.1	21.7	17	774.5	18.5	29	1 478.4	35.3	8	242.8	5.8	21	786.9	18.8
龙门—三门峡	全年	188	7 668.8	11	385.8	5.0	25	1 012.8	13.2	32	1 416.7	18.5	22	1 194.8	15.6	16	987.1	12.9	82	2 671.6	34.8
	汛期	177	7 352.7	8	314.1	4.3	22	898.9	12.2	30	1 286.7	17.5	23	1 086.7	14.8	18	1 096.7	14.9	76	2 669.6	36.3
	非汛期	187	7 626.8	12	600.2	7.9	33	1 167.7	15.3	27	1 024.2	13.4	21	1 343.8	17.6	13	802.8	10.5	81	2 688.1	35.2
三门峡—花园口	全年	74	1 988.8	8	282.8	14.2	14	514.6	25.9	13	334.3	16.8	5	135.2	6.8	7	152.2	7.7	27	569.7	28.6
	汛期	71	1 929.5	8	270.8	14.0	13	422.3	21.9	15	457.6	23.7	7	175.5	9.1	7	244.8	12.7	21	358.5	18.6
	非汛期	74	1 988.8	5	174.1	8.8	14	530.4	26.7	13	364.8	18.3	7	166.6	8.4	6	188	9.5	29	564.9	28.4
花园口以下	全年	40	1 934.9	—	—	—	1	15.8	0.8	4	155.3	8	13	823.6	42.6	3	147.7	7.6	19	792.5	41.0
	汛期	40	1 934.9	1	66.2	3.4	2	60.4	3.1	2	10	0.5	13	821.8	42.5	6	253.1	13.1	17	723.4	37.4
	非汛期	38	1 864.3	—	—	—	3	60.3	3.2	2	84	4.5	9	664.4	35.6	4	241.1	12.9	20	814.5	43.7

三、湖泊水库水质现状评价

(一)湖泊水质现状

黄河流域评价湖泊有宁夏的沙湖、内蒙古的乌梁素海和山东的东平湖 3 个湖泊,湖泊总面积 510.2 km²。评价结果如下:

全年期湖泊评价面积 461.7 km²,其中 Ⅳ 类水质湖面 160.5 km²,占评价面积 34.8%;劣 Ⅴ 类水质湖面 301.2 km²,占评价面积 65.2%。在劣 Ⅴ 类湖泊中,沙湖有 8.2 km²,乌梁素海有 293 km²。

汛期湖泊评价面积 509.2 km²,其中 Ⅴ 类水质湖面 208 km²,占评价面积 40.8%;劣 Ⅴ 类水质湖面 301.2 km²,占评价面积 59.2%。劣 Ⅴ 类水质湖泊有沙湖、乌梁素海。

非汛期湖泊评价面积 414.2 km²,其中 Ⅴ 类水质湖面 113 km²,占评价面积 27.3%;劣 Ⅴ 类水质湖面 301.2 km²,占评价面积 72.3%。劣 Ⅴ 类水质湖泊有沙湖、乌梁素海。

黄河流域评价湖泊水质状况水资源分区统计结果见表 7-8。

表 7-8　黄河流域评价湖泊水质状况评价水资源分区统计结果

水资源一级区	水资源二级区	时段	湖泊个数						湖泊评价面积(km²)						
			评价个数	Ⅰ类	Ⅱ类	Ⅲ类	Ⅳ类	Ⅴ类	劣于Ⅴ类	湖泊总面积(km²)	Ⅰ类	Ⅱ类	Ⅲ类	Ⅳ类	Ⅴ类	劣于Ⅴ类
黄河	兰州—河口镇	全年	2						2	301.2						301.2
		汛期	2						2	301.2						301.2
		非汛期	2						2	301.2						301.2
	花园口以下	全年	1				1			160.5				160.5		
		汛期	1					1		208					208	
		非汛期	1					1		113					113	
黄河流域		全年	3				1		2	461.7				160.5		301.2
		汛期	3					1	2	509.2					208	301.2
		非汛期	3					1	2	414.2					113	301.2

(二)水库水质现状

黄河流域选择 33 座水库进行水质评价,评价水库水体容积 58.43 亿 m³。评价结果如下:

全年期水库评价水体容积 35.35 亿 m³,其中 Ⅰ 类水质 13.61 亿 m³,占评价水体容积的 38.5%;Ⅱ 类水质 7.34 亿 m³,占 20.8%;Ⅲ 类 4.80 亿 m³,占 13.6%;Ⅳ 类 6.91 亿 m³,占 19.5%;Ⅴ 类水质 2.22 亿 m³,占 6.3%;劣 Ⅴ 类水质 0.46 亿 m³,占 1.3%。沈家河水库污染严重,为劣 Ⅴ 类水质。

根据黄河流域水库水质水资源分区统计结果,污染水库主要分布在清水河与苦水河、吴堡以下右岸、大汶河、花园口以下干流区间。黄河流域评价水库水质状况水资源分区统计结果见表7-9。

表7-9　黄河流域评价水库水质状况水资源分区统计结果

水资源一级区	水资源二级区	时段	水库个数							水库评价水体容积（亿 m³）						
			评价个数	I类	II类	III类	IV类	V类	劣于V类	水库总库容	I类	II类	III类	IV类	V类	劣于V类
黄河	龙羊峡—兰州	全年	3	3						0.536	0.536					
		汛期	3	3						0.536	0.536					
		非汛期	3	2		1				0.536	0.316		0.22			
	兰州—河口镇	全年	2			1			1	1.134			0.67			0.464
		汛期	2				1		1	1.134				0.67		0.464
		非汛期	2		1				1	1.134		0.67				0.464
	河口镇—龙门	全年	3				1	2		3.183				2.03	1.153	
		汛期	3				2	1		3.183				2.22	0.963	
		非汛期	3				2	1		3.183				2.993	0.19	
	龙门—三门峡	全年	15	3	5	5	2			20.199	9.239	3.104	3.456	4.40		
		汛期	14	3	4	5	2			20.209	9.263	2.030	4.517	4.40		
		非汛期	15	3	5	5	2			20.187	9.227	3.104	3.456	4.40		
	三门峡—花园口	全年	4	1	2			1		8.907	3.838	4.235			0.834	
		汛期	4	1	2		1			9.408	3.698	4.876		0.834		
		非汛期	4		2	1		1		8.661		7.704	0.123		0.834	
	花园口以下	全年	6			2	2	2		1.389			0.674	0.478	0.237	
		汛期	6				2	3	1	1.261				0.37	0.761	0.13
		非汛期	6		2	1	1	2		1.453		0.675	0.25	0.268	0.26	
黄河流域		全年	33	7	7	8	5	5	1	35.348	13.61	7.339	4.80	6.908	2.224	0.464
		汛期	32	7	6	5	8	4	2	35.731	13.50	6.905	4.517	8.494	1.724	0.594
		非汛期	33	5	10	8	5	4	1	35.154	9.543	12.153	4.049	7.661	1.284	0.464

汛期水库评价水体容积35.73亿 m³，其中 I 类水质13.50亿 m³，占评价总容积37.8%；II 类水质6.91亿 m³，占19.3%；III 类水质4.52亿 m³，占12.6%；IV 类水质8.49亿 m³，占23.8%；V 类水质1.72亿 m³，占4.8%；劣 V 类水质0.59亿 m³，占1.7%。劣 V 类水质水库为沈家河水库、雪野水库。

非汛期水库评价水体容积35.15亿 m³，其中 I 类水质9.54亿 m³，占评价总容积的27.1%；II 类水质12.15亿 m³，占34.6%；III 类水质4.05亿 m³，占11.5%；IV 类水质7.66亿 m³，占21.8%；V 类水质1.28亿 m³，占3.6%；劣 V 类水质0.46亿 m³，占1.3%。

劣 V 类水质水库为沈家河水库。

四、湖泊水库营养现状评价

(一)评价标准、项目及方法

1. 评价标准

湖泊(水库)营养状态评价标准见表 7-10。

2. 评价项目

总磷、总氮、叶绿素(α)、高锰酸盐指数和透明度共 5 项。

3. 评价方法

首先查评价标准表将参数浓度值转换为评分值,监测值处于表列值两者中间者可采用相邻点内插;然后几个评价项目评分值取平均值;最后用求得的平均值再查表 7-10 得到营养状态等级。营养状态等级判别方法如下:$0 \leqslant$ 指数 $\leqslant 20$,贫营养;$20 <$ 指数 $\leqslant 50$,中营养;$50 <$ 指数 $\leqslant 100$,富营养。

表 7-10　湖泊(水库)营养状态评价标准　　　　　(单位:mg/L)

营养状态	指数	总磷(以 P 计)	总氮(以 N 计)	叶绿素(α)	高锰酸盐指数	透明度(m)
贫	10	0.001	0.020	0.000 5	0.15	10.0
	20	0.004	0.050	0.001 0	0.40	5.0
中	30	0.010	0.10	0.002 0	1.0	3.0
	40	0.025	0.30	0.004 0	2.0	1.5
	50	0.050	0.50	0.010 0	4.0	1.0
富	60	0.10	1.0	0.026 0	8.0	0.5
	70	0.20	2.0	0.064 0	10.0	0.4
	80	0.60	6.0	0.160 0	25.0	0.3
	90	0.90	9.0	0.40	40.0	0.2
	100	1.3	16.0	1.000 0	60.0	0.12

(二)湖泊

水质评价的 3 个湖泊只有东平湖营养状态评价项目较全,全年期、汛期、非汛期评价结果均为富营养,其余两个因为评价项目不全,暂不进行营养状态评价,东平湖营养状态见表 7-11。

表 7-11　黄河流域湖泊富营养化现状

湖泊名称	三级区	地级行政区	评价时段	湖泊总面积(km²)	湖泊评价面积(km²)	营养程度评价			
						总评分值	贫	中	富
东平湖	大汶河	泰安	全年	209	160.5	59			√
			汛期	209	208	57			√
			非汛期	209	113	56			√

(三)水库

黄河流域评价的 33 个水库中营养状态评价项目较全的有 10 个水库,分别为青海的东大滩水库、大南川水库、南门峡水库,甘肃的巴家嘴水库和山东的光明水库、东周水库、雪野水库、大河水库、黄前水库、卧虎山水库,其中大型水库 3 个,分别为光明水库、雪野水库、卧虎山水库,其余为中型水库。评价结果山东的光明水库、东周水库、雪野水库、大河水库、黄前水库、卧虎山水库在全年、汛期、非汛期均为富营养,其余水库均为中营养。

黄河流域水库富营养化现状见表 7-12。

表 7-12　黄河流域水库富营养化现状

水库名称	三级区	地级行政区	评价时段	水库总库容（亿 m³）	评价水库库容（亿 m³）	营养程度评价			
						总评分值	贫	中	富
东大滩水库	湟水民和以上	海北州	全年	0.22	0.22	37		√	
			汛期	0.22	0.22	36		√	
			非汛期	0.22	0.22	37		√	
大南川水库	湟水民和以上	西宁市	全年	0.132	0.132	39		√	
			汛期	0.132	0.132	39		√	
			非汛期	0.132	0.132	38		√	
南门峡水库	湟水民和以上	海东地区	全年	0.184	0.184	38		√	
			汛期	0.184	0.184	39		√	
			非汛期	0.184	0.184	37		√	
巴家嘴水库	泾河张家山以上	庆阳	全年	0.51	0.51	49		√	
			汛期	0.51	0.51	50		√	
			非汛期	0.51	0.51	48		√	
光明水库	大汶河	泰安	全年	1.04	0.268	57			√
			汛期	1.04	0.268	58			√
			非汛期	1.04	0.268	54			√
东周水库	大汶河	泰安	全年	0.8	0.295 4	60			√
			汛期	0.8	0.286 8	65			√
			非汛期	0.8	0.299 7	55			√
雪野水库	大汶河	莱芜	全年	2.21	0.2 101	64			√
			汛期	2.21	0.130 0	65			√
			非汛期	2.21	0.250 2	64			√

续表 7-12

水库名称	三级区	地级行政区	评价时段	水库总库量（亿 m³）	评价水库库容（亿 m³）	营养程度评价			
						总评分值	贫	中	富
大河水库	大汶河	泰安	全年	0.298 6	0.083	65			√
			汛期	0.298 6	0.083	61			√
			非汛期	0.298 6	0.083	68			√
黄前水库	大汶河	泰安	全年	0.732	0.378 7	54			√
			汛期	0.732	0.385 4	55			√
			非汛期	0.732	0.375 4	51			√
卧虎山水库	花园口以下干流区间	济南	全年	1.166	0.154 0	66			√
			汛期	1.166	0.108 2	59			√
			非汛期	1.166	0.176 9	65			√

第三节　河流水质变化趋势

一、选用测站基本情况

本次黄河流域水质趋势分析共选取黄河流域 96 个重点测站。分析方法采用肯达尔趋势分析法。分析时段为 1993～2000 年,分析数据为该时段内各月水质监测成果,部分断面根据资料情况,适当延长或缩短了 2～3 年资料。分析项目包括基本项目和附加项目两大类,其中基本项目包括总硬度、高锰酸盐指数、五日生化需氧量、氨氮、溶解氧、挥发酚、镉等 7 项。附加项目中,在城市下游河段和入海口增加了氯化物,在湖库站增加了总磷、总氮两项。由于多数站点水量资料缺乏,此次趋势分析只作了各水质项目浓度趋势分析,未作输送率趋势及流量调节浓度趋势分析。

本次黄河流域趋势分析选用测站在分区、分类上具有如下特点:

(1)选用测站分布相对较为均匀。从二级区来看,除人类活动较少的源头 — 龙羊峡及面积较小的内流区 2 个二级区外,96 个站点覆盖了其余 6 个二级区。从各省(区)来看,除四川省因占流域面积较小而未选用测站外,其余 8 个省(区)均有站点分布,而且分布个数相对比较均匀。

(2)河流站点居多,分布较均匀;水库站点较少,分布较集中。96 个选用站点中,92 个是河流站点,4 个为水库站点。河流站点覆盖了 6 个二级区,而水库站点均分布于花园口以下二级区内。

二、水质变化趋势

(一)水资源分区情况

黄河流域地处我国中部半干旱、半湿润地区,水资源比较贫乏。特别是自20世纪90年代以来,随着流域内改革开放的进一步深入以及工业和城市的蓬勃发展,流域内废污水排放量日益增多,加之农业施用大量化肥、农药的面源污染,造成黄河水质日趋恶化。

从本次趋势分析的结果来看(见表7-13、表7-14),目前黄河流域主要污染项目浓度上升趋势明显。其中总磷、氯化物、总硬度、高锰酸盐指数、氨氮等项目上升趋势站所占百分比均在40%以上。总磷、氯化物甚至高达60%以上。这说明20世纪90年代以来人类活动对黄河水质起了重要影响。

从二级区来看,兰州以上河段以及三门峡 — 花园口河段水质污染趋势相对较弱。其余4个二级区污染均比较严重。特别是兰州 — 河口镇、龙门 — 三门峡以及花园口以下三河段水质污染趋势最为严重。其影响水质类别的主要污染项目如氨氮、化学需氧量(COD)等上升趋势特别明显。上升趋势站所占百分比一般都在40%以上,部分区间高达70%～75%。

(二)水体类型

从水体类型统计结果来看(见表7-15),水库污染趋势比河流更为严重。主要污染项目总硬度、高锰酸盐指数、五日生化需氧量、氨氮等上升趋势均大于河流站。这与水库自净能力较弱有密切关系。

(三)不同测站类型部分测验项目

目前,从黄河流域来看,应特别关注的水体类型测站有水库站、大中城市下游控制站、大江大河控制站三类。其中水库站应特别关注的因子为总磷、总氮,因为二者含量过高会造成水体浮游植物(主要是藻类)繁殖旺盛,出现富营养化状态;大中城市下游控制站主要关注的因子为氯化物,它主要来自于生活污水和工业废水;水体中氯离子含量过高时,会损害金属管道和构筑物,并妨碍植物的生长。大江大河控制站主要关注的因子为氨氮和高锰酸盐指数,二者是影响黄河干流水质的主要超标因子,特别是龙门以下干流河段二者超标比较严重,也比较频繁。

20世纪90年代由于黄河流域经济的快速发展和人民生活水平的不断提高,各种工业废水及生活污水大量排放,加之河道水量的减少,水体稀释自净能力减弱,污径比增大,致使流域上述因子多数呈污染加重的趋势(表7-16)。其中水库水体中,3/4的测站水体总磷浓度呈上升趋势,存在着湖库水体富营养化的潜在威胁。人口在50万人以上的大中城市下游河段,60%以上的测站水体氯化物含量呈上升趋势,说明在20世纪90年代黄河流域生活污水和工业废水有了大量的增加。大江大河控制站(主要指干流站)有超过一半的测站高锰酸盐指数和氨氮浓度都是呈上升趋势,说明影响黄河干流水质的主要超标因子氨氮和高锰酸盐指数等污染在加重。

表 7-13　黄河流域二级区水质变化趋势分析水资源区统计

二级区	趋势项目	进行水质变化趋势分析的测站数	上升	下降	无趋势
龙羊峡—兰州	总硬度	19	8	—	11
	高锰酸盐指数	19	6	3	10
	五日生化需氧量	19	—	3	16
	氨氮	19	4	4	11
	溶解氧	19	5	3	11
	挥发酚	15	—	8	7
	镉	13	1	—	12
	总磷	—			0
	总氮	—			0
	氯化物	3	1	—	2
兰州—河口镇	总硬度	32	17	2	13
	高锰酸盐指数	29	13	3	13
	五日生化需氧量	17	7	5	5
	氨氮	29	14	—	15
	溶解氧	26	2	2	22
	挥发酚	29	7	6	16
	镉	21	3	6	12
	总磷	—			—
	总氮	—			—
	氯化物	8	5	—	3
河口镇—龙门	总硬度	4	2	—	2
	高锰酸盐指数	4	3	—	1
	五日生化需氧量	3	2	—	1
	氨氮	4	1	1	2
	溶解氧	4	—	3	1
	挥发酚	4	—	—	4
	镉	1	—	—	1
	总磷	—			—
	总氮	0	0	0	0
	氯化物	3	2	0	1
龙门—三门峡	总硬度	19	7	0	12
	高锰酸盐指数	17	10	1	6
	五日生化需氧量	17	1	2	14
	氨氮	17	8	0	9
	溶解氧	17	1	10	6
	挥发酚	17	4	2	11
	镉	3	0	0	3
	总磷	0	0	0	0
	总氮	0	0	0	0
	氯化物	15	10	0	5

续表 7-13

二级区	趋势项目	进行水质变化趋势分析的测站数	上升	下降	无趋势
三门峡——花园口	总硬度	8	5	0	3
	高锰酸盐指数	8	0	2	6
	五日生化需氧量	5	2	0	3
	氨氮	8	2	0	6
	溶解氧	8	2	0	6
	挥发酚	8	0	2	6
	镉	2	0	0	2
	总磷	0	0	0	0
	总氮	0	0	0	0
	氯化物	3	1	0	2
花园口以下	总硬度	14	13	0	1
	高锰酸盐指数	14	8	1	5
	五日生化需氧量	12	3	0	9
	氨氮	14	10	0	4
	溶解氧	14	4	4	6
	挥发酚	14	1	4	9
	镉	14	0	4	10
	总磷	4	3	0	1
	总氮	4	0	3	1
	氯化物	8	6	0	2

表 7-14 黄河流域一级区水质变化趋势分析水资源区统计

趋势项目	进行水质变化趋势分析的测站数	上升	下降	无趋势
总硬度	96	52	2	42
高锰酸盐指数	91	40	10	41
五日生化需氧量	73	15	10	48
氨氮	91	39	5	47
溶解氧	88	14	22	52
挥发酚	87	12	22	53
镉	54	4	10	40
总磷	4	3	0	1
总氮	4	0	3	1
氯化物	40	25	0	15

表 7-15　黄河流域单项水质趋势统计(站数)(水体类型)

水体类型	测站	总硬度	高锰酸盐指数	BOD$_5$	氨氮	溶解氧	挥发酚	镉	总磷	总氮	氯化物
河流	上升站数	49	36	14	36	14	12	4	—	—	25
	下降站数	2	10	10	5	21	21	10			0
	无趋势	41	41	45	46	49	50	36			15
水库	上升站数	3	4	1	3	0	0	0	3	0	—
	下降站数	0	0	0	0	1	1	0	0	3	
	无趋势	1	0	3	1	3	3	4	1	1	

表 7-16　黄河流域特别关注类型测站的主要项目趋势

水域类型	评价项目	进行水质变化趋势分析的测站数	统计结果		
			上升站数	下降站数	无变化站数
水库站	总磷	4	3	0	1
	总氮	4	0	3	1
人口 50 万人以上重要城市的下游控制站	氯化物	33	21	0	12
大江大河控制站	高锰酸盐指数	27	18	3	6
	氨氮	27	15	5	7

第四节　水功能区水质分析

一、水功能区规划基本情况

黄河流域水功能区划河流 176 条,湖泊水库 4 个,划分水功能一级区 356 个,区划河长 29 740.2 km,其中保护区河长 7 420.7 km,占总河长的 25.0%;缓冲区 1 559.6 km,占 5.2%;开发利用区 15 619.5 km,占 52.5%;保留区 5 140.4 km,占 17.3%。区划湖库面积 468.7 km²,其中保护区 448 km²,占总面积的 96%;开发利用区 20.7 km²,占 4%。详见表 7-17。

表 7-17　黄河流域水功能一级区成果统计（单位：长度 km；面积 km²）

河系分区	一级功能区		保护区			缓冲区		开发利用区			保留区	
	个数	长度	个数	长度	湖库面积	个数	长度	个数	长度	湖库面积	个数	长度
龙羊峡以上	23	5 016.6	17	3 058.2	—	—	—	1	143.3	—	5	1 815.1
龙羊峡—兰州	38	3 721.7	11	908.7	—	4	173.8	20	2 118.9	—	3	520.3
兰州—河口镇	49	4 955.6	6	240.6	293	3	189.6	32	3 502.1	8.2	8	1 023.3
河口镇—龙门	79	4 366.9	19	980.2	—	24	589.6	28	2237	—	8	560.1
龙门—三门峡	23	1 911.1	8	370.7	—	3	67.1	9	1 346.2	—	3	127.1
渭河	87	5 753.1	29	1 227.2	—	8	287.8	38	3 302.4	—	12	935.7
三门峡—花园口	29	1 987	11	437.7	—	4	130.7	13	1 334.9	—	1	83.7
花园口以下	28	2 028.2	8	197.4	155	3	121	13	1 634.7	12.5	4	75.1
全流域	356	29 740.2	109	7420.7	448	49	1 559.6	154	15 619.5	20.7	44	5 140.4

　　黄河流域水功能区划呈现以下特点：自上游向下游，保护区和保留区逐渐减少，开发利用区逐渐增加。

　　流域内共划保护区 109 个，总河长 7 420.7 km，以源头水保护区和自然保护区为主，跨流域调水水源保护区 1 个。保护区河长以龙羊峡以上比例最高，河长为 3 058.2 km，占全流域保护区总河长的 41.2%，主要为国家级三江源自然保护区中的水域。自然保护区中，还包括内蒙古自治区的乌梁素海及山东的东平湖。

　　黄河流域划分缓冲区 49 个，河长 1 619.5 km。缓冲区有两种类型：省界（际）河段缓冲区 40 个，上下功能衔接缓冲区 6 个。缓冲区主要分布在河口镇—龙门，该区段缓冲区个数及长度分别占全流域的 37.8% 和 49%。

　　黄河流域共划分开发利用区 154 个，河长 15 619.5 km。湖库面积 20.7 km²。大体分三种类型：取水、排污型的占 64%，单一取水型的占 32%，景观型等占 4%。开发利用区个数和河长在流域内较多的是兰州—河口镇和渭河水系。开发利用区比例最高的是花园口以下区，占该区区划河长 81%。

　　黄河流域共划分保留区 44 个，河长 5 140.4 km。保留区现状水质多为 Ⅱ、Ⅲ 类。保留区以龙羊峡以上最长，为 1 815.1 km，占全部保留区总河长的 35.3%；其次是兰州—河口镇，占 19.9%。

　　黄河流域共划分二级区 389 个，区划总河长 15 619.5 km，湖库面积 20.7 km²。二级区划成果见表 7-18。

表 7-18　黄河流域水功能二级区成果统计（单位：长度 km；面积 km²）

河系分区	二级功能区		饮用水源区			工业用水区		农业用水区		渔业用水区		景观娱乐用水区			过渡区		排污控制区	
	个数	长度	个数	长度	湖库面积	个数	长度	个数	长度	个数	长度	个数	长度	湖库面积	个数	长度	个数	长度
龙羊峡以上	1	143.3	—	—	—	—	—	1	143.3	—	—	—	—	—	—	—	—	—
龙羊峡—兰州	40	2 118.9	5	212.9	—	5	79.5	21	1 649	3	112	3	12.2	—	2	43.1	1	10.2
兰州—河口镇	66	3 502.1	7	469.9	—	2	54.5	29	2 209.5	2	169.5	1	—	8.2	11	220.2	14	378.5
河口镇—龙门	59	2 237	9	346.7	—	8	229.2	24	1 406.2	—	—	2	29.6	—	5	91.3	11	134
龙门—三门峡	44	1 346.2	5	161	—	—	58.3	13	557.2	2	206.8	1	6	—	9	218.8	12	138.1
渭河	86	3 302.4	12	481.2	—	15	651.5	34	1 865.2	—	—	4	41.8	—	8	156.2	13	106.5
三门峡—花园口	61	1 334.9	7	331.6	—	1	12	19	531.1	1	34	4	41.5	—	15	261.6	15	123.1
花园口以下	32	1 634.7	9	616.7	12.5	2	217.7	14	678.8	—	—	—	—	—	3	61.5	4	60
合　计	389	15 619.5	54	2 620	12.5	35	1 302.7	155	9 040.3	8	522.3	15	131.1	8.2	53	1 052.7	70	950.4

按长度从大到小为：农业用水区、饮用水源区、工业用水区、过渡区、排污控制区、渔业用水区、景观娱乐用水区。

饮用水源区主要分布在渭河及三门峡 — 黄河入海口段，工业用水区主要分布在渭河及河口镇 — 龙门，农业用水区主要分布在龙羊峡 — 河口镇段和渭河。

二、水功能区水质评价

（一）评价范围

黄河流域本次规划水功能区评价河长为 29 740.2 km，湖泊水库评价面积468.7 km²。扣除河干河长，实际评价河长 29 649.9 km，其中水功能一级区范围内评价河长为 14 046.7 km，湖泊水库评价面积448 km²；二级区范围内评价河长为 15 603.2 km，湖泊水库评价面积20.7 km²。

（二）评价方法

水功能区水质达标分析在河流现状水质评价成果基础上，以水功能区主导功能的水质标准作为评价标准，用水功能区的水质类别进行水功能区达标分析，即水功能区水质优于或达到该区的水质目标为达标，劣于水质目标为不达标。水功能区没有水质目标（如排污控制区）的，根据下游水功能区达标情况进行达标分析。

水功能区水质按水功能区测站的监测值确定，区内有一个以上测站的水功能区，选用水质最差测站的水质监测值为水功能区的水质代表值。根据水功能区划，一级水功能区包括保护区、缓冲区、保留区和开发利用区等4类。其中,开发利用区分为饮用水源区、工业用水区、农业用水区、渔业用水区、景观娱乐用水区、过渡区以及排污控制区等7类二级水功能区,在水功能区评价分析时,为避免重复统计,开发利用区有二级区,则计入二级区,不计入一级区。

(三)评价结果

黄河流域水资源一级区全年期总评价河长为29 649.9 km,达标河长为15 960.6 km,占53.8%;不达标河长为13 689.3 km,占46.2%。评价湖泊水库面积468.7 km²,达标面积293 km²,占62.5%。

其中评价一级水功能区202个,达标功能区118个,达标率58.4%。评价功能区河长14 046.7 km,达标河长9 372.9 km,达标河长比例为66.7%。评价湖泊水库面积448 km²,达标面积为293 km²,达标面积比例65.4%。

评价二级水功能区387个,达标功能区163个,达标率42.1%。评价功能区河长15 603.2 km,达标河长6 587.7 km,达标河长比例为42.2%。评价湖泊水库面积20.7 km²,达标面积为零。

各功能区达标河长所占比例保护区最多,占评价河长的17.9%,其次是农业用水区为15.3%。渔业用水区、景观娱乐用水区达标比例最差,接近零。

汛期评价河长29 156.2 km,达标河长为16 274.2 km,占55.8%;非汛期评价河长28 474.8 km,达标河长为15 251.3 km,占53.6%,由此可知汛期达标情况好于非汛期达标情况。就各水情期河长达标率分析,汛期达标率最高。

评价湖泊水库大部分属于保护区,从评价结果看,达标情况较差。

1. 缓冲区

缓冲区水质目标在Ⅱ～Ⅴ类之间,水资源一级区范围内黄河流域缓冲区达标率较低,全年评价河长1 559.6 km,达标河长为479.8 km,达标率为30.8%;汛期评价河长1 533.9 km,达标河长664.7 km,达标率为43.3%;非汛期评价河长1 543.8 km,达标河长382 km,达标率为24.7%。

2. 保护区

保护区水质目标为Ⅱ～Ⅳ类或现状,水资源一级区范围内黄河流域保护区评价河长7 346.7 km,全年、汛期、非汛期的达标率在70%～80%之间,达标率较高。湖泊评价面积为448 km²,大部分评价湖泊都在这一水功能区范围内,全年期、汛期、非汛期的达标率分别为65.4%、100%、65.4%。

3. 保留区

保留区水质目标为Ⅱ～Ⅳ类或现状,水资源一级区范围内黄河流域保留区评价河长5 140.4 km,全年、汛期、非汛期的达标率均接近70%。

4. 饮用水源区

饮用水源区水质目标为Ⅱ～Ⅲ类,水资源一级区范围内黄河流域饮用水源区评价河长2 620 km,全年、汛期、非汛期达标率在36%～38%之间。评价水库面积12.5 km²,全年、汛期都未达标,非汛期达标。

5. 工业用水区

工业用水区水质目标在Ⅱ～Ⅳ类,水资源一级区范围内黄河流域工业用水区评价河长1 302.7 km,全年期、汛期、非汛期达标率分别为34.3%、45.4%、31.2%。

6. 农业用水区

农业用水区水质目标在Ⅱ～Ⅴ类,水资源一级区范围内黄河流域农业用水区评价河长9 024 km,全年期、汛期、非汛期达标率分别为50.1%、52.1%、47.1%。

7. 渔业用水区

渔业用水区水质目标在Ⅱ～Ⅳ类,水资源一级区范围内黄河流域渔业用水区评价河长522.3 km,全年期、汛期、非汛期达标率分别为24.7%、24.7%、55.2%,达标率悬殊较大。

8. 景观娱乐用水区

景观娱乐用水区水质目标在Ⅲ～Ⅳ类,水资源一级区范围内黄河流域景观娱乐用水区评价河长131.1 km,全年期、汛期、非汛期达标率分别为22.1%、18.4%、17.5%,达标率较低。湖泊评价面积8.2 km²,全年、汛期、非汛期均不达标。

9. 过渡区

过渡区水质目标在Ⅲ～Ⅴ类,水资源一级区范围内黄河流域过渡区评价河长为1 052.7 km,全年期、汛期、非汛期达标率分别为28.6%、31.4%、23.3%。

黄河流域水功能区水质评价结果见表7-19。

表7-19 黄河流域水功能区水质评价结果

水功能区	时段	站点(个)		河流(km)			湖泊水库(km²)		
		总计	达标	评价河长	达标	达标率(%)	评价面积	达标	达标率(%)
缓冲区	全年	50	16	1 559.6	479.8	30.8	—	—	—
	汛期	49	22	1 533.9	664.7	43.3	—	—	—
	非汛期	49	13	1 543.8	382	24.7	—	—	—
保护区	全年	107	79	7 346.7	5 313.3	72.3	448	293	65.4
	汛期	101	76	7 103.4	5 140.6	72.4	448	448	100
	非汛期	102	75	6 505.2	5 166.3	79.4	448	293	65.4
保留区	全年	45	23	5 140.4	3 579.8	69.6	—	—	—
	汛期	44	23	5 077.7	3 509.5	69.1	—	—	—
	非汛期	44	22	5 033.2	3472.6	69.0	—	—	—
饮用水源区	全年	54	26	2 620	957.9	36.6	12.5	0	0
	汛期	53	26	2 593.6	984.3	38.0	12.5	0	0
	非汛期	52	26	2 586.5	947.5	36.6	12.5	12.5	100

续表 7-19

水功能区	时段	站点（个）		河流（km）			湖泊水库（km²）		
		总计	达标	评价河长	达标	达标率(%)	评价面积	达标	达标率(%)
工业用水区	全年	35	15	1 302.7	446.9	34.3	—	—	—
	汛期	35	20	1 302.7	591.1	45.4			
	非汛期	35	13	1302.7	406.6	31.2			
农业用水区	全年	153	79	9 024	4 525.3	50.1	—	—	—
	汛期	150	79	8 894.4	4 636.8	52.1			
	非汛期	148	71	8 810.9	4 150.3	47.1			
渔业用水区	全年	8	3	522.3	128.9	24.7	—	—	—
	汛期	8	3	522.3	128.9	24.7			
	非汛期	8	4	522.3	288.4	55.2			
景观娱乐用水区	全年	15	4	131.1	29	22.1	8.2	0	0
	汛期	14	3	125.1	23	18.4	8.2	0	0
	非汛期	15	3	131.1	23	17.5	8.2	0	0
过渡区	全年	53	15	1 052.7	301.4	28.6	—	—	—
	汛期	53	16	1 052.7	330.9	31.4			
	非汛期	53	13	1 052.7	245.4	23.3			
总计	全年	520	261	28 699.5	15 762.3	54.9	468.7	293	62.5
	汛期	507	269	28 205.8	16 000.8	56.7	468.7	448	95.6
	非汛期	506	237	27 488.4	15 082.1	54.9	468.7	305.5	65.2

三、水功能区水质达标情况

（一）6 项必评项目达标情况

水功能区水库 6 项必评项目全年期氨氮、化学需氧量、挥发酚、砷达标率较高，为 100%，溶解氧、高锰酸盐指数达标率为零。

黄河流域 6 项必评项目水功能区达标情况统计详见表 7-20。

表 7-20 黄河流域 6 项水质必评项目水功能区达标情况统计

必评项目	时段	水功能区达标个数	河长		湖泊		水库	
			达标（km）	达标率（%）	达标（km²）	达标率（%）	达标（km²）	达标率（%）
氨氮	全年	405	23 147.2	77.6	456.2	100	12.5	100
	汛期	450	24 916.1	83.5	456.2	100	0	0
	非汛期	394	22 236.1	74.5	456.2	100	12.5	100
高锰酸盐指数	全年	474	25 778.5	86.4	301.2	60.0	0	0
	汛期	486	25 923.6	86.9	456.2	100	0	0
	非汛期	479	26 418	88.5	301.2	60.0	12.5	100
化学需氧量	全年	399	21 272.8	71.3	448	98.2	12.5	100
	汛期	409	21 658.2	72.6	456.2	100	12.5	100
	非汛期	406	21 973.3	73.6	448	98.2	12.5	100
挥发酚	全年	528	27 781.8	93.1	456.2	100	12.5	100
	汛期	558	28 760	96.4	456.2	100	12.5	100
	非汛期	523	27 486.1	92.1	456.2	100	12.5	100
溶解氧	全年	544	28 423.6	95.2	456.2	100	0	0
	汛期	534	27 532.9	92.3	456.2	100	0	0
	非汛期	540	28 479	95.4	456.2	100	12.5	100
砷	全年	592	29 620	99.3	456.2	100	12.5	100
	汛期	593	29 631.6	99.3	456.2	100	12.5	100
	非汛期	595	29 667.6	99.4	456.2	100	12.5	100

1. 氨氮

全年期达标河长 23 147.2 km，占评价河长的 77.6%；湖泊达标面积 456.2 km²，占评价面积的 100%；水库达标面积 12.5 km²，占评价面积的 100%。河长达标率汛期略好于非汛期，湖泊达标率水期没有变化，水库达标率非汛期好于汛期。

2. 高锰酸盐指数

全年期达标河长 25 778.5 km,占评价河长的 86.4%;湖泊达标面积 301.2 km²,占评价面积的 60%;水库达标面积为零。河长达标率水期变化不大,湖泊达标率汛期好于非汛期,水库达标率非汛期好于汛期。

3. 化学需氧量

全年期达标河长 21 272.8 km,占评价河长的 71.3%;湖泊达标面积 448 km²,占评价面积的 98.2%;水库达标面积 12.5 km²,占评价面积的 100%。各水情期达标率无明显变化。

4. 挥发酚

全年期达标河长 27 781.8 km,占评价河长的 93.1%;湖泊达标面积 456.2 km²,占评价面积的 100%;水库达标面积 12.5 km²,占评价面积的 100%。各水情期达标率都较高,河长达标情况汛期略好于非汛期,面积达标率水期没有变化。

5. 溶解氧

全年期达标河长 28 423.6 km,占评价河长的 95.2%;湖泊达标面积 456.2 km²,占评价面积的 100%;水库达标面积为零。河长达标率水期变化不大,湖泊达标率没有变化,水库达标率非汛期好于汛期。

6. 砷

全年期达标河长 29 620 km,占评价河长的 99.3%;湖泊达标面积 456.2 km²,占评价面积的 100%;水库达标面积 12.5 km²,占评价面积的 100%。各水情期达标率都在 99%以上,达标率较高。

(二)水资源分区达标情况

黄河流域评价水资源二级区 7 个,龙羊峡以上和龙羊峡 — 兰州水功能区达标情况较好,达标河长分别达到 80.9% 和 86.9%,而花园口以下水功能区达标情况最差,达标河长为 18.7%。黄河流域水资源二级区全年期水功能区达标河长比例见图 7-5,黄河流域水资源二级区水功能达标情况统计详见表 7-21。

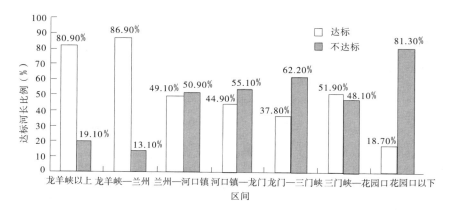

图 7-5　黄河流域水资源二级区全年期水功能区达标河长比例

表 7-21　黄河流域水资源二级区水功能达标情况统计

水资源二级区	时段	总个数（个）	达标个数（个）	达标率（%）	河流（km）			湖泊水库（km²）		
					评价河长	达标河长	达标率（%）	评价面积	达标面积	达标率（%）
龙羊峡以上	全年	24	21	87.5	5 016.6	4 057.9	80.9	—	—	—
	汛期	24	21	87.5	5 016.6	4 057.9	80.9	—	—	—
	非汛期	21	20	95.2	4 183.6	3 950.7	94.4	—	—	—
龙羊峡—兰州	全年	58	42	72.4	3 721.7	3 233.1	86.9	—	—	—
	汛期	58	44	75.9	3 721.7	3 395.9	91.2	—	—	—
	非汛期	58	39	67.2	3 721.7	2 959.1	79.5	—	—	—
兰州—河口镇	全年	84	35	41.7	4 955.6	2 434.6	49.1	301.2	293	97.3
	汛期	84	31	36.9	4 955.6	2 216.6	44.7	301.2	293	97.3
	非汛期	81	34	42.0	4 820.9	2 559.4	53.1	301.2	293	97.3
河口镇—龙门	全年	110	49	44.5	4 366.9	1 961.9	44.9	—	—	—
	汛期	105	64	61.0	4 118.9	2 423.3	58.8	—	—	—
	非汛期	105	44	41.9	4 242.1	1 910.4	45.0	—	—	—
龙门—三门峡	全年	193	83	43.0	7 664.2	2 894.1	37.8	—	—	—
	汛期	188	80	42.6	7 518.1	2 670.4	35.5	—	—	—
	非汛期	192	79	41.1	7 652.2	2 667.3	34.9	—	—	—
三门峡—花园口	全年	74	39	52.7	1 940.7	1 007.6	51.9	—	—	—
	汛期	71	40	56.3	1 841.1	1 109.7	60.3	—	—	—
	非汛期	74	34	45.9	1 940.7	941.6	48.5	—	—	—
花园口以下	全年	46	12	26.1	1 984.2	371.4	18.7	167.5	0	0
	汛期	46	14	30.4	1 984.2	400.4	20.2	167.5	155	92.5
	非汛期	46	9	19.6	1 913.6	262.8	13.7	167.5	12.5	7.5
黄河流域	全年	589	281	47.7	29 649.9	15 960.6	53.8	468.7	293	62.5
	汛期	576	294	51.0	29 156.2	16 274.2	55.8	468.7	448	95.6
	非汛期	577	259	44.9	28 474.8	15 251.3	53.6	468.7	305.5	65.2

第五节　地表水供水水源地水质评价

一、地表水供水水源地基本情况

(一)水源地分布情况

黄河流域水功能区划共划分调水水源地保护区 1 个,饮用水源区 54 个(见表 7-22)。供水水源地评价范围主要为规划范围内水功能区划所确定的保护区中的集中式饮用水水源地、开发利用区中人口 20 万人以上城镇日供水量 5 万 t 以上的饮用水水源区,对于部分不在以上范围但较重要的供水水源地也进行了评价。

表 7-22　黄河流域规划河流饮用水源区划分情况

河系分区	调水水源保护区			饮用水水源区		
	个数	长度(km)	湖库面积(km²)	个数	长度(km)	湖库面积(km²)
龙羊峡以上	—	—	—	—	—	—
龙羊峡 — 兰州	—	—	—	5	212.9	—
兰州 — 河口镇	—	—	—	7	469.9	—
河口镇 — 龙门	1	73	—	9	346.7	—
龙门 — 三门峡	—	—	—	17	642.2	—
三门峡 — 花园口	—	—	—	7	331.6	—
花园口以下	—	—	—	9	616.7	12.5
黄河流域	1	73	—	54	2 620	12.5

黄河流域共选择评价地表水供水水源地 28 个,其中黄河干流 12 个,支流 16 个。这 28 个水源地 8 个在甘肃省,2 个在宁夏,2 个在内蒙古,1 个在山西省,7 个在陕西省,4 个在河南省,4 个在山东省。黄河流域评价供水水源地情况见表 7-23。

表 7-23　黄河流域评价供水水源地情况

水资源二级区	保护区	保留区	饮用水水源区	农业用水区	景观娱乐用水区	合计
龙羊峡以上	—	—	—	—	—	—
龙羊峡 — 兰州	—	1	1	1	1	4
兰州 — 河口镇	—	—	3	1	—	4
河口镇 — 龙门	1	—	1	—	—	2
龙门 — 三门峡	2	1	7	1	—	11
三门峡 — 花园口	—	—	1	—	—	1
花园口以下	1	—	5	—	—	6
合　计	4	2	18	3	1	28

(二)供水情况

黄河流域评价 28 个供水水源地,其中 24 个为常年供水,4 个为季节性供水,年城镇生活供水总量 10.14 亿 t,供水量最大的水源地是万家寨水库,供水城市太原市,年供水量1.44 亿 t;供水量最小的水源地是西峡水库,供水城市固原市,年供水量为 59.86 万 t。

(三)水源地水质监测情况

水源地常规项目指《地表水环境质量标准》(GB3838—2002)基本项目和集中式生活饮用水地表水源地补充项目。评价水源地监测项目包括水温、总硬度、溶解氧、高锰酸盐指数、氨氮、挥发酚、砷、硫酸盐、氯化物、硝酸盐、铁、锰、汞、铜、铅、锌、镉、氰化物、六价铬、石油类、五日生化需氧量、化学需氧量、氟化物、总磷、总氮,监测项目最多的为 25 项,最少的为 5 项。年监测频次最多的为 12 次,最少的为 2 次。

二、评价方法及结果

(一)评价方法

1. 评价项目

河流水质现状评价中的必评与选评水质项目及《地表水环境质量标准》(GB3838—2002)中补充项目。其中必评项目为溶解氧、高锰酸盐指数、氨氮、挥发酚、砷、硫酸盐、氯化物、硝酸盐、铁、锰。评价项目中总氮、总磷作为参考项目,不参与综合水质评价。

2. 评价标准

采用《地表水环境质量标准》(GB3838—2002)。河流水质现状评价中的必评与选评水质项目采用《地表水环境质量标准》(GB3838—2002)Ⅲ 类标准值。补充项目为《地表水环境质量标准》(GB3838—2002)规定的标准限值。

3. 评价内容及方法

采用单指标评价法。河流水质现状评价中的必评与选评水质项目(化学需氧量、总氮、总磷除外) 中一项指标超标即评定为不合格;根据评价结果统计供水水源地的供水量、水质合格率等。供水水质合格率按下式计算:

$$合格率(H\%) = \frac{\sum Q_{i合格}}{\sum Q_{i全部}} \times 100\%$$

式中　Q_i——i 水源地的日供水量。

(二)评价结果

黄河流域共评价地表水供水水源地 28 个,全年期日供水总量 376.90 万 m³,合格水源地 15 个,合格供水量 171.28 万 m³,供水合格率 45.4%;汛期日供水总量 322.96 万 m³,合格水源地 13 个,合格供水量 90.51 万 m³,供水合格率 28.0%;非汛期日供水总量 431.75 万 m³,合格水源地 17 个,合格供水量 237.61 万 m³,供水合格率 55.0%。

1. 水源地水质状况

评价的 28 个水源地中全年、汛期、非汛期均合格的水源地 13 个,其中黄河干流上 2 个,分别为兰州市水源地新城桥、石嘴山市水源地黄河水厂;大夏河上 2 个,分别为合作市水源地合作市高果寨,临夏市水源地临夏市河漫滩;关川河上定西地区水源地曾家庄、凡坪;泾河上 2 个,分别为固原市水源地西峡水库、平凉市水源地平凉市养子寨;蒲河上西峰市水源地巴家嘴水库;石头河上宝鸡市水源地石头河水库;沮河上铜川市水源地桃曲坡水库;滈河上西安市水源地石砭峪水库;沈河上渭南市水源地沈河水库;濂水河上韩城市水源地薛峰水库。其余 15 个水源地至少有 1 个水期供水水质不合格。

2. 水源地水资源分区评价

评价水源地水资源二级区统计结果,龙羊峡 — 兰州区间水源地供水合格率较高,评价 4 个水源地均合格,全年、汛期、非汛期供水合格率为 100%;其次是龙门 — 三门峡区间,评价 11 个水源地,全年、汛期、非汛期供水合格率在 80% 以上;供水合格率较差的区间是河口镇—龙门、三门峡 — 花园口以及花园口以下区间,评价 9 个水源地中,除非汛期 1 个合格外,其余均不合格。评价水源地水资源二级区水质状况统计结果见表 7-24。

3. 水源地必评项目合格情况

水源地必评项目 10 项,全年期评价结果如下:

溶解氧:评价水源地 28 个,合格 28 个,合格率 100%;

高锰酸盐指数:评价水源地 28 个,合格 27 个,合格率 96.4%;

氨氮:评价水源地 28 个,合格 24 个,合格率 85.7%;

挥发酚:评价水源地 28 个,合格 27 个,合格率 96.4%;

砷:评价水源地 28 个,合格 28 个,合格率 100%;

硫酸盐:评价水源地 18 个,合格 18 个,合格率 100%;

氯化物:评价水源地 18 个,合格 18 个,合格率 100%;

硝酸盐:评价水源地 19 个,合格 19 个,合格率 100%;

铁:评价水源地 5 个,合格 3 个,合格率 60.0%;

锰:评价水源地 9 个,合格 9 个,合格率 100%。

黄河流域评价水源地主要超标项目为氨氮、铁。黄河流域影响供水水质的主要项目各水情期统计结果见表 7-25。

表 7-24　黄河流域水资源二级区水质状况统计

水资源二级区	时段	水源地数量 (个)	合格水源地数量 (个)	合格供水量 (万 m³)	总供水量 (万 m³)	供水合格率 (%)
龙羊峡以上	全年	—	—	—	—	—
	汛期	—	—	—	—	—
	非汛期	—	—	—	—	—
龙羊峡 — 兰州	全年	4	4	68.93	68.93	100
	汛期	4	4	36.16	36.16	100
	非汛期	4	4	101.69	101.69	100

续表 7-24

水资源二级区	时段	水源地数量 （个）	合格水源地数量 （个）	合格供水量 （万 m³）	总供水量 （万 m³）	供水合格率 （%）
兰州 — 河口镇	全年	4	2	45.86	55.01	83.4
	汛期	4	1	1.15	32.66	3.5
	非汛期	4	3	71.43	77.37	92.3
河口镇 — 龙门	全年	2	0	0	42.45	0
	汛期	2	0	0	42.45	0
	非汛期	2	0	0	42.45	0
龙门 — 三门峡	全年	11	9	56.49	65.65	86.0
	汛期	11	8	53.20	65.65	81.0
	非汛期	11	9	56.49	65.65	86.0
三门峡 — 花园口	全年	1	0	0	6.05	0
	汛期	1	0	0	6.05	0
	非汛期	1	0	0	6.05	0
花园口以下	全年	6	0	0	138.81	0
	汛期	6	0	0	139.99	0
	非汛期	6	1	8.00	138.54	5.8
内流区	全年	—	—	—	—	—
	汛期	—	—	—	—	—
	非汛期	—	—	—	—	—
黄河流域	全年	28	15	171.28	376.90	45.4
	汛期	28	13	90.51	322.96	28.0
	非汛期	28	17	237.61	431.75	55.0

表 7-25　黄河流域影响供水水质的主要项目各水情期统计结果

水情期	评价项目	评价水源地个数	合格水源地个数	合格率（%）	评价水源地总供水量（万 m³）	合格供水量（万 m³）	供水合格率（%）
全年	溶解氧	28	28	100	376.9	376.9	100
	高锰酸盐指数	28	27	96.4	376.9	368.54	97.8
	氨氮	28	24	85.7	376.9	338.04	89.7
	挥发酚	28	27	96.4	376.9	375.53	99.6
	砷	28	28	100	376.9	376.9	100
	硫酸盐	18	18	100	318.67	318.67	100
	氯化物	18	18	100	318.67	318.67	100
	硝酸盐	19	19	100	308.66	308.66	100
	铁	5	3	60.0	51.97	40.76	78.4
	锰	9	9	100	105.81	105.81	100
汛期	溶解氧	24	23	95.8	271.96	263.96	97.1
	高锰酸盐指数	28	25	89.3	322.96	303.39	93.9
	氨氮	28	24	85.7	322.96	303.96	94.1
	挥发酚	28	27	96.4	322.96	321.59	99.6
	砷	28	28	100	322.96	322.96	100
	硫酸盐	18	18	100	264.73	264.73	100
	氯化物	18	18	100	264.73	264.73	100
	硝酸盐	18	18	100	239.85	239.85	100
	铁	5	3	60.0	51.97	40.76	78.4
	锰	9	9	100	105.81	105.81	100
非汛期	溶解氧	28	28	100	431.75	431.75	100
	高锰酸盐指数	28	27	96.4	431.75	425.81	98.6
	氨氮	28	22	78.6	431.75	380.42	88.1
	挥发酚	28	27	96.4	431.75	430.38	99.7
	砷	28	28	100	431.75	431.75	100
	硫酸盐	17	17	100	371.52	371.52	100
	氯化物	17	17	100	371.52	371.52	100
	硝酸盐	19	19	100	342.93	342.93	100
	铁	5	5	100	51.97	51.97	100
	锰	8	8	100	103.81	103.81	100

4.受污染水源地状况

1）受污染水源地状况

黄河流域评价水源地主要受污染水源地见表7-26。

表7-26 黄河流域评价水源地主要受污染水源地

水资源三级区	河流	水源地名称	供水地区	全年		汛期		非汛期	
				评价结果	超标项目	评价结果	超标项目	评价结果	超标项目
石嘴山—河口镇北岸	黄河	镫口	包头市	不合格	氨氮、化学需氧量、石油类	不合格	化学需氧量	不合格	氨氮、高锰酸盐指数、化学需氧量、石油类
石嘴山—河口镇北岸	昆都仑河	昆都仑水库	包头市	不合格	铁	不合格	铁、高锰酸盐指数	合格	
河口镇—龙门左岸	黄河	万家寨坝上	太原市	不合格	化学需氧量	不合格	化学需氧量	不合格	化学需氧量
吴堡以下右岸	杏子河	王瑶水库	延安市	不合格	五日生化需氧量	不合格	五日生化需氧量	不合格	五日生化需氧量
渭河宝鸡峡—咸阳	千河	冯家山水库	宝鸡市	不合格	五日生化需氧量	不合格	五日生化需氧量	不合格	五日生化需氧量
龙门—三门峡干流区间	黄河	三门峡大桥	三门峡市	不合格	氨氮、化学需氧量	不合格	氨氮、化学需氧量	不合格	氨氮、化学需氧量
三门峡—小浪底区间	黄河	三门峡坝下	三门峡市（义马、渑池）	不合格	氨氮、化学需氧量、镉、铅、石油类	不合格	氨氮、化学需氧量、镉、铅、石油类	不合格	氨氮、化学需氧量、石油类
大汶河	石汶河	黄前水库	泰安市	不合格	铁	不合格	溶解氧、高锰酸盐指数、氨氮、铁	合格	
花园口以下干流区间	黄河	花园口	郑州市、新乡市	不合格	氨氮、化学需氧量	不合格	化学需氧量	不合格	氨氮、化学需氧量
	黄河	开封大桥	开封市	不合格	高锰酸盐指数、化学需氧量	不合格	高锰酸盐指数、化学需氧量	不合格	氨氮、化学需氧量
	黄河	高村	濮阳市、菏泽市	不合格	化学需氧量	不合格	化学需氧量	不合格	氨氮、五日生化需氧量、化学需氧量
	黄河	泺口	济南市	不合格	化学需氧量	不合格	化学需氧量	不合格	化学需氧量
	黄河	利津	东营市、青岛市	不合格	化学需氧量	不合格	化学需氧量	不合格	化学需氧量

2）受污染原因分析

黄河流域地表水供水水源地不合格多是因为工业、生活等人为污染,超标项目主要为氨氮、高锰酸盐指数、五日生化需氧量等有机污染项目。

综合来看,造成水源地水环境质量问题的原因主要有以下几个方面:

(1)"十五小土"企业反弹严重。"九五"期间,各地曾取缔和关停了小造纸、小制革、小化工、小电镀等 15 类不符合国家产业政策、污染严重又无治理价值的一批小、土企业。但近几年,一些地区在经济利益驱动下,放松了环境保护这根弦,致使一些早已关停的小、土企业死灰复燃。

(2)重污染企业违法排污严重。一些重污染企业至今没有治污设施,而另外一些企业治污工艺不合理,运行成本高,设备老化,不能正常运行。据调查,大部分小造纸厂 1 t 纸利润仅为 130~200 元,而生产 1 t 纸所产生污水的治理费用就需 300~500 元,小企业根本无力进行治污。另外,一些企业治污设施处理能力不足,超标排放甚至偷排。

(3)工业结构不合理。近年来,尽管各地一直强调调整产业结构,并做了一些工作,但结构不合理的问题仍未得到根本解决,结构性污染依然突出,从而导致已经取得的水污染防治成果很容易毁于一旦。如豫北地区现在仍保留有 93 家化学纸浆造纸企业,占河南省化学纸浆造纸企业的 71.5%,其中近八成造纸企业采用落后的石灰法和亚氨法生产工艺,产品质量差、档次低、污染物排放量大,根本无法承受污染治理所需费用。这些造纸企业违法排污现象严重。

(4)环保投入严重不足。许多地方特别是城市环境基础设施建设投入不足,建设相对滞后。城市污水处理厂无论数量还是规模都难以满足不断增长的生活污水处理需要。

(5)管理和执法能力不足。环保执法手段相对落后,一些地方对环保执法还存在不当的行政干预;此外,一些地方的环保部门队伍素质不高,存在着有法不依、执法不严、违法不究的现象。个别地方的环保部门对违法排污企业姑息迁就,甚至包庇纵容。

3）水源地常规项目污染控制对策

水污染防治必须采用"治理为主,防治结合"的原则,并在总量控制和水污染防治等内容中予以贯彻。应尽快进行工业产业结构调整,加强工业企业水污染治理工作,重点治理造纸、制革、化工等严重污染企业。应加快城镇污水处理厂建设速度。要加强法制建设,建立高效的管理制度,采取必要措施,强化环境保护、水资源与城市建设等方面管理。根据水源地位置和保护需要,划分饮用水水源地保护区,建立有效的保护区管理制度,保障引水质量。要加强对水污染紧急情况的预防和管理,建立高效的应急管理机制,提高应急管理水平。

第八章　地下水水质

由于黄河流域是我国能源重化工基地,大量的煤矿和各种矿产资源及加工配套企业所排放的废水、废渣、废料,对地下水造成了非常严重的污染,使得本来就十分紧缺的地下水资源更是雪上加霜,不仅水量减少,而且水质也在下降。确定地下水的利用和防治时,也要对地下水进行水质评价,在水资源利用和管理工作中,开展地下水水质评价工作,对地下水的物理性质、化学成分、水质现状、变化趋势、污染状况及成因等进行综合评价,对于地下水资源的统一管理和保护、污染预防、污染治理以及对地下水资源合理的开发利用都有非常重要的意义。

第一节　评价方法

一、评价目的及意义

(一)地下水的作用

地下水是一种宝贵的自然资源,又是环境构成的基本要素。它是自然界水循环的重要组成部分,是人类赖以生存和社会发展的重要基础,与人类活动和生存息息相关。当前人类开发利用地下水资源,一方面满足了自身物质文明的需要,另一方面又在改变和破坏自然环境的平衡。随着生产的发展,这种开发利用地下水资源而引起环境恶化的问题将日益严重。如区域地下水位下降、地下水资源枯竭、地下水水质恶化、海水入侵、地面沉降、地面裂缝和地面塌陷等,不仅严重影响国民经济的发展,而且危及人类自身的生存。与此同时,地下水与其周围介质的物理化学作用过程十分复杂,其进程往往十分隐蔽和缓慢,这些不良环境问题,既不容易及早发现,又难以在较短时间内治理奏效。因此,怎样合理开发利用地下水资源及其保护自然环境,既是地质科学研究的重大课题,也是当前人们所关注的社会问题。

地下水作为水资源的重要组成部分,为人类提供了优质的淡水资源,在保障城乡居民生活用水、支持社会经济发展和维持生态平衡等方面发挥了重要作用。尤其是在水资源相对贫乏的干旱、半干旱的黄河流域,地下水资源具有不可替代的作用,已成为社会经济可持续发展的重要制约因素之一。地下水具有分布广、储存量大、调蓄能力强、水质水量相对稳定、保证程度高以及供水投资少、见效快的特点。从供水的角度看,地下水是缺水山区、水质型缺水地区、城镇地区饮用水的重要水源,更是荒漠地区生态用水最可依靠的就地水资源。保护珍贵的地下水资源,充分发挥地下水的优势,建立地下水资源保护带,有效防止地下水污染,把有限的地下水纳入合理开发、经济利用和科学管理的轨道,是今后的战略重点。

黄河流域地处干旱、半干旱地区,淡水资源严重匮乏,约占全国多年平均水资源总量的 2.5%。水资源人均占有量低于全国平均水平。地下水的使用主要包括工业、农业及生活用水三个方面。近 20 年来,黄河流域的社会经济状况和水资源开发利用情况发生了较大变化,地下水消耗量从 60 多亿 m^3 增加到目前的 100 亿 m^3 以上。以往工农业用水往往占据主要部分,但随着经济的发展,由于许多地表水饮用水源容易遭受外界不同程度的污染,城镇居民对饮用优质地下水的需求正在不断增长,使得城镇用水中生活用水的比例呈逐步增大的趋势。与此同时,流域地表水系均遭到不同程度的污染,地下水污染也面临十分严峻的局面。随着社会经济的快速发展和人民生活水平的不断提高,对水资源量和质的需求也在提高,这对本来就不充裕的水资源来说供需矛盾更加日益突出。无节制取水和大量超标排放废污水,地表及地下水体受到不同程度的污染,某些水域水资源已失去使用价值,水生态环境恶化。实现地下水资源的可持续利用,已经成为流域经济、社会可持续发展的重要环节。

因此,在水资源利用和管理工作中,开展地下水水质评价工作,对地下水的物理性质、化学成分、水质现状、变化趋势、污染状况及成因等进行综合评价,对于地下水资源的统一管理和保护、污染预防、污染治理以及对地下水资源合理的开发利用都有非常重要的意义。

(二)面临的地下水水质危机

随着经济的高速发展和城市人口的急剧膨胀,近些年由于工业及生活废水大量不合理的排放,而治理设施跟不上发展要求,从而导致城市地下水遭到不同程度的污染,水资源供需矛盾日益突出。与此同时过量开采地下水,地下水降落漏斗逐步扩大,致使地下水动力场和水化学场发生改变,造成地下水某些物理化学组分如微生物含量增加,而引起水质恶化。在经济发展的同时,一些地区却忽视了对地下水资源的保护,地表水体的严重污染也使地下水逐步遭到污染,浅层地下水水质逐步恶化,使原本水质良好的地下水不同程度地受到污染,有些有害物质甚至严重超标。而浅层地下水的无法使用迫使许多地区大量开发深层地下水,又带来了地面沉降、海水入侵等缓变地质灾害。

据统计,黄河流域废水排放总量从 20 世纪 80 年代初的 20 多亿 t 增长到 1998 年的 42 亿 t 以上,江、河、湖污染严重,并呈加重趋势,浅层地下水遭到不同程度的污染,其中部分已不适宜饮用,甚至已造成了严重的生态问题。随着黄河流域水环境污染的日趋严重,人类活动导致地下水污染已从点状扩展到面状污染,呈现由城市向农村扩展的趋势。地下水污染引起地下水中总硬度、总矿化度升高。其来源主要是工业和生活"三废"排放污染,其次来自农业上的化肥、农药的污染。地下水污染严重地区主要分布在城镇及周边、排污河道两侧、引污农灌区等地表污染水体分布区。地下水资源的污染使相当多的饮用水源受到污染,特别是地表水和浅层地下水污染严重。地下水水质的不断恶化,使人民的饮用水安全问题日益突出,给人民健康带来危害。同时,由污染造成的缺水城市和地区日益增多,如济南、西安、宝鸡、太原、兰州、天水、陇西、包头等城市,地下水水质不同程度地受到硝酸盐、氰、酚、有机磷等有害物质的污染,更加剧了流域水资源紧缺的矛盾。

无论宏量元素还是微量元素在地壳表层都是无所不在、无所不存的,微量元素的赋存与区域地质特征,尤其是岩石的地球化学行为有关,当一种或某类微量元素从岩石中释放出来,传输到土壤、水和谷物中去,为人类所吸收,超过可以忍受的限量,就可以导致地方病。这种病症有地带性特征,在黄河流域特别是部分丘陵地区分布着与克山病、大骨节病、氟中毒、甲状腺肿大等地方病有关的高氟水、高砷水、低碘水和高铁锰水。宁夏南部的西海固地区,既是国家级贫困地区,又是资源型缺水地区和氟砷病高发区,饮水困难严重影响着当地群众生活。在长期饮用氟砷超标水的地区,不少人患有氟骨病、氟斑牙、大骨节病及皮肤病等多种疾病。黄河流域许多地区每年因地方病致伤、致残的人群都是非常多的。

地下水除自身受污染外,又成为土地污染的重要媒介。某些水域水资源已失去使用价值,生态环境恶化。特别是含水层对污染源的敏感性、纳污的脆弱性与土地污染的相关性,使地表水、土壤、地下水的污染是相互关联的,地表水中的危害物质会沉积到土壤中,堆放在露天的污染物会随降雨入渗到土壤和地下水中,多年以后土壤、地下水中的危害物质又会随基流污染地表水体。土壤和含水层一旦受到污染,清除、治理、修复十分困难,不仅经济投入很大,技术上也有难度,时间周期也很长,其危害性很大。

(三)地下水水质评价的目的和意义

黄河流域幅员辽阔,水文地质条件复杂,特别是黄土高原地区,是从半干旱区过渡到干旱区的过渡带,年降水量 250～500 mm,地形破碎,富水条件差,水土流失严重,造成黄土丘陵区水资源贫乏。在甘肃东北部和宁夏南部等地区降水少,地形切割剧烈且黄土层下主要为夹有含石膏层的第三系地层,成为全国有名的苦咸水地区,可饮用的淡水奇缺。黄河流域地下水资源勘察研究程度总体较低,加之近年来水资源的不合理开发利用造成水文地质条件的变化和生态环境恶化日益明显,又带来了新的问题,也亟待进行全面深入的调查和评价。

黄河流域本来水资源并不充裕但水环境污染又十分严重,地下水污染,特别在城市中地下水都不同程度受到污染,其中浅层地下水中"三氮"和硬度指标呈上升趋势,致使综合超标状况逐渐加重。为了保护地下水水源,要弄清地下水污染源、污染途径和污染程度,从而提出防治地下水污染措施,选择最优场地,确定最优方法,使地下水污染减轻到最低限度。

20 世纪 80 年代初,原地质矿产部组织开展了第一轮全国地下水资源评价工作,于1984 年底提出了评价成果。自第一次评价工作距今近 20 年来,由于受气候变化、人类工程经济活动及地下水开采量急剧增长等因素的影响,区域水循环条件已发生了改变,导致地下水资源无论在数量、质量还是在区域分布上都发生了较大的变化,第一次评价成果已不能反映当前地下水资源的实际状况。同时,第一轮全国水资源评价未开展专门的地下水水质评价,随着改革开放后经济的高速发展,水资源供需矛盾日益突出,且废污水排放量也快速增加,使浅层地下水受到污染,更加剧了水资源供需矛盾。为尽快调整地下水开发利用思路,合理开发利用地下水,保护珍贵的地下水资源,实施地下水资源的可持续利用,水利部在 2002 年,组织开展了新一轮全国水资源评价工作,对全国水资源进行了重新计算和评价。开展对关系国计民生和区域经济发展的战略性地下水资源评价工作,分析地下水资源量变化趋势和开发利用前景及保证程度,综合分析地下水环境质量变化趋势,有针对性地提出今后科学开发和利用的建议,更显得十分必要和及时。

必须按地下水资源蓄存和分布的规律,因地制宜地制定相应的开发利用和保护战略,使水资源调蓄从以地表调蓄为主向地表、地下联合调蓄的战略转变,坚持采补平衡、合理调控,保护水质、优质优用,地表水与地下水统筹兼顾的原则,综合开发利用和保护地下水资源。因此,开展地下水水质评价,维护水资源的可持续利用,保障流域社会经济可持续发展已成为迫切任务。

二、评价对象、内容及方法

(一)评价对象及范围

地下水在空间分布上具有多层性。与大气降水和地表水直接交替循环并埋藏较浅的地下水,通称浅层地下水,包括潜水和浅层承压水;地质历史时期形成和赋存下来的、埋藏较深的、与现代大气降水和地表水交替循环较缓慢的地下水,称为深层地下水或深层承压水。地下水空间分布的多层性,为地下水资源的分层开采和合理配置提供了条件。

按照本次全国水资源综合规划工作大纲和黄河流域(片)水资源综合规划技术细则的要求,地下水水质评价的对象主要为平原区浅层地下水。地下水水质评价以水资源四级区套地级行政区作为计算分区,黄河流域平原区主要包括了黄河上游共和盆地、西宁湟水河谷平原,甘肃景泰灌区、董志塬,宁夏清水河、苦水河河谷平原、灵盐台地(塬)、宁夏灌区,内蒙古河套灌区,陕西关中盆地,山西太原、临汾、运城盆地、汾河下游盆地,三门峡以下河谷平原和伊洛河河谷平原、沁河下游和黄河下游金堤岸、天然文岩渠、黄河滩地,山东大汶河河谷平原,库布齐沙漠和毛乌素沙地等,共评价面积 19.62 万 km²,占黄河流域总面积的 24.7%。

(二)评价的技术依据

(1)《全国水资源综合规划工作大纲》。

(2)《全国水资源综合规划技术细则》。

(3)《黄河流域(片)水资源综合规划工作大纲》。

(4)《黄河流域(片)水资源综合规划技术细则》。

(5)《全国水资源综合规划地下水水质调查评价汇总工作补充说明》。

(三)评价内容

本次地下水水质评价主要内容包括地下水化学性质、天然水化学类型、地下水水质现状类别、地下水污染状况及成因、地下水水质变化趋势、地下水水源地评价、地下水供水水质评价等。

地下水化学性质主要以矿化度、总硬度、pH 值为主进行单项评价;天然水化学类型以舒卡列夫分类法结合矿化度进行评价;水质类别以《地下水质量标准》(GB/T14848—93)为标准,采用先进行单井分布式水质评价,然后将单井分布式水质评价成果按照地下水水质评价单元进行综合统计评价的方法;地下水污染状况以受人类活动影响的水质参数按《地下水质量标准》(GB/T14848—93)达到Ⅳ类或Ⅴ类的地下水分布区来确定地下水污染区;地下水水质变化趋势以区域具有代表性且有 5~10 年的监测资料,判断水质变化是否稳定进行评价;地下水水源地主要针对大型及特大型水源地的水质现状、变化趋势和污染情况进行评价;地下水供水以城镇生活、工业、农业及农村生活用水等的不同水质类别供水量状况进行评价。

（四）评价方法

本次评价依据地下水化学性质采用矿化度、总硬度、pH 值进行分级分类评价，地下水水化学类型按舒卡列夫分类法（见表 8-1）进行评价，同时对地下水污染状况、地下水异常区和地下水水质变化趋势进行了评价。

表 8-1　舒卡列夫分类

超过 25% 摩尔数的离子	HCO_3^-	HCO_3^-、$\frac{1}{2}SO_4^{2-}$	HCO_3^-、$\frac{1}{2}SO_4^{2-}$、Cl^-	HCO_3^-、Cl^-	$\frac{1}{2}SO_4^{2-}$	$\frac{1}{2}SO_4^{2-}$、Cl^-	Cl^-
$\frac{1}{2}Ca^{2+}$	1	8	15	22	29	36	43
$\frac{1}{2}Ca^{2+}$、$\frac{1}{2}Mg^{2+}$	2	9	16	23	30	37	44
$\frac{1}{2}Mg^{2+}$	3	10	17	24	31	38	45
Na^+、$\frac{1}{2}Ca^{2+}$	4	11	18	25	32	39	46
Na^+、$\frac{1}{2}Ca^{2+}$、$\frac{1}{2}Mg^{2+}$	5	12	19	26	33	40	47
Na^+、$\frac{1}{2}Mg^{2+}$	6	13	20	27	34	41	48
Na^+	7	14	21	28	35	42	49

（1）矿化度（M，单位 g/L）按照 $M \leqslant 1$（淡水），$1 < M \leqslant 2$（轻微咸水），$2 < M \leqslant 3$（微咸水），$3 < M \leqslant 5$（半咸水），$M > 5$（咸水）四档五级进行分级评价；

（2）总硬度（N，单位 mg/L）按照 $N \leqslant 50$（极软水），$50 < N \leqslant 100$（软水），$100 < N \leqslant 150$（软水），$150 < N \leqslant 300$（微硬水），$300 < N \leqslant 450$（硬水），$450 < N \leqslant 550$（硬水），$N > 550$（极硬水）六档七级进行分级评价；

（3）pH 值按照 $pH \leqslant 5.5$，$5.5 < pH \leqslant 6.5$，$6.5 < pH \leqslant 7.0$，$7.0 < pH \leqslant 7.5$，$7.5 < pH \leqslant 8.0$，$8.0 < pH \leqslant 8.5$，$8.5 < pH \leqslant 9.0$，$pH > 9.0$ 七档八级进行分级评价。

（4）天然水化学类型评价是根据水中 8 大离子中的钠（钾合并于钠）、钙、镁、重碳酸盐、氯化物、硫酸盐 6 种离子含量采用舒卡列夫分类法，以摩尔数含量大于 25% 的阴离子和阳离子进行组合，共 49 种水型进行分类，其分类表见表 8-1。再按矿化度（M）的含量划分为 4 组，即 A 组为 $M \leqslant 1.5$，B 组为 $1.5 < M \leqslant 10$，C 组为 $10 < M \leqslant 40$，D 组为 $M > 40$，将地下水化学类型用舒卡列夫类型的数字与矿化度含量的字母组合在一起表示。

（5）地下水水质类别评价以 pH 值、溶解性总固体、总硬度（以 $CaCO_3$ 计）、氨氮、挥发性酚类（以苯酚计）、高锰酸盐指数、总大肠菌群等参数作为必评项目，并根据区域实际情况选评氟化物、氯化物、氰化物、碘化物、砷、硝酸盐氮、亚硝酸盐氮、六价铬、汞、铅、锰、铁、镉、化学需氧量以及其他有毒有机物或重金属等水质参数中的一项或多项进行地下水水质现状评价。采用单指标评价法按《地下水质量标准》（GB/T14848—93）确定地下水现状水质类别，然后将单井分布式水质评价成果按照地下水水质评价单元进行综合统计评价。地下水水质评价按照 GB/T14848—93 的Ⅲ类标准作为衡量指标,水质达到Ⅳ类或Ⅴ类的为地下水劣质区,其超标程度采用超标倍数和超标率两个指标衡量。

(6)地下水污染评价指标主要以受人类活动影响的水质参数如氨氮、挥发酚、高锰酸盐指数、化学需氧量、总大肠菌群、有毒有机物、重金属等为主,以具有明显恶化趋势,且超过Ⅲ类标准,尤其是排污河道附近、污灌区、污染源附近,以及受污染的地下水水源地为重点。污染程度采用污染指数 P_i($P_i = C_i/C_{io}$)来衡量,P_i 值越大表明污染程度越严重。

(7)地下水水质变化趋势分析以 5~10 年的监测资料为评价基础,以监测项目值的年均变化率 R_{Ci} 的绝对值来衡量,$R_{Ci} = (C_i - C_{io})/(C_{io}(t_i - t_o))$,年均变化率 $R_{Ci} > 2\%$ 的为恶化区,$-2\% \leqslant R_{Ci} \leqslant 2\%$ 的为稳定区,$R_{Ci} < -2\%$ 的为好转区。

第二节　地下水水化学特征

黄河流域一般平原区主要分布于太行山前沁河下游和黄河下游金堤河、天然文岩渠、黄河滩区。山间平原主要分布在上游共和盆地、西宁湟水山间河谷盆地、甘肃景泰灌区、黄土高原董志塬、宁夏灌区、内蒙古河套灌区、关中盆地、山西太原、临汾、运城盆地、宁夏清水河河谷平原、灵盐台地、三门峡以下河谷平原和伊洛河河谷平原、山东大汶河河谷平原等地区。这些地区由于主要接受大气降水和地表水体的入渗补给,地下水资源较丰富,库布齐沙漠和毛乌素沙地地区地下水资源相对比较贫乏。地下水分布与各地的地形地貌、地质构造、水文气象、水文地质条件和人类活动有着密切的联系。这种地质、地貌特征决定了流域水文地质特征及水资源分布特征,其地下水水资源及其水化学特征也具有明显的地域差别。

一、评价基本要求及方法

本次评价以 2000 年为基准年,缺少资料以相近年份 1998~2000 年地下水水质监测资料及补充监测资料作为补充,同时收集整理了 1984 年以来水文部门及其他单位有关地下水水质监测资料,并参考引用了部分前人评价成果。根据平原区选用监测井水质监测结果,对各计算分区的地下水水化学特征按照水化学类型(舒卡列夫分类法)、矿化度、总硬度、pH 值、氟化物等进行了分类评价。

二、地下水水化学特征分区规律

(一)地下水水化学类型

根据黄河流域水质监测成果,黄河流域地下水水化学类型水资源二级区、省(区)分布面积见表 8-2、表 8-3。黄河流域地下水水化学类型分布情况见附图 13。

全流域地下水水化学类型共有 30 多种。其中以重碳酸和重碳酸·硫酸类型分布面积最广,遍布全流域绝大部分地区,面积 12.80 万 km²,占评价面积的 65.3%。其余类型则不同程度或零星分布于特殊水文地球化学地段和人类活动对地下水影响较大的盆地、大中城市及岩溶大泉排泄区。

表 8-2 地下水水化学类型水资源二级区分布面积统计 （单位：km²）

水资源二级区	评价区面积	地下水水化学类型						
		HCO₃型	HCO₃·SO₄型	HCO₃·SO₄·Cl型	HCO₃·Cl型	SO₄型	SO₄·Cl型	Cl型
龙羊峡以上	4 606	4 606						
龙羊峡—兰州	631	431					200	
兰州—河口镇	75 185	21 634	15 053	15 076	7 787	121	13 010	2 504
河口镇—龙门	18 914	11 070	2 718	386	1 448	341	2 951	0
龙门—三门峡	40 182	25 086	10 048	342	4 020		686	
三门峡—花园口	3 785	3 239	526	20				
花园口以下	12 324	9 571	943		1 808	2		
内流区	40 573	17 969	5 136	4 265	5 053		8 003	147
黄河流域	196 200	93 606	34 424	20 089	20 116	464	24 850	2 651

表 8-3 地下水水化学类型省（区）分布面积统计 （单位：km²）

省（区）	评价区面积	地下水水化学类型						
		HCO₃型	HCO₃·SO₄型	HCO₃·SO₄·Cl型	HCO₃·Cl型	SO₄型	SO₄·Cl型	Cl型
青海	4 990	4 818					172	
甘肃	2 895	1 404	853				638	
宁夏	19 399	13 508	2 648	1 102	292	116	1 733	
内蒙古	101 079	30 413	18 292	17 761	12 392		19 686	2 535
山西	16 151	4 788	8 066	115	2 566		616	
陕西	35 030	26 889	1 426	1 099	3 152	343	2 005	116
河南	13 320	11 066	528	12	1 714			
山东	3 336	720	2 611			5		
黄河流域	196 200	93 606	34 424	20 089	20 116	464	24 850	2 651

（二）矿化度

黄河流域地下水矿化度水资源二级区、省（区）分布面积统计见表 8-4、表 8-5。黄河流域地下水矿化度分布情况见附图 14。$M \leqslant 1$ g/L 面积占 67.9%，1 g/L $< M \leqslant 2$ g/L 面积占 21.7%，2 g/L $< M \leqslant 3$ g/L 面积占 8.2%，3 g/L $< M \leqslant 5$ g/L 面积占 1.7%，$M > 5$ g/L 面积占 0.5%。按水资源二级区和省（区）平原区地下水水化学类型分布情况进行统计，黄河流域平原区开采层地下水矿化度变化在 0.18~21.9 g/L 之间，超标率为 32.1%。从总体上看，全流域各平原区矿化度小于 1.0 g/L 的淡水区的分布面积 13.31 万 km²，占

表 8-4 地下水矿化度水资源二级区分布面积统计 (单位：面积 km²；矿化度 g/L)

水资源二级区	评价区面积	矿化度 M(g/L)				
		M≤1	1<M≤2	2<M≤3	3<M≤5	M>5
龙羊峡以上	4 606	4 606				
龙羊峡—兰州	631	32	599			
兰州—河口镇	75 185	31 686	27 656	12 852	2 488	503
河口镇—龙门	18 914	16 762	2 072	75	5	
龙门—三门峡	40 182	30 451	7 634	1 493	407	197
三门峡—花园口	3 785	3 662	123			
花园口以下	12 324	10 789	1 535			
内流区	40 573	35 139	3 049	1 595	442	348
黄河流域	196 200	133 127	42 668	16 015	3 342	1 048

表 8-5 地下水矿化度省(区)分布面积统计 (单位：面积 km²；矿化度 g/L)

行政区	评价区面积	矿化度 M(g/L)				
		M≤1	1<M≤2	2<M≤3	3<M≤5	M>5
青海	4 990	4 788	202			
甘肃	2 895	1 641	1 254			
宁夏	19 399	12 567	5 365	835	632	
内蒙古	101 079	61 514	22 802	13 588	2 353	822
山西	16 151	11 868	3 427	856		
陕西	35 030	25 920	7 792	736	357	225
河南	13 320	11 832	1 488			
山东	3 336	2 997	339			
黄河流域	196 200	133 127	42 669	16 015	3 342	1 047

评价区总面积的 67.85%；矿化度在 1.0～2.0 g/L 之间的轻微咸水区的分布面积 4.27 万 km²，占总面积的 21.75%，主要分布在青海互助县，宁夏吴忠、银川、石嘴山，内蒙古包头、巴彦淖尔盟、鄂尔多斯市，山西太原、吕梁、运城，陕西咸阳、西安、渭南、榆林，以及河南洛阳的部分地区；矿化度在 2.0～3.0 g/L 之间的微咸水区的分布面积 1.60 万 km²，占总面积的 8.16%，主要分布在宁夏中宁县、平罗县，山西运城，陕西渭南、定边、榆林的部分地区；矿化度在 3.0～5.0 g/L 之间的半咸水区的分布面积 0.334 万 km²，占总面积的 1.70%；主要分布在甘肃景泰灌区，宁夏同心县、海原县、中宁县，陕西榆林的部分地区和宁夏灵武、吴忠，内蒙古巴彦淖尔盟、包头，陕西渭南的个别地区；矿化度大于 5.0 g/L 的

咸水区的分布面积 0.105 万 km²,占总面积的 0.53%,主要分布在甘肃景泰灌区、宁夏同心县、海原县的部分地区和宁夏中宁县、内蒙古巴彦淖尔盟、陕西定边个别区域。

(三)总硬度

黄河流域地下水总硬度水资源二级区、省(区)分布面积统计见表 8-6、表 8-7,黄河流域地下水总硬度分布情况见附图 15。

表 8-6 地下水总硬度水资源二级区分布面积统计 (单位:面积 km²;总硬度 mg/L)

水资源二级区	评价区面积	总硬度 N(mg/L)						
		N≤50	50<N≤100	100<N≤150	150<N≤300	300<N≤450	450<N≤550	N>550
龙羊峡以上	4 606		361		4 245			
龙羊峡—兰州	631		24	140	173	51	184	59
兰州—河口镇	75 185			3	41 254	9 509	6 712	17 707
河口镇—龙门	18 914				6 175	11 358	1 381	
龙门—三门峡	40 182			1 915	16 133	17 132	2 619	2 383
三门峡—花园口	3 785				98	2 940	487	260
花园口以下	12 324				289	9 571	939	1 525
内流区	40 573				16 336	11 104	9 301	3 832
黄河流域	196 200		385	2 058	84 703	61 665	21 623	25 766

表 8-7 地下水总硬度省(区)分布面积统计(单位:面积 km²;总硬度 mg/L)

行政区	评价区面积	总硬度 N(mg/L)						
		N≤50	50<N≤100	100<N≤150	150<N≤300	300<N≤450	450<N≤550	N>550
青海	4 990		385	104	4 248	44	158	51
甘肃	2 895			2	1 648	12		1 233
宁夏	19 399				11 868	2 376	1 721	3 434
内蒙古	101 079				47 010	23 920	14 230	15 919
山西	16 151			1 714	6 291	5 954	1 198	994
陕西	35 030			1	14 732	15 632	2 531	2 134
河南	13 320			239	390	10 267	1 149	1 275
山东	3 336				161	1 824	624	727
黄河流域	196 200		385	2 058	84 702	61 665	21 623	25 767

黄河流域平原区开采层地下水总硬度变化在 15～9 185 mg/L 之间,超标率为 24.2%。从总体上看,全流域各平原区总硬度小于 50 mg/L 的分布面积为零,总硬度在 50～100 mg/L 的分布面积 0.039 万 km²,占总面积的 0.20%,主要分布在青海果洛州、海南州、黄南州,甘肃甘南州、兰州市的部分地区;总硬度在 100～150 mg/L 的分布面积 0.206 万 km²,占总面积的 1.05%,主要分布在甘肃临夏州、兰州市,山西长治市、太原市、临汾市、晋中市和运城地区以及陕西西安市、延安市,河南三门峡市的部分地区;总硬度在 150～300 mg/L 的分布面积 8.47 万 km²,占总面积的 43.2%,主要分布在青海果洛州、海南州、黄南州,宁夏吴忠、银川、石嘴山,内蒙古巴彦淖尔盟、包头、呼和浩特,阿拉善盟,陕西榆林、铜川、渭南个别地区;总硬度在 300～450 mg/L 的分布面积 6.17 万 km²,占总面积的 31.4%,主要分布在内蒙古巴彦淖尔盟、阿拉善盟、包头、呼和浩特,陕西西安市、延安市、榆林、铜川,河南新乡、安阳、濮阳及山东个别地区;总硬度在 450～550 mg/L 的分布面积 2.16 万 km²,占总面积的 11.0%,主要分布在宁夏固原、吴忠、银川,内蒙古巴彦淖尔盟、阿拉善盟、包头、呼和浩特,山西长治市、太原市,陕西西安市、延安市及河南新乡、安阳个别地区;总硬度在大于 550 mg/L 的分布面积 2.58 万 km²,占总面积的 13.1%,主要分布在甘肃临夏州、兰州市,宁夏固原、吴忠、银川,内蒙古巴彦淖尔盟、阿拉善盟、包头,陕西西安、延安市、榆林、铜川,河南新乡、安阳、濮阳的部分地区。

(四)pH 值

黄河流域地下水 pH 值水资源二级区、省(区)分布面积统计见表 8-8、表 8-9,黄河流域地下水 pH 值分布情况见附图 16。

黄河流域平原区开采层地下水 pH 值在 5.5～9.0 之间,其中绝大部分地区在 7.0～8.5 之间,只有极个别点出现 pH 值在 5.5～6.5 的低值区和 8.5～9.0 的高值区。pH 值在 6.5～8.5 之间的面积为 19.62 万 km²,占总面积的 99.8%,从总体上看,pH 值基本都在标准范围之内。

表 8-8　地下水 pH 值水资源分区分布面积统计　　　　　　　　　　(单位:km²)

水资源二级区	评价区面积	pH 值							
		≤5.5	5.5～6.5	6.5～7.0	7.0～7.5	7.5～8.0	8.0～8.5	8.5～9.0	>9.0
龙羊峡以上	4 606					135	4 471		
龙羊峡—兰州	631					629	2		
兰州—河口镇	75 185		8	10	685	66 385	7 820	206	71
河口镇—龙门	18 914					16 997	1 917		
龙门—三门峡	40 182		129	4 138	22 554	11 445	1 916		
三门峡—花园口	3 785				30	3 755			
花园口以下	12 324			149	856	9 597	1 722		
内流区	40 573					38 481	2 092		
黄河流域	196 200		137	4 297	24 125	147 424	19 940	206	71

表 8-9　地下水 pH 值省(区)分布面积统计　　　　　　　（单位：km²）

行政区	评价区面积	pH 值							
		≤5.5	5.5～6.5	6.5～7.0	7.0～7.5	7.5～8.0	8.0～8.5	8.5～9.0	＞9.0
青海	4 990					672	4 318		
甘肃	2 895					352	2 543		
宁夏	19 399		16	35	385	18 143	706	43	71
内蒙古	101 079				845	91 966	8 105	163	
山西	16 151			813	6 663	7 746	929		
陕西	35 030		121	3 024	13 574	16 592	1 719		
河南	13 320				298	11 402	1 620		
山东	3 336			425	2 360	551			
黄河流域	196 200		137	4 297	24 125	147 424	19 940	206	71

(五)氟化物

地下水中氟化物的实测值超过控制标准《地下水质量标准》(GB/T14848—93)Ⅲ类水的上限值的地区为水文地球化学异常区。

黄河流域平原区开采层地下水氟化物含量超标的总面积为 1.45 万 km²,超标率为 7.41%,异常区主要分布于陕西渭南、咸阳、西安地区和河南的新乡、安阳,宁夏吴忠、银川个别地区。各省(区)不同程度地存在着与饮用水水质有关的地方病区。丘陵山区分布着与克山病、大骨节病、氟中毒、甲状腺肿等地方病有关的高氟水、高砷水、低碘水和高铁锰水等。黄河流域地下水水化学水资源二级区、省(区)异常分布面积统计详见表 8-10 和表 8-11。

表 8-10　地下水水化学水资源二级区异常分布面积统计　　　　　　　（单位：km²）

水资源二级区	评价区面积	水化学异常项目			
		铁	氟	锰	砷
龙羊峡以上	4 606				
龙羊峡—兰州	631				
兰州—河口镇	75 185		507		
河口镇—龙门	18 914		3 447		
龙门—三门峡	40 182		7 089		
三门峡—花园口	3 785		170		
花园口以下	12 324		781		
内流区	40 573		2 540		
黄河流域	196 200		14 534		

表 8-11　地下水水化学省(区)异常分布面积统计　　　　(单位:km²)

行政区	评价区面积	水化学异常项目			
		铁	氟	锰	砷
青海	4 990				
甘肃	2 895				
宁夏	19 399		507		
内蒙古	101 079				
山西	16 151				
陕西	35 030		13 076		
河南	13 320		943		
山东	3 336		8		
黄河流域	196 200		14 534		

第三节　地下水现状水质评价

一、评价基本要求及方法

本次评价以 2000 年为基准年,并以相近年份地下水水质监测资料及 2003 年补充监测资料作为补充,地下水资源质量评价选用的评价项目为 pH 值、矿化度(M)、总硬度(以 $CaCO_3$ 计)、氨氮、挥发性酚类(以苯酚计)、高锰酸盐指数和总大肠菌群等 7 项,并根据区域实际情况,以氟化物、氯化物、氰化物、砷、碘化物、硝酸盐氮、亚硝酸盐氮、六价铬、汞、铅、锰、铁、镉、化学需氧量及有毒有机物或重金属等水质监测项目中的一项或多项进行地下水水质现状评价。评价标准为《地下水质量标准》(GB/T14848—93);采用单指标评价法(最差的项目赋全权)确定地下水水质的类别,用来确定地下水水质类别的监测项目称为关键项目。根据选用地下水监测井的监测资料,对各计算分区确定现状地下水水质类别。

本次地下水水质评价采用先进行单井分布式水质评价,然后将单井分布式水质评价成果按照地下水水质评价单元进行综合统计评价的方法。地下水水质评价单元内地下水的综合水质类别为该单元内各选用水质监测井各项目监测值的算术平均值(布置地下水水样采集点时已考虑各评价单元水样点尽可能均匀分布)所确定的水质类别。地下水的超标程度采用超标倍数和超标率两个指标衡量,其控制标准为《地下水质量标准》(GB/T14848—93)中Ⅲ类标准的上限值。

二、单井评价

(一)单井单项目评价

黄河流域平原区选用的水质监测井共有 506 个,根据平原区地下水各水质监测井监测值,依据《地下水质量标准》(GB/T14848—93),其中矿化度、总硬度普遍超标,最大超标倍数分别为 21.9 和 20.4,超标率为 45.5% 和 39.6%;氨氮、高锰酸盐指数部分地区超标,最大超标倍数分别为 60 和 3.1,超标率为 11.8%、7.1%;挥发酚只有个别地区有超标现象,最大超标倍数分别为 10,超标率为 2.8%。黄河流域地下水各水质监测项目超标率、最大超标倍数水资源二级区省(区)统计见表 8-12～表 8-15。

表 8-12　地下水各水质监测项目超标率水资源二级区统计　　　　　　　　　　　　　(%)

水资源二级区	选用监测井数(个)	pH	矿化度	总硬度	氨氮	挥发酚	高锰酸盐指数
龙羊峡以上	2						
龙羊峡—兰州	12		25	33.3			
兰州—河口镇	168	5.36	62.5	26.2	11.3		10.7
河口镇—龙门	31	3.2	12.9	12.9	6.5		3.2
龙门—三门峡	175	0.6	25.1	25.1	6.9	3.4	5.1
三门峡—花园口	57		21.1	49.1	3.5	1.8	
花园口以下	25		48.0	60.0	56.0	20.0	28.0
内流区	36		50	44.4	5.5		
黄河流域	506	2.17	45.45	39.62	11.76	2.76	7.11

表 8-13　地下水各水质监测项目超标率省(区)统计　　　　　　　　　　　　　(%)

省(区)	选用监测井数(个)	pH	矿化度	总硬度	氨氮	挥发酚	高锰酸盐指数
青海	14		21.4	28.6			
甘肃	4		75.0	75.0			
宁夏	119	8.4	61.3	31.1	8.4	1.0	2.5
内蒙古	66		7.6	12.1	9.1	9.1	10.6
山西	46		30.4	34.8	21.7	10.9	19.6
陕西	152	0.1	29.6	27.0	1.3		
河南	99		20.2	41.4	12.1	6.1	7.1
山东	6		33.3	33.3		16.7	^0
黄河流域	506	2.17	45.45	39.62	11.76	2.76	7.11

(二)单井综合评价

黄河平原区选用的水质监测井共有 506 个,根据平原区各水质监测井地下水 pH 值、矿化度、总硬度、氨氮、挥发性酚(以苯酚计)、高锰酸盐指数、总大肠菌群等项目的监测值,依据《地下水质量标准》(GB/T14848—93),按单指标评价法(取最差类别)确定了单个水质监测井的水质类别,在选用的 506 个监测井中,Ⅳ、Ⅴ类水质的共有 313 个,超标率为 61.9%。

表 8-14　地下水各水质监测项目最大超标倍数水资源二级区统计

水资源二级区	选用监测井数(个)	pH	矿化度	总硬度	氨氮	挥发酚	高锰酸盐指数
龙羊峡以上	2						
龙羊峡—兰州	12		1.91	1.73			
兰州—河口镇	168	1.67	21.9	6.40	60	2	4.67
河口镇—龙门	31	1.02	2.9	1.42	1.2		2.5
龙门—三门峡	175	1.01	3.21	5.56	24.5	10	2.47
三门峡—花园口	57		1.61	2.67	1.30		
花园口以下	25		1.59	1.85	14.9	3.5	2.07
内流区	36		8.0	20.4	2.95		
黄河流域	506	1.67	21.9	20.4	60	10	4.67

表 8-15　地下水各水质监测项目最大超标倍数省(区)统计

省(区)	选用监测井数(个)	pH	矿化度	总硬度	氨氮	挥发酚	高锰酸盐指数
青海	14		1.91	1.73			
甘肃	4		7.5	6.4			
宁夏	119		21.9	11.6	6.5	2	1.47
内蒙古	66	1.67	8.2	3.6	60		4.67
山西	46		3.2	5.56	8.25	4	2.47
陕西	152	1.02	3.1	20.4	1.2	2.5	2.5
河南	99		1.6	2.1	13.2	10	2.1
山东	6		1.2	1.6		1.5	
黄河流域	506	1.67	21.9	20.4	60	10	4.67

图 8-1 给出了全流域地下水不同水质类别监测井数目对比情况。表 8-16、表 8-17 分别给出了各二级区和各省(区)分布情况。

从统计数据中看,选用的 506 个监测井中,评价为Ⅰ类水质的监测井数为零;Ⅱ类水质的监测井数为 47 个,占总监测井数的 9.3%,主要分布在陕西咸阳、宝鸡,河南的个别地区;Ⅲ类水质的监测井数为 146 个,占总监测井数的 28.9%,主要分布在陕西西安、咸阳、宝鸡,河南三门峡、焦作、洛阳、郑州、新乡以及宁夏固原、吴忠的部分地区;Ⅳ类水质的监测井数为 122 个,占总监测井数的 24.1%,主要分布在宁夏固原、吴忠,陕西咸阳、宝鸡,河南三门峡、郑州、新乡的部分地区;Ⅴ类水质的监测井数为 191 个,占总监测井数的 37.7%,主要分布在宁夏固原、吴忠,内蒙古巴彦淖尔盟、阿拉善盟、包头、呼和浩特,陕西咸阳、宝鸡,河南的个别地区。

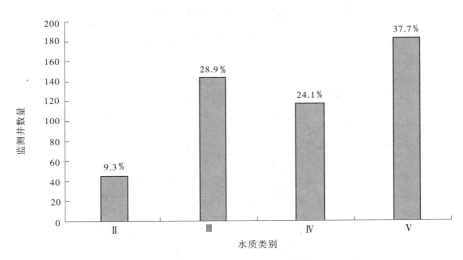

图 8-1 黄河流域地下水不同水质类别监测井数目对比

表 8-16 地下水综合水质类别监测井数目水资源分区统计 （单位:个）

水资源二级区	选用监测井数	水质监测井中所有水质监测项目综合确定的水质类别(单指标评价法)										超标率(%)
		I		II		III		IV		V		
		井数	占(%)	井数	占(%)	井数	占(%)	井数	占(%)	井数	占(%)	
龙羊峡以上	2					2	100					
龙羊峡—兰州	12					6	50.0	2	16.7	4	33.3	50.0
兰州—河口镇	168			7	4.2	39	23.2	37	22.0	85	50.6	2.6
河口镇—龙门	31			3	9.7	13	41.9	11	35.5	4	12.9	48.4
龙门—三门峡	175			35	20.0	61	34.9	37	25.3	42	24.0	45.1
三门峡—花园口	57			1	1.8	26	45.6	15	21.1	15	26.3	52.6
花园口以下	25					4	16.0	5	20.0	16	64.0	84.0
内流区	36			1	2.8	4	11.1	4	11.1	27	75.0	86.1
黄河流域	506			47	9.3	146	28.9	122	24.1	191	37.7	61.9

三、分区评价

黄河流域平原区开采层地下水总的评价面积为 19.62 万 km²,超标率为 48.17%,从评价的数据中可以看出,II类水质的分布面积为 0.66 万 km²,占总面积的 3.37%,评价的关键项目是总硬度、矿化度、硫酸盐、氨氮,主要分布在陕西咸阳、宝鸡、榆林,内蒙古巴彦淖尔盟、阿拉善盟、包头部分地区;III类水质的分布面积为 9.51 万 km²,占总面积的 48.5%,评价的关键项目是总硬度、矿化度、硫酸盐、高锰酸盐指数、氨氮,主要分布在内蒙古巴彦淖尔盟、阿

表 8-17　地下水综合水质类别监测井数目省(区)统计　　　　　　(单位:个)

省(区)	选用监测井数	水质监测井中所有水质监测项目综合确定的水质类别(单指标评价法)										超标率(%)
		Ⅰ		Ⅱ		Ⅲ		Ⅳ		Ⅴ		
		井数	占(%)	井数	占(%)	井数	占(%)	井数	占(%)	井数	占(%)	
青海	14					8	57.1	2	14.3	4	28.6	42.9
甘肃	4					1	25.0			3	75.0	75.0
宁夏	119			4	3.4	36	30.3	29	24.4	50	42.0	66.4
内蒙古	66			5	7.6	7	10.6	14	21.2	40	60.6	81.8
山西	46			4	8.7	9	19.6	16	34.8	17	37.0	71.7
陕西	152			26	17.1	50	32.9	29	19.1	47	30.9	50.0
河南	99			8	8.1	42	42.4	19	19.2	30	30.3	49.5
山东	6					2	33.3	2	33.3	2	33.3	66.7
黄河流域	506			47	9.3	146	28.9	122	24.1	191	37.7	61.9

拉善盟、包头,宁夏吴忠、银川、石嘴山,陕西咸阳、宝鸡、榆林个别地区;Ⅳ类水质的分布面积为 3.23 万 km²,占总面积的 16.5%,评价的关键项目是总硬度、矿化度、硫酸盐、氯化物、氟化物、氨氮,主要分布在内蒙古阿拉善盟、包头,山西临汾、运城,河南三门峡、洛阳、郑州的部分地区;Ⅴ类水质的分布面积为 6.22 万 km²,占总面积的 31.7%,评价的关键项目是总硬度、矿化度、硫酸盐、氯化物、高锰酸盐指数,主要分布在内蒙古巴彦淖尔盟、阿拉善盟、包头,河南三门峡、洛阳、新乡个别地区。表 8-18 和表 8-19 分别给出了各二级区和各省(区)地下水各类别水质面积分布情况。附图17 给出了黄河流域地下水各类别水质分布情况。

四、地下水水质与水量统一评价

按照《地下水质量标准》(GB/T14848—93)进行评价,表 8-20 和表 8-21 分别给出了黄河流域各二级区和各省(区)地下水各类别水质水资源量评价结果。

黄河流域地下水资源,丘陵山区及山前平原地区水质较好,部分平原地区的浅层地下水污染比较严重。黄河流域平原区浅层地下水总的评价面积为 19.62 万 km²。按照单指标评价法,Ⅱ类水的分布面积是 0.66 万 km²,占总评价面积的 3.36%,水资源量为 13.04 亿 m³,占评价区水资源总量的 7.48%;Ⅲ类水的分布面积是 9.51 万 km²,占总评价面积的 48.48%,水资源量为 82.53 亿 m³,占评价区水资源总量的 47.32%;Ⅳ类水的分布面积是 3.23 万 km²,占总评价面积的 16.44%,水资源量为 40.74 亿 m³,占评价区水资源总量的 23.36%;Ⅴ类水的分布面积是 6.22 万 km²,占总评价面积的 31.73%,水资源量为 38.09 亿 m³,占评价区水资源总量的 21.84%。

表 8-18　地下水各类别水质分布面积水资源二级区统计

（单位：km²）

分区地下水水质类别（单指标评价法）

水资源二级区	评价区面积	I 分布面积	I 关键项目	II 分布面积	II 关键项目	III 分布面积	III 关键项目	IV 分布面积	IV 关键项目	V 分布面积	V 关键项目	超标率(%)
龙羊峡以上	4 606			132	总硬度、矿化度	4 474	总硬度、矿化度					
龙羊峡—兰州	631					311	总硬度、矿化度	118	总硬度、矿化度	202	总硬度、矿化度	50.71
兰州—河口镇	75 185			637	总硬度、矿化度	5 614	总硬度、矿化度、氨氮、高锰酸盐指数	15 522	总硬度、矿化度、氨氮、铁、氟化物、高锰酸盐指数	27 042	总硬度、矿化度、氨氮、高锰酸盐指数、砷	56.61
河口镇—龙门	18 914					15 102	矿化度、总硬度、氟化物	2 372	矿化度、总硬度、高锰酸盐指数	1 440	矿化度、总硬度	20.15
龙门—三门峡	40 182			5 521	总硬度、矿化度、硫酸盐	18 748	总硬度、矿化度、硫酸盐、高锰酸盐指数	8 149	矿化度、总硬度、硫酸盐、氨氮、氯化物、高锰酸盐指数	7 764	矿化度、总硬度、硫酸盐、氨氮、氯化物、高锰酸盐指数	39.60
三门峡—花园口	3 785			18	矿化度、总硬度	1 923	矿化度、总硬度、氨氮	755	矿化度、总硬度、氨氮	1 089	矿化度、总硬度、氨氮	48.72
花园口以下	12 324			280	矿化度、总硬度、氨氮、硫酸盐	285	矿化度、总硬度、氨氮	3 607	矿化度、总硬度、氨氮	8 433	矿化度、总硬度、氨氮	97.70
内流区	40 573					22 281	矿化度、总硬度、氨氮、硫酸盐	1 734	矿化度、总硬度、氨氮、硫酸盐	16 278	矿化度、总硬度、氨氮、硫酸盐	44.39
黄河流域	196 200			6 587	总硬度、矿化度、硫酸盐	95 110	氨氮、高锰酸盐指数、硫酸盐	32 257	矿化度、总硬度、氨氮、硫酸盐、氯化物、氟化物	62 247	高锰酸盐指数、硫酸盐、氯化物	48.17

表 8-19　地下水各类别水质分布面积省(区)统计

（单位：km²）

省（区）	评价区面积	I 分布面积	I 关键项目	II 分布面积	II 关键项目	III 分布面积	III 关键项目	IV 分布面积	IV 关键项目	V 分布面积	V 关键项目	超标率（%）
青海	4 990			132	矿化度、总硬度	4 585	矿化度、总硬度	118	矿化度、总硬度	155	矿化度、总硬度	5.47
甘肃	2 895					1 317	矿化度、总硬度	1 578	矿化度、总硬度		矿化度、总硬度	54.51
宁夏	19 399			195	矿化度、总硬度	11 660	矿化度、总硬度	1 556	矿化度、总硬度	5 988	矿化度、总硬度	38.89
内蒙古	101 079			721	总硬度、矿化度	49 840	总硬度、矿化度	15 753	总硬度、矿化度、氨氮、铁、氟化物	34 765	总硬度、矿化度、氨氮、高锰酸盐指数	49.98
山西	16 151			307	总硬度、矿化度、硫酸盐	2 491	矿化度、总硬度、氨氮、硫酸盐	6 705	矿化度、总硬度、高锰酸盐指数	6 648	矿化度、总硬度、高锰酸盐指数	82.68
陕西	35 030			5 218	总硬度、矿化度、硫酸盐	22 468	总硬度、矿化度、氨氮、高锰酸盐指数	3 173	矿化度、总硬度、氨氮、硫酸盐、氯化物	4 171	矿化度、总硬度、氨氮、硫酸盐、氯化物	20.96
河南	13 320			14	矿化度、总硬度	2 509	矿化度、总硬度、氨氮	2 035	矿化度、总硬度、氨氮	8 762	矿化度、总硬度、氨氮	81.06
山东	3 336					239	矿化度、总硬度、氨氮、高锰酸盐指数、硫酸盐	1 339	矿化度、总硬度、氨氮	1 758	矿化度、总硬度、氨氮	92.84
黄河流域	196 200			6 587	总硬度、矿化度、硫酸盐	95 110	总硬度、矿化度、氨氮、高锰酸盐指数、硫酸盐	32 257	矿化度、总硬度、氨氮、硫酸盐、氯化物、氟化物	62 247	矿化度、总硬度、高锰酸盐指数、硫酸盐、氯化物	48.17

表 8-20 地下水各类别水质水资源量水资源二级区统计 （单位：面积 km²；资源量 万 m³）

水资源二级区	评价区面积	不同地下水水质类别（单指标评价法）									
		I		II		III		IV		V	
		面积	资源量	面积	资源量	面积	资源量	面积	资源量	面积	资源量
龙羊峡以上	4 606			132	698	4 474	9 442				
龙羊峡—兰州	631					311	7 144	118	11 641	202	5 460
兰州—河口镇	75 185			636	37 959	31 986	261 636	15 522	195 524	27 041	171 196
河口镇—龙门	18 914					15 102	151 998	2 372	18 073	1 440	6 745
龙门—三门峡	40 182			5 522	88 692	18 748	290 039	8 149	111 564	7 764	36 554
三门峡—花园口	3 785			18	714	1 923	45 295	755	16 210	1 089	5 440
花园口以下	12 324					285	3 677	3 607	46 037	8 433	133 240
内流区	40 573			280	2 330	22 281	56 034	1 734	8 319	16 278	22 262
黄河流域	196 200			6 588	130 393	95 110	825 266	32 257	407 369	62 247	380 897

表 8-21 地下水各类别水质水资源量省(区)统计 （单位：面积 km²；资源量 万 m³）

省(区)	评价区面积	不同地下水水质类别（单指标评价法）									
		I		II		III		IV		V	
		面积	资源量	面积	资源量	面积	资源量	面积	资源量	面积	资源量
青海	4 990			132	698	4 585	104 544	118	51 633	155	20 653
甘肃	2 895					1 317	5 043	1 578	5 102		
宁夏	19 399			195	22 058	11 660	34 228	1 556	39 721	5 988	27 741
内蒙古	101 079			721	18 231	49 840	263 109	15 753	130 810	34 765	159 162
陕西	16 151			307	6 479	2 491	59 959	6 705	77 948	6 648	42 673
山西	35 030			5 218	82 213	22 468	307 209	3 173	41 248	4 171	22 033
河南	13 320			14	714	2 509	48 120	2 035	54 939	8 762	97 256
山东	3 336					239	3 055	1 339	5 968	1 758	11 379
黄河流域	196 200			6 588	130 393	95 110	825 267	32 257	407 369	62 247	380 897

第四节　地下水水质变化趋势及污染分析

一、地下水水质变化趋势分析

鉴于平原区地下水水质监测项目仅限于简分析项目,选取反映水质综合指标来分析地下水水质变化趋势。首先计算年均变化率 R_C,然后根据 R_C 值确定变化趋势。年均变化率 R_C 由下式计算：

$$R_C = \frac{C_2 - C_1}{C_1(t_2 - t_1)} \times 100\% \qquad (8\text{-}1)$$

式中　R_C——年均变化率，%；

　　　C_2——终止监测年份(t_2)的监测值；

　　　C_1——起始监测年份(t_1)的监测值。

地下水水质变化趋势划分为恶化区（$R_C > 2\%$）、稳定区（$-2\% \leqslant R_C \leqslant 2\%$）和好转区（$R_C < -2\%$）。

根据平原区各水质监测井地下水 pH 值、矿化度、总硬度、氨氮、挥发性酚（以苯酚计）、高锰酸盐指数、总大肠菌群等单个项目的监测值变化情况，在选用的 108 个监测井中，好转井数为 14 个，占总监测井数的 13.0%；稳定井数为 58 个，占总监测井数的 53.7%；恶化井数为 36 个，占总监测井数的 33.3%。

由表 8-22、表 8-23 提供的数据可以看出，本次评价选用的监测井主要分布在宁夏吴忠、银川、石嘴山的部分地区，陕西、山西的个别地区。选用的监测井中共有 93 个分布在宁夏，监测项目为矿化度，其中稳定井数为 44 个，占选用监测井数的 47.3%，好转井数为 14 个，占选用监测井数的 15.1%，恶化井数为 35 个，占选用监测井数的 37.6%；选用的监测井中 8 个分布在陕西，主要监测项目是氯化物、硫酸盐、二价铁、三价铁等，稳定的井数为 7 个，占选用监测井数的 87.5%，恶化井数为 1 个，占选用监测井数的 12.5%；分布在山西的 7 个监测井，按照监测项目进行评价均基本稳定。

表 8-22　地下水水质监测值变化的监测井数目水资源分区统计　　　　（单位：个）

水资源二级区	选用监测井数	某水质监测项目监测值变化情况			
		监测项目名称	好转井数	稳定井数	恶化井数
龙羊峡以上					
龙羊峡—兰州					
兰州—河口镇	93	矿化度	14	44	35
河口镇—龙门	2	硫酸盐、氯化物		1	1
龙门—三门峡	13	亚硝酸盐氮、氨氮、硫酸盐、挥发酚、六价铬、铁、氯化物		13	
三门峡—花园口					
花园口以下					
内流区					
黄河流域	108	矿化度、亚硝酸盐氮、氨氮、硫酸盐、挥发酚、六价铬、铁、氯化物	14	58	36

二、地下水污染分析

(一)地下水污染概述

地下水污染大致可分为人为污染和自然污染。人为污染指工业、城镇、农田灌溉产生的

表 8-23　地下水水质监测值变化的监测井数目省(区)统计　(单位:个)

省(区)	选用监测井数	某水质监测项目监测值变化情况			
		监测项目名称	好转井数	稳定井数	恶化井数
青海					
内蒙古					
甘肃					
宁夏	93	矿化度	14	44	35
陕西	8	硫酸盐、铁、氯化物		7	1
山西	7	亚硝酸盐氮、氨氮、硫酸盐、挥发酚、六价铬		7	
河南					
山东					
黄河流域	108	矿化度、亚硝酸盐氮、氨氮、硫酸盐、挥发酚、六价铬、铁、氯化物	14	58	36

污染物下渗污染地下水。人为污染按污染类型可分为工业污染、生活污染、农药化肥污染、地膜污染和生物污染等。地下水自然污染主要是来自含水层本身或补给水源所挟带的各种有害、有毒物质溶于水中所造成的污染,表现在高氟、低碘、含砷和高盐区等,大部分分布在水系下游,虽分布范围不大,但对人类身体健康影响极为严重。

黄河流域因人口密度及工农业发展水平的不同,各地区的地下水水质状况差异也较大,地下水水质呈波动状变化,除个别点或条带外,波动幅度不大。矿化度和总硬度超标系原生地质环境和地下水交替循环滞缓引起,"三氮"超标系近源环境污水及生活垃圾淋滤所致,工业三废、农药和化肥等也引起不同程度点状或局部面状污染。由于原生地质环境的影响,在部分地带地下水中氟化物、总硬度含量较高。因人类活动的影响,沿污染河段及城郊周围地下水中"三氮"含量普遍较高。

黄河流域地下水污染有如下特点:

从污染程度上看,大部分地区水质较好,城市周边及大型农灌区污染普遍较其他区域重,污染参数多且超标率高,特别是关中地区的西安、咸阳、渭洛灌区及宁夏灌区、石嘴山,内蒙古河套灌区、包头、呼和浩特,青海西宁,甘肃兰州,河南新乡、三门峡等污染较为突出。

从污染参数看,矿化度和总硬度污染主要分布在宁夏同心县、海原县的部分地区和宁夏中宁县、内蒙古巴彦淖尔盟、陕西定边个别区域。受工业"三废"、生活垃圾及农业生产影响,在排污及纳污河道和大型农灌区等人为活动影响较大的地区,"三氮"污染较突出,普遍遭受污染。

从变化趋势看,多数地区地下水水质趋于稳定或略有减轻,但部分城市和地区地下水污染加重。

(二)地下水污染状况

地下水污染分析的主要对象为近期由于人为因素影响使地下水水质出现明显恶化并达到Ⅳ、Ⅴ类的地下水。地下水污染分析选用的水质项目为氨氮、挥发性酚类、高锰酸盐指数和总大肠菌群。地下水污染程度按照地下水"超标倍数 CB_i"来评价，CB_i 由下式计算：

$$CB_i = \frac{C_i}{Co_i} - 1 \qquad (8-2)$$

式中　CB_i——某水质监测项目 i 的超标倍数；

　　　　C_i——项目 i 的监测值；

　　　　Co_i——项目 i 的控制标准(《地下水质量标准》(GB/T14848—93)中Ⅲ类标准的上限值)。

表 8-24 和表 8-25 分别给出了黄河流域地下水污染状况水资源二级区、省(区)分布情况。黄河流域平原区地下水污染状况总的评价面积是 10.73 万 km^2，未污染区分布面积为 9.48 万 km^2，占总评价面积的 88.35%，轻度污染区(水质类别为Ⅳ类)为 0.57 万 km^2，占总评价面积的 5.31%，重度污染区(水质类别为Ⅴ类)为 0.69 万 km^2，占总评价面积的 6.43%。评价水污染状况的关键项目有氨氮、镉、汞、高锰酸盐指数、挥发酚、亚硝酸盐氮。

表 8-24　地下水污染状况水资源二级区统计　　　　　　　　(单位：km^2)

水资源二级区	污染评价区面积	未污染区分布面积	轻度污染区(水质类别为Ⅳ)		重度污染区(水质类别为Ⅴ)	
			分布面积	关键项目	分布面积	关键项目
龙羊峡以上						
龙羊峡—兰州						
兰州—河口镇	30 239	28 006.5	171.55	氨氮、高锰酸盐指数	2 060.95	氨氮、镉、汞
河口镇—龙门	16 910	16 776.2	133.8	高锰酸盐指数		
龙门—三门峡	2 502	1 852			650	硫酸盐、挥发酚、亚硝酸盐氮
三门峡—花园口	1 611	1 359	252	氨氮		
花园口以下	17 038	10 485	2 816	亚硝酸盐氮	3 737	高锰酸盐指数、氨氮、挥发酚、亚硝酸盐氮
内流区	39 019	36 274.2	2 329	高锰酸盐指数	415.8	硝酸盐、pH 值
黄河流域	107 319	94 752.9	5 702.35	高锰酸盐指数、氨氮、亚硝酸盐氮	6 863.75	氨氮、镉、汞、高锰酸盐指数、挥发酚、亚硝酸盐氮

从总体上来看，地下水污染状况评价区主要分布在内蒙古、陕西、河南等省份，分布在内蒙古的评价区面积为 3.02 万 km^2，占总评价面积的 28.2%，轻度污染区为 0.017 万 km^2，占评价区面积的 0.56%，重度污染区为 0.20 万 km^2，占评价区面积的 6.62%，未污染区分布面积为 2.80 万 km^2，占评价区面积的 92.7%；分布在陕西的评价区面积为 2.36 万 km^2，占总评价面积的 22.1%，轻度污染区为 0.013 万 km^2，占评价区面积的 0.55%，未污染区分布面积为 2.35 万 km^2，占评价区面积的 99.5%；分布在河南的评价区面积为 4.01 万 km^2，占总评价面积的 37.5%，轻度污染区为 0.26 万 km^2，占评价区面积的 6.48%，重度污染区为 0.19 万 km^2，占评价区面积的 4.74%，未污染区分布面积为 3.56 万 km^2，占评价区面积的

88.8%。根据上面的数据分析,内蒙古、陕西的未污染区所占的比例较河南的高,地下水质状况相对较好。

表 8-25　地下水污染状况水资源省(区)统计　　　　　　　　　　　(单位:km²)

省(区)	污染区评价区面积	未污染区分布面积	轻度污染区(水质类别为Ⅳ)		重度污染区(水质类别为Ⅴ)	
			分布面积	关键项目	分布面积	关键项目
青海						
内蒙古	30 199	28 006.5	168	高锰酸盐指数	2 024.5	氨氮
甘肃						
宁夏	40		3.55	氨氮、高锰酸盐指数	36.45	氨氮、镉、汞
陕西	23 638	23 504.2	133.8	高锰酸盐指数		
山西	1 955	1 305			650	硫酸盐、挥发酚、亚硝酸盐氮
河南	40 066	35 576.2	2 581	高锰酸盐指数、氨氮、亚硝酸盐氮	1 908.8	氨氮、高锰酸盐指数、挥发酚、亚硝酸盐氮
山东	11 421	6 361	2 816	硝酸盐氮、亚硝酸盐氮	2 244	挥发酚、氨氮、硝酸盐氮、亚硝酸盐氮
黄河流域	107 319	94 752.9	5 702.35	高锰酸盐指数、氨氮、亚硝酸盐氮	6 863.75	氨氮、镉、汞、高锰酸盐指数、挥发酚、亚硝酸盐氮

(三)地下水污染成因分析

黄河流域降水量普遍较小,地表水资源贫乏,工业和生活用水绝大部分取自地下水,受人工开采量大小及降水量大小的共同制约,长期超量开采地下水的地区,改变了地下水水动力条件,打破了原有的水盐平衡,造成了地下水矿化度、总硬度升高和水化学类型改变、氟离子升高等问题。

随着经济的发展、人类活动的加剧,农药、化肥、生活污水及工业"三废"的排放量日益增大,而这些污水大部分未经处理直接排入环境,构成了地下水的主要污染源。而过量开采造成地下水位的不断下降,客观上为废污水的加速入渗创造了有利条件。特别是排污量的增加,无论是点源污染或是非点源污染,在造成地表水污染的同时,也使地下水中的有害物质增多,在黄河流域的广大农村地区,来自农田的面源污染最为突出。尤其是化肥、农药、重金属在土壤、地下水环境及其在农作物中的积累,是农业生产过程中影响环境的主要因素之一,极易直接导致浅层地下水的污染。

黄河流域水资源的 80%~90% 用于农业灌溉,传统的灌溉方式不仅造成大量水资源被无效蒸发,而且诱发了环境地质问题,普遍采用大水漫灌,灌溉技术落后,造成灌区地下水位上升,土壤次生盐渍化不断扩大。宁夏灌区、内蒙古河套灌区以及陕西关中渭洛灌区都分布有次生盐渍化土地。

(四)地下水污染趋势分析

黄河流域地下水总体质量较好,但多数城市地下水仍受到一定程度的点状和面状污染。

特别是流域西北部地区地下水污染参数为总硬度、矿化度,其次为硫酸盐、硝酸盐、氯化物和氟化物。

甘肃省主要地区的地下水水质恶化较快;宁夏自治区地下水水质较为稳定且变化速率也较慢,部分地区地下水中硫酸盐、矿化度、氟化物和总硬度超标较突出,但水质变化不大,其潜水中受氨氮、总硬度等污染的面积有所下降,而氟化物和矿化度的超标区均较为稳定;内蒙古地下水水质基本稳定,超标组分和含量变化不大;山西省地下水水质波动变化明显,有明显增高趋势的地区主要为太原市孔隙水中的硫酸盐、挥发酚、硝酸盐,年均变化率在0.23~2.68之间,其他地区如氨氮、挥发酚等虽有所增高但变化幅度不大;陕西省地下水水质恶化速率较快,特别是关中地区,主要受工业"三废"和生活垃圾的污染,经济增长以环境恶化为代价,这在水资源开发过程中应引起高度重视;黄河下游滩区浅层地下水的水质基本稳定;河南省地下水污染参数主要为矿化度、总硬度、硫酸盐和氯化物,地下水水质有所恶化的有新乡市和三门峡市,因工业"三废"和生活垃圾不合理排放,致使地下水水质持续恶化,且恶化趋势十分明显;山东省地下水水质较为稳定。

大多数城市地下水水质向恶化趋势发展。主要增长的组分有:矿化度、总硬度、硝酸盐、亚硝酸盐、硫酸盐、COD和氨氮等。如:西宁(总硬度、硫酸盐)、兰州(总硬度、硝酸盐、氯化物)、呼和浩特(硝酸盐)、包头(氟、硝酸盐)、西宁市南川(总硬度、硫酸盐)、西安(矿化度、硝酸根)、石嘴山(矿化度)、济南(硝酸盐)等城市。

第五节　地下水源地水质及供水水质评价

一、常规项目现状水质评价

(一)单井综合评价

表8-26和表8-27分别给出了黄河流域地下水集中式水源地水质综合类别监测井数目水资源二级区、省(区)分布情况。黄河流域地下水集中式水源地评价总数为31个,根据所有水质监测项目综合确定的水质类别,Ⅱ类水质的水源地数为1个,占总水源地数的3.23%;Ⅲ类水质的水源地数为18个,占总水源地数的58.1%;Ⅳ类水质的水源地数为9个,占总水源地数的29.0%;Ⅴ类水质的水源地数为3个,占总水源地数的9.7%。从省(区)来看,平原区地下水集中式水源地主要分布在山东、陕西、山西、内蒙古等省(区)的个别地区。

(二)分区评价

黄河流域平原区地下水集中式水源地水质类别评价总面积为2 023.2 km²,超标率为18.85%。根据单指标评价法评价,水质类别为Ⅲ类的面积为1 641.8 km²,占总评价面积的81.1%,评价的关键项目是硝酸盐、铅、矿化度、总硬度、氨氮、锰;水质类别为Ⅳ类的面积为257.5 km²,占总评价面积的12.7%,评价的关键项目是硝酸盐、氨氮、总硬度;水质类别为Ⅴ类的面积为123.9 km²,占总评价面积的6.12%,评价的关键项目是硝酸盐、总硬度。根据统计分析,地下水集中式水源地水质类别评价区主要分布在河南、山西、宁夏等省的个别地区(见表8-28、表8-29)。

表 8-26 地下水集中式水源地综合类别监测井数目水资源二级区统计 （单位：个）

水资源二级区	水源地总数	选用监测井数（个）	每个水质监测井中所有水质监测项目综合确定的水质类别（单指标评价法）									
			I		II		III		IV		V	
			水源地数	占(%)	水源地数	占(%)	水源地数	占(%)	水源地数	占(%)	水源地数	占(%)
龙羊峡—兰州	2	2					2	100				
兰州—河口镇	4	4			1	25	2	50	1	25		
龙门—三门峡	13	13					6	46.2	5	38.5	2	15.4
花园口以下	12	12					8	66.7	3	25	1	8.3
黄河流域	31	31			1	3.23	18	58.1	9	29	3	9.68

表 8-27 地下水集中式水源地综合类别监测井数目省(区)统计 （单位：个）

省(区)	水源地总数	选用监测井数（个）	每个水质监测井中所有水质监测项目综合确定的水质类别（单指标评价法）									
			I		II		III		IV		V	
			水源地数	占(%)	水源地数	占(%)	水源地数	占(%)	水源地数	占(%)	水源地数	占(%)
青海												
甘肃	2	2					2	100				
宁夏												
内蒙古	4	4			1	25	1	25	1	25	1	25
山西	6	6					4	66.7	2	33.3		
陕西	7	7					3	42.9	3	42.9	1	14.3
河南	4	4					3	75			1	25
山东	8	8					5	62.5	3	37.5		
黄河流域	31	31			1	3.23	18	58.1	9	29	3	9.68

二、常规项目水质变化趋势

黄河流域平原区地下水集中式水源地,有不同监测项目监测值变化数据的监测井数为3个,监测项目主要为氨氮、总硬度、亚硝酸盐氮。其中,山西境内的2口井稳定,河南境内的1口井有恶化趋势。

表 8-28　地下水集中式水源地水质类别分布面积水资源二级区统计　　（单位：km²）

水资源二级区	评价区面积	分区地下水水质类别（单指标评价法）										超标率（%）
		I		II		III		IV		V		
		分布面积	关键项目	分布面积	关键项目	分布面积	关键项目	分布面积	关键项目	分布面积	关键项目	
龙羊峡—兰州	6.0					6.0	氨氮					
兰州—河口镇	462.0					462.0	锰					
龙门—三门峡	685.94					543.3	硝酸盐、铅、矿化度、总硬度	138.74	硝酸盐、氨氮	3.9	硝酸盐	20.79
三门峡—花园口	869.3					630.5	总硬度、硝酸盐氮	118.8	总硬度、氨氮	120	总硬度	27.47
黄河流域	2 023.24					1 641.8	硝酸盐、铅、矿化度、总硬度、氨氮、锰	257.54	硝酸盐、氨氮、总硬度	123.9	硝酸盐、总硬度	18.85

表 8-29　地下水集中式水源地水质类别分布面积省（区）统计　　（单位：km²）

省（区）	评价区面积	分区地下水水质类别（单指标评价法）										超标率（%）
		I		II		III		IV		V		
		分布面积	关键项目	分布面积	关键项目	分布面积	关键项目	分布面积	关键项目	分布面积	关键项目	
青海	6.0					6.0	氨氮					
宁夏	462					462	锰					
陕西	12.64					5	硝酸盐	5.74	硝酸盐	3.9	硝酸盐	76.27
山西	673.3					538.3	硝酸盐、铅、矿化度、总硬度	135	氨氮			
河南	869.3					630.5	总硬度、硝酸盐氮	118.8	总硬度、氨氮	120	总硬度	
黄河流域	2 023.24					1 641.8	硝酸盐、铅、矿化度、总硬度、氨氮、锰	257.54	硝酸盐、氨氮、总硬度	123.9	硝酸盐、总硬度	18.85

三、常规项目污染程度

黄河流域平原区地下水集中式水源地污染状况评价区总面积为 2 023.24 km²,未污染区分布面积为 1 641.8 km²,占总评价面积的 81.1%,轻度污染区为 257.54 km²,占总评价面积的 12.7%,重度污染区为 123.9 km²,占总评价面积的 6.12%。评价水污染状况的关键项目有硝酸盐、氨氮、总硬度。从总体上看,地下水集中式水源地水质类别评价区主要分布在河南、山西、宁夏等省的个别地区(见表 8-30、表 8-31)。

表 8-30　地下水集中式水源地污染状况水资源二级区统计　　　　　(单位:km²)

水资源二级区	地下水水源地评价区面积	未污染区分布面积（水质类别为 I～Ⅲ)	轻度污染区（水质类别为Ⅳ)		重度污染区（水质类别为Ⅴ)	
			分布面积	关键项目	分布面积	关键项目
龙羊峡—兰州	6	6				
兰州—河口镇	462	462				
龙门—三门峡	685.94	543.3	138.74	硝酸盐、氨氮	3.9	硝酸盐
三门峡—花园口	869.3	630.5	118.8	总硬度、氨氮	120	总硬度
黄河流域	2 023.24	1 641.8	257.54	硝酸盐、氨氮、总硬度	123.9	硝酸盐、总硬度

表 8-31　地下水集中式水源地污染状况省(区)统计　　　　　(单位:km²)

省(区)	地下水水源地评价区面积	未污染区分布面积（水质类别为 I～Ⅲ)	轻度污染区（水质类别为Ⅳ)		重度污染区（水质类别为Ⅴ)	
			分布面积	关键项目	分布面积	关键项目
青海	6	6				
宁夏	462	462				
陕西	12.64	5	5.74	硝酸盐	3.9	硝酸盐
山西	673.3	538.3	135	氨氮		
河南	869.3	630.5	118.8	总硬度、氨氮	120	总硬度
黄河流域	2 023.24	1 641.8	257.54	硝酸盐、氨氮、总硬度	123.9	硝酸盐、总硬度

四、地下水供水水质评价

黄河流域 2000 年地下水供水总量为 1 339 661 万 m³,其中生活供水包括城镇生活和农村生活供水。城镇生活供水为 177 184 万 m³,占供水总量的 13.2%,主要分布于内蒙古、山西、陕西的部分地区;农村生活供水 129 665 万 m³,占供水总量的 9.7%,主要分布于山西、陕西、河南、山东的部分地区;工业供水为 389 987 万 m³,占供水总量的 29.1%,主要分布在黄河流域的中下游地区;农业供水为 642 825 万 m³,占供水总量的 48.0%,主要分布于内蒙古、山西、陕西、河南、山东的部分地区(见表 8-32、表 8-33)。

表 8-32 2000 年地下水供水水质水资源二级区统计　　　　　　（单位:万 m³）

水资源二级区	城镇生活					农村生活		工业供水					农业供水	
	I 类	II 类	III 类	IV 类	V 类	符合	不符合	I 类	II 类	III 类	IV 类	V 类	符合	不符合
龙羊峡以上		528				279			173				3	
龙羊峡—兰州		548	6 065			536			290	24 157			7	
兰州—河口镇		4 463	26 538	3 816	3 028	5 582	10 433		7 147	45 471	4 244	4 329	63 490	7 313
河口镇—龙门		316	6 239	23	5	9 133	263		320	6 420	1 004	59	24 935	
龙门—三门峡	8 546	39 807	45 547	2 007		47 828	9 766	8 118	91 114	51 663	20 934		225 773	14 060
三门峡—花园口	823	12 780	5 242			14 968	4 294	1 868	18 986	36 766	7 241	2 661	89 552	
花园口以下	224	860	8 844	224		14 633	10 449	352	4 690	23 804	22 500	4 153	197 623	4 338
内流区			617		95	1 023	478			1 285		237	13 731	2 000
黄河流域	9 593	59 302	99 092	6 070	3 128	93 982	35 683	10 338	122 720	189 566	55 924	11 439	615 114	27 711

表 8-33 2000 年地下水供水水质省(区)统计　　　　　　（单位:万 m³）

省(区)	城镇生活					农村生活		工业供水					农业供水	
	I 类	II 类	III 类	IV 类	V 类	符合	不符合	I 类	II 类	III 类	IV 类	V 类	符合	不符合
青海		1 027	5 602			1 235			562	24 154			10	
甘肃			503			359				1 596			8 900	
宁夏		3 273	9 175	225		668	4 162		6 743	23 344	1 052		746	11 605
内蒙古		1 440	21 402	4 630	3 128	10 766	9 476		404	26 305	4 600	4 598	70 021	
山西		4 546	24 102			20 442				42 863	18 630		151 694	5 627
陕西	8 646	40 995	20 879	992		31 977	7 576	8 218	87 831	13 596	1 901		96 593	6 141
河南	722	7 908	9 529			17 754	13 946	1 768	26 038	35 490	8 231	6 303	196 438	
山东	225	113	7 901	224		10 781	523	353	1 142	22 218	21 510	538	90 712	4 338
黄河流域	9 593	59 302	99 092	6 070	3 128	93 982	35 683	10 338	122 720	189 566	55 924	11 439	615 114	27 711

第六节　地下水水质保护对策

地下水参与自然界的水文循环,与地表水、大气降水之间相互联系、相互转化,组成统一的整体。同时,地下水具有相对独立的储存空间和渗流系统,它的形成、分布和运移主要受地质和水文地质条件控制。因此,地下水的开发利用必须遵循地下水资源本身所具有的客观规律,需要在全面系统地进行地下水资源统一评价的基础上,科学合理地确定地下水的开采地段、开采层位、开采布局和开采量。

地下水资源不合理利用是造成水环境问题的主要原因。切实解决好地下水资源开发利用和水环境保护的矛盾与问题,是一项长期而艰巨的任务。由于黄河流域人口的迅速增长,经济高速发展,供水紧缺,水质污染,人与水争地,乱垦滥伐,破坏生态环境,水资源的可持续利用出现了新的问题和新的矛盾。必须采取新的战略,使水资源可持续利用,以支持流域经济社会的持续发展。

本次地下水资源质量评价显示,黄河流域地下水总体质量较好,但目前仍有部分城市和地区的地下水污染比较严重,地下水水质呈下降趋势,且有污染加重的变化趋势,并呈现出由点向面、由城市向农村扩展的趋势,由污染造成的缺水城市和地区日益增多。实现地下水资源的可持续利用,已经成为流域经济、社会可持续发展的重要环节。必须按地下水资源蓄存和分布的规律,尽快调整地下水开发利用思路,因地制宜地制定相应的开发利用和保护战略,合理开发利用地下水。坚持采补平衡、合理调控,保护水质、优质优用,地表水与地下水统筹兼顾的原则,综合开发利用和保护地下水资源。

一、加强水资源的统一规划和管理

在水资源匮乏的地区,按流域对水资源统一管理是十分必要的。以往由于部门、地区多龙治水,使防洪减灾、城乡工农业用水、防治污染、生态环境保护等存在许多矛盾,造成巨大损失和浪费。因此,必须建立国家级和各流域的水资源管理委员会,运用流域管理经验,协助并指导有关地方政府及其水行政主管部门,实行统一规划和管理,统筹考虑江河上下游、城乡工农用水、水量和水质、地表水和地下水、以供定需、用水和防污,认真实施地表水与地下水按流域或区域统一开发调度和管理,逐步做到地下水依照补给量控制开采,做到采补平衡,保证水资源可持续利用,改善生态环境。因此,应采取立法和行政措施,加快制定《中华人民共和国环境灾害防治条例》及其配套法规、规章和有关行业标准,并严格执行。加强地下水资源管理,健全监督体制,规范人类活动的方式,达到延缓或消除水环境灾害对社会经济的影响。必须转变思想,提高认识,顾全大局,服从整体利益。将水环境灾害防治监督管理体系延伸到地、县,严格执法,加强监督,有效控制不合理的工程和经济活动,大幅度减少人为活动诱发的水环境问题。

二、实施区域地下水资源开发与水质保护战略

根据地下水补给和蓄存条件,按照采补平衡的原则,调整优化地下水开采布局和用水结构。按照地下水资源时空分布特点,结合经济区域发展布局和生态环境建设需要,综合规划地下水的开发利用与保护战略,建立科学的管理制度和技术保障体系。超采区压缩开采量,有资源潜力的地区扩大开采量,基本做到采补平衡,实现地下水资源的可持续利用。

三、加强地下水科学研究和监测工作

为了保护地下水资源,防止地下水过量开采,就必须研究开采条件下地下水资源的评价和水环境问题,制定合理开发利用地下水的规划,建立统一的地下水位、水量和水质以及地面变形的监测网站,及时掌握和预报地下水的动态变化,为保护地下水资源和水环境提供科学的依据。此外,要利用大气水、地表水和地下水相互循环转化以及地下水运动缓慢的特点,充分蓄积天然降水,多渠道引蓄洪水,回灌补给地下水,有条件的地方可修建地

下水库,从而达到涵养水源、有效控制利用水资源的目的。

一方面水资源短缺,另一方面污染严重,而污水处理能力还很低,特别是城市应加大污水处理回用能力,作为城市重要替代水源。借助地质介质去除污物已有相当研究,但从工业规模污水回用上尚需加大研究力度。

四、加强保护水质,实施地下水优质优用

黄河流域大部分地区以开发浅层地下水为主。在深层地下水资源丰富、开发利用后又不产生较大环境地质问题的地区,可有计划地适度开发深层水资源。在地下咸水分布区,可应用抽咸补淡、淡咸混合等技术,合理利用地下咸水资源。要以浅层为主、深层适度,咸淡结合,采取有效措施保护地下水源,严格控制和预防地下水污染。按照优先满足人民生活用水需求,兼顾工业、农业和生态环境用水的序次和原则,合理开发利用地下水。

五、大力开发浅层地下咸水

在淡水资源相对贫乏地区,如按照一定条件利用 2～5 g/L 的地下咸水灌溉农田,可以获得较高的作物产量。地下咸水也可作为工业冷却和洗涤用水及城市清洁用水。开发利用浅层地下咸水,腾出了地下库容,有利于增加降雨和地表水的入渗和消除渍涝、盐碱危害。同时,地表入渗的淡水还会使地下咸水逐渐淡化,逐步改善地下水水质。

六、从以地表调蓄为主向地表、地下联合调蓄转变

坚持地表水与地下水、上游与下游水资源统筹兼顾的原则。水资源调蓄要实行从以地表调蓄为主向地表、地下联合调蓄的战略转变,充分发挥地表水库和地下水库各自的优势,取长补短,优势互补,综合开发利用水资源。按照不同地区的水文地质条件,调整优化地下水开发布局和用水结构。

七、加强节约用水

黄河流域是个农业用水量较大的地区,农业生产要使节水灌溉和节水农业结合起来。节水灌溉要渠系配套和渠道防渗,管道输水,平整耕地,以地面灌溉为主,井渠、喷滴灌结合。节水农业包括优化轮作制度和灌溉制度、采用优质品种、耕作栽培、培肥施肥等。发展旱地农业,要用好土壤水,利用雨水集蓄节灌,建设梯田,提高土壤有机质,建设土壤水库。节水农业要优化种植结构,采用优质品种,改土培肥,抗旱保墒,地膜覆盖等。

随着工业和城市的发展,要开源供水,充分利用当地水资源,包括污水资源化等。工业要改进工艺和流程,多次重复用水,万元产值用水量降低到 30 m³ 以下。城镇年用水量要大力整修管网,用节水器具。节约用水可减少排污量,治污比供水贵,供水比节水贵,所以应当节水优先,治污为本。还要多渠道利用当地水资源,包括处理过的污水、雨水、中水等。

八、建立地下水资源保护带,有效防止地下水污染

黄河流域的水污染加剧了水资源紧缺程度,威胁人民健康,影响工农业生产,不采取

防治对策,将造成严重后果。工业污染的控制是水污染防治中十分重要的一环,目前工业治污实际上正常运行的很少,还有反弹,有的可靠性差,有的根本不能用。要从目前的末端治理逐步改为源头控制,严格限制高耗水、重污染企业的建设,大力推行清洁生产,采用先进工艺,减少污水排放量,争取实现工业用水量和废水排放量的零增长和有毒、有害污染物的零排放。农田污染包括含化肥、农药的排水,农村畜禽养殖业排放的污水、废物等,也要大力治理,采取控制源头,用少污染的化肥、农药,充分利用畜禽养殖业的废水和农村废物。在水资源保护的重点区域,特别是重要的地下水水源地,其上游及周边应建立地下水资源保护带,严格控制污染源,实施排放浓度与总量双控制。

九、加强科普宣传教育工作,提高全民的水环境意识

地下水管理涉及亿万城乡居民的生产与生活,要加强宣传教育,通过各种途径,积极开展水环境问题的宣传、普及教育,使广大干部群众把科学管理变为自觉行动,提高公众的环境保护意识和减灾意识,调动全社会的力量,开展和做好保护地下水资源工作,为流域地下水资源管理和合理开发利用创造有利的社会环境。

十、开展水污染控制的基础性研究工作

水污染主要来自点源和非点源,非点源污染包括面源污染和内源污染。点源污染易于控制,面源污染是造成地下水水质污染的主要因素之一。水体的非点源污染的来源比较广泛,其中以来自农田的面源污染最为突出。尤其是化肥、农药、重金属对土壤、地下水环境及其在农作物中的积累,是农业生产过程的重要环境问题,特别是黄河流域广大农村地区、以地下水为主要水源的地区。有关农业面源污染目前开展了一些研究工作,但基于实验室的成果居多,基于田间尺度研究相对较少。由于缺乏系统、可靠的基础资料,对污染源的状况、面源污染对各类水体污染的贡献情况基本处于空白的状态。基础资料的缺乏,使得水资源保护规划的制定、流域污染物排放的总量控制、流域水环境容量的确定等方面的研究缺乏可靠的数据源,进一步讲,影响到流域生态环境的保护。因此,面源污染的控制和治理是流域水环境承载力研究无法回避的问题,亟待开展面源污染控制系统研究。

总之,水资源是人类生活、生产、发展不能缺少的自然资源,人类必须珍惜地下水资源,保护地下水资源,正确认识地下水资源的客观规律和作用,合理利用地下水资源,科学管理地下水资源,正确制定黄河流域水资源战略和治水方针,坚持"人与自然和谐共存"的发展方针和以水资源的可持续利用支持社会经济可持续发展的战略思想,充分发挥地下水的优势,把有限的地下水纳入合理开发、经济利用和科学管理的轨道,实现地下水资源的可持续利用,这是重要的战略任务。因此,应调整地下水开发利用思路,实施以地下水资源的可持续利用支持流域经济社会可持续发展的战略。

第九章　河流泥沙

河流泥沙是反映河川径流特性的一个重要因素。黄河泥沙来自黄土高原水土流失区,大量泥沙进入河道,不但影响了地表水资源的开发利用和水利工程效益的发挥,而且造成下游河道的严重淤积,给防洪带来威胁。因此,泥沙问题一直以来是治黄工作的一个重要方面。本次统计分析的河流泥沙主要是悬移质泥沙。本章简要评价了黄河流域1980～2000年平均输沙模数分布特征、实测输沙量年际变化和年内分配特点、库区及下游河道冲淤变化特点等。

第一节　输沙模数分布特征

一、输沙模数分布

黄河流域产沙分布与地面物质组成、地貌类型关系密切。本次输沙模数分布图(见附图18),其计算均采用各站1980～2000年实测系列,依据由卫星照片修订的黄河流域自然地理分区图以及国家"七五"重点科技攻关项目(75－04－03－02)编制的《黄土高原地区侵蚀强度与侵蚀类型图》,进行地貌类型区划分,是在地貌类型分区图的基础上绘制的。根据侵蚀强度与侵蚀类型,黄河流域可分为18种地貌类型区,它们分别是石山林区、土石山区、沙漠区、高山积雪区、沼泽草地区、丘陵草地区、黄土丘陵林区、黄土丘陵过渡林区、黄土台塬阶地区、黄土高塬沟壑区、黄土丘陵沟壑区、沙地丘陵区、盖沙区、沙地草原区、冲积平原区、石质山地区、台状土石丘陵区和灌区,其中黄土丘陵沟壑区与黄土高塬沟壑区是主要的产沙类型区。

大多数泥沙代表站控制的流域往往包含若干个不同类型区,不同类型区产沙输沙规律不同。因此,须将实测断面的输沙量分配到断面以上不同地貌类型区,再计算各分区的输沙模数。计算各分区输沙模数时,基本假定条件有:①同一流域内相同地貌类型区降水量、降水形式基本一致,输沙模数相同;②相邻流域,若降水条件相似,同一地貌类型区的输沙模数相同。具体计算时采用直接移用法,或根据沙量平衡原理,建立相似流域间的一次多元方程进行联解。参照水利部水土流失分级标准:≤1 000 t/(km² · a)为微度,1 000～2 500 t/(km² · a)为轻度,2 500～5 000 t/(km² · a)为中度,5 000～8 000 t/(km² · a)为强度,8 000～15 000 t/(km² · a)为极强度,>15 000 t/(km² · a)为剧烈。

从1980～2000年输沙模数的地区分布来看,窟野河的神温区间输沙模数最高,为14 800 t/(km² · a),与1956～1979年40 100 t/(km² · a)相比减少了63.1%,其次为黄甫川、清水川、北洛河刘家河上游地区,模数也都在10 000 t/(km² · a)以上。根据侵蚀强度分级标准,剧烈侵蚀区没有,极强度侵蚀区主要分布在河龙区间的黄甫川至窟野河、无定河大理河、红河、偏关河一带和北洛河刘家河、泾河洪德、蒲河上游地区,面积4.0万

km²,占全流域的5.3%,为黄河流域产沙较高地区;强度侵蚀区主要分布在洮河下游、清水河上游、十大孔兑上游、河龙区间清涧河以北沿黄两岸黄土丘陵沟壑区、泾河大部分地区及渭河源区,面积5.8万km²,占流域面积的7.7%;中度侵蚀区主要分布于贵德—循化黄河两岸,兰州黄河以南定西、宛川河、祖厉河一带,泾河下游、渭河上游散渡河、葫芦河地区及下游,汾河上游以及三门峡附近、伊河下游河谷地带,面积7.3万km²,占流域面积的9.6%;轻度侵蚀区主要分布在宁夏清水河、苦水河及贺兰地区,内蒙古十大孔兑下游、汾河及龙门—潼关两岸地区,面积9.6万km²,占流域面积的12.7%;其他大部分地区为微度侵蚀区,面积42.2万km²,占流域面积56.1%。与第一次评价相比,输沙模数在1 000t/(km²・a))以下、1 000~2 000 t/(km²・a)、2 000~5 000 t/(km²・a)、5 000~10 000 t/(km²・a)的面积均有所增加,增加幅度在5.5%~22.0%,其中1 000~2 000 t/(km²・a)增加的最多;1 0000 t/(km²・a)以上的面积减少较大,由7.0万km²减少到1.8万km²,减少了74.0%。这与降水、水土保持治理有着密切的关系。

二、黄河泥沙主要来源区

黄河泥沙主要来自河口镇—三门峡区间。经过对该区间泥沙组成与下游河道淤积物组成的分析研究发现,黄河泥沙主要来自黄河中游多沙粗沙区(见表9-1)。该区面积

表9-1 黄河流域多沙粗沙区支流分布 (单位:km²)

区段与支流		流域面积	多沙粗沙区面积	区段与支流		流域面积	多沙粗沙区面积
河口镇至龙门区间	已控区			河口镇至龙门区间	已控区		
	浑河	5 533	1 127		湫水河	1 989	1 421
	黄甫川	3 246	3 246		三川河	4 161	1 356
	杨家川	1 002	745		屈产河	1 220	1 074
	偏关河	2 089	892		昕水河	4 326	720
	窟野河	8 706	5 456		乌龙河	377	377
	秃尾河	3 294	1 204		清涧河	4 080	4 080
	佳芦河	1 134	985		延河	7 687	6 685
	无定河	30 261	13 753	小计			47 447
	县川河	1 587	1 108	未控区小计			12 453
	朱家川	2 922	183	合 计			59 900
	岚漪河	2 167	423	龙门以下	泾河	北洛河刘家河以上	7 325	6 308
	蔚汾河	1 478	810			蒲河(巴家嘴以上)	3 522	925
	石马川	243	243			马莲河口以上	19 086	11 467
	孤山川	1 272	1 272			合 计		12 392
	清凉寺沟	286	286	中游合计			78 600

(7.86 万 km²)虽然仅占黄河上中游集水面积(这里指龙门、华县、河津、洑头、黑石关、武陟 6 站以上)的 11.2%,但其产生的泥沙多年平均(1954～1969 年)达 12.79 亿 t,占 6 站同期实测输沙量(18.81 亿 t)的 68%,产生的粗泥沙量多年平均达 3.36 亿 t,占 6 站同期实测总粗泥沙量(4.40 亿 t)的 76%。主要分布于河口镇—龙门区间、北洛河上游、泾河上游马莲河等 25 条支流。

第二节　主要河流实测输沙量变化特点

一、泥沙年内分配

黄河流域产沙时间集中,年内分配不均。黄河上游干流站多年平均连续最大 4 个月输沙量多出现在 6～9 月,中下游干流站均出现在 7～10 月,连续最大 4 个月输沙量占全年输沙量的 80%以上。黄河各支流站,多年平均连续最大 4 个月基本出现在 6～9 月,受水库调节及灰岩漏水等因素影响的站,一般出现在 7～10 月,4 个月输沙量占全年输沙量的 90%以上,年内最大月平均输沙量出现在 7、8 月份,与年内最大降水量出现月份相同,比降水量更为集中。7、8 月份黄河流域降水量占年降水量的 40%以上,而输沙量干流站占年输沙量的 60%左右,支流站占年输沙量的 70%以上,陕北高原各河均在 80%～90%之间,见表 9-2。非汛期输沙量一般较小,特别是中小河流,不少站枯水季节输沙量几乎为零。从年内产沙情况来看,年输沙量又主要产生于几场暴雨洪水。表 9-2 还统计了一些大沙年份的沙量情况,黄河中游地区年内最大 5～10 天的输沙量一般占全年输沙量的 50%～98%,而且流域面积越小,这种集中程度越突出。

二、干支流实测输沙量年代间变化特点

从黄河干支流水文站历年输沙量变化过程来看,输沙量年际变化很大。如干流龙门站年输沙量最大值为 20.9 亿 t(1959 年),最小输沙量为 2.341 亿 t(1986 年),二者之比约为 8.9。陕县站采用 1919～1959 年 41 年输沙量资料统计,最大年为 1933 年的 39.1 亿 t,最小年为 1928 年的 4.88 亿 t,最大年约为最小年的 8 倍。支流西柳沟龙头拐站一般年份输沙量为几百万吨,最少只有 1.483 万 t(1962 年),年输沙量最大值为 4 743 万 t(1989 年),二者相差上千倍。中游 1970 年前流域水土保持治理较少,以该时段输沙量系列分析,黄甫川黄甫站年输沙量最大值为 1.71 亿 t(1954 年),最小值为 523 万 t(1965 年),二者之比为 32.7;窟野河温家川站最大值为 3.03 亿 t(1959 年),最小值为 526 万 t(1965 年),二者之比为 57.6。

表 9-3 统计了黄河干支流主要控制站的输沙量。龙门、华县、河津、洑头、黑石关、武陟 6 站 1956～2000 年多年平均输沙量 12.67 亿 t。与多年均值相比,20 世纪 50、60 年代偏多 46.6%,70 年代偏多 7.5%,80、90 年代分别偏少 36.1%、33.4%。各年代沙量呈减少的趋势,80、90 年代减少较多。1980～2000 年年均沙量较 1956～1979 年减少了 49.9%。

表 9-2　黄河干支流主要控制站 1956～2000 年输沙量统计　　（单位：万 t）

水系	站名	多年平均沙量	连续最大 4 个月			7～8 月		大沙年		
			月份	沙量	占年(%)	沙量	占年(%)	年份	最大 5 天占年(%)	最大 10 天占年(%)
黄河	唐乃亥	1 290	6～9	1 063	82.4	669	51.9	1989	18.7	29.5
	兰州	7 100	6～9	6 307	88.8	4 667	65.7	1967	17.1	26.7
	河口镇	11 074	7～10	8 668	78.3	4 457	40.2	1967	5.8	10.4
	龙门	78 767	7～10	68 309	86.7	56 091	71.2	1967	33.2	49.6
渭河	华县	35 793	6～9	32 617	91.1	25 549	71.4	1964	37.8	49.6
汾河	河津	2 168	7～10	1 904	87.8	1 401	64.6	1954	36.8	52.0
洛河	洑头	8318	6～9	8 056	96.9	6 832	82.1	1966	63.3	80.0
湟水	民和	1 644	6～9	1 512	92.0	1 183	72.0	1961	33.1	35.1
祖厉河	靖远	5 166	6～9	4 880	94.5	3 861	74.7	1959	27.4	40.6
洮河	红旗	2 592	6～9	2 284	88.1	1 643	63.4	1979	45.4	53.2
黄甫川	黄甫	4 859	6～9	4 784	98.5	4 178	86.0	1959	56.8	70.9
孤山川	高石崖	2 054	6～9	2 034	99.0	1 821	88.7	1977	90.7	96.5
窟野河	温家川	9 939	6～9	9 755	98.1	9 117	91.7	1959	75.2	89.0
秃尾河	高家川	1 972	6～9	1 833	93.0	1 669	84.6	1959	77.2	84.5
无定河	白家川	12 487	6～9	11 537	92.4	9 881	79.1	1959	42.2	59.4
三川河	后大成	1 934	6～9	1 904	98.4	1 716	88.7	1959	80.0	89.4
清涧河	延川	3 729	6～9	3 662	98.2	3 208	86.0	1959	68.1	78.5
延河	甘谷驿	4 821	6～9	4 713	97.8	4 149	86.1	1964	61.6	74.8
昕水河	大宁	1 677	6～9	1 650	98.4	1 460	87.1	1958	49.7	73.0

三、不同河段实际来沙情况

为便于分析和比较黄河不同河段及其主要支流的产沙输沙情况，将黄河上中游干流从上到下分为贵德以上、贵德—兰州、兰州—河口镇、河口镇—龙门、龙门—三门峡、三门峡—花园口等 6 个河段。

(一)贵德以上

龙羊峡站只有 1959 年以来的观测资料，可用贵德站近似代替。贵德站位于龙羊峡水库坝址下游 54.8 km 处，控制面积为 13.365 万 km²，比龙羊峡站控制面积多 2 245 km²。贵德站多年平均输沙量 0.19 亿 t(1956～2000 年，下同)，其中粗泥沙量为 0.058 亿 t，占 30.2％。自龙羊峡水库 1986 年 10 月下闸蓄水以来，该站年输沙量有明显的减少趋势，1987～2000 年年均输沙量 301 万 t，与 1956～1986 年(2 577 万 t)相比减少了 88.3％，粗泥沙含量相应地由 29.7％减为 23.2％。从贵德站和唐乃亥站(位于库区上游)输沙量的

表 9-3　黄河流域主要控制站输沙量统计　　　　　　（单位：亿 t）

水系	站名	控制面积（km²）	1956～1969	1970～1979	1980～1989	1990～2000	1956～1979	1980～2000	1970～2000	1956～2000
黄河	唐乃亥	121 972	0.105	0.122	0.198	0.104	0.112	0.149	0.140	0.129
黄河	贵德	133 650	0.225	0.272	0.234	0.019	0.244	0.121	0.170	0.187
黄河	兰州	222 551	1.167	0.574	0.447	0.492	0.920	0.471	0.504	0.710
黄河	青铜峡	275 010	1.931	1.075	1.037	1.224	1.574	1.135	1.115	1.369
黄河	河口镇	385 966	1.725	1.152	0.978	0.398	1.486	0.674	0.828	1.107
黄河	龙门	497 552	11.967	8.680	4.700	4.828	10.598	4.767	6.029	7.877
黄河	潼关	682 141	16.155	13.178	7.803	7.489	14.915	7.639	9.425	11.519
黄河	三门峡	688 421	14.276	13.980	8.587	7.705	14.153	8.146	10.091	11.422
黄河	花园口	730 036	13.252	12.361	7.745	6.289	12.881	6.982	8.717	10.128
洮河	红旗	24 973	0.289	0.296	0.249	0.193	0.292	0.220	0.244	0.258
湟水	民和	15 342	0.214	0.219	0.111	0.101	0.216	0.105	0.142	0.164
祖厉河	靖远	10 647	0.699	0.508	0.383	0.414	0.619	0.399	0.434	0.517
清水河	泉眼山	14 480	0.290	0.192	0.179	0.447	0.249	0.319	0.278	0.282
黄甫川	黄甫	3 199	0.620	0.625	0.428	0.240	0.622	0.330	0.425	0.486
孤山川	高石崖	1 263	0.273	0.297	0.128	0.105	0.283	0.174	0.116	0.205
窟野河	温家川	8 645	1.250	1.399	0.671	0.594	1.312	0.630	0.878	0.994
秃尾河	高家川	3 253	0.302	0.234	0.100	0.119	0.274	0.150	0.110	0.197
佳芦河	申家湾	1 121	0.296	0.178	0.046	0.064	0.247	0.095	0.055	0.148
湫水河	林家坪	1 873	0.310	0.229	0.093	0.071	0.276	0.129	0.081	0.185
三川河	后大成	4 075	0.356	0.183	0.096	0.084	0.284	0.090	0.120	0.193
无定河	白家川	30 217	2.183	1.160	0.527	0.790	1.756	0.665	0.824	1.247
清涧河	延川	3 468	0.511	0.427	0.145	0.354	0.476	0.254	0.310	0.373
昕水河	大宁	3 992	0.288	0.186	0.074	0.078	0.246	0.112	0.076	0.167
延河	甘谷驿	5 891	0.667	0.468	0.319	0.400	0.584	0.361	0.396	0.480
北洛河	洑头	25 154	1.044	0.795	0.477	0.839	0.940	0.667	0.708	0.813
渭河	华县	106 498	4.710	3.842	2.758	2.718	4.348	2.737	3.093	3.596
汾河	河津	38 728	0.490	0.191	0.045	0.032	0.366	0.038	0.089	0.217
伊洛河	黑石关	18 563	0.265	0.069	0.089	0.009	0.183	0.047	0.054	0.119
沁河	武陟	12 894	0.095	0.041	0.025	0.008	0.072	0.016	0.024	0.046
龙华河湫黑武		699 389	18.571	13.618	8.094	8.434	16.507	8.272	9.997	12.668
	距平（%）		46.6	7.5	−36.1	−33.4	30.3	−34.7	−21.1	

对比分析中也可以看出，1990 年以前贵德站的输沙量都比唐乃亥站大，而 1990～2000 年则比唐乃亥站小，由此说明，龙羊峡以上有相当一部分泥沙淤积在水库中。

若用 1956～1969 年近似代表河道天然的输沙情况,贵德以上输沙量占进入宁河段泥沙总量(以青铜峡代表,下同)的 11.7%,粗泥沙所占比例为 12.0%;输沙量占进入下游泥沙总量(龙门、华县、洑头、河津、黑石关、武陟 6 站输沙量之和,下同)的 1.2%,粗泥沙所占比例为 1.7%。该区段来沙对宁蒙河段和下游河道的淤积危害影响不大。

(二)贵德—兰州

该河段有隆务河、洮河、湟水、大通河、庄浪河等 5 大支流入汇。兰州站多年平均输沙量 0.71 亿 t,其中粗泥沙量为 0.13 亿 t,占 18.4%。兰州以上来沙仍以细泥沙为主。自 1970 年以来该站输沙量有明显的减少趋势,1970～2000 年输沙量比 1956～1969 年减少了 56.8%。

1. 干流区间产沙输沙情况

贵德至兰州区间多年平均输沙量为 0.52 亿 t,其中粗泥沙量为 0.076 亿 t,占 13.9%,区间来沙以细泥沙为主。自刘家峡水库、龙羊峡水库相继投入运用以来,区间沙量有比较明显的减少趋势,1969～2000 年输沙量比 1956～1968 年减少了 60.0%,粗泥沙含沙量由建库前的 20.3%减少为 16.5%。

1956～1969 年,该区间输沙量占进入宁蒙河段泥沙总量的 48.8%,粗泥沙所占比例为 27.0%;输沙量占进入下游泥沙总量的 5.1%,粗泥沙所占比例为 2.4%。该区段来沙对宁蒙河段危害较大。

2. 区间主要支流产沙输沙情况

该区间多年平均输沙量大于 1 000 万 t 的支流有洮河和湟水。这两条河的输沙量占该区间输沙总量的 80.7%。洮河把口站红旗站多年平均输沙量 2 583 万 t,其中粗泥沙量为 459 万 t,占 17.7%。天然情况下(1956～1969 年,下同),流域年输沙模数为 1 157 t/km²。湟水把口站民和站多年平均输沙量 1 644 万 t,其中粗泥沙量为 279 万 t,占 17.0%。天然情况下,流域年输沙模数为 1 395 t/km²。

(三)兰州—河口镇

该河段有宛川河、祖厉河、清水河、苦水河、都思兔河、内蒙古十大孔兑等主要支流汇入。河口镇站多年平均输沙量 1.11 亿 t,其中粗泥沙量为 0.20 亿 t,占 16.8%。自 1970 年以来该站输沙量有明显的减少趋势,以 1990～2000 年减少最多,1970～2000 年输沙量比 1956～1969 年减少了 52.0%,1990～2000 年输沙量比 1956～1969 年减少了 76.9%。

兰州到河口镇区间多年平均输沙量为 0.4 亿 t,其中粗泥沙量为 0.06 亿 t,占 15.8%,区间来沙以细泥沙为主。该区间分为兰州—青铜峡及青铜峡—头道拐两个区段来分析。

1. 干流区间产沙输沙情况

兰州—青铜峡河段是上游的多沙粗沙区。该区间多年平均输沙量 0.66 亿 t,其中 26.3%为粗泥沙,区间来沙较兰州以上偏粗。该区间建有青铜峡水库,该水库 1967 年建成蓄水,水库建成前(1956～1966 年)年均输沙量为 1.14 亿 t,建成后(1967～2000 年)年均输沙量为 0.50 亿 t,比建库前偏少了 56.0%。青铜峡水库建成运用初期,库区淤积比较严重,随着库容的减小,青铜峡水库目前已变成径流式发电站了,河道输沙能力又逐渐恢复到天然状态。不同年代青铜峡站输沙量与兰州站输沙量的比例分别是:1950～1959

年 1.01,1960～1969 年 0.31,1970～1979 年 0.53,1980～1989 年 0.82,1990～2000 年 0.91。1980～2000 年的比例已接近 1950～1959 年。

兰州—青铜峡河段输沙量占进入宁蒙河段泥沙总量的 48.1%,粗泥沙所占比例为 66.0%;输沙量占进入下游泥沙总量的 5.2%,粗泥沙所占比例为 8.3%。该区段来沙对宁蒙河段危害最大。

青铜峡—河口镇河段流经宁蒙灌区,大多处于冲积平原区,河势较缓,加上区间引水较多,该河段基本属于泥沙沉积河段。1950～1959 年该河段淤积泥沙 1.19 亿 t,其中 52.2% 为粗泥沙。青铜峡水库自 1960 年开始进入施工导流期至建成运用以来,该河段基本处于冲刷状态,但随着青铜峡水库库容的减小,拦沙作用的降低,该河段又逐渐恢复淤积。该河段支流也有少量来沙,但对下游河道淤积基本没有影响。

2. 区间主要支流产沙输沙情况

该区间支流比较多,但年输沙量大于 1 000 万 t 的只有祖厉河和清水河。祖厉河把口站靖远站多年平均年输沙量为 5 166 万 t,其中 16.7% 为粗泥沙。清水河把口站泉眼山站多年平均输沙量为 2 820 万 t,其中 16.6% 为粗泥沙。

位于内蒙古河段南岸的十大孔兑中只有毛不拉孔兑、西柳沟有较长的水文观测资料。十大孔兑多数为季节性河流,只有汛期才有洪水发生。该区多年平均输沙量 3 100 万 t,且 90% 集中在 7～8 月。由于各孔兑均发源于水土流失严重的砒砂岩区,又流经沙漠,常常是大水带大沙,多年平均年输沙模数虽然只有 2 000～5 000 t/km²,但次洪输沙模数可达 30 000～40 000 t/km²,其中毛不拉孔兑和西柳沟最为严重。大量泥沙向黄河倾泄,常常在入黄口处形成沙坝淤堵黄河,直接影响包钢和包头市供水。

总的来看,黄河上游实际来沙量占进入下游泥沙总量的 8.7%,粗泥沙所占比例为 7.0%,因此上游来的粗泥沙对下游淤积危害不大。从上游不同区段来沙情况看,贵德—青铜峡区间的洮河、湟水、祖厉河和清水河流域是上游泥沙的主要来源地,因此加强对该区间水土流失治理是缓解宁蒙河段淤积危害的关键。

(四)河口镇—龙门

该河段流经晋陕峡谷,两岸支流众多,流域面积大于 1 000 km² 的支流有 22 条。龙门站多年平均输沙量 7.88 亿 t,其中粗泥沙量为 2.22 亿 t,占 28.2%。自 1970 年以来该站输沙量有明显的减少趋势,1970～2000 年输沙量比 1956～1969 年减少了 49.6%。

1. 干流区间输沙情况

河龙区间多年平均输沙量为 6.77 亿 t,其中粗泥沙量为 2.03 亿 t,占 30.0%。受降水和水利水保措施蓄水拦沙作用的影响,该区间输沙量自 1970 年以来有明显的减少趋势,与 1956～1969 年相比,1970～2000 年输沙量减少了 49.2%,其中粗泥沙减少了 56.1%。

2. 区间支流输沙情况

该区间支流中,黄甫川、孤山川、窟野河、佳芦河、湫水河、清涧河、延河流域平均年输沙模数超过 10 000 t/km²,黄甫川、孤山川、窟野河、佳芦河流域平均粗泥沙输沙模数也超过 5 000 t/(km²·a)。由表 9-3 可以看出,与 20 世纪 50 年代、60 年代相比,70 年代以来,各支流输沙量都有不同程度的减少,90 年代减少较多。相对而言,黄甫川、孤山川、窟野河的减少程度要比其他河流略低一些。

总体来看,河龙区间是黄河下游泥沙的主要来源地。1956～1969 年,该区来沙量占进入下游来沙总量的 53.3％,粗泥沙量占进入下游粗泥沙总量的 70.7％,对下游河道的淤积危害很大,需要加强对该区的治理,尤其是粗泥沙输沙模数较高的地区。

(五)龙门—三门峡

该河段有汾河、泾渭河、北洛河等支流汇入。三门峡站多年平均输沙量 11.42 亿 t,其中粗泥沙量为 2.40 亿 t,占 21.0％。由于三门峡水库的修建,自 1960 年以来该站输沙量就有明显的减少趋势,1960～1999 年输沙量比 1950～1959 年减少了 42.1％。

该区间多年平均输沙量为 3.55 亿 t,其中粗泥沙量为 0.18 亿 t,占 5.1％。三门峡水库修建后,区间沙量自 1960 年以来有了明显的减少,1960～2000 年与 1950～1959 年相比,沙量减少了 51.8％,粗泥沙量减少了 81.1％。

该区间沙量主要来自泾渭河、汾河和北洛河。排除三门峡水库影响,以 1950～1959 年作为天然状态,来自泾渭河的沙量(华县站)为 4.11 亿 t,来自北洛河的沙量(洑头站)为 0.93 亿 t,来自汾河的沙量(河津站)为 0.70 亿 t,这几条支流来沙量占该区间总输沙量(5.84 亿 t)的 98.3％。

华县站输沙量主要来自泾河张家山以上,张家山多年平均输沙量占华县站的 68.1％;其次是武山—南河川区间,占 24.3％。由表 9-4 可以看出,泾河雨落坪、杨家坪以上及渭河武山—南河川区间属于多沙区,只有马莲河庆阳以上和北洛河刘家河以上为多沙粗沙区。

表 9-4　泾渭河、北洛河不同区间输沙模数统计(建站～1969 年)

（单位:t/(km² · a)）

河名	区间	全沙输沙模数	粗泥沙输沙模数	河名	区间	全沙输沙模数	粗泥沙输沙模数
北洛河	刘家河以上	13 539	2 651	渭河	武山以上	3 481	
	张村驿以上	125			甘谷以上	11 614	1 164
泾河	马莲河庆阳以上	9 380	1 900		秦安以上	7 950	845
	庆阳—雨落坪	5 405	777		武、甘、秦—南河川	7 749	
	杨家坪以上	7 598	757		南河川—林家村	3 807	
	雨、杨—张家山	4 863			林家村—咸阳	656	

龙三区间输沙量占进入下游泥沙总量的 27.9％,粗沙所占比例为 6.3％,对下游河段的泥沙淤积危害也有贡献,但不如河龙区间大,其中泾河和北洛河上游应是治理的重点地区。

(六)三门峡—花园口

该河段有伊洛河、沁河等支流入汇。花园口站多年平均输沙量 10.13 亿 t,其中粗泥沙量为 1.82 亿 t,占 17.9％。自 1970 年以来该站输沙量有减少的趋势,1970～2000 年输沙量比 1956～1969 年减少了 34.2％。

三门峡—花园口区间加入沙量较少,伊洛河和沁河多年平均输沙量只有0.17亿t,天然状态下也只有0.36亿t。三花河段在天然情况下属于淤积性河床,1950～1959年该段河道年均淤积泥沙2.58亿t。在三门峡水库运用初期,由于水库下泄清水,该段河道处于冲刷状态(1961～1964年),年均冲沙1.98亿t;三门峡水库改建后,河道又恢复淤积,年均淤积泥沙1.03亿t。

伊洛河和沁河输沙量较少,且以细泥沙为主。黑石关站多年平均粗泥沙含量为11.3%,武陟站多年平均粗泥沙含量为12.5%。90年代以来,两条河的输沙量只有170万t。

总的来看,三花区间属于少沙多水区,该河段来水对下游河床淤积物冲刷有利。

四、主要站点含沙量变化特点

黄河流域自然地理条件变化复杂,河流含沙量相差悬殊(见表9-5),干支流控制站年均含沙量最小不到1 kg/m³,最大可超过400 kg/m³。

表9-5 黄河各主要控制站含沙量统计 (单位:kg/m³)

河名	站名	1956～1969	1970～1979	1980～1989	1990～2000	1956～1979	1980～2000	1956～2000
黄河	唐乃亥	0.52	0.60	0.82	0.60	0.60	0.72	0.63
黄河	贵德	1.07	1.30	1.02	0.10	1.20	0.59	0.90
黄河	兰州	3.46	1.80	1.34	1.89	2.80	1.60	2.27
黄河	青铜峡	5.87	3.49	3.22	5.12	4.90	4.08	4.55
黄河	河口镇	6.78	4.94	4.09	2.57	6.10	3.46	4.99
黄河	龙门	36.98	30.51	17.02	24.49	34.5	20.15	28.62
黄河	潼关	36.70	36.87	21.14	30.41	36.8	24.83	31.90
黄河	三门峡	32.09	39.03	23.15	32.04	34.6	26.65	31.56
黄河	花园口	26.84	32.40	18.81	25.21	28.8	21.37	25.91
黄河	利津	24.34	28.87	22.34	26.93	25.8	23.89	25.20
洮河	红旗	5.33	6.11	5.07	5.64	5.60	5.32	5.50
湟水	民和	11.64	14.99	6.28	7.41	12.8	6.80	10.15
祖厉河	靖远	462.11	439.71	388.86	408.95	454.2	399.53	432.85
清水河	泉眼山	198.02	244.68	241.20	317.48	210.9	292.73	247.48
苦水河	郭家桥	103.09	68.88	20.63	94.91	81.1	78.74	91.68
黄甫川	黄甫	322.61	355.94	336.73	282.86	335.8	313.92	328.53
窟野河	温家川	168.10	193.43	128.81	140.38	178.5	134.27	162.63
三川河	后大成	111.42	73.98	50.50	51.94	98.1	51.19	81.83
无定河	白家川	141.85	95.78	50.85	86.79	125.3	68.51	103.86
清涧河	延川	318.35	283.91	124.05	230.25	304.6	186.86	253.67
延河	甘谷驿	266.27	227.04	153.44	200.62	251.7	177.64	219.57
泾河	张家山	142.48	149.01	108.87	167.06	144.9	131.93	162.47
北洛河	洑头	127.42	134.59	68.31	121.86	129.9	96.18	114.50
渭河	华县	50.13	64.66	34.85	62.15	54.7	44.55	50.42
汾河	河津	26.62	18.45	6.78	6.22	24.3	6.53	19.93
伊洛河	黑石关	6.90	3.36	2.94	0.59	5.9	2.13	4.47
沁河	武陟	6.30	6.62	4.58	2.25	6.4	3.58	5.65

从区域分布来看,兰州以上大部分地区为青海高原,水量丰沛,植被茂密,人类活动影响小,河流含沙量较小,多年平均含沙量基本在 10 kg/m³ 以下,仅在黄土分布面积较大的地区多年平均含沙量大于 10 kg/m³。源区唐乃亥站多年平均含沙量只有 0.63 kg/m³,兰州站为 2.27 kg/m³,洮河红旗站为 5.5 kg/m³,湟水民和站为 10.15 kg/m³。

兰州—河口镇间大部分地处黄河流域最干旱区,区间加入水量较少,因此干流站多年平均含沙量也在 10 kg/m³ 以下,但区间支流上游位于黄土区,多年平均含沙量大部分在 100 kg/m³ 左右,其中祖厉河靖远站多年平均含沙量达到 432.9 kg/m³,清水河泉眼山站多年平均含沙量达到 247.5 kg/m³。由于区间支流发生大洪水时含沙量很高,因此干流有时也会出现较大的含沙量。

黄河中游河口镇—三门峡区间大部分地区为黄土丘陵沟壑区,水土流失严重,多年平均含沙量大部分在 100 kg/m³ 以上,仅在秦岭、六盘山、子午岭、吕梁山以及汾河流域多年平均含沙量在 100 kg/m³ 以下。干流龙门站多年平均含沙量为 28.62 kg/m³,三门峡站为 31.56 kg/m³。黄甫川黄甫站多年平均含沙量为 328.5 kg/m³,清涧河延川站也达到 253.75 kg/m³。

三门峡以下流域面积基本上是山地、阶地和冲积平原,河流含沙量也较小。干流站多年平均含沙量基本在 25.0 kg/m³ 左右。支流站多年平均含沙量在 10 kg/m³ 以下。

含沙量的年内变化与输沙量变化一致,高含沙量多出现在 6～9 月份,尤其是洪水期。由表 9-5 看出,不同年代含沙量变化与输沙量变化略有不同,20 世纪 90 年代以来的含沙量较 80 年代有所回升,主要表现在河口镇—三门峡区间。如北洛河洑头站,80 年代平均含沙量为 68.3 kg/m³,90 年代增加为 121.9 kg/m³,分析原因,主要是 90 年代北洛河发生了几次大洪水,因此含沙量增大。由此说明,含沙量的大小主要和暴雨洪水有关。

第三节　三门峡水库库区和下游河道冲淤变化特点

黄河各大型水库和冲积河道以及河口滨海区都用断面法进行过冲淤测量,其中三门峡水库库区和下游河道布置了固定的断面,积累了历年断面成果资料,下面分别对三门峡水库库区和下游河道的冲淤情况进行叙述。

一、三门峡水库库区的淤积

1990～1992 年曾进行过一次黄河流域的水库泥沙淤积调查。调查表明,至 1989 年,流域共有小(Ⅰ)型以上水库 601 座,总库容 522.5 亿 m³,已淤损库容 109.0 亿 m³,占总库容的 21%。其中干流水库 8 座,总库容 412.8 亿 m³,淤积 79.9 亿 m³,占其总库容的 19%;支流水库总库容 109.7 亿 m³,淤积 29.1 亿 m³,占其总库容的 26%。

在干流水库中,三门峡水库的影响最大。三门峡水库是黄河干流上修建的第一座以防洪为主的综合利用工程,控制流域面积 68.8 万 km²,占全流域面积的 91.5%,分别控制了黄河下游来水、来沙量的 89% 和 98%。该水库于 1957 年 4 月动工兴建,1960 年 9 月开始蓄水运用。水库运用后,由于严重的泥沙淤积问题,于 1965 年以后两次对工程进行改建。在水库的运用方式上,也先后经历了 1960～1964 年的蓄水拦沙、1965～1973 年的滞洪排沙和1974年以来的蓄清排浑三种运用方式。

从1960年5月～2000年10月40年间,三门峡水库共淤积泥沙70.16亿 m³,其中干流库段淤积53.92亿 m³。1960年5月～1964年10月,库区淤积泥沙44.42亿 m³,河床高程迅速抬高;1964年10月～1973年10月,淤积泥沙12.08亿 m³,提高了水库的排沙能力,主槽下切;1974年10月以来,淤积泥沙13.65亿 m³,水库的运用更为合理,虽有淤积但维持较为稳定局面(见表9-6、图9-1)。

表9-6 三门峡水库不同运用期库区淤积量

区　段	时段(年-月)冲淤量(亿 m³)					
	1960-05～1964-10	1964-10～1973-10	1973-10～1986-10	1986-10～1995-10	1995-10～2000-10	1960-05～2000-10
黄淤1—黄淤41	35.75	−9.225	0.553 9	1.452	0.899 0	29.43
黄淤41—黄淤68	6.342	12.03	0.689 2	5.043	0.385 9	24.49
渭拦1—渭淤37	1.845	8.477	−0.234 9	2.979	0.269 4	13.34
洛淤1—洛淤21	0.481 0	0.799 9	0.142 3	1.240	0.238 0	2.901
累　计	44.42	12.08	1.15	10.71	1.79	70.16

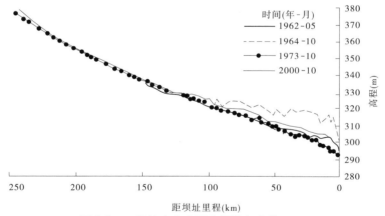

图9-1 三门峡水库库区高程沿程变化

在三门峡水库调度运用中,潼关高程也是一个重要的表征指标,它的变化直接影响渭河下游的河床演变和汇流区的滞洪调沙能力。潼关高程通常是指潼关水文站(六)断面流量1 000 m³/s相应的水位。潼关水文站位处黄河、渭河、北洛河交汇后的卡口河段,距三门峡大坝113 km,该处的河床高程或水位对渭河、北洛河下游起着局部侵蚀基面的作用。由图9-2可以看出,1960～1969年潼关高程大体为上升阶段,1960年汛后为323.40 m,到1969年汛后达到328.65 m,抬高了5.25 m。1970～1975年为冲刷阶段,和1969年汛后相比,1975年汛后潼关高程下降了2.61 m。1976～1986年基本上保持稳定。1986年以后潼关高程又逐渐升高,2000年汛后潼关高程为328.33 m。

图 9-2 潼关高程历年变化

二、下游河道的冲淤变化

黄河由孟津白鹤镇至入海口,为强烈堆积的冲积性平原河流。北岸自孟州以下,南岸自郑州邙山以下,两岸共修建了长为 1 371 km 的临黄大堤,以束缚水流。目前,河床滩面一般高出堤防背河地面 4~6 m,是有名的"地上悬河"。

黄河下游河道的冲淤演变主要决定于来水来沙条件。水多沙少的年份,河道发生冲刷或微淤,反之则多发生淤积。来源于流域粗沙区的洪水,常造成河道严重淤积。高含沙洪水既可能造成特别严重的淤积,也可能会出现强烈的冲刷。

下游河道系统的冲淤观测始于新中国成立以后。根据断面法计算结果(见表 9-7),从 1951 年 10 月~2000 年 10 月 49 年间,铁谢—利津河段共淤积泥沙 54.41 亿 m³,年均泥沙淤积量达 1.11 亿 m³,其中 1960~1973 年是三门峡水库对下游河道冲淤影响最为显著的时期。1951 年 10 月~1960 年 10 月来水来沙丰沛,小浪底—利津段平均每年淤积 2.507 亿 m³;1960 年 10 月~1964 年 10 月三门峡水库大量下泄清水,排沙不多,河道每年冲刷 5.405 亿 m³;1964 年 10 月~1973 年 10 月,除了中上游来沙外,库区有部分淤积泥沙排出,下游河道每年淤积 3.172 亿 m³;1973 年 10 月~2000 年 10 月三门峡水库蓄清排浑运用期,输入下游河道的径流泥沙偏少,河道淤积轻微,平均每年淤积 0.923 亿 m³。

表 9-7 黄河下游各河段年均淤积量统计 (单位:亿 m³)

时段(年-月)	小浪底— 花园口	花园口— 夹河滩	夹河滩— 高村	高村— 孙口	孙口— 艾山	艾山— 泺口	泺口— 利津	小浪底— 利津
1951-10~1960-10	0.706	0.343	0.720	0.551	0.130	−0.018	0.074	2.507
1960-10~1964-10	−1.615	−1.319	−0.884	−0.466	−0.130	−0.273	−0.719	−5.405
1964-10~1973-10	0.587	0.880	0.631	0.450	0.104	0.180	0.340	3.172
1973-10~2000-10	0.015	0.232	0.205	0.242	0.043	0.056	0.131	0.923
1951-10~2000-10	0.114	0.245	0.289	0.279	0.056	0.038	0.089	1.110

黄河下游河道断面形态随着河道的冲淤变化不断调整。发生漫滩洪水时往往使滩地淤高,主槽刷深,主槽位置变动,河道形态发生剧烈变化。平枯水期则以主槽和嫩滩淤积为主。游荡型河段会在嫩滩上淤成滩唇使河道变窄、萎缩,形成枯水小槽,长期作用形成"二级悬河"。在过渡及弯曲型河段,由于断面较窄深,主要以深槽淤积和贴边淤积为主,平滩水位下的河宽虽变化不大,但面积大大减小;枯水期的某些时段嫩滩会发生坍塌,使河床进一步宽浅。由表 9-8 可以看出,除艾山站外,其他各站主槽的淤积厚度都是全断面厚度的 1 倍多,泺口站达到 5.06 倍。由于主槽淤积严重,20 世纪 90 年代以来,黄河下游呈现出"小流量、高水位"的局面,给防洪带来一定的困难。以 1996 年为例,花园口站最大洪峰流量为 7 680 m³/s,相当于 2~3 年一遇的中常洪水(花园口实测流量系列),最高洪水位为 94.73 m,比 1958 年 22 300 m³/s 的最高洪水位高 0.91 m,比 1982 年 15 300 m³/s 的最高洪水位高 0.74 m。

表 9-8　黄河下游主要水文站淤积厚度(1960 年 10 月~2000 年 10 月)

断面	花园口	夹河滩	高 村	孙 口	艾 山	泺 口	利 津
全断面淤积(m)	0.71	0.85	0.73	0.56	0.62	0.67	2.29
主槽淤积(m)	1.13	1.37	1.27	1.01	0.48	3.39	3.27
主槽/全断面	1.59	1.61	1.74	1.80	0.77	5.06	1.43

第四节　水利水保工程减沙效益分析

一、黄河中游水保措施减沙效益分析成果

黄土高原总面积 64 万 km²,其中水土流失面积 43.4 万 km²。严重水土流失区(水土流失面积 21.2 万 km²)的入黄沙量约占黄河总沙量的 90%。黄土高原水土保持与流域治理始于 20 世纪 50 年代,中间几经曲折,1970 年以后开始逐步发展。1983 年国家将无定河、三川河、黄甫川及定西县列为国家级重点治理区,将小流域治理与治沟骨干工程建设紧密结合起来。截至 2000 年底,黄河水保生态工程共完成治理面积 0.74 万 km²,其中修建水平梯田 175 万亩,营造水保林 535 万亩,建治沟骨干工程 1 401 座。水土流失治理减轻了下游河床的淤积,有效地改变了一些地区的农业生产条件,加快了当地群众脱贫致富的步伐,增加了部分地区的植被,改善了区域的生态环境。黄土高原贫困人口数量由 2 300 万人减少到 1 350 万人,陕北榆林地区的沙化现象也得到了一定程度的控制。

黄河中游是黄河泥沙的主要来源地,也是水土流失治理的重点区域。关于水保治理对流域水沙的影响分析,自 20 世纪 80 年代开始就已开展。国家"八五"攻关、自然基金、水沙基金、水保基金等项目都曾设立专题进行过研究。在各项成果中,水沙基金二期为目前最新成果。

由表 9-9 可以看出,河龙区间、泾河、北洛河、渭河、汾河水利水保措施年均减少入黄泥沙 4.0 亿 t,其中水保措施减沙量为 3.28 亿 t,占总减沙量的 82%。总的来讲,水保措施减水作用小于水利措施,减沙作用大于水利措施。

表 9-9　水保措施与水利措施减沙比例分析（水沙基金二期水保法成果，1970～1996 年）

（单位：亿 t）

区间	总减少量	坡面措施	占总量（%）	淤地坝	占总量（%）	水保措施	占总量（%）	水利措施	占总量（%）
河龙区间	2.537	0.918 3	36.2	1.328 4	52.4	2.247	88.6	0.492	19.4
泾河	0.442	0.271	61.3	0.063	14.4	0.334	75.6	0.216	49.0
渭河	0.368	0.154 8	42.0	0.033 4	9.1	0.188	51.1	0.237 1	64.3
北洛河	0.152	0.120	79.1	0.047	30.9	0.167	110.0	0.098	64.6
汾河	0.503	0.105	20.8	0.242	48.2	0.347	69.0	0.190	37.8
合计	4.002	1.569	39.2	1.714	42.8	3.283	82.0	1.233	30.8

二、2000 年现状分析

由表 9-10 统计数据可以看出，2000 年属于枯水少沙年，黄河流域降水量较多年均值偏少 14.0%，花园口实测径流较多年均值偏少 57.7%，天然径流较多年均值偏少 36.7%，实测沙量较多年均值偏少 91.7%。主要产沙区河龙区间 2000 年降水量较多年均值偏少 21.3%，实测径流较多年均值偏少 66.5%，天然径流较多年均值偏少 60.2%，实测沙量较多年均值偏少 71.9%。从无定河、汾河、泾河、北洛河几条主要产沙支流来看，情况也是如此。汛期水沙减少幅度与年值接近，说明年内水沙的减少主要集中在汛期。

在降雨量相近的条件下，与 50 年代、60 年代对比，2000 年的径流、输沙量有明显的减少。花园口站与 1957 年相比实测径流量减少了 53.8%，天然径流量减少了 25.6%，实测输沙量减少了 86.7%。河龙区间与 1962 年相比实测径流量减少了 68.3%，天然径流量减少了 61.3%，实测输沙量减少了 55.6%。无定河白家川站与 1962 年相比实测径流量减少了 46.4%，天然径流量减少了 35.1%，实测输沙量减少了 58.3%。汾河河津站与 1960 年、1968 年相比实测径流量分别减少了 77.9%、89.3%，天然径流量分别减少了 41.5%、51.9%，实测输沙量 2000 年几乎为零。泾河张家山站与 1957 年、1971 年相比实测径流量分别减少了 39.0%、41.8%，天然径流量分别减少了 20.7%、27.1%，实测输沙量分别减少了 92.9%、94.1%。北洛河洑头站与 1970 年相比实测径流量减少了 21.3%，天然径流量减少了 11.4%，实测输沙量减少了 51.9%。从泾河张家山站还可以看出，在年降水量相近的情况下，2000 年的汛期雨量比 1957 年、1971 年分别偏多了 8.3%、7.2%，而径流、输沙量仍然比这两年少。在降水相近的条件下，实测径流的减少包括河道引水及下垫面变化两方面影响因素，而天然径流量的减少则主要是下垫面因素的影响。对于输沙量来讲，为了减轻引水工程的泥沙淤积，延长工程的使用寿命，引水时一般引取低含沙水，因此实测输沙量的减少主要是下垫面因素的影响。下垫面因素主要是指流域内的水土保持治理措施。由此说明，水土保持治理对流域水沙的减少，尤其是主要产沙区，具有较明显的作用。

表 9-10　2000 年典型支流水沙统计

区间或河名	时段	年				汛期（5～10 月）			
		降水量（mm）	实测径流（亿 m³）	天然径流（亿 m³）	实测沙量（亿 t）	降水量（mm）	实测径流（亿 m³）	天然径流（亿 m³）	实测沙量（亿 t）
黄河流域*（不含内流区）	2000 年①	392.7	165.3	356.1	0.835	347.3	73.4	204.6	0.263
	1957 年②	396.4	357.5	478.8	6.26	331.5	248.0	307.4	7.87
	1956～2000 年③	456.8	390.6	563.0	10.1	392.9	263.7	412.2	8.89
	(①-②)/②（%）	-0.9	-53.8	-25.6	-86.7	4.8	-70.4	-33.4	-96.7
	(①-③)/③（%）	-14.0	-57.7	-36.7	-91.7	-11.6	-72.2	-50.4	-97.0
河口镇—龙门	2000 年①	341.0	17.0	21.3	1.9	302.0	13.5	22.1	1.6
	1962 年②	338.7	53.7	55.1	4.28	302.2	25.9	27.4	3.86
	1956～2000 年③	433.5	50.8	53.5	6.77	377.4	31.9	34.0	6.31
	(①-②)/②（%）	0.7	-68.3	-61.3	-55.6	-0.1	-47.9	-19.3	-58.5
	(①-③)/③（%）	-21.3	-66.5	-60.2	-71.9	-20.0	-57.7	-35.0	-74.6
无定河	2000 年①	276.0	6.75	8.37	0.285	248.1	2.68	3.93	0.274
	1962 年②	280.2	12.6	12.9	0.684	253.8	6.09	6.34	0.621
	1956～2000 年③	372.2	12	12.8	1.25	323.6	6.47	7.11	1.19
	(①-②)/②（%）	-1.5	-46.4	-35.1	-58.3	-2.2	-56.0	-38.0	-55.9
	(①-③)/③（%）	-25.8	-43.8	-34.6	-77.2	-23.3	-58.6	-44.7	-77.0
汾河	2000 年①	445.0	1.51	11.3	0	376.9	0.75	5.68	0
	1960 年②	443.4	6.82	19.3	0.097 6	382.1	4.07	12.1	0.093 1
	1968 年③	442.2	14.1	23.5	0.101	374.4	6.95	12.7	0.075 4
	1956～2000 年④	501	10.7	22.1	0.212	428.8	7.45	14.2	0.202
	(①-②)/②（%）	0.4	-77.9	-41.5	-100.0	-1.4	-81.6	-53.1	-100.0
	(①-③)/③（%）	0.6	-89.3	-51.9	-100.0	0.7	-89.2	-55.3	-100.0
	(①-④)/④（%）	-11.2	-85.9	-48.9	-100.0	-12.1	-89.9	-60.0	-100.0
泾河	2000 年①	417.6	7.56	9.99	0.94	355.8	4.84	6.32	0.94
	1957 年②	416.5	12.4	12.6	13.3	328.4	8.79	8.90	13.3
	1971 年③	415.7	13	13.7	15.9	332	7.87	8.28	15.8
	1956～2000 年④	500.0	17.5	18.5	2.47	414.9	12.5	13.1	2.45
	(①-②)/②（%）	0.3	-39.0	-20.7	-92.9	8.3	-44.9	-29.0	-92.9
	(①-③)/③（%）	0.5	-41.8	-27.1	-94.1	7.2	-38.5	-23.7	-94.1
	(①-④)/④（%）	-16.5	-56.8	-46.0	-61.9	-14.2	-61.3	-51.8	-61.6
北洛河	2000 年①	435.7	5.87	6.78	0.346	389.9	3.33	3.92	0.345
	1970 年②	452.1	7.46	7.65	0.719	395.3	4.72	4.84	0.718
	1956～2000 年③	512.8	8.67	9.05	0.813	431.7	5.81	6.07	0.811
	(①-②)/②（%）	-3.6	-21.3	-11.4	-51.9	-1.4	-29.4	-19.0	-51.9
	(①-③)/③（%）	-15.0	-32.3	-25.1	-57.4	-9.7	-42.7	-35.4	-57.5

注：* 径流、泥沙指花园口站。

第十章　水资源情势

本章主要通过时间序列过程分析,研究长系列的周期性、趋势性、随机性等。应用大气环流模型等,对黄河水资源未来变化趋势进行了展望。

第一节　长历时变化特点

由于 1955 年以前黄河流域人类活动较少,这里采用本次评价的 1956～2000 年降水、天然径流量系列中人类活动相对较弱的 1956～1969 年时段年降水径流关系,根据已知的 1919～1955 年天然径流量系列成果(黄河治理规划纲要成果),推求 1919～1955 年各二级区逐年降水量数值。

表 10-1 给出了黄河主要河段 1920～2000 年间不同年代降水量、天然径流量的对比情况。可以看出,长时段中,20 世纪 20、30、70、90 年代偏枯,40、50、60、80 年代偏丰。

表 10-1　黄河主要河段 1920～2000 年降水量、天然径流量年代间对比

项目	时段	兰州以上	兰州—河口镇	河口镇—龙门	龙门—三门峡	三门峡—花园口	花园口以上
降水量 (mm)	1920～1929	415.5	189.5	402.0	464.2	710.6	392.4
	1930～1939	463.2	232.5	492.2	569.9	705.1	457.7
	1940～1949	489.0	245.2	496.9	656.2	695.9	491.1
	1950～1959	478.9	276.5	484.7	624.6	714.5	486.0
	1960～1969	493.3	273.8	463.9	576.9	687.5	472.3
	1970～1979	484.5	265.9	428.4	530.7	641.9	448.2
	1980～1989	496.2	239.4	416.8	551.1	672.5	450.5
	1990～2000	466.0	247.7	397.7	490.5	608.5	423.9
	1920～2000	474.0	264.7	447.0	557.3	678.7	452.4
	1956～2000	483.0	261.7	433.5	540.4	659.5	450.9
河川天然 径流量 (亿 m³)	1920～1929	268.6	−13.95	69.41	66.49	50.58	441.1
	1930～1939	319.5	−12.71	83.48	96.41	61.97	548.6
	1940～1949	350.2	−17.61	78.80	124.4	62.48	598.3
	1950～1959	323.8	−0.36	72.05	131.2	69.51	596.2
	1960～1969	370.9	−0.61	67.07	137.5	77.21	652.1
	1970～1979	334.3	2.63	53.99	107.6	48.59	547.0
	1980～1989	367.0	7.05	40.36	127.9	66.75	609.0
	1990～2000	280.6	1.19	43.39	76.02	41.78	443.0
	1920～2000	326.3	−4.23	63.32	108.0	59.63	553.1
	1956～2000	333.0	2.71	53.54	114.6	60.04	563.9

注:负值表示区间耗水大于产水。

一、小波技术

这里采用了青铜峡水文站和三门峡水文站长历时资料分析。

(一)基础资料获取

黄河志桩测报特点是只报涨水不报落水,志桩资料记载中对洪水报涨有两种情况,一为分段报涨,即第一次报涨以志桩零点起报,后一次报涨以前一次报涨尺寸为起点,逐次分段报涨,累加各次报涨尺寸,即为全年最大涨水尺寸,如1803年峡口志桩资料记载:6月13、14日两日陡涨7.3尺(1尺=0.333 3m),又于16日涨水2.1尺,7月18、19日两日黄水又涨5.3尺,连前共涨14.7尺。另一为累计报涨,即每次报涨均以志桩零点起报,前一次涨水尺寸均包含在后一次报涨尺寸中,各次中最大尺寸即为年最大尺寸,如1813年峡口志桩资料记载:自5月29日起至6月11日陆续共涨水7.1尺,于7月3日接连共涨水8.3尺,于9月4日至11日接连共涨水9.1尺。

这里以青铜峡和三门峡两站为例。距今242年前(1765年),也就是清乾隆三十年,黄河流域陕县的万锦滩设置有志桩观测水情;清康熙四十八年(1709年),青铜峡峡口设有志桩,观测汛情。这两处志桩资料对研究黄河流域天然年径流量变化规律极有帮助。

青铜峡站,据考证,志桩在青铜峡北口即现在青铜峡水文站附近,目前收集到有关志桩报汛资料为1723~1911年共128年资料。其中有具体涨水记载的为106年,还有22年无具体涨水尺寸记载但有定性记述。这里,通过点绘1939~1967年汛期累计涨水尺寸与年天然径流量关系曲线插补来延长青铜峡水文站天然年径流量系列长度。

三门峡站,万锦滩志桩建在陕县附近,目前收集到有关志桩报汛资料为1765~1911年共147年资料。三门峡天然年径流量延长方法是:以万锦滩志桩历年立秋日前与立秋日后涨水累计尺寸资料为基础,通过点绘伏、秋汛涨水尺寸与区间径流量关系线,求出相应年份头道拐—三门峡区间立秋前径流量,点绘秋汛涨水尺寸与区间径流量关系线,求出相应年份头道拐—三门峡区间立秋后径流量,两者相加得到头道拐—三门峡区间天然年径流量,然后将青铜峡天然年径流量与头道拐—三门峡区间天然年径流量相加,得到三门峡站天然年径流量插补延长系列。

这样,通过插补延长得到了青铜峡站1723~2000年共278年逐年天然径流量系列和三门峡站1765~2000年共236年逐年天然径流量系列(见图10-1)。青铜峡站(278年系列)和三门峡站(236年系列)多年平均天然年径流量分别为324.8亿m³和492.9亿m³。由于青铜峡水文站系列更长,这里以青铜峡站为例进行分析。

(二)小波理论及其应用

1.小波变换

数学上把小波变换定义为:设母小波 $\psi(t)$ 为一平方可积函数,若其傅立叶变换满足小波函数的可容许条件,则对于任意函数 $f(t)\in L^2(R)$ 连续小波变换的公式:

$$w_f(a,b) = |a|^{-1/2}\int_R f(t)\overline{\psi}(\frac{t-b}{a})\mathrm{d}t \tag{10-1}$$

式中　$w_f(a,b)$——小波变换系数;

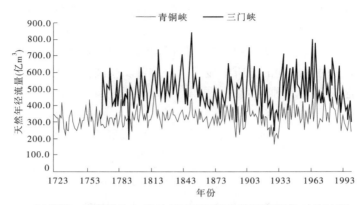

图 10-1 青铜峡和三门峡长系列天然年径流量逐年对比过程

$|a|^{-1/2}\overline{\psi}(\dfrac{t-b}{a})$——母小波 $\psi(t)$ 的位移 b 与尺度 a 的伸缩，$\overline{\psi}(\dfrac{t-b}{a})$ 为 $\psi(\dfrac{t-b}{a})$ 的复

共轭；

a——尺度参数，在一定意义上 $1/a$ 对应于频率 $\overline{\omega}$；

b——时间参数，反映时间上的平移。

因此，小波分析实际上是一组小波函数表示的时间函数 $f(t)$，通过小波变换就可得到小波变换系数，而对这些系数的分析可以显示出 $f(t)$ 的时频特性和其重要的局部变化特性。

实际工作中，函数多为离散的，则离散的小波变换形式为

$$w_f(a,b) = |a|^{-1/2}\sum_{k=1}^{N} f(k\Delta t)\overline{\psi}(\dfrac{k\Delta t - b}{a}) \qquad (k=1,2,\cdots,N) \qquad (10\text{-}2)$$

式中 Δt——取样时间间隔。

本文研究的 $f(k\Delta t)$，是黄河青铜峡站年径流时间序列。

这里，小波函数采用 Morlet 复小波，它是高斯包络下的单频率复正弦函数，Morlet 小波表示为

$$\psi(t) = e^{i\omega_0 t}e^{-t^2/2} \qquad (10\text{-}3)$$

式中 ω_0——常数；

i——虚数，它的傅立叶变换为：$\hat{\psi}(\omega)=\sqrt{2\pi}e^{-(\omega-\omega_0)^2/2}$，$\hat{\psi}(\omega)$，在 $\omega_0\geqslant 5$ 时，近似满足相容条件。

Morlet 小波的时间尺度 a 与周期 T 有如下关系：

$$T = (4\pi/(\omega_0 + \sqrt{2+\omega_0^2})) \times a \qquad (10\text{-}4)$$

当 $\omega_0 = 6.2$ 时，$T \approx a$。因此，Morlet 小波可用于进行周期分析。

这里采用 $\omega_0 = 6.2$。在分析中尺度 a 和周期 T 在数量上视为同等，为叙述需要，有时用词"尺度"(a)着重描述分辨率的大小；有时用词"周期"(T)着重反映 $f(k\Delta t)$ 波动规律的变化。

$w_f(a,b)$ 随时间参数 a 和 b 的变化，可以作出以 b 为横坐标，a 为纵坐标的关于 $w_f(a,b)$ 的二维等值线图，称为小波变换系数图（见图 10-2、图 10-3）。这样，通过分析水

文水资源时间序列小波变换系数图,可以得到关于其序列在小波变换域中变化的小波变化特征。

在研究时间序列小波变化特征的同时,去寻求影响序列波动演变趋势的主要尺度(周期),这在水文水资源时间序列的分析中显得十分重要。小波方差图与傅立叶分析中的方差谱密度图的功能相似,能识别序列的主周期。

2. 小波方差

时间序列距平处理后,将不同尺度 a 的所有小波系数的平方进行积分,得到小波方差:

$$\mathrm{var}(a) = \int_{-\infty}^{+\infty} \mid W_f(a,b) \mid^2 \mathrm{d}b \tag{10-5}$$

小波方差随尺度变化的过程,称为小波方差变化图。该图能反映水文时间序列中所包含的各种尺度(周期)的波动及其强弱随尺度变化的特性。因此,通过此图可查找一个时间序列中起主要作用的尺度(周期)。

3. 多时间尺度分析

在小波变换中当 b 一定时,变换系数 $w_f(a,b)$ 随 a 的变化大小显示出在该时刻时间序列变化的特性,通过 a 的调整可以清楚地表现出时间序列急剧变化部分的精细特性,是多时间尺度的分析方法,又称为多分辨分析。

水文水资源系统多时间尺度,是指在一个时间段中,水文水资源系统的变化不是以一种固定的周期运动,而是包含着各种时间尺度(周期)的变化和局部波动,使系统变化在时域中存在多层次时间尺度结构和局部化的特征。

(三)小波技术在黄河天然径流量系列特性分析中的应用

1. 年径流时间序列的小波变换

为处理方便,将年径流水文序列距平(中心化)处理,并把此距平过程 $f(k\Delta t)(k=1,2,\cdots,274;\Delta t=1)$ 和 Morlet 小波函数(10-3)代入式(10-2),用不同的 a、b 计算小波变换系数 $w_f(a,b)$。由于 Morlet 小波是复小波,小波变换系数 $w_f(a,b)$ 具有虚部和实部两部分。

由小波变换理论可知,小波变换模部的平方,同函数 $f(t)$ 在其小波变换域中能量的大小成正比。因此,为分析方便和直观,把反映年径流在小波变化域中波动的能量曲面,以等值线的形式投影到以尺度 a 为纵坐标,时移 b 为横坐标的 $(a-b)$ 平面上,等值线上的每一点值,都对应于曲面上点的值,而曲面上能量集中的顶点是其极值点,它在 $(a-b)$ 平面上的投影为一点,此点称为能量中心点,其强弱用小波变换系数 $w_f(a,b)$ 的模部的平方值来反映,如图 10-2 所示。以此图来分析年径流在小波变化域中波动能量强弱的变化特性,进而反映哪些能量聚集中心主导年径流在时间域上的波动变化。

年径流在小波变化域中的波动特性是用小波变换系数 $w_f(a,b)$ 的实部变化来刻画。类似能量曲面的分析方法,把反映年径流在小波变化域中的波动曲面以等值线的形式投影到 $(a-b)$ 平面上,等值线上的每一点值,都对应于波动曲面上点的值,其大小用小波变换系数 $w_f(a,b)$ 的实部值来反映,而波动曲面上凹凸顶点是其极值点,它在 $(a-b)$ 平面上的投影为一点,此点称为波动极值点。如图 10-3 所示。由于选定的基准面是以年径流多年平均值为代表的平面,则 $w_f(a,b)$ 的实部(包括极值点)在 $(a-b)$ 平面等值线上的正或负的量值,表示年径流在小波变化域中以基准面上下起伏的波动情况,进而反映年径流在时间域上丰、枯变化的特性。

年径流序列小波变换系数 $w_f(a,b)$,其模平方与实部蕴含着年径流序列随尺度 a(即周期 T)和时移 b 而变化的特征信息。而由上述方法所绘制的 $w_f(a,b)$ 模平方和实部随 a、b 变化的特性图(见图 10-2、图 10-3),为年径流时频变化分析提供了基础。

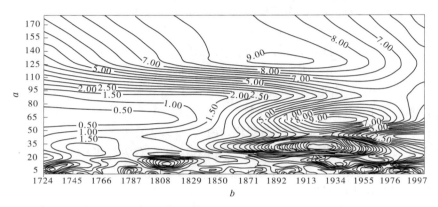

图 10-2　黄河青铜峡站年径流距平序列小波变换模平方等值线（尺度 $a=2\sim180$ 年）

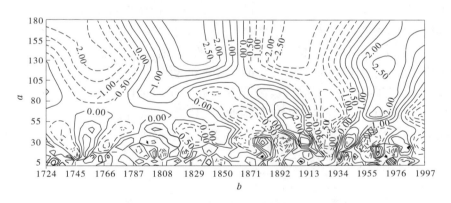

图 10-3　黄河青铜峡站年径流距平序列小波变换实部等值线（尺度 $a=2\sim180$ 年）

2.年径流距平系列的时频分析

根据以上所绘制的小波变换系数图(见图 10-2、图 10-3),分别对代表年径流特性的小波变换系数 $w_f(a,b)$ 模平方与实部随尺度 a 和时移 b 而变化的时频特性进行分析。

1)年径流小波变换的模平方时频特性分析

图 10-2 清晰地显示出模平方在 $(a-b)$ 平面上变化的强弱情况。图中可以看出年径流在小波变化域中其波动能量曲面上共有大小 14 个能量聚集中心,它们代表着年径流波动能量变化的特性。但从它们(模平方)极值的大小看,能量最集中的中心有 3 个,它们的中心点分别是:$A(128,1896)$、$B(64,1929)$ 和 $C(32,1922)$。

在中心 A 处,年径流在小波变化域中的波动能量较强,贯穿到整个时域,其中波动能量在时域上强集中影响范围 1871~1920 年,除此范围外波动能量变化梯度比较平缓,而波动能量影响尺度的范围是 110～180 年,尺度中心在 128 年左右,振荡中心在 1896 年左右。在中心 B 处,波动能量的强度与中心 A 相近,影响时域范围是 1815～2000 年,但在时域上强集中影响范围是 1913～1955 年,在影响范围 1815～2000 年间,波动能量的变化梯度是外周边小、靠近能量强集中区较大,而波动能量影响尺度的范围是 45～90 年,尺度中心在 64 年左右,振荡中心在 1929 年左右。在中心 C 处,波动能量的强度极大,主要影响时域范围是 1829～2000 年,波动能量在时域上强集中影响范围是 1910～1934 年,但波动能量的变化梯度是靠近能量强集中区很大而外围较小,而波动能量影响尺度的范围是 25～45 年,尺度中心在 32 年左右,振荡中心在 1922 年左右。同时也看到,中心 C 处其波动能量对 1724～1838 年间影响较弱,而此范围受到一个低值波动能量中心(32,1755)的影响。所以,年径流以 32 年为周期的波动影响整个时域,但在不同时段波动的强弱,随不同波动中心能量强度的不同而有所变化。

　　以上说明,黄河上游天然年径流在整个时间域中,主要存在以 128 年左右为尺度中心,以 1898 年左右为振荡中心的波动变化;在进入 19 世纪 40 年代以后,又辅以 64 年左右为尺度中心（以 1929 年左右为振荡中心）和以 32 年左右为尺度中心（以 1922 年左右为振荡中心）的强波动变化。这 3 个尺度（周期）的波动,在黄河上游数百年年径流时间序列的多时间尺度变化当中具有突出的地位。

　　2）年径流小波变换的实部时频特性分析

　　图 10-3 清晰地显示出了 $w_f(a,b)$ 的实部在小波变化域中以基准面上下变化的波动特征,也反映出小波系数所表征的年径流在以不同尺度随时间丰、枯交替变化的特性和突变点的位置。其中,128、64 年和 32 年左右尺度的丰、枯交替变化表现较清晰,波动极值点分布规律明显,而小于 30 年左右尺度的年径流波动变化频率快,且波动极值点分布散乱,说明较小尺度年径流波动频繁,振荡行为明显。为进一步说明年径流丰、枯交替变化的波动特性,在图 10-3 上固定尺度 a（分别取 $a=128,64,32$）值,作平行于 b 轴的切割线,在切割线上取点,作 $w_f(a,b)$ 的实部随时移 b 变化的过程线,如图 10-4～图 10-6 所示。

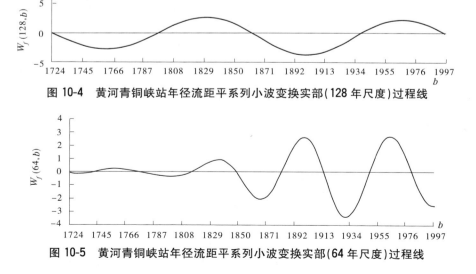

图 10-4　黄河青铜峡站年径流距平系列小波变换实部（128 年尺度）过程线

图 10-5　黄河青铜峡站年径流距平系列小波变换实部（64 年尺度）过程线

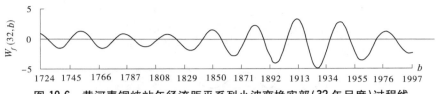

图 10-6　黄河青铜峡站年径流距平系列小波变换实部(32 年尺度)过程线

图 10-4 显示以小波系数表征的年径流波动变化,以 128 年尺度看,进入 19 世纪以来,黄河上游年径流水量偏枯时段为 1866～1934 年;水量偏丰时段为 1796～1865 年,1935 年以后。从曲线的波动趋势看,2000 年以后黄河年径流变化处于从丰水向枯水时段下降的阶段,且 2000 年其量值已近多年平均水平,并仍随时间的推移而逐渐减少。

图 10-5 显示以小波系数表征的年径流波动变化,以 64 年尺度看,进入 19 世纪以来,黄河上游年径流水量偏丰段为 1815～1848 年,1882～1913 年,1947～1980 年;水量偏枯段为 1849～1881 年,1914～1946 年,1981～2000 年。曲线图上表现出自 2000 年以来,年径流仍处于枯水高峰时段的后期,有转向水量增加的趋势。

图 10-6 显示以小波系数表征的年径流波动变化,以 32 年尺度看,进入 20 世纪 90 年代以来,黄河上游年径流水量偏丰段为 1903～1918 年,1935～1951 年,1969～1986 年;水量偏枯段为 1919～1934 年,1952～1968 年,1987～2000 年。从曲线的波动情况看,自 1997 年以来,年径流变化仍处于枯水高峰期时段的后期,有转向水量增加的趋势。

同时,从图 10-4 可以看出,在整个时间域,年径流波动经历了约两个周期的变化,波幅变化基本一致,年径流的波动基本上以 128 年周期变化;从图 10-5 可以看出,在整个时间域,年径流波动经历了约 4 个周期的变化,后两个周期(1882～1997 年)的波幅变化相差较小,且明显高于前两个周期(1724～1881 年)的波幅,在 1724～1814 年间,年径流基本处于多年平均水平,而在 1815～2000 年间年径流的波动(除波幅有值差外)基本上以 64 年周期变化;从图 10-6 可以看出,在整个时间域,年径流波动经历了大约 8 个周期的变化,除波幅有值差外,年径流的波动基本上以 32 年周期变化。

以上情况与图 10-2 年径流在小波变化域中波动能量变化特性分析相一致,即波动能量中心 A 处的波动,导致年径流随时间以 128 年为周期的波动贯穿到整个时域;而波动能量中心 B 处的波动,导致年径流在波动能量影响的时域范围内(除波动能量变化梯度有不同外),具有 64 年周期的波动变化;而年径流在以 32 年为尺度中心(周期)的波动影响整个时域,也由于在该尺度下有两个波动中心,使年径流在不同时段的波动,其波动强弱随不同波动中心能量强度的不同而有所变化。

由以上分析可以看出,以小波系数变化所表征的年径流变化,能够真实地反映黄河上游年径流在时间域中丰、枯变化的特性及其演变趋势。

3.年径流变化的主要周期分析

黄河上游年径流随时间变化主周期的研究用小波方差图来分析。由已计算出不同尺度下的小波系数计算年径流距平序列小波变换方差,并以小波方差 var 为纵坐标;时间尺度 a 为横坐标绘制小波方差图(见图 10-7)。

由图 10-7 可以看出,黄河青铜峡站年径流序列 128 年、64 年和 32 年左右尺度小波

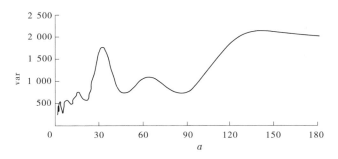

图 10-7　黄河青铜峡站年径流小波变换方差图

方差的极值表现最为显著。说明黄河上游天然年径流系列存在以 128 年、64 年和 32 年左右变化的主要周期,这 3 个周期的波动,决定着黄河上游天然年径流在整个时间域内变化的特性。

二、Markov(马尔可夫)过程

以三门峡水文站为例进行分析。

(一)Markov 过程

Markov 过程是研究事物随机变化的动态过程,它依据事物状态之间的转移概率来预测未来系统的发展。在研究时间离散、状态也离散的 Markov 过程时,把出现各种可能的状态记为 $S_i(i=1,2,\cdots,n)$,各状态发生转移的时间记为 $t_i(i=1,2,\cdots,n)$,用 P_{ij} 表示系统由状态 S_i 进一步转移到达状态 S_j 的概率,那么,转移概率 P_{ij} 可以组成一个矩阵,一般称为一步转移概率矩阵,用 $P(1)$ 表示。当初始状态 S_i 经多步(m 步)转移,而达到相应的状态的概率称为多步转移概率,以 $P(m)$ 表示,则 $P(1)$、$P(m)$ 表示为

$$P(1) = \begin{bmatrix} P_{11}(1) & P_{12}(1) & P_{13}(1) & \cdots \\ P_{21}(1) & P_{22}(1) & P_{23}(1) & \cdots \\ \cdots & \cdots & \cdots & \cdots \end{bmatrix}, P(m) = \begin{bmatrix} P_{11}(m) & P_{12}(m) & P13(m) & \cdots \\ P_{21}(m) & P_{22}(m) & P_{23}(m) & \cdots \\ \cdots & \cdots & \cdots & \cdots \end{bmatrix}$$

可以证明,任 m 步转移概率矩阵与一步转移概率矩阵有如下关系:

$$P(m) = [P(1)]^m \tag{10-6}$$

一个有限状态的 Markov 过程,经过长时间的转移后,初始状态的影响逐渐消失,过程达到平稳状态,即此后过程的状态不再随时间而变化。这个概率称为稳定概率,又称为极限概率,它是与起始状态无关的分布。定义为:

$$P = \lim_{m \to \infty} P(m) \tag{10-7}$$

极限概率的存在,代表着系统处于任意特定状态的概率,而用 $1/P$ 则可表示该特定状态重复再现的平均时间。也就是说,极限概率表现了离散时间序列趋于稳定的静态特征。

用 Markov 过程来研究径流丰枯状态转变的过程,就是要通过对其转移概率矩阵的分析,认识年径流丰枯各态自转移和相互转移概率的特性;用对年径流 Markov 状态极限概率的分析,显示年径流变化趋于稳定的静态特征。

(二)黄河天然径流量长期丰枯变化特性

1. 丰平枯状态转移概率特性标准

首先划分系列丰枯平标准。这里,以多年均值为参考:距平大于 130%,认为是丰;介于 110%～130%,认为是偏丰;介于 90%～110%,认为是平水;介于 70%～90%,认为是偏枯;小于 70%,认为是枯水。

根据年径流丰枯状态划分标准,把黄河三门峡天然年径流随时间丰枯演变的情况划分为 5 种状态。由此构成时间离散、状态也离散的随机时间序列。如果该序列从某一时刻的某种状态,经时间推移,变为另一时刻的另一种状态,则是该序列状态的转移,以此构成 Markov 矩阵。可以计算出年径流丰枯状态一步转移概率矩阵,见表 10-2。

表 10-2　年径流丰枯状态一步转移概率矩阵

状态	j				
i	1	2	3	4	5
1	0.136	0.273	0.455	0.136	0
2	0.064	0.239	0.477	0.202	0.018
3	0.032	0.222	0.528	0.202	0.016
4	0.032	0.152	0.416	0.320	0.080
5	0	0.110	0.210	0.470	0.210

1)各状态自转移概率分析

年径流各状态自转移概率都有不同程度的体现,其中,$P_{33}=0.528$ 为最大值;$P_{44}=0.320$ 次之;P_{11}、P_{22}、P_{55} 的数值相对较小,说明状态 3 和状态 4 的自转移概率较大,即自保守性强,而状态 1、2、5 的自保守性要弱一些。由此反映出年径流丰枯变化在平水年和偏枯水年间所持续的时间较长。

2)各状态互转移概率分析

年径流在各种初始状态$(i_1 \sim i_4)$的条件下,向状态 j_3 的转入概率均较大,平均转入概率为 0.469;状态 i_5 向状态 j_4 的转入概率较大,$P_{54}=0.470$。说明年径流在丰、偏丰、平和偏枯水年向平水年转移的概率较大,而年径流在枯水年向偏枯水年转移的概率也较大。

年径流在各种状态条件下$(i_1 \sim i_5)$,其变化向状态 4 转入的平均概率为 0.266;而向状态 2 转入的平均概率为 0.199,说明年径流无论处于何种初始状态,它的变化向偏枯水年转移的概率均超过向偏丰水年转移的概率。

2. 丰平枯静态特性

由 Markov 极限概率的定义,通过一步转移概率则可得到极限概率,其计算结果见表 10-3。

表 10-3　年径流丰枯状态极限概率

状 态	j				
i	1	2	3	4	5
极限概率 $P(\%)$	4.1	20.7	47.6	23.8	3.5
平均重复时间(年)	24.4	4.8	2.1	4.2	26.3

在表 10-3 中,年径流在状态 3(平水年)重复再现的平均时间最短,约为 2 年一遇;在状态 2(偏丰水年)和状态 4(偏枯水年)重复再现的平均时间约为 5 年一遇和 4 年一遇;而在状态 1(丰水年)和状态 5(枯水年)重复再现的平均时间约为 24 年一遇和 26 年一遇。由此可以看出,在黄河年径流长期丰枯变化中,出现平水年的状态占优势;出现丰水年和枯水年状态的重复再现时间要长些;而出现偏枯水状态的频次高于出现偏丰水状态的频次。

在上述 Markov 状态转移概率矩阵中,包括了系统中任意状态自转移的特性,从一定程度上削弱了各状态间的相互转化特性的体现。因此,为减少任意状态自转移因素对系统各状态间相互转化的影响,采用在不计自转移状态的条件下分析 Markov 过程,来充分体现其年径流丰枯各态相互转化的特性。

3. 不计自转移状态的各态互转化特性

将转移概率矩阵中 $P_{ij}(i=j)$ 项设定为零,计算各态互转移概率,组成不计自转移状态下的互转移 Markov 矩阵(见表 10-4),以此来分析年径流长期丰枯各状态的转化特性。

表 10-4　年径流丰枯各状态互转移概率矩阵

状态	j				
i	1	2	3	4	5
1	0	0.316	0.526	0.158	0
2	0.084	0	0.627	0.265	0.024
3	0.067	0.47	0	0.43	0.033
4	0.064	0.224	0.612	0	0.118
5	0	0.133	0.267	0.6	0

从表 10-4 可以看出,各状态 $(i_1 \sim i_5)$ 转入的状况主要集中在状态 3,且各状态转入其平均概率为 0.508;而各状态向状态 4 和状态 2 转移的优势存在,计算各状态转入的平均概率分别为 0.363 和 0.286;但各状态向状态 1 和状态 5 转移的概率很小,各状态转入的平均概率分别为 0.071 和 0.058。说明各状态向平水年转移的概率较大,而向偏枯水年和偏丰水年转移的概率次之。

为分析方便,取 $P_{ij} \geq 0.40$ 为阈值,并将表 10-4 中满足阈值的各状态间互转移关系联系起来构成图,见图 10-8,则各状态之间相互转化的主要特性清晰可见(图中,实线箭头表示转移概率大于阈值关系;虚线箭头表示极弱的转移概率关系)。

从图10-8可以看出,在黄河年径流长期丰枯变化的各状态相互转移中,存在以状态3为状态转移中心的邻态互转移模式,表现为:

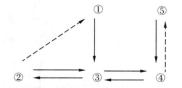

图10-8　径流系列各状态互转移主要特性

(1)平水年与偏枯水年之间的邻态互转移模式:③↔②;

(2)平水年与偏丰水年之间的邻态互转移模式:③↔④;

(3)以平水年为过渡的偏枯与偏丰水年之间状态转移的循环模式:④→③→②→③→④。

4.黄河天然径流量系列基本特性

(1)黄河年径流在长期丰枯状态的概率转变中,平水年和偏枯水年的自转移概率较大,即这两态自保守性强;同时概率转移分析也显示,年径流无论处于何种初始状态,它向偏枯水年转移的概率均超过向偏丰水年转移的概率,说明年径流在平水年和偏枯水年的状态下,所持续的时间较长。

(2)黄河年径流在长期丰枯状态的转变中,出现平水年的状态占优势;出现丰水年和枯水年的重复再现时间要长(约为24年一遇和26年一遇);而出现偏枯水年的频次高于出现偏丰水年出现的频次,这成为其变化的明显静态特征。

(3)在黄河年径流长期丰枯变化的各状态相互转移中,存在以平水年为状态转移中心的邻态互转移模式,它的存在影响着其年径流的各状态相互转移的特性。

三、BP(神经网络)算法

近年来,人工神经网络技术已被广泛应用于水文水资源领域,而应用最多的一类模型是BP网络模型,并在黄河水文水资源系统变化分析和预测方面也取得了一些成果。由于BP算法是基于梯度最速下降法的思想,在应用时存在收敛速度比较慢、不能解决好局部优化等问题。但随着BP算法的不断完善,应用改进的BP算法较好地解决了这些问题。

(一)BP算法

1.BP网络的结构

隐层在BP网络中起着很重要的作用,具有高度的抽象功能,它可从输入单元中提取特征。1989年,Robert Hecht—Nielsen证明了用一个3层网络即可模拟任意复杂的非线性问题,表明一个由3层神经元构成的前向网络能够形成任意复杂的判决区域,可以完成任意的n维到m维的映射。因而,BP网络应用于研究工作中,多用3层的BP网络结构模型。故本章采用3层的BP网络模式,即一个输入层、一个隐层和一个输出层(见图10-9)。

2.网络输入层和输出层单元节点数的确定

由于降雨与径流之间是复杂的非线性关系,为反映输入变量与输出变量之间有一定的关联关系,本文用$(t-k)$时段的年径流和年降雨,对(t)时段的年径流变化进行预测。采用降雨与径流相关分析方法确定k值。

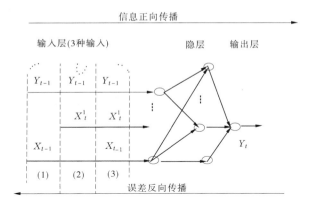

图 10-9　3 层 BP 网络结构示意图

取降雨与径流相关系数较大的前 k 项,作为确定输入层单元节点数量的重要依据。这种处理方法的优势在于:既可判断所选用的输入变量与分析、预测对象之间是否存在相关性以及相关程度;又可据此进行比较和选择输入变量项的节点个数,从而减少了主观因素的影响。

由相关分析的结果,经分析比较采用 3 种输入、输出方式作为本次研究的模型:

(1)Y_t 为预报时段径流(输出),则 X_{t-1} 为预报前时段的降雨信息(输入);Y_{t-1} 为预报前时段的径流信息(输入),二节点输入;

(2)Y_t 为预报时段径流(输出),则 X_t^1 为预报期内的预测降雨信息(输入);Y_{t-1} 为预报前时段的径流信息(输入),二节点输入;

(3)Y_t 为预报时段径流(输出),则 X_{t-1} 为预报前时段的降雨信息(输入);X_t^1 为预报期内的预测降雨信息(输入);Y_{t-1} 为预报前时段的径流信息(输入),三节点输入(见图 10-9)。

3.网络隐层节点数的确定

隐层单元节点数的选择是网络成败的关键,也是个复杂的问题。实践证明,隐层单元节点数太少,网络表现出不"强化",容错性能差,而增加隐层单元节点数虽可增强网络的分析能力,且收敛性能也会提高,但也会使网络训练复杂化,训练时间延长。一般说来,隐层单元数与问题的要求、输入输出单元的多少都有直接的关系,但目前对于如何选择隐层单元的节点数则没有明确的结论,多是通过数值试验和经验公式比较确定,本章也采用此方法确定隐层单元的节点数,且经验公式:

$$n_1 = \sqrt{n+m} + a \tag{10-8}$$

或

$$n_1 = \lg 2^n \tag{10-9}$$

式中　n_1——隐层单元数;

n、m——输入、输出层单元数;

a——$a = 1 \sim 10$。

运用上述方法,最终选择$[2,6,1]$和$[3,7,1]$两种网络结构进行研究,即:①2 个输入,6 个隐层单元节点,1 个输出;②3 个输入,7 个隐层单元节点,1 个输出。见图 10-9。

(二)网络的学习算法

1. BP 算法的实现

在 BP 网络中,如令:

$$Y = [y_1, y_2, \cdots, y_n]^T \tag{10-10}$$

$$T = [t_1, t_2, \cdots, t_n]^T \tag{10-11}$$

分别为网络的计算输出和期望输出;且 Ω 为网络的目标函数:

$$E_p(\Omega) = \frac{1}{2} \sum \sum (y_{jp} - t_{jp})^2 = \sum E_p \qquad (j = 1, 2, \cdots, n) \tag{10-12}$$

对 BP 神经网络的训练过程就是通过误差的反向传播调试网络的连接权重,求出最小 $E_p(\Omega)$。训练中,网络隐层和输出层节点输出的信息是通过传递函数实现的,这里采用 Sigmoid 函数作为传递函数。

2. BP 算法的改进

传统的 BP 算法比较成熟,但网络存在着一些严重的缺陷,训练网络时常常会出现收敛慢、振荡和陷入局部极小等问题。对此国内外学者进行了大量的研究,且已取得了许多应用成果。本章选择目前 BP 改进算法中具有较广泛实用的算法——自适应变步长与动量因子结合算法作为为本次建模研究的重点。

1)动量因子法

动量法是在每个权重修改量上,加上一项正比于前一权重修改量的因子,予以减少振荡,计算公式为

$$\Delta w(t+1) = -\eta \frac{\partial E}{\partial w} + \lambda \Delta w(t) \tag{10-13}$$

式中　λ——动量项系数;

　　　$w(t)$——节点 t 时刻的权重;

　　　η——学习率,这里取值 $\lambda = 0.89$。

2)自适应变步长与动量因子结合法

自适应变步长算法以进化论中的进退法为理论基础,学习步长随误差曲面的变化而进行调整,除可以加快收敛以外还可以在一定程度上克服算法陷于局部极小点的问题。采用自适应变步长与动量因子结合的算法,予以达到网络学习收敛快和减少振荡的目的。

权重修改量计算同动量因子算法,学习率采用自适应变步长算法则采用下式:

$$E(k+1) < E(k) \text{ 时} \qquad \eta(k+1) = \alpha \eta(k) \tag{10-14}$$

$$E(k+1) \geqslant kE(k) \text{ 时} \qquad \eta(k+1) = \beta \eta(k) \tag{10-15}$$

$$\text{其他情况时} \qquad \eta(k+1) = \eta(k) \tag{10-16}$$

这里,参数 $\alpha = 1.05, \beta = 0.7, k = 1.04, \eta(0) = 0.45$。

这里采用的是改进的 BP 算法,对黄河降水与径流的内在关系进行分析,研究建立降水径流预测模型。

(三)在黄河降水径流关系分析中的应用

以黄河上游兰州以上为例(天然径流量采用修正前的数据)。

1. 训练样本的选择

为使训练后的网络具有较好的预测能力,必须有足够的样本,否则,网络无法归纳出

样本集中的内在特征。但样本过多则会造成网络过度接近样本值,而丧失归纳和推理的能力。1997 年 Jenkins 研究了学习样本数与网络结构之间的关系,提出近似关系式:

$$P = 1 + h\frac{n+m+1}{m} \qquad (10\text{-}17)$$

式中　　n——输入变量数;

　　　　m——输出变量数;

　　　　h——隐含节点数;

　　　　P——需要输入的学习样本数。

神经网络的结构是 $[2,6,1]$ 和 $[3,7,1]$,代入式(10-17)得 P 分别为 21 和 36。经比较本次网络训练采用输入样本数分别为 28 和 36,其余实测资料作为网络检验样本。

2. 数据处理

由于网络的转换函数(Sigmoid 函数)在 $[0,1]$ 区间的变化梯度较大,一般网络训练时均把样本数据变换到这一区域。本次为加快网络训练的收敛速度,将样本数据归于 $[0.1,0.9]$ 区间内。比较常用的归一化公式为

$$X' = 0.1 + 0.8 \times \frac{X - X_{\min}}{X_{\max} - X_{\min}} \qquad (10\text{-}18)$$

式中　　X'——归一化后的数值;

　　　　$X_{\max}$、$X_{\min}$——样本数据中变量的最大值和最小值。

计算输出的结果数据需要处理到与原始数据相同的情况,以便比较。公式为

$$X = X_{\min} + 1.2(X' - 0.1)(X_{\max} - X_{\min}) \qquad (10\text{-}19)$$

3. 网络训练

根据黄河实测年径流和降水资料,对所确定的网络结构以及 3 种输入模式进行网络训练。在网络训练中为防止出现"过拟合现象",把样本拟合最大相对误差控制在小于 20%,并经过试算,确定样本训练误差 E_p 控制在 0.08 左右,以便于比较和分析。

预见期内预测降水 X_{t-1}^1 是采用实测资料进行网络训练,训练结果见表 10-5。

表 10-5　各种输入模式训练结果

模型结构,输入模式	输入方式	训练样本数	训练次数	训练误差 E_p	拟合平均相对误差(%)	拟合最大相对误差(%)	拟合相对误差大于20%年数
(1),$[2,6,1]$	Y_{t-1},X_{t-1}	28	745 000	0.076	−3.19	−14.9	0
(2),$[2,6,1]$	Y_{t-1},X'_{t-1}	28	33 300	0.081	0.482	−16.5	0
(3),$[3,7,1]$	Y_{t-1},X'_{t-1},X_{t-1}	36	24 500	0.082	−1.56	−16.5	0

4. 网络检验

以上各种网络模型经训练完后,把检验样本输入已确定的网络进行检验并比较各模型预测能力。在检验中,采用预测值与实测值相对误差的 20% 作为许可误差,一次预报

的误差小于许可误差时,为合格预报。合格预报次数与预报总次数之比的百分数为检验合格率,以此来反映多次预报总体的精度水平。

5. 实测数据的检验

根据实测的径流和降水数据(不含训练样本)作为输入和输出检验样本,代入已建网络模型进行计算,以确定模型预报总体的精度水平。计算结果见表 10-6。

表 10-6　实测数据检验结果

模型结构, 输入模式	输入方式	检验样本数	检验平均相对误差(%)	检验最大相对误差(%)	检验相对误差大于 20% 年数	检验合格率(%)
(1),[2,6,1]	Y_{t-1}, X_{t-1}	16	2.37	94.7	5	68.75
(2),[2,6,1]	Y_{t-1}, X'_t	16	5.56	34.5	1	93.75
(3),[3,7,1]	Y_{t-1}, X'_t, X_{t-1}	8	9.41	18.4	0	100

从检验合格率来看,模型结构[2,6,1]输入模式为(1)的拟建预报网络,预报精度差,其检验合格率不足 70%;而模型结构为[2,6,1]输入模式为(2)和模型结构为[3,7,1]输入模式为(3)的拟建预报网络,其预报精度较高,检验合格率分别达到 93.75% 和 100%。说明仅用预报前时段的降水和径流作为输入,其网络预报效果不理想;而在预报期内有降雨预报输入模式中,无论采用结构模型(2)[2,6,1]或(3)[3,7,1],网络均可达到较高的预报精度。

由于在降水提前预报的输入模式中,其改进的 BP 网络的预报精度要受降雨预报精度的制约。因此,要进行输入降水预报误差对拟建模型影响的分析,即模型的灵敏度分析。

6. 模型的灵敏度分析

在原实测降水资料中(不含训练样本)随机生成具有误差为 ±5%、±10% 和 ±20% 的3组样本,作为预报期内有误差的降水检验样本,其每组有检验样本数 100 个,以此输入对拟建模型进行降水预报误差影响分析,检验的模型为:(3)[3,7,1],计算结果见表 10-7。可以看出,拟建模型在输入的降水预测值相对误差小于 10% 时,网络预测合格率可达到 80% 以上,具有较高的预报精度。

表 10-7　模型的灵敏度分析

输入方式	检验样本数	预测降雨误差(%)	检验平均相对误差(%)	检验最大相对误差(%)	检验相对误差大于 20% 年数	检验合格率(%)
Y_{t-1}	100	±5	11.0	23	9	91
X_{t-1}	100	±10	12.3	33	20	80
X'_t	100	±20	16.0	63	37	63

7. 神经网络模型与多元回归模型的比较

为了将拟建的神经网络模型与传统的统计建模方法预测结果作比较,选择了多元回归建模方法。黄河上游兰州水文站降水径流关系,所建多元回归模型为

$$Y_t = -0.300\,4X_{t-1} + 0.328\,0X'_t + 1.016\,6Y_{t-1} - 20.833\,9 \qquad (10\text{-}20)$$

式中,各符号代表量同前。

为比较方便,采用未参与建模的实测降水和径流资料,作为其预见期内降水和径流输入,各模型预测结果见表 10-8。由表 10-8 预测值对比结果可以看出,神经网络模型的预测值最大误差和相对平均误差均小于多元回归建模的预测值,而且预测精度也高于多元回归模型。

表 10-8　变步长 BP 模型与多元线性回归模型预测结果比较

实际年天然径流量		多元线性回归		模型(2),[2,6,1]		模型(3),[3,7,1]	
		预测值		预测值		预测值	
年份	数值(亿 m³)	亿 m³	相对误差(%)	亿 m³	相对误差(%)	亿 m³	相对误差(%)
1993	338.6	321.8	5.2	307.7	−9.1	324.4	−4.2
1994	271.2	345.0	−26.9	292.5	7.9	311.6	14.9
1995	265.9	306.1	−15.5	292.2	9.9	305.7	15
1996	245.0	270.3	−10.3	277.9	13.4	291.3	18.9
1997	237.4	273.3	−15.1	276.8	16.6	281.7	18.7
1998	282.0	327.8	−16.3	299.3	6.2	307.9	9.2
1999	351.2	334.2	4.84	334.7	−4.7	328.2	−6.5
2000	253.4	268.9	−6.11	290.5	14.6	286.6	13.1
预测平均相对误差(%)			−10.02		6.9		9.89
预测最大相对误差(%)			−26.9		16.6		18.9
预测相对误差大于 20%年数		1		0		0	
预测合格率(%)(<20%)		86		100		100	

第二节　黄河水资源变化趋势

定性上讲,黄河流域水资源有减少趋势,主要表现在三方面:由于气候变化如气温升高导致蒸发能力加大而引起水资源减少;水土保持工程的开展引起的用水量增加;水利工程建设引起的水面蒸发附加损失量增加。

但是,黄河未来来水量变化受多种因素的综合影响,一是受水文要素的周期性和随机性的影响;二是受流域用水增加的影响;三是可能受环境和下垫面变化而导致降水径流关系变化;四是可能受气候的趋势性变化而导致降水和天然径流的趋势性变化。其中对流域降水及降水径流关系是否会出现趋势性变化尚有不同认识,而目前考虑水文要素周期

性和随机性因素而进行的长期预报则受技术水平的限制,精度和可信度有限,对于流域用水增长的幅度预估也存在一定的差别。

一、降水量预测

中国科学院施雅风院士主编的《中国西北气候由暖干向暖湿转型问题评估》认为,西北东部即青海东北部、甘肃中东部、陕西和宁夏等地区,很可能从 21 世纪初转入丰水期,再经过 10～20 年后进入平水或稍枯时期。

这里,采用了神经网络、小波技术等对黄河流域降水量进行了系列特性分析及外延预测。

隐层在 BP 网络中起着很重要的作用,具有高度的抽象功能,它可从输入单元中提取特征。现代研究表明,一个由 3 层神经元构成的前向网络,可以完成任意的 n 维到 m 维的映射。因而,在 BP 网络的研究工作中,多用 3 层的 BP 网络结构模型,故本文采用 3 层的 BP 网络模式,即一个输入层、一个隐层和一个输出层。通过多方案比较,这里选择输入层单元数 25 个;输出层单元数 25 个。

在 BP 网络中,如令 $Y=[y_1,y_2,\cdots,y_n]^T$、$T=[t_1,t_2,\cdots,t_n]^T$ 分别为网络的计算输出和期望输出,且 Ω 为网络的目标函数:

$$E_p(\Omega)=\frac{1}{2}\sum\sum(Y_{jp}-t_{jp})^2=\sum E_p$$

其中,$j=1,2,\cdots,n$。对 BP 神经网络的训练过程就是通过误差的反向传播调试网络的连接权重,求出最小 $E_p(\Omega)$。训练中,网络隐层和输出层节点输出的信息是通过传递函数实现的,这里采用 Sigmoid 函数作为传递函数。

在网络训练中为防止出现"过拟合现象",把样本拟合最大相对误差控制在小于 20%。根据拟合模型进行外延预测。

黄河流域降水量预测初步结果详见表 10-9。

表 10-9　黄河年降水量和天然径流量预测初步统计结果

（单位:降水量 mm;天然径流量 亿 m³）

时段	兰州		河口镇		龙门		三门峡		花园口	
	降水量	天然径流量	降水量	天然径流量	降水量	天然径流量	降水量	天然径流量	降水量	天然径流量
1920～1929	415.5	268.6	319.8	254.7	338.2	324.0	373.2	390.5	392.4	441.1
1930～1939	463.2	319.5	365.5	306.8	393.9	390.3	442.7	486.7	457.7	548.6
1940～1949	489.0	350.2	385.2	332.4	410.7	411.4	478.4	535.8	491.1	598.3
1950～1959	478.9	323.8	393.2	323.6	413.7	395.5	472.2	526.7	486.0	596.2
1960～1969	493.3	370.9	400.2	370.3	414.1	437.4	459.3	574.9	472.3	652.1
1970～1979	484.5	334.3	391.8	336.9	400.2	390.9	436.5	498.5	448.2	547.0
1980～1989	496.2	367.0	387.3	374.1	393.8	414.4	437.4	542.3	450.5	609.0
1990～2000	466.0	280.6	378.1	281.8	382.9	325.2	412.7	401.4	423.9	443.0
2001～2009	494	334	396	293	399	336	465	463	448	474
2010～2019	489	330	395	292	395	333	453	449	450	475
2020～2029	482	320	393	291	393	332	429	420	446	471

续表 10-9

时段	兰州		河口镇		龙门		三门峡		花园口	
	降水量	天然径流量	降水量	天然径流量	降水量	天然径流量	降水量	天然径流量	降水量	天然径流量
2030～2039	476	311	383	284	398	336	445	441	433	453
2040～2049	503	344	399	295	392	331	444	438	452	479
1920～2000	473	326	378	322	393	385	439	493	452	553
1956～2000	483	333	389	336	399	389	438	504	451	564
2001～2030	491	331	394	291	397	335	452	448	446	471
2031～2050	486	324	392	290	393	331	439	433	445	470
2001～2050	489	328	393	291	395	333	447	442	446	470

二、天然径流量预测

由于 20 世纪 80 年代以来,黄河流域内下垫面发生了大的变化,加上水资源开发利用的影响,同样降水条件下,产生的地表径流数量发生了较大变化。因此,这里采用现状下垫面条件下的年降水径流关系预测 2001～2050 年天然径流量。表 10-9 给出了黄河年降水量天然径流量 2001～2050 年预测初步统计结果。

与 1956～2000 年均值相比,黄河上游 2001～2030 年期间出现丰水几率较大,2031～2050 年出现平偏枯几率较大;黄河中游 2001～2050 年出现平偏枯几率较大。整个上中游来看,天然来水量将好于 20 世纪 90 年代。图 10-10 给出了兰州水文站和花园口水文站 1920～2050 年天然径流量逐年对比情况。

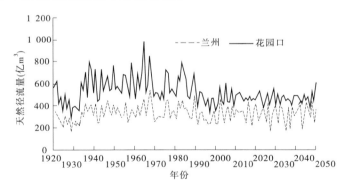

图 10-10 兰州水文站与花园口水文站 1920～2050 年天然径流量逐年比较

三、黄河下游实际可能来水量预测

(一)国民经济地表耗水量增加量

以 2000～2003 年平均情况作为黄河地表耗水量现状,花园口以上平均为 190 亿 m³。根据黄河流域水资源开发利用情况调查评价工作组对国民经济耗水增加量的框算,2010年、2030 年和 2050 年,花园口以上地表水耗水量将分别达到 260 亿 m³、320 亿 m³ 及 350亿 m³。

（二）水土保持减水量

根据黄河近期重点治理规划，黄河中游水土保持生态环境用水，2010 年、2030 年、2050 年分别按 20 亿 m^3、30 亿 m^3、40 亿 m^3 考虑，分别较现状增加了 10 亿 m^3、20 亿 m^3、30 亿 m^3。

（三）可能实际来水量

不考虑南水北调西线工程，预估 2001～2050 年进入下游水量平均为 140 亿 m^3 左右，其中前 30 年平均水量为 170 亿 m^3 左右，较 1990 年以来实际来水还偏少 32%；后 20 年平均 90 亿 m^3，甚至只有 1990 年以来实际来水情况的近 1/3。因此，只有尽快实施南水北调西线工程，才能缓解黄河水资源紧张状况。

近年来其他研究成果，有部分成果预测的径流量较上述成果偏大，一般预估未来 30 年进入下游水量仍达 300 亿 m^3 或更多；也有较多成果预估进入下游水量更小，预估刘家峡—桃花峪区间发源于黄土高原和土石山区各支流的径流量 230 亿 m^3 中，今后绝大部分将耗用于当地，遇干旱年特别是连续干旱年时各支流将普遍断流无水进入黄河，干流枯水程度将较 1997～2002 年严峻。刘家峡以上地区与渭河秦岭北麓地区的径流量 330 亿 m^3 中，今后将有近一半用于刘家峡—桃花峪河段沿河两岸的灌溉和城市生活及工业用水。预估在 2020 年前后，进入黄河下游的年径流量将不足 200 亿 m^3，遇干旱年将不足 100 亿 m^3。

第十一章　黄河流域水资源评价

本章简要评述了黄河流域水资源特点,对本次水资源调查评价提出了一些认识。

第一节　黄河流域水资源特点

本次黄河流域水资源调查评价,比较系统、全面地分析了黄河流域水资源数量、质量及其时空分布特点。历时近一年半,在基础资料翔实、计算方法统一的基础上,取得了内容十分丰富、项目齐全、图表齐备的成果。

一、水资源贫乏

黄河流域 1956～2000 年平均降水量 3 554 亿 m³,相当于降水深 447.1 mm,约有 83.4% 消耗于地表水体、植被和土壤的蒸散发以及潜水蒸发,只有 16.6% 形成了地表水资源,即 594.4 亿 m³,占全国地表水资源量 27 375 亿 m³(不包括香港、台湾、澳门)2.2%,居全国七大江河的第五位。人均年径流量 544 m³,不到全国人均年径流量的 26%,居全国七大江河的第五位。亩均年径流量 244 m³,仅为全国亩均年径流量水平的 18%,居全国七大江河的第六位。

黄河流域水资源总量 706.6 亿 m³,占全国水资源总量 2.5%,居全国七大江河的第五位。人均水资源总量 647 m³,不到全国人均资源总量的 30%,居全国七大江河的第五位。亩均水资源总量 290 m³,仅是全国亩均水资源总量水平的 20%,居全国七大江河的第六位。由表 11-1 可以看出,黄河流域水资源是相当贫乏的。

表 11-1　全国七大江河水资源状况对比统计

河流	计算面积 (万 km²)	年降水深 (mm)	年降水量 (亿 m³)	年径流深 (mm)	年径流量 (亿 m³)	水资源 总量 (亿 m³)	人均 径流量 (m³/人)	人均水资 源总量 (m³/人)	亩均径 流量 (m³/亩)	亩均水资 源总量 (m³/亩)
长江	178.27	1 086.6	19 370	552.9	9 857.4	9 959.7	2 223	2 246	1 981	2 001
松花江	93.48	504.8	4 719	138.6	1 295.7	1 491.9	2 026	2 333	472	544
黄河	79.50	447.1	3 554	74.8	594.4	706.6	544	647	244	290
珠江	57.78	1 548.5	8 948	814.8	4 708.2	4 722.5	3 182	3 191	2 829	2 838
淮河	33.00	838.5	2 767	205.1	676.9	916.3	338	457	256	347
海河	32.00	534.8	1 712	67.5	216.1	370.4	171	293	124	213
辽河	31.41	545.2	1 713	129.9	408.0	498.2	744	909	364	444
全国	946.93	642.6	60 854	281.9	27 375	28 412	2 115	2 195	1 385	1 437

二、水土资源分布不平衡

由于受地形、气候、产流条件等因素影响,黄河流域水土资源分布极不平衡(见表11-2)。

表 11-2　黄河流域二级区水资源情况统计

水资源分区	分区水资源量 (亿 m³)	占全流域水资源量(%)	人口 (万人)	人均水量 (m³/人)	耕地面积 (万亩)	亩均水量 (m³/亩)
龙羊峡以上	207.1	29.3	60	34 517	114	18 167
龙羊峡—兰州	134.4	19.0	900	1 493	1 744	771
兰州—河口镇	40.37	5.7	1 482	272	5 098	79
黄河上游	381.9	54.0	2 442	1 564	6 815	549
河口镇—龙门	61.19	8.7	832	735	3 469	156
龙门—三门峡	157.1	22.2	4 943	318	10 089	156
三门峡—花园口	60.00	8.5	1 309	458	1 678	358
黄河中游	278.3	39.4	7 084	393	15 250	183
花园口以下	35.17	5.0	1 337	263	1 704	206
内流区	11.36	1.6	57	1 993	465	244
黄河流域	706.6	100	10 920	647	24 362	290

黄河河源地区集水面积约占全流域的17%,水资源量占全流域的29.3%,但由于其人口和耕地面积占全流域都不足1%,其人均和亩均资源量在全流域都是最高的,分别为34 517 m³ 和18 167 m³,分别是流域人均和亩均水平的53 倍和63 倍。黄河上游的兰州—河口镇区间,其集水面积占全流域21%,其水资源量却仅占全流域5.7%,加上其人口和耕地面积占全流域比例分别达到了14%和21%,造成其人均和亩均水资源量分别只有272 m³ 和79 m³,人均水资源量不足全流域人均水资源量的一半,亩均水资源量不足全流域亩均水资源量的1/3。其他二级区由于地形、气候、产流条件等因素影响,其人均、亩均水资源量与全流域平均情况也有一定的差距。

由此可见,黄河流域分区之间水土资源差别很大,某些地区水资源缺乏严重,直接影响当地国民经济可持续发展。

三、年内分配不均

黄河流域是典型的季风气候区,降水季节性强,连续最大4 个月降水量大部分地区出现在6～9 月,可占年降水量70%～80%,而且多以暴雨的形式出现。

由于流域内河川径流量主要由降水形成,在降水季节性变化极大的情况下,径流年内分配也十分集中,主要集中在汛期即7～10 月,可占年径流量60%以上,个别支流可达到85%;每年3～5 月天然来水,仅占年径流量10%～20%。只有个别以地下水补给为主的支流,其汛期来水比例一般只有35%左右。

地下水补给主要来源于降水和地表水,同样年内变化十分强烈。于是,黄河水资源年内分配也十分不均匀。这为黄河流域水资源合理开发利用、管理等方面带来了一定的困难。尤其是若遇上连续丰水或枯水年份,会造成频繁的水旱灾害,特别是旱灾将会给水资源可持续利用造成严重威胁。

四、河流、地下水水质污染日趋严重

黄河总磷、氯化物、总硬度、高锰酸盐指数、氨氮等项目浓度上升趋势明显。特别是兰州—河口镇、龙门—三门峡以及花园口以下 3 个区间水质污染趋势最为严重。

根据 2000 年黄河流域河流水质现状资料,评价结果表明:水质为Ⅰ类的河长仅占总评价河长的 3.6%,Ⅱ类占 30.7%,Ⅲ类占 19.2%,Ⅳ类占 14.6%,Ⅴ类占 9.0%,劣Ⅴ类占 22.9%。河流主要超标因子是氨氮和 COD。

本次浅层地下水水质评价中,Ⅱ类水质区面积仅占评价面积 3.4%,Ⅲ类水质区面积占评价面积 48.5%,Ⅳ类水质区面积占评价面积 16.5%,Ⅴ类水质区面积占评价面积 31.6%。

第二节　几点认识

一、水资源可利用量

本次评价中的水资源可利用量计算是按照全国水资源可利用量补充细则规定的方法进行的。事实上,水资源可利用量是指在可预见的时期内,在统筹考虑生活、生产和生态环境用水的基础上,通过经济合理、技术可行的措施在当地水资源中可资一次性利用的最大水量。

本次评价中提出的水资源可利用量,只是粗略、宏观上估算的结果,是基于水资源调查评价阶段认识水平下的成果。它将在下一步的水资源合理配置中得到细化和提高精度。

二、系列一致性处理

系列一致性处理,是为了将系列反映至接近同一下垫面条件。本次评价中提出的系列一致性处理是将系列反映在近期或现状下垫面条件下的数值。它对于下一步开展的黄河流域水资源综合规划具有一定的、积极的指导意义和实用价值。

事实上,下垫面是随社会经济发展、水资源开发利用程度、生态建设、规划重大项目的实施等而发生变化的。本次评价提出的水资源量只是阶段性成果,不能反映 2010 年、2020 年甚至 2050 年水平的"未来下垫面"条件;2010 年、2020 年甚至 2050 年水平的"未来下垫面"条件下黄河流域水资源状况,需要不断认识和进行新的水资源调查评价。

而且,关于系列一致性处理本身,由于其复杂性,本报告提出的处理方法虽然较全国水资源综合规划细则要求的年降水径流关系修正方法前进了一步,即针对黄河实际情况采用成因方法,但方法上仍有不完善之处,有待今后进一步深入研究。

因此,本次评价中反映的黄河流域水资源量是基于近期或现状下垫面条件下的情况,只是水资源调查评价阶段的成果。

三、分区与断面水资源量差值

黄河流域分区水资源量(706.6 亿 m³)是指各水资源分区当地产水量的简单叠加。断面水资源量(638.3 亿 m³)则是水流经过产、汇流过程后,经过了一定的非用水消耗如河道水面蒸发、水库水面蒸发附加损失、河道汇流损失等量项后的数值。进行水资源配置时,应当慎重采用。

一般地讲,小型水资源分区如四级区水资源配置时可采用分区水资源量数值,大区甚至完整水系水资源配置时应当采用断面水资源量数值。

附表 1　黄河干流主要控制站实测年径流量与天然年径流量对比（系列一致性处理后）

（单位:亿 m³）

年份	唐乃亥		贵德		兰州		石嘴山		河口镇		龙门		三门峡		花园口		利津	
	实测	天然	实测	天然	实测	天然	实测	天然	实测	天然	实测	天然	实测	天然	实测	天然	实测	天然
1956	133.2	134.4	140.8	141.8	230.9	235.3	211.6	237.9	166.4	233.3	236.4	291.0	382.4	434.3	474.0	521.3	486.5	519.6
1957	155.1	156.2	161.5	162.7	257.7	262.7	232.4	261.9	169.1	250.4	220.0	290.4	314.2	383.8	357.5	432.8	370.9	446.6
1958	201.3	202.5	211.4	212.7	344.6	350.9	324.3	355.2	273.4	358.0	368.2	422.1	547.5	602.2	629.9	710.9	596.7	711.4
1959	157.2	158.3	166.1	167.6	303.9	308.5	284.4	313.9	242.4	326.5	340.1	396.3	446.5	505.7	390.9	526.2	297.9	513.1
1960	162.9	164.1	172.5	174.2	278.7	281.7	240.5	280.7	188.0	281.1	241.9	321.2	239.3	385.5	200.9	411.1	91.3	400.4
1961	225.2	226.3	232.5	234.2	393.4	397.4	379.0	400.1	317.6	394.4	401.0	468.7	560.9	591.8	559.7	640.2	519.8	645.8
1962	185.1	186.2	199.0	200.6	298.8	302.0	269.5	302.6	211.1	301.4	264.8	335.6	387.1	438.8	448.7	499.8	494.1	515.9
1963	237.6	238.7	246.0	247.6	377.2	380.8	342.9	373.5	270.5	356.4	329.8	401.1	456.3	528.9	557.2	624.6	611.8	654.4
1964	227.9	229.0	238.1	239.8	446.9	450.8	430.0	458.6	372.9	458.9	456.5	546.3	685.3	777.4	861.4	945.7	973.0	1 011.1
1965	178.9	180.1	189.5	191.3	290.5	294.5	250.2	290.5	191.4	286.8	224.4	312.4	325.3	413.4	383.4	476.7	381.1	464.8
1966	226.5	227.6	233.2	235.1	351.5	356.2	318.6	351.9	253.8	340.1	315.0	386.4	431.0	510.5	452.5	541.0	410.7	527.1
1967	311.0	312.2	315.8	317.9	517.9	535.4	492.7	529.4	444.9	534.7	539.4	609.1	656.1	732.5	706.0	785.6	684.4	771.3
1968	255.9	257.1	268.4	270.4	405.2	409.8	387.5	432.6	335.1	429.6	401.3	473.6	527.2	603.6	585.2	663.4	557.6	647.0
1969	154.5	155.6	164.6	166.6	219.1	250.2	179.5	250.2	125.0	251.3	191.8	304.1	269.9	389.3	304.1	428.0	287.7	429.2
1970	143.2	144.4	150.5	152.5	257.2	273.9	227.4	278.1	180.0	280.4	246.5	323.4	346.5	433.4	370.2	464.8	353.6	466.4
1971	186.0	187.1	196.7	198.6	287.8	297.7	247.5	298.1	188.8	295.0	246.0	335.3	316.6	420.7	351.4	465.5	318.5	470.7
1972	201.8	202.9	209.7	211.7	299.6	304.8	267.6	304.5	204.4	300.5	238.5	337.3	282.7	395.9	294.8	417.1	221.9	413.3
1973	179.2	180.3	188.4	190.4	278.9	293.9	254.3	297.9	202.3	296.1	251.2	347.5	326.8	446.1	361.1	493.3	281.6	491.9
1974	187.8	189.0	193.6	195.5	278.9	289.8	242.8	290.2	178.4	281.3	218.5	324.2	270.4	398.2	283.9	425.2	231.6	434.6
1975	310.1	311.2	309.0	310.9	421.5	437.7	389.8	437.9	329.5	433.5	365.3	472.0	495.9	622.8	549.4	690.9	478.3	696.6
1976	268.0	269.1	273.3	275.3	430.0	437.0	399.3	438.2	351.4	443.7	399.7	494.9	502.8	619.0	534.0	665.3	448.3	659.7
1977	164.0	165.1	168.2	170.1	282.3	280.7	255.6	284.9	213.7	299.0	276.8	364.6	327.1	443.5	349.4	478.7	247.5	477.7
1978	194.2	195.4	195.9	197.9	310.6	341.7	283.0	346.5	216.9	337.3	282.5	405.4	346.7	499.2	349.9	518.3	259.2	522.4
1979	205.6	206.8	212.3	214.2	333.1	345.1	318.8	350.7	265.8	348.6	320.4	406.1	366.0	473.9	371.7	496.0	269.9	488.8

续附表1

年份	唐乃亥 实测	唐乃亥 天然	贵德 实测	贵德 天然	兰州 实测	兰州 天然	石嘴山 实测	石嘴山 天然	河口镇 实测	河口镇 天然	龙门 实测	龙门 天然	三门峡 实测	三门峡 天然	花园口 实测	花园口 天然	利津 实测	利津 天然
1980	189.3	190.5	196.2	198.2	263.0	278.4	231.5	281.9	174.9	285.6	205.5	319.8	271.4	409.2	292.2	446.7	188.4	452.1
1981	296.7	297.8	302.0	303.9	416.5	431.4	387.9	435.2	322.5	430.5	362.0	473.1	458.6	594.7	476.9	635.4	345.9	625.0
1982	281.7	282.9	282.2	284.1	359.5	372.8	319.5	374.8	260.0	381.1	292.8	417.3	356.5	501.6	427.0	591.2	297.0	584.8
1983	314.8	316.0	316.2	318.1	423.1	441.2	392.5	444.9	339.4	454.5	370.4	489.0	531.5	665.8	610.4	754.9	490.8	747.6
1984	239.6	240.7	248.2	250.2	363.1	375.4	332.7	380.4	279.9	386.5	309.9	419.6	466.2	588.7	535.5	667.5	446.2	676.9
1985	220.9	222.1	229.8	231.7	353.2	365.9	322.5	371.7	258.9	371.6	303.3	419.1	415.1	549.8	474.1	616.3	388.6	626.9
1986	198.7	199.9	178.5	203.7	300.4	322.1	265.6	327.1	201.6	332.6	234.9	369.1	278.3	431.3	291.9	454.1	157.4	446.6
1987	177.0	178.2	139.0	185.1	230.3	285.0	190.2	287.6	116.7	285.9	147.3	319.8	212.4	405.3	227.9	434.4	108.4	429.5
1988	164.3	165.5	163.7	177.9	241.1	285.4	206.2	290.7	145.3	294.5	201.6	353.8	320.2	493.4	356.5	543.8	193.7	535.1
1989	328.1	329.3	252.9	332.2	385.0	483.8	357.1	489.5	291.1	488.8	333.8	534.7	398.9	620.4	425.5	660.0	241.8	648.4
1990	168.8	170.0	219.9	186.0	314.9	297.2	278.5	302.1	203.5	295.4	243.0	338.2	331.4	459.0	364.7	511.6	264.4	543.0
1991	147.2	148.4	197.6	163.9	255.3	235.7	210.7	232.5	147.2	235.5	185.4	277.0	234.0	356.0	241.4	386.6	122.5	390.6
1992	200.2	201.4	162.0	208.3	250.6	328.1	211.7	332.0	145.1	330.4	196.4	385.7	264.0	492.3	267.3	524.0	133.7	513.0
1993	218.5	219.7	199.3	226.2	299.6	337.1	257.4	340.2	182.7	331.5	216.0	368.9	294.4	483.5	305.1	514.9	185.0	522.5
1994	163.0	164.2	216.7	174.1	289.2	269.6	260.4	278.9	194.8	274.4	249.5	333.0	291.9	413.2	305.3	447.7	217.0	466.9
1995	156.2	157.4	190.6	166.9	263.4	263.0	237.4	274.4	172.6	270.7	218.4	320.6	238.7	372.1	239.0	396.0	136.7	403.7
1996	139.9	141.1	159.3	150.7	230.3	242.0	195.5	244.6	144.8	255.1	197.1	310.9	238.7	392.9	277.3	457.8	155.2	471.5
1997	141.6	142.9	142.1	148.7	203.2	234.4	162.9	239.4	101.8	239.2	132.7	274.3	139.6	314.7	142.6	332.4	18.6	322.6
1998	183.2	184.5	134.6	177.7	214.0	279.2	181.1	288.0	117.1	287.8	157.2	336.5	186.0	401.7	217.5	456.2	106.1	469.1
1999	242.3	243.6	177.3	229.0	276.9	348.4	227.8	342.9	157.8	340.7	185.9	371.7	204.0	424.8	208.7	466.4	68.3	455.9
2000	154.4	155.6	177.9	145.5	259.7	250.6	204.7	238.3	140.2	237.6	157.2	258.9	163.1	301.6	165.3	355.1	48.6	354.1
均值	204.0	205.1	207.2	212.0	313.1	329.9	281.4	332.5	222.0	331.7	272.8	379.1	357.9	482.7	390.6	532.8	315.3	534.8
最大	328.1	329.3	316.2	332.2	517.9	535.4	492.7	529.4	444.9	534.7	539.4	609.1	685.3	777.4	861.4	945.7	973.0	1 011.1
年份	1989	1989	1983	1989	1967	1967	1967	1967	1967	1967	1967	1967	1964	1964	1964	1964	1964	1964
最小	133.2	134.4	134.6	141.8	203.2	234.4	162.9	232.5	101.8	233.3	132.7	258.9	139.6	301.6	142.6	332.4	18.6	322.6
年份	1956	1956	1998	1956	1997	1997	1997	1991	1997	1956	1997	2000	1997	2000	1997	1997	1997	1997

附表 2　黄河主要支流控制站实测年径流量与天然年径流量对比（系列一致性处理后）

（单位：亿 m³）

年份	草堂		民和		折桥		红旗		温家川		白家川		河津		淋头		张家山		华县		武陟		黑石关		戴村坝	
	实测	天然	实测	天然	实测	天然	实测	天然	实测	天然	实测	天然	实测	天然	实测	天然	实测	天然	实测	天然	实测	天然	实测	天然	实测	天然
1956	25.53	25.64	13.71	17.00	6.14	6.28	33.81	34.47	5.26	5.31	15.64	13.42	22.97	26.40	8.07	8.58	22.51	24.19	103.38	101.91	30.98	28.32	53.17	50.85	15.80	10.74
1957	31.00	31.18	17.43	21.04	6.18	6.38	32.01	32.64	4.71	4.77	11.92	10.96	9.45	13.08	5.15	4.54	12.44	12.21	73.28	71.75	10.74	14.37	34.79	32.70	33.70	20.54
1958	35.93	36.11	22.97	26.42	13.71	14.04	48.69	49.33	6.87	6.91	16.78	12.42	23.89	27.75	11.65	12.51	25.50	24.11	115.08	112.65	22.43	25.31	73.75	71.09	16.50	11.24
1959	31.64	31.81	21.36	24.68	14.11	14.44	57.51	58.13	14.33	14.38	18.93	13.32	22.71	27.62	7.67	7.83	15.92	16.55	61.93	70.78	6.31	11.22	20.57	19.00	5.12	5.22
1960	22.70	22.83	16.11	19.38	10.63	10.94	48.59	49.20	5.26	5.33	12.56	11.68	6.82	14.03	5.81	5.99	10.85	10.58	52.89	56.43	4.52	8.33	21.61	19.79	7.33	4.76
1961	36.14	36.31	31.11	34.28	13.38	13.71	64.11	64.70	12.61	8.85	16.97	13.66	10.19	17.53	9.20	8.66	20.82	22.71	103.95	112.05	10.79	13.81	27.05	25.09	16.80	14.05
1962	20.40	20.57	13.78	16.83	8.64	9.00	47.13	47.83	5.51	1.70	12.59	10.17	16.48	20.27	7.23	9.71	16.62	15.76	81.40	80.00	19.72	20.95	27.09	24.76	26.70	18.29
1963	27.57	27.77	13.75	16.73	10.70	11.45	54.94	55.57	5.15	3.19	13.79	11.83	24.07	27.95	9.85	10.38	16.94	15.68	94.97	88.20	30.82	27.37	39.77	37.18	29.00	21.43
1964	36.63	36.81	25.67	28.64	20.16	20.49	84.60	85.11	8.22	8.26	20.14	14.99	33.55	37.36	20.13	20.09	41.94	39.74	187.52	166.98	29.56	29.44	95.45	92.46	61.00	42.91
1965	23.93	24.14	11.85	14.99	7.60	9.39	35.46	36.21	2.94	0.85	11.32	8.13	13.39	16.23	7.67	7.18	14.12	13.28	78.28	69.83	10.57	12.74	17.23	16.18	5.14	6.80
1966	26.39	26.60	10.67	13.86	8.68	9.39	58.29	59.28	7.69	4.43	15.95	11.57	19.61	27.57	11.74	13.55	31.62	31.88	86.80	92.48	10.57	12.74	17.23	16.18	5.14	6.80
1967	36.72	36.92	28.87	32.01	24.35	24.79	95.12	95.79	12.49	12.56	17.85	13.40	20.86	28.86	9.46	9.60	21.34	21.18	104.35	107.64	11.54	14.31	31.61	30.36	1.97	5.15
1968	26.14	26.31	17.88	20.94	11.80	12.50	69.74	70.71	7.76	5.45	15.92	12.09	14.06	18.31	10.62	10.79	26.59	25.30	118.75	112.90	10.71	13.17	33.27	32.27	0.47	2.29
1969	23.72	23.94	12.34	15.50	5.52	6.28	33.45	34.53	6.10	6.18	15.02	11.93	19.51	24.61	9.43	9.75	15.98	15.45	52.87	58.34	6.64	9.85	21.82	20.95	9.49	10.03
1970	28.11	28.35	17.85	21.09	8.62	9.24	48.27	49.20	8.39	5.45	15.76	11.72	13.57	20.40	7.46	7.81	24.14	22.01	92.43	94.70	5.26	9.23	21.85	21.56	16.90	13.60
1971	29.58	29.81	15.93	19.28	7.30	8.09	31.08	32.35	8.68	6.13	12.86	10.29	15.59	22.58	7.42	7.04	13.01	13.02	43.54	54.54	13.42	18.27	20.11	20.20	14.40	12.99
1972	29.64	29.84	13.64	17.00	5.96	6.71	32.20	33.36	4.64	1.70	10.56	9.85	5.55	12.77	5.43	5.35	8.47	8.66	30.98	45.50	3.28	10.18	12.30	12.98	8.45	9.62
1973	20.81	21.04	10.80	14.48	8.52	9.16	50.34	51.33	6.90	6.99	11.83	12.60	12.23	22.58	7.65	7.59	21.05	21.77	62.32	80.08	7.03	12.91	21.10	21.01	6.87	10.61
1974	27.25	27.48	12.88	16.67	5.62	6.58	32.86	34.27	4.66	2.72	9.46	10.45	4.89	12.43	5.29	5.11	13.26	13.28	49.04	66.86	2.02	8.43	19.81	21.79	14.80	15.30
1975	30.63	30.90	13.03	16.98	9.83	10.71	51.34	52.78	4.30	4.46	9.19	10.19	7.51	14.46	12.05	12.57	26.08	23.44	109.63	114.83	9.14	13.79	44.80	47.38	13.90	13.83
1976	30.67	30.87	18.97	23.01	14.69	15.53	65.52	66.76	8.36	4.43	10.36	11.39	9.90	17.46	12.43	12.94	21.92	20.78	82.58	97.63	12.49	14.83	24.42	25.32	4.28	6.80
1977	26.04	26.30	11.84	16.15	10.36	11.19	41.43	42.63	7.66	7.79	14.72	15.46	16.12	24.48	8.94	8.51	17.58	20.09	37.19	65.41	5.54	11.14	14.04	15.26	4.08	8.35
1978	25.04	25.34	15.27	19.82	14.28	15.04	66.22	67.33	8.37	8.54	14.95	15.60	9.61	20.66	9.44	9.11	16.97	18.44	52.76	79.88	1.97	7.37	12.80	13.42	11.90	14.61
1979	22.69	22.92	15.98	20.70	12.98	13.80	65.95	67.10	10.35	10.53	11.36	12.39	8.58	16.69	7.39	7.22	11.88	13.62	33.54	57.04	1.34	6.80	13.40	16.19	5.64	8.59
1980	24.15	24.39	10.27	14.99	5.46	6.28	38.65	39.80	4.77	4.95	9.78	11.05	4.33	14.13	6.27	6.38	13.57	14.86	54.40	74.68	2.58	9.90	19.70	21.54	7.79	13.17
1981	34.37	34.70	18.26	23.73	10.25	11.07	60.58	61.78	4.89	5.07	10.88	11.68	5.39	15.25	8.92	9.17	21.88	22.45	96.67	111.76	1.70	8.26	15.20	19.19	0.80	3.79

续附表2

年份	享堂实测	享堂天然	民和实测	民和天然	折桥实测	折桥天然	红旗实测	红旗天然	温家川实测	温家川天然	白家川实测	白家川天然	河津实测	河津天然	湫头实测	湫头天然	张家山实测	张家山天然	华县实测	华县天然	武陟实测	武陟天然	黑石关实测	黑石关天然	戴村坝实测	戴村坝天然
1982	26.14	26.45	12.22	17.67	6.72	7.54	42.54	43.79	5.11	5.25	10.27	11.30	5.94	16.35	7.04	7.16	13.13	13.52	54.59	68.89	12.64	18.45	36.40	41.56	0.60	5.03
1983	38.35	38.65	19.20	24.41	7.86	8.67	50.21	51.51	3.97	4.14	9.49	10.64	8.65	16.57	12.87	14.11	22.88	22.16	131.51	125.02	6.71	12.98	49.30	51.84	0.36	4.58
1984	25.60	25.87	13.15	18.30	11.78	12.60	66.10	67.50	5.47	5.62	10.15	10.89	7.02	14.09	11.34	11.77	22.97	23.63	128.57	116.39	6.94	12.44	55.60	53.66	7.03	13.33
1985	28.20	28.50	18.36	23.50	10.53	11.34	62.26	63.66	7.54	7.69	11.70	12.59	10.83	17.98	12.60	12.64	18.50	20.86	81.13	89.64	7.66	13.07	39.70	39.44	13.35	16.30
1986	28.94	29.24	18.55	23.68	8.08	8.90	46.85	48.35	3.89	4.05	9.70	10.65	3.35	11.67	6.97	6.67	11.55	13.66	39.73	57.17	0.87	7.95	13.80	14.63	4.67	6.36
1987	26.86	27.16	16.58	21.77	7.34	8.10	37.92	39.42	3.73	3.88	9.56	10.55	2.42	9.94	5.79	5.65	9.32	11.53	52.51	67.73	1.43	7.17	20.10	20.48	2.18	8.43
1988	35.27	35.38	20.64	25.81	7.05	7.81	36.77	38.37	7.71	7.81	12.51	13.33	14.31	19.37	13.08	13.63	22.16	24.44	86.26	94.82	11.81	16.82	23.40	27.04	0.81	4.44
1989	50.19	50.34	29.06	34.50	9.56	10.32	48.70	50.30	4.98	5.12	9.48	10.52	4.62	11.75	7.25	6.90	15.13	18.54	66.27	77.52	2.36	8.19	28.37	28.81	0.00	1.14
1990	29.69	29.84	15.99	21.52	6.71	7.47	42.98	44.58	4.29	4.46	9.85	10.79	5.95	16.19	9.00	9.20	20.10	22.64	78.35	97.87	3.72	12.17	21.18	25.26	18.20	33.12
1991	20.31	20.62	7.09	12.66	3.85	4.61	26.54	28.45	5.04	5.26	9.42	10.30	3.25	15.59	8.16	8.85	13.44	14.96	44.80	62.57	0.11	6.81	8.88	14.02	9.37	14.42
1992	27.66	27.93	14.81	20.42	8.98	9.74	48.38	50.29	5.78	5.92	10.24	11.65	2.82	15.10	9.05	9.30	17.63	20.96	64.21	84.83	1.70	9.93	10.09	21.28	0.27	2.16
1993	33.56	33.87	18.67	23.82	6.89	7.65	39.62	41.53	2.68	2.89	7.18	8.73	5.31	16.14	7.58	8.10	13.77	16.37	61.28	74.65	4.25	12.20	18.36	21.77	6.03	12.55
1994	26.02	26.64	12.83	18.65	6.17	6.93	35.75	37.66	6.13	6.42	11.60	12.88	4.07	15.58	10.28	11.62	14.57	20.34	17.49	43.73	2.93	10.43	16.16	21.55	13.34	21.15
1995	25.91	26.72	13.74	19.65	8.36	9.12	33.56	35.47	5.20	5.43	10.91	12.53	6.68	18.34	4.76	5.83	12.20	14.53	38.24	65.89	3.88	9.85	5.55	13.09	12.96	19.94
1996	25.86	27.52	14.20	19.73	7.57	8.33	28.92	30.83	6.73	6.94	10.79	11.82	15.09	27.12	8.60	8.92	18.40	22.01	16.82	35.43	11.50	18.97	22.70	35.91	14.05	20.53
1997	22.40	24.11	12.61	17.14	6.02	6.10	25.17	27.08	3.28	3.48	7.54	9.10	2.80	13.35	4.97	5.63	9.63	11.97	40.81	67.43	0.56	6.08	12.99	12.18	1.76	6.53
1998	28.23	29.39	13.90	20.10	5.34	8.14	33.61	35.52	3.92	4.14	8.51	10.01	2.99	12.86	6.68	6.91	10.51	15.75	38.46	55.17	7.23	14.95	19.61	29.36	9.79	18.65
1999	25.55	30.42	14.72	17.53	4.39	5.15	36.02	37.93	1.68	1.90	7.36	9.11	1.87	10.15	5.92	6.39	9.90	12.79	35.58	49.58	1.42	7.02	10.04	12.91	1.61	5.44
2000	23.96	25.27	10.77	16.83			25.08	26.99	1.72	1.95	6.75	8.37	1.51	11.30	5.87	5.99	7.56	8.84			4.04	9.70	13.61	23.22	1.82	6.00
均值	28.49	28.95	16.21	20.53	9.25	9.92	47.00	48.25	5.54	6.13	11.51	12.00	10.67	18.47	8.67	8.96	17.47	18.46	70.55	80.93	8.19	13.00	26.72	28.32	10.33	11.81
最大	50.19	50.34	31.11	34.50	24.35	24.79	95.12	95.79	14.33	14.38	15.60	20.14	33.55	37.56	20.13	20.09	41.94	39.74	187.52	187.52	30.98	29.44	95.45	92.46	61.00	42.91
年份	1989	1989	1961	1989	1967	1967	1967	1967	1959	1959	1978	1964	1964	1964	1964	1964	1964	1964	1964	1964	1956	1964	1964	1964	1964	1964
最小	20.31	20.57	7.09	12.66	3.85	4.61	25.08	26.99	0.85	1.68	6.75	8.13	1.51	10.15	4.76	5.63	7.56	8.66	16.82	43.73	0.11	6.08	5.55	12.18	0.00	1.14
年份	1991	1962	1991	1991	1991	1991	2000	2000	1965	1999	2000	1965	2000	1999	1995	1997	2000	1972	1997	1995	1991	1997	1995	1997	1989	1989

附表 3 黄河流域二级水资源分区逐月降雨量

（单位：mm）

一级区	年份	1月	2月	3月	4月	5月	6月	7月	8月	9月	10月	11月	12月	年值
龙羊峡以上	1956	2.56	2.85	10.91	20.30	42.58	85.58	82.41	73.66	51.96	35.13	2.02	1.97	411.9
	1957	8.26	5.98	12.86	20.49	44.26	64.89	123.18	63.70	62.43	23.45	3.42	4.62	437.5
	1958	10.55	3.30	6.21	23.37	63.98	117.70	88.63	106.72	78.65	37.05	3.66	3.94	543.8
	1959	5.84	6.14	9.65	17.86	58.86	92.99	79.66	112.85	45.63	16.57	4.52	1.16	451.7
	1960	1.19	3.07	13.09	10.67	55.18	78.99	113.64	87.02	57.30	35.75	5.15	0.49	461.5
	1961	3.90	5.45	11.47	24.94	48.08	112.18	74.78	136.36	56.75	80.00	7.02	1.58	562.5
	1962	4.03	2.85	2.66	12.65	50.36	60.39	114.50	64.36	45.24	39.20	5.19	1.30	402.7
	1963	0.09	0.31	6.42	20.07	63.38	70.13	105.18	76.00	124.96	19.98	5.20	0.43	492.2
	1964	5.11	7.11	3.79	16.11	61.20	84.06	146.66	84.45	90.35	25.05	2.70	1.53	528.1
	1965	0.32	4.93	7.77	21.56	54.53	77.51	84.41	67.52	56.44	27.33	8.79	3.60	414.7
	1966	0.97	4.99	11.00	16.98	46.84	47.17	155.69	105.62	93.79	25.71	6.65	1.27	516.7
	1967	3.94	4.71	11.83	20.57	87.42	95.35	86.68	144.03	128.32	30.33	6.87	1.05	621.1
	1968	3.43	3.55	10.91	18.77	63.74	92.44	77.13	106.16	111.66	30.21	3.80	2.85	524.7
	1969	4.76	1.12	5.50	21.90	53.63	91.95	70.60	68.27	84.82	16.41	4.67	0.78	424.4
	1970	3.01	3.95	16.11	20.77	59.80	61.90	94.21	77.82	49.78	17.77	3.74	1.21	410.1
	1971	5.78	3.81	6.82	33.17	42.57	79.10	69.72	87.30	130.69	47.46	8.88	0.22	515.5
	1972	0.63	8.60	5.00	23.04	69.92	74.00	129.53	74.06	56.26	10.97	1.72	0.88	454.6
	1973	3.09	2.41	10.57	32.79	69.35	70.69	73.53	109.71	41.70	54.20	2.03	1.00	471.1
	1974	1.62	1.96	9.79	12.18	59.93	95.91	74.53	77.79	89.44	44.55	4.99	4.32	477.0
	1975	6.63	4.59	3.97	22.66	60.43	107.26	158.37	73.23	100.46	35.66	6.88	0.60	580.7
	1976	3.04	8.01	11.84	19.40	64.85	94.03	101.04	131.40	54.21	17.94	3.08	0.46	509.3
	1977	6.68	4.04	14.22	25.06	45.60	55.97	80.11	78.96	69.87	29.03	6.03	3.20	418.8
	1978	1.87	6.04	15.43	21.96	41.15	77.07	94.38	108.48	80.96	41.73	9.30	1.10	499.5
	1979	3.47	4.03	10.40	23.66	41.52	59.04	150.45	111.79	64.73	14.69	1.91	4.57	490.3
	1980	2.56	4.60	16.02	15.46	47.08	96.31	100.81	78.80	74.77	24.49	0.46	0.49	461.8
	1981	7.09	1.24	15.39	28.75	48.13	105.05	91.52	115.06	149.97	26.72	9.05	2.24	600.2

续附表3

二级区	年份	1月	2月	3月	4月	5月	6月	7月	8月	9月	10月	11月	12月	年值
	1982	1.19	6.60	14.87	38.14	44.82	88.07	91.04	62.95	98.06	25.76	6.25	3.04	480.8
	1983	4.89	4.18	16.71	20.14	52.15	95.27	130.64	66.19	80.51	61.13	0.12	1.71	533.6
	1984	4.02	2.24	8.26	13.98	70.65	117.64	148.03	52.72	75.21	17.02	5.42	1.52	516.7
	1985	3.88	2.31	7.86	15.76	65.96	85.55	105.14	100.97	101.58	23.86	3.46	3.69	520.0
	1986	1.12	3.39	7.01	29.25	54.57	105.88	91.25	79.36	64.51	16.57	4.14	2.49	459.5
	1987	1.53	3.22	9.03	31.57	63.16	125.04	68.37	63.30	62.77	12.10	3.28	2.53	445.9
	1988	4.06	12.01	15.99	14.90	58.30	68.50	73.57	68.58	75.04	54.21	4.97	1.27	451.4
	1989	3.19	11.45	12.13	40.48	60.30	132.14	120.91	111.06	68.96	37.38	5.39	5.14	608.5
	1990	3.54	8.99	12.43	24.95	41.17	59.88	83.31	71.06	53.54	31.90	2.04	0.91	393.7
	1991	5.95	8.23	8.27	21.25	52.51	80.72	99.98	82.38	51.98	25.76	7.74	3.93	448.7
	1992	2.01	5.44	13.56	13.72	63.41	116.78	102.45	67.08	98.76	31.62	1.41	2.27	518.5
龙羊峡以上	1993	10.42	10.63	18.88	14.25	53.96	79.75	109.69	94.28	50.73	33.16	1.36	0.44	477.6
	1994	12.80	6.32	12.39	32.88	46.01	111.34	85.81	70.03	65.28	26.35	8.71	3.02	480.9
	1995	5.59	8.61	11.10	31.71	39.88	64.11	103.09	128.39	53.49	30.97	4.91	2.84	484.7
	1996	5.45	6.18	12.91	22.41	63.57	71.38	106.52	68.17	63.78	30.65	3.30	0.07	454.4
	1997	3.28	8.22	20.90	26.67	64.82	69.32	91.73	74.00	57.74	32.38	4.84	6.49	460.4
	1998	1.39	5.00	21.18	22.57	70.76	76.41	119.30	109.22	52.63	33.62	1.72	2.11	515.9
	1999	3.20	3.08	9.55	17.02	54.49	133.03	116.40	67.48	53.43	60.86	2.69	0.84	522.1
	2000	1.72	4.15	11.15	10.10	32.25	95.23	61.58	79.31	77.63	22.36	7.88	4.43	407.8
	2001													
	2002													
	2003													
	2004													
	2005													
	2006													

续附表 3

二级区	年份	1月	2月	3月	4月	5月	6月	7月	8月	9月	10月	11月	12月	年值
	1956	5.14	0.79	9.00	28.42	40.60	80.78	94.19	91.32	36.67	23.49	0.98	1.44	412.8
	1957	6.63	2.79	6.50	34.90	68.24	46.05	115.49	60.60	67.12	15.51	2.54	1.12	427.5
	1958	3.54	0.70	6.84	18.18	66.48	95.54	106.66	121.43	78.94	37.14	3.01	3.70	542.2
	1959	3.19	7.20	9.25	17.45	61.99	64.35	122.52	160.24	47.98	24.52	2.22	1.15	522.1
	1960	0.65	2.69	11.97	45.31	58.16	43.72	116.74	82.93	77.39	35.92	6.33	0.77	482.6
	1961	1.30	4.87	17.53	23.28	34.15	76.81	93.74	162.92	111.00	67.37	12.58	1.71	607.3
	1962	0.48	1.14	2.05	8.51	36.37	37.65	102.89	60.36	78.62	40.53	7.56	0.49	376.6
	1963	0.00	0.90	6.09	26.05	89.46	69.33	107.05	58.17	68.63	22.58	9.96	1.63	459.8
	1964	4.09	2.75	13.26	51.97	105.50	62.86	131.17	122.37	84.04	25.93	0.80	0.58	605.3
	1965	0.01	3.07	6.17	39.62	41.41	44.71	89.45	54.03	44.25	50.94	2.97	2.06	378.7
	1966	0.35	2.02	6.44	16.83	50.42	46.16	85.41	117.59	78.14	37.88	5.62	1.32	448.2
	1967	1.59	1.98	17.86	35.61	129.32	68.38	121.40	158.50	94.71	28.72	10.35	0.06	668.5
	1968	1.48	2.13	11.40	23.76	49.57	42.37	105.36	106.02	81.40	39.89	5.47	0.63	469.5
	1969	1.78	1.91	6.71	26.00	70.26	43.97	64.17	95.99	74.89	26.64	4.71	0.63	417.6
	1970	1.86	2.80	8.51	47.18	51.93	54.05	84.19	156.40	73.59	25.08	1.14	0.03	506.8
	1971	2.92	2.96	6.88	19.33	58.14	61.46	92.38	86.71	100.38	37.80	8.53	0.03	477.5
	1972	0.49	5.97	10.80	37.13	68.27	66.40	66.51	100.72	28.80	6.87	8.41	1.07	401.4
	1973	1.38	1.73	6.85	23.31	86.09	77.66	92.65	125.60	57.21	36.13	4.20	0.02	512.8
	1974	2.63	4.49	15.35	30.36	47.91	52.67	89.44	61.99	81.12	36.09	7.95	2.74	432.7
龙羊峡—兰州	1975	3.04	3.47	6.31	23.76	61.02	57.42	93.33	71.43	108.95	48.81	7.90	2.53	488.0
	1976	0.35	7.09	7.91	19.39	52.57	91.79	106.76	154.09	67.20	13.77	0.79	0.22	521.9
	1977	2.67	2.93	7.36	35.07	41.61	66.12	95.90	85.82	59.04	26.51	13.42	3.11	439.6
	1978	1.39	1.92	21.37	13.57	42.71	88.24	121.96	138.55	84.74	52.71	5.68	0.34	573.2
	1979	1.67	1.10	6.36	19.00	31.71	53.47	156.84	151.57	71.25	14.91	5.57	1.01	514.5
	1980	2.26	5.16	9.36	17.73	40.56	49.50	94.58	94.01	57.24	15.51	0.81	0.49	387.2
	1981	3.50	0.91	21.02	38.42	14.41	64.87	129.39	116.95	93.06	19.14	6.17	1.52	509.4

续附表3

二级区	年份	1月	2月	3月	4月	5月	6月	7月	8月	9月	10月	11月	12月	年值
	1982	0.84	7.48	21.40	26.52	36.54	40.99	60.79	81.11	79.84	32.86	9.17	2.62	400.2
	1983	4.47	2.96	9.44	35.64	62.34	65.97	90.06	98.89	84.68	37.87	0.72	1.28	494.3
	1984	3.03	1.89	9.70	40.28	65.63	107.92	93.98	80.56	84.64	17.69	2.69	1.85	509.9
	1985	1.74	1.37	7.91	26.90	103.71	90.82	99.16	83.42	82.17	45.06	2.51	4.20	549.0
	1986	0.19	2.65	12.69	22.25	71.78	104.60	76.82	81.12	39.50	21.21	5.40	4.27	442.5
	1987	0.65	4.27	13.60	23.47	92.34	109.87	62.66	56.50	66.22	9.53	1.49	0.99	441.6
	1988	2.88	9.69	18.43	11.69	92.69	77.99	82.02	123.36	67.80	49.04	2.23	0.41	538.2
	1989	1.45	11.68	15.08	61.20	29.29	74.86	121.96	86.08	62.62	51.34	7.10	5.47	528.1
	1990	4.78	6.17	17.29	46.30	57.88	59.86	96.94	90.63	55.43	34.36	6.23	1.97	477.8
	1991	3.61	5.01	11.97	27.63	84.66	53.98	89.65	54.11	26.23	17.46	4.22	2.89	381.4
	1992	0.33	1.75	12.64	13.14	82.92	71.28	109.82	112.05	108.06	37.97	4.51	0.92	555.4
	1993	4.84	7.97	14.97	12.72	88.15	69.41	100.94	94.45	54.51	14.95	2.79	0.70	466.4
龙羊峡—兰州	1994	4.55	2.40	6.75	26.02	39.46	109.93	106.43	107.91	59.31	17.66	5.02	2.15	487.6
	1995	3.53	4.44	11.20	12.44	22.91	61.30	117.96	127.04	69.33	28.13	3.21	0.40	461.9
	1996	3.10	2.44	12.99	26.20	42.48	84.13	105.26	74.19	45.90	25.97	2.81	0.23	425.7
	1997	1.05	2.48	15.61	44.12	47.64	42.46	126.66	97.95	37.75	15.73	4.92	1.18	437.5
	1998	1.58	1.96	21.10	40.77	95.21	73.52	88.21	97.18	39.80	25.71	0.28	1.30	486.6
	1999	1.21	2.38	4.76	9.89	47.61	98.27	116.73	74.88	70.54	38.53	2.66	1.13	468.6
	2000	1.01	5.43	8.99	14.48	36.17	77.76	39.28	86.24	97.08	36.39	8.34	2.47	413.6
	2001													
	2002													
	2003													
	2004													
	2005													
	2006													

续附表3

二级区	年份	1月	2月	3月	4月	5月	6月	7月	8月	9月	10月	11月	12月	年值
	1956	4.23	1.89	8.36	13.26	18.51	52.61	57.11	77.08	23.04	10.45	2.43	0.79	269.8
	1957	4.36	3.44	2.79	17.66	25.97	23.10	44.33	43.68	15.92	3.89	3.75	0.64	189.5
	1958	2.27	1.33	2.11	19.08	36.77	29.72	101.37	99.65	40.32	19.78	2.03	0.91	355.3
	1959	1.22	9.07	11.17	5.75	16.28	36.12	80.33	118.67	31.19	12.54	2.09	1.76	326.2
	1960	0.45	1.11	10.44	20.43	29.62	15.27	40.03	53.03	48.96	19.02	2.35	1.16	241.9
	1961	1.29	2.43	6.89	16.05	14.06	34.81	68.29	130.18	71.46	29.20	8.60	0.78	384.0
	1962	2.07	2.10	1.12	2.91	11.25	12.29	74.21	44.32	35.39	21.14	11.31	0.09	218.2
	1963	0.77	1.57	7.58	13.09	35.97	17.01	59.34	29.20	36.53	11.12	4.53	0.61	217.3
	1964	2.79	2.77	7.40	36.62	40.04	29.92	83.58	98.53	48.06	28.18	0.69	0.56	379.1
	1965	0.40	0.75	4.53	19.65	10.61	22.63	38.35	23.21	12.95	28.44	7.08	0.14	168.7
	1966	0.96	0.81	4.52	7.00	19.73	17.67	67.10	53.31	30.39	20.49	2.05	0.22	224.2
	1967	0.95	2.05	13.79	23.59	59.25	36.36	56.48	104.98	46.74	12.33	14.08	0.16	370.7
兰州—河口镇	1968	1.58	0.46	6.03	9.43	7.53	21.87	53.23	136.31	34.01	24.53	3.96	1.56	300.5
	1969	0.79	2.07	3.41	9.02	20.43	26.15	40.58	52.37	52.59	21.11	1.79	0.52	230.8
	1970	0.37	4.90	3.00	26.17	31.40	39.66	33.36	100.05	26.34	12.73	0.16	0.15	278.3
	1971	5.94	2.67	6.71	5.05	19.40	27.70	33.43	36.05	42.81	11.75	14.74	0.80	207.0
	1972	1.88	3.91	8.78	12.53	21.87	31.11	31.30	42.91	17.87	7.42	4.67	0.50	184.7
	1973	3.67	0.66	5.46	11.29	22.56	22.31	61.20	100.28	65.47	19.95	0.31	0.07	313.2
	1974	2.40	3.19	6.43	5.14	23.81	19.77	61.41	36.49	24.57	11.05	2.81	2.99	200.1
	1975	0.66	1.31	2.70	13.13	19.43	13.38	47.71	54.08	42.22	25.87	18.82	3.21	242.5
	1976	0.05	6.84	3.68	20.02	9.86	19.15	76.94	97.50	43.03	9.49	0.65	1.81	289.0
	1977	2.41	1.18	2.71	29.47	14.84	28.72	91.31	51.95	43.87	25.19	5.78	1.60	299.0
	1978	0.72	4.95	10.17	2.24	24.60	29.59	89.74	91.06	44.37	27.43	2.06	0.77	327.7
	1979	0.40	5.24	6.35	5.69	10.70	48.87	130.91	72.35	28.66	8.26	4.78	0.30	322.5
	1980	0.56	3.54	9.35	10.25	12.27	30.29	29.76	53.03	22.00	12.59	1.41	0.36	185.4
	1981	1.95	0.81	11.21	14.12	2.32	25.24	95.47	47.67	30.89	6.36	4.74	0.89	241.7

续附表3

二级区	年份	1月	2月	3月	4月	5月	6月	7月	8月	9月	10月	11月	12月	年值
兰州—河口镇	1982	0.55	2.99	4.64	6.26	16.44	18.63	31.70	46.76	36.22	15.17	3.60	0.71	183.7
	1983	2.66	1.49	7.16	16.34	32.60	32.62	29.43	60.13	43.49	24.29	0.32	0.26	250.8
	1984	1.15	2.93	1.52	17.04	39.95	53.43	51.07	88.37	28.05	8.45	0.62	4.21	296.8
	1985	0.69	1.40	2.78	12.36	58.11	37.51	47.23	102.90	42.71	19.75	0.64	0.71	326.8
	1986	0.08	1.98	7.62	2.83	15.14	59.45	33.71	42.96	12.16	9.21	3.03	4.53	192.7
	1987	1.12	1.11	5.27	8.83	15.08	35.36	19.86	52.43	29.64	12.42	3.35	0.70	185.2
	1988	1.72	4.44	11.36	1.99	46.53	37.84	65.85	75.55	20.49	9.83	0.39	0.91	276.9
	1989	5.54	7.01	3.28	25.46	9.45	32.83	52.11	56.52	34.29	18.46	8.53	2.44	255.9
	1990	1.75	6.59	16.28	19.04	26.17	18.13	82.77	87.33	29.43	19.37	1.47	0.32	308.7
	1991	2.66	3.74	16.43	14.80	36.01	41.95	46.53	24.35	26.18	10.96	0.39	4.21	228.2
	1992	0.26	1.27	15.95	7.37	35.49	42.72	63.48	79.58	28.00	16.78	3.74	0.79	295.4
	1993	4.45	5.51	5.89	4.98	19.35	17.22	63.51	65.66	20.79	3.01	10.46	0.39	221.2
	1994	1.22	4.89	3.07	5.87	6.59	57.92	80.11	95.87	20.28	14.05	2.54	2.41	294.8
	1995	0.72	2.63	3.12	1.55	6.67	25.11	98.19	95.66	47.53	17.17	0.38	1.22	299.9
	1996	1.68	1.35	9.15	8.01	7.28	35.65	97.52	73.69	25.24	19.75	3.30	0.64	283.2
	1997	1.10	2.77	9.69	10.02	10.62	22.93	75.63	64.44	19.18	0.27	5.50	0.22	222.4
	1998	2.92	4.89	14.95	28.53	43.10	21.15	77.94	46.79	20.15	14.82	1.51	2.00	278.8
	1999	0.23	0.43	2.03	11.15	34.71	28.88	65.97	18.72	35.08	12.38	1.93	3.61	215.1
	2000	4.62	3.42	3.11	2.32	7.59	40.99	32.42	52.82	25.46	15.67	5.60	1.63	195.7
	2001													
	2002													
	2003													
	2004													
	2005													
	2006													

续附表3

二级区	年份	1月	2月	3月	4月	5月	6月	7月	8月	9月	10月	11月	12月	年值
	1956	5.43	1.52	22.72	28.90	25.67	104.25	124.06	144.32	37.16	23.26	4.95	0.65	522.9
	1957	8.41	2.63	4.88	50.67	46.46	42.42	80.53	88.18	40.04	2.97	18.38	0.27	385.8
	1958	3.17	0.70	12.94	27.05	58.80	39.65	171.72	153.57	54.24	26.69	8.13	3.02	559.7
	1959	0.54	14.23	29.15	5.15	24.40	69.08	123.60	202.51	76.29	23.01	0.85	4.87	573.7
	1960	1.82	0.10	11.82	30.60	36.10	18.21	82.99	96.32	85.55	24.15	5.54	2.19	395.4
	1961	3.13	2.86	15.51	24.61	23.15	77.19	104.81	126.55	128.53	78.73	16.80	2.99	604.9
	1962	5.31	6.42	0.48	0.97	13.65	19.24	124.09	57.11	78.65	19.33	25.26	0.17	350.7
	1963	0.12	0.55	8.22	17.02	89.60	47.26	89.10	94.20	66.03	9.71	17.44	2.81	442.1
	1964	4.29	6.95	20.66	59.92	60.02	46.98	165.78	138.33	121.04	41.10	3.72	1.86	670.7
	1965	0.32	4.51	6.31	47.11	13.07	12.72	56.27	32.08	13.85	26.25	6.67	0.01	219.2
	1966	1.90	6.91	13.94	20.79	19.94	52.58	149.21	97.09	41.04	31.60	13.53	0.19	448.7
	1967	4.84	2.30	18.97	24.09	41.51	37.44	86.35	235.88	106.83	18.95	20.37	0.20	597.7
河口镇—龙门	1968	1.14	0.42	10.31	13.38	12.82	27.94	78.15	139.58	51.69	68.44	18.74	2.99	425.6
	1969	2.68	4.92	9.87	41.25	38.87	24.65	106.97	107.63	106.19	36.86	4.33	0.05	484.3
	1970	-0.04	7.84	4.65	29.37	45.59	48.67	67.94	152.52	39.85	16.60	0.00	0.53	413.6
	1971	6.69	3.18	8.03	9.90	30.65	43.36	127.38	65.77	61.13	8.82	28.02	3.43	396.4
	1972	9.77	6.68	5.61	10.41	15.75	30.29	55.37	93.48	33.39	16.44	21.57	2.35	301.1
	1973	7.28	0.86	10.50	24.09	8.77	73.87	74.59	158.39	93.94	64.59	2.35	0.04	519.3
	1974	2.00	3.92	4.79	10.29	33.57	28.03	110.40	30.14	60.46	15.93	16.98	6.88	323.4
	1975	1.28	2.28	11.09	34.28	15.09	60.91	118.28	63.84	93.33	37.94	9.00	4.60	451.9
	1976	0.07	20.29	5.46	38.14	11.30	34.98	87.51	163.05	61.75	21.28	1.20	7.27	452.3
	1977	2.02	2.16	5.38	29.37	25.15	58.06	110.19	143.69	56.78	30.89	5.42	4.64	473.8
	1978	0.22	10.07	16.78	1.45	57.65	41.49	115.79	143.92	95.42	37.14	9.06	2.60	531.6
	1979	0.48	11.76	15.34	10.73	12.57	65.10	153.86	94.95	31.81	12.79	8.44	3.09	420.9
	1980	0.49	3.23	19.84	16.29	42.81	49.28	62.35	76.73	42.13	23.54	8.24	0.20	345.1
	1981	1.74	0.83	17.58	16.39	18.21	82.82	157.34	111.44	36.75	15.96	6.79	0.99	466.8

续附表3

二级区	年份	1月	2月	3月	4月	5月	6月	7月	8月	9月	10月	11月	12月	年值
	1982	0.57	6.71	11.24	16.23	37.33	24.61	148.02	76.96	43.44	14.54	14.88	0.02	394.5
	1983	1.84	1.06	15.55	26.59	68.48	46.80	81.47	52.72	73.14	45.76	8.45	0.41	422.3
	1984	1.64	1.83	5.31	14.71	47.56	86.70	99.91	110.17	44.87	14.43	3.48	9.03	439.6
	1985	2.27	2.75	3.29	7.98	65.54	44.38	65.35	120.40	139.58	29.24	0.96	1.96	483.7
	1986	0.08	4.42	17.33	10.69	31.11	109.86	48.69	56.28	16.82	19.82	4.16	7.79	327.1
	1987	1.20	3.30	12.12	32.17	20.59	80.25	61.91	99.53	29.38	45.10	13.21	0.30	399.1
	1988	1.32	4.62	13.49	2.71	63.55	76.54	178.73	140.40	33.08	9.42	0.01	2.68	526.6
	1989	11.37	7.40	7.88	25.65	10.16	80.22	76.90	42.05	71.39	14.96	13.10	2.43	363.5
	1990	4.20	13.52	55.47	51.11	18.80	30.48	143.32	85.88	53.71	25.56	6.14	0.68	488.9
	1991	4.22	3.46	31.83	37.76	83.06	61.95	59.07	25.07	42.64	25.90	1.60	7.20	383.8
	1992	0.06	0.27	19.58	7.17	31.38	45.36	96.32	165.02	45.59	20.33	13.55	1.00	445.6
	1993	7.36	2.42	3.84	4.39	33.77	40.44	81.08	120.97	17.56	26.94	22.66	0.05	361.5
河口镇—龙门	1994	0.18	7.56	3.38	37.40	12.83	60.65	93.64	161.74	20.70	31.82	16.19	7.69	453.8
	1995	0.00	1.26	1.34	5.20	12.80	38.02	104.88	147.28	72.68	18.55	1.47	0.85	404.3
	1996	1.88	2.27	7.59	23.22	18.99	82.28	140.33	98.01	39.32	28.42	11.18	0.37	453.9
	1997	1.88	5.14	17.69	14.72	28.33	23.78	111.79	35.26	41.40	11.62	19.73	0.28	311.6
	1998	4.26	3.18	18.81	38.68	53.45	45.58	119.90	80.67	42.47	20.56	1.14	0.56	429.3
	1999	1.04	0.27	12.99	21.83	32.44	25.03	83.13	32.06	67.37	13.57	6.44	2.24	298.4
	2000	7.84	2.77	8.17	10.23	14.68	57.42	66.54	85.43	44.78	34.87	9.76	0.91	343.4
	2001													
	2002													
	2003													
	2004													
	2005													
	2006													

续附表 3

二级区	年份	1月	2月	3月	4月	5月	6月	7月	8月	9月	10月	11月	12月	年值
	1956	10.43	1.84	27.25	43.02	32.26	171.69	105.75	159.22	37.45	30.67	4.06	1.74	625.4
	1957	11.35	3.78	13.84	54.20	65.32	65.11	159.33	35.52	24.82	26.19	17.28	0.86	477.6
	1958	6.43	1.50	23.12	45.60	75.82	56.25	150.31	188.61	59.69	50.90	37.16	7.39	702.8
	1959	4.12	17.78	21.52	11.22	49.10	78.64	76.94	149.29	76.86	26.36	15.54	2.74	530.1
	1960	1.02	4.42	25.12	38.08	36.02	15.63	99.54	132.18	65.41	39.89	17.09	1.37	475.8
	1961	2.97	4.68	20.69	42.55	44.16	110.81	86.72	106.24	83.53	123.19	37.93	2.06	665.5
	1962	4.63	9.14	1.85	13.68	24.51	32.26	145.42	100.30	99.01	57.46	51.73	1.56	541.6
	1963	0.31	1.45	18.60	41.92	106.94	42.68	86.74	78.58	127.85	16.16	36.23	8.04	565.5
	1964	8.13	8.22	24.06	70.68	116.06	41.94	140.04	103.15	165.18	85.41	7.84	3.88	774.6
	1965	1.02	6.57	24.24	68.57	26.25	52.56	129.17	34.56	37.21	53.88	11.06	3.44	448.5
	1966	2.10	6.15	21.52	39.89	17.73	55.82	190.60	93.86	119.95	47.22	10.44	0.58	605.9
	1967	6.50	9.78	43.52	47.34	63.28	67.81	80.52	94.04	152.72	18.77	34.91	0.04	619.2
	1968	5.08	1.88	17.12	46.18	39.48	41.41	67.32	112.37	126.36	88.24	33.17	3.59	582.2
龙门—三门峡	1969	7.91	8.15	13.56	66.24	33.15	19.05	112.75	56.55	127.38	28.82	16.27	0.16	490.0
	1970	1.46	9.81	16.26	52.36	69.73	55.26	89.45	124.82	89.98	35.00	5.47	1.85	551.4
	1971	8.08	8.42	7.19	38.33	41.04	101.78	89.56	85.70	45.72	25.72	46.81	2.25	500.6
	1972	11.06	12.46	22.53	28.55	38.65	47.64	87.23	81.59	34.51	22.11	26.96	2.86	416.1
	1973	9.15	5.00	12.26	55.73	38.25	67.86	77.72	156.78	76.12	85.23	3.88	0.00	588.0
	1974	7.66	6.19	28.00	17.53	60.80	50.89	63.07	56.16	126.60	52.69	30.51	11.29	511.4
	1975	1.71	4.55	16.05	59.69	31.99	41.05	147.76	62.98	179.98	70.63	17.03	14.78	648.2
	1976	0.00	25.29	8.46	57.14	26.62	46.69	72.39	213.59	69.10	21.53	11.31	6.75	558.9
	1977	5.32	1.25	6.11	49.00	42.95	48.35	143.75	79.35	48.72	36.24	20.06	8.70	489.8
	1978	0.92	9.78	20.75	14.63	75.50	51.93	162.74	88.61	77.48	58.60	8.73	1.13	570.8
	1979	3.59	13.92	34.63	15.24	24.86	44.81	160.59	80.12	74.07	11.58	5.23	3.51	472.1
	1980	3.22	1.81	19.85	26.00	75.60	75.86	122.22	82.26	60.95	45.05	9.41	0.19	522.4
	1981	5.58	3.60	19.26	32.56	12.84	52.37	121.70	199.74	107.48	17.02	13.23	2.22	587.6

续附表 3

二级区	年份	1月	2月	3月	4月	5月	6月	7月	8月	9月	10月	11月	12月	年值
	1982	1.74	9.18	31.70	22.40	31.19	30.29	118.28	130.35	71.55	19.89	18.82	0.49	485.9
	1983	2.18	2.10	25.03	49.62	104.34	72.81	99.63	93.59	131.07	88.32	12.20	1.20	682.1
	1984	3.69	1.79	6.26	31.06	72.83	108.36	123.72	73.84	134.23	29.23	13.30	14.22	612.5
	1985	3.26	4.09	7.44	20.63	102.41	55.07	77.52	102.76	135.49	71.90	1.59	1.43	583.6
	1986	1.36	2.56	17.65	23.78	35.33	72.27	78.65	50.73	52.67	33.55	10.11	6.44	385.1
	1987	0.77	7.71	27.77	28.34	71.60	103.23	65.97	86.69	31.70	58.58	21.78	0.05	504.2
	1988	1.13	13.29	36.32	19.54	68.18	58.61	185.46	161.25	42.77	41.88	1.08	2.98	632.5
	1989	16.09	18.15	20.93	50.13	24.15	68.98	93.52	101.37	63.97	25.46	20.94	11.74	515.4
	1990	9.20	18.86	38.39	51.87	45.63	85.32	109.81	106.59	76.94	35.90	17.44	2.82	598.8
	1991	4.46	4.21	40.14	33.48	87.01	64.09	59.38	51.35	58.03	27.78	7.99	9.90	447.8
	1992	0.16	1.09	29.41	16.27	44.05	66.04	75.96	166.93	77.55	43.44	11.50	1.24	533.6
	1993	6.60	9.41	22.12	24.62	48.34	70.71	132.29	97.42	34.40	48.85	18.89	0.62	514.3
龙门—三门峡	1994	4.57	8.78	16.01	62.06	12.27	100.25	85.13	57.25	39.27	72.12	27.86	9.36	494.9
	1995	0.47	2.96	12.88	23.09	16.39	35.50	83.51	141.39	38.85	46.86	4.77	1.53	408.2
	1996	5.32	6.04	14.91	24.68	31.41	90.08	142.66	93.96	67.41	46.42	29.90	0.20	553.0
	1997	7.19	10.89	20.54	41.08	16.65	15.41	77.52	29.58	81.36	17.60	19.68	0.47	338.0
	1998	4.47	2.09	26.33	50.73	109.81	38.62	163.54	100.02	31.35	27.73	1.34	0.27	556.3
	1999	1.13	0.97	15.19	47.61	72.29	59.40	115.33	45.32	55.65	48.11	10.66	1.55	473.2
	2000	7.72	5.13	18.12	12.33	23.60	82.28	59.22	111.63	70.99	67.40	15.93	2.53	476.9
	2001													
	2002													
	2003													
	2004													
	2005													
	2006													

续附表 3

一级区	年份	1月	2月	3月	4月	5月	6月	7月	8月	9月	10月	11月	12月	年值
	1956	14.15	2.60	47.00	68.44	28.65	205.62	162.94	220.79	20.53	24.09	0.83	1.85	797.5
	1957	14.38	6.68	12.89	62.93	35.12	105.67	275.22	36.60	8.90	57.74	25.30	4.37	645.8
	1958	18.10	1.68	27.96	52.65	92.49	91.61	262.65	206.17	29.78	73.38	79.08	17.74	953.3
	1959	4.30	29.81	37.14	8.98	55.90	105.39	60.32	125.75	57.48	35.11	36.11	9.71	566.0
	1960	5.47	2.81	57.40	27.94	22.78	24.43	147.86	149.01	59.97	34.15	18.40	2.41	552.6
	1961	4.55	3.48	24.49	50.38	52.55	138.17	78.88	102.06	105.73	141.84	40.78	0.86	743.8
	1962	3.43	13.68	1.28	19.07	31.28	85.09	113.36	183.68	105.16	78.00	71.46	3.66	709.2
	1963	0.00	0.11	36.87	55.38	154.96	43.63	103.15	186.89	130.46	6.67	24.26	11.10	753.5
	1964	22.05	23.07	30.07	92.59	159.52	44.18	251.27	97.01	143.26	117.95	13.79	5.80	1 000.6
	1965	2.10	11.04	16.82	78.50	12.82	26.41	184.95	42.53	40.77	50.98	24.88	0.64	492.4
	1966	1.41	11.56	29.74	63.29	19.04	62.36	271.07	73.40	45.08	30.63	13.31	1.45	622.3
	1967	12.75	20.58	64.90	63.43	23.31	99.65	122.44	121.33	140.05	13.10	91.95	0.00	773.5
	1968	5.93	0.09	6.26	43.17	57.56	24.89	138.77	78.25	156.72	98.76	30.78	14.94	656.1
三门峡—花园口	1969	17.88	17.91	14.30	75.16	21.25	22.39	99.59	89.26	181.18	19.74	12.32	0.02	571.0
	1970	0.61	9.56	18.04	60.82	65.61	61.37	202.15	57.74	97.84	34.60	4.35	2.64	615.3
	1971	9.32	18.08	5.85	50.20	31.70	209.20	83.03	104.86	55.00	56.64	87.87	18.17	729.9
	1972	18.62	11.01	36.05	17.12	46.66	30.96	104.22	88.83	87.61	35.92	43.19	5.70	525.9
	1973	11.48	8.01	15.36	85.31	63.28	75.50	215.23	101.32	80.55	62.71	4.27	0.00	723.0
	1974	11.57	11.94	38.27	22.13	68.38	40.09	89.47	117.26	146.75	65.37	41.61	21.52	674.4
	1975	0.61	9.92	6.16	106.57	8.45	32.60	143.87	113.00	222.90	54.73	12.16	21.43	732.4
	1976	0.00	39.60	5.87	80.14	14.90	52.37	171.72	178.20	30.76	28.49	20.43	5.00	627.5
	1977	5.16	0.00	8.20	72.74	34.39	59.00	194.01	115.31	36.56	46.91	16.80	7.56	596.6
	1978	0.14	13.31	20.54	21.05	59.66	61.72	232.67	35.24	38.86	51.78	23.52	2.63	561.1
	1979	11.16	28.24	58.12	25.05	35.41	74.75	195.06	59.33	114.33	6.13	3.09	22.36	633.0
	1980	8.30	1.00	32.62	26.97	88.00	108.56	185.44	75.43	44.85	92.41	1.40	0.00	665.0
	1981	12.67	7.07	30.00	23.51	9.89	47.09	141.69	136.87	90.32	17.68	25.92	0.43	543.1

续附表 3

二级区	年份	1月	2月	3月	4月	5月	6月	7月	8月	9月	10月	11月	12月	年值
	1982	4.06	9.75	44.30	11.56	46.93	58.80	271.45	215.95	50.63	25.17	23.70	0.27	762.6
	1983	2.04	3.55	27.79	37.18	113.14	88.62	142.41	115.94	143.07	124.83	11.83	0.85	811.3
	1984	1.69	1.69	5.45	30.78	71.03	103.64	169.66	114.51	233.77	22.16	31.69	20.43	806.5
	1985	3.51	7.69	14.00	10.01	126.73	35.80	94.19	121.05	157.65	102.18	0.88	3.26	677.0
	1986	2.97	2.38	21.96	18.98	49.12	34.88	88.87	64.52	87.60	68.58	3.68	15.94	459.5
	1987	5.31	20.87	42.29	16.85	109.67	134.50	47.02	129.64	62.87	71.69	19.19	0.00	659.9
	1988	0.06	16.49	35.13	29.76	74.34	30.59	219.51	189.56	49.58	55.57	0.29	9.39	710.3
	1989	38.13	32.70	31.02	24.41	68.59	75.75	146.91	105.53	31.02	17.56	28.56	30.17	630.4
	1990	23.98	48.91	54.36	41.45	97.11	137.20	62.25	86.61	57.58	11.31	23.44	6.04	650.3
	1991	5.45	9.80	65.40	24.58	77.52	67.37	85.31	64.93	62.54	14.71	7.65	14.27	499.5
	1992	0.27	2.19	57.21	29.24	46.93	63.74	114.80	148.67	108.52	34.53	17.53	9.25	632.9
	1993	10.49	21.98	29.74	66.81	58.11	99.80	105.95	112.84	22.82	40.29	86.90	2.39	658.1
三门峡—花园口	1994	1.60	11.05	21.82	104.21	19.71	98.90	137.24	44.46	19.29	85.61	37.83	14.30	596.0
	1995	0.87	1.04	15.71	22.88	20.71	33.65	170.25	142.07	26.92	84.02	2.31	2.18	522.6
	1996	2.92	14.61	7.72	39.10	32.58	81.15	221.08	147.39	122.61	54.38	40.05	2.13	765.7
	1997	11.90	13.53	35.53	25.46	31.19	19.28	77.30	22.49	104.48	5.11	40.65	3.81	390.7
	1998	12.30	9.43	59.43	69.58	158.06	33.14	167.72	200.01	14.71	16.60	2.73	2.28	746.0
	1999	0.00	0.14	34.50	51.48	54.81	67.21	140.93	67.48	77.58	72.09	10.61	0.00	576.8
	2000	22.89	4.46	8.74	23.93	14.76	115.61	167.33	125.40	78.47	72.62	17.68	2.42	654.3
	2001													
	2002													
	2003													
	2004													
	2005													
	2006													

续附表 3

二级区	年份	1月	2月	3月	4月	5月	6月	7月	8月	9月	10月	11月	12月	年值
花园口以下	1956	9.33	4.45	42.25	60.95	22.54	277.09	76.12	163.04	54.91	28.87	3.61	2.09	745.2
	1957	20.58	3.74	12.04	46.45	15.41	102.85	421.69	71.36	0.00	19.67	19.01	8.44	741.2
	1958	13.78	0.00	29.04	34.46	25.91	147.26	205.24	191.86	14.40	62.98	44.55	15.90	785.4
	1959	4.22	8.81	32.05	17.40	55.05	91.07	91.64	135.46	27.15	23.27	35.04	17.94	539.1
	1960	3.10	0.10	15.37	18.54	26.27	43.67	292.97	49.53	61.14	20.76	12.27	0.02	543.7
	1961	0.12	3.69	10.68	23.15	31.12	109.73	168.34	9.82	109.62	67.19	33.74	13.14	770.3
	1962	0.44	19.49	0.43	28.95	14.09	133.91	200.54	205.02	58.75	50.89	68.73	7.21	788.4
	1963	0.00	3.30	29.67	39.95	128.14	49.17	251.07	260.33	38.06	0.94	16.80	7.60	825.0
	1964	16.26	11.13	19.81	147.11	72.80	53.09	295.66	257.07	172.78	63.07	9.04	5.08	1 122.9
	1965	2.64	17.25	4.95	40.96	10.91	38.88	140.77	87.38	33.41	53.47	28.91	0.34	459.9
	1966	0.36	7.41	43.19	14.65	9.92	49.84	224.30	64.37	4.49	6.11	18.40	2.45	445.5
	1967	7.75	30.34	44.78	31.82	10.42	94.74	175.95	103.99	118.48	9.04	41.11	0.00	668.4
	1968	5.79	0.85	4.19	67.56	10.01	12.36	88.09	96.32	36.53	65.58	27.64	17.86	432.8
	1969	6.21	13.26	11.69	108.11	78.87	55.01	157.40	165.49	181.34	5.34	1.20	0.00	783.9
	1970	0.22	6.48	2.41	33.87	36.16	61.97	311.81	72.11	69.20	27.41	5.51	2.76	629.9
	1971	4.36	14.01	15.99	22.12	15.75	227.42	152.00	201.27	51.59	24.45	17.21	15.08	771.3
	1972	21.20	4.41	14.91	7.28	41.21	43.31	161.10	135.50	111.44	48.66	8.98	1.10	599.1
	1973	14.97	7.99	9.20	70.02	36.13	107.39	250.87	79.15	46.47	60.77	1.64	0.01	684.6
	1974	1.54	5.01	30.42	22.36	45.19	36.43	215.69	199.90	89.74	41.88	36.18	39.57	763.9
	1975	1.51	4.75	10.45	58.72	4.66	46.07	218.96	154.08	62.06	47.31	2.41	10.21	621.2
	1976	0.00	28.28	3.75	29.56	13.55	34.03	150.39	224.88	61.72	9.70	20.25	0.81	576.9
	1977	0.49	0.00	9.21	35.12	34.60	56.92	280.80	48.46	15.82	109.59	13.93	6.21	611.1
	1978	0.00	7.25	15.69	9.37	36.80	111.18	277.25	90.85	33.31	25.55	13.64	3.56	624.4
	1979	10.12	13.25	35.25	55.74	14.94	130.62	159.67	72.37	91.34	1.06	3.33	24.75	612.4
	1980	2.83	0.33	24.15	42.17	88.91	165.56	126.86	64.33	78.27	61.17	5.00	0.11	659.7
	1981	7.98	3.18	28.09	4.21	18.66	70.73	115.03	113.54	14.80	20.47	8.73	2.00	407.4

续附表3

二级区	年份	1月	2月	3月	4月	5月	6月	7月	8月	9月	10月	11月	12月	年值
	1982	2.93	11.83	19.02	26.56	32.00	80.68	155.26	179.71	47.68	32.98	26.26	0.62	615.5
	1983	3.88	2.79	36.17	64.85	67.02	33.21	120.13	60.74	136.45	74.90	1.61	1.16	602.9
	1984	0.53	0.68	7.38	15.70	49.55	129.09	175.72	207.56	111.38	9.29	24.28	28.60	759.8
	1985	3.22	2.81	6.16	23.11	121.72	14.27	195.08	118.12	120.91	56.36	6.11	9.27	677.1
	1986	0.12	1.21	19.53	6.21	38.95	42.33	126.50	113.44	39.63	37.20	2.30	13.41	440.8
	1987	6.98	8.67	21.97	32.02	32.60	115.10	105.03	158.29	57.90	77.14	12.42	0.00	628.1
	1988	1.58	1.06	14.26	5.68	78.83	7.83	211.97	59.88	28.06	19.26	0.00	8.84	437.3
	1989	26.80	6.97	36.59	14.41	28.12	58.31	179.67	52.73	29.54	1.55	11.49	8.30	454.5
	1990	26.63	44.07	43.85	28.77	66.04	146.20	273.80	202.64	36.29	2.68	27.38	1.92	900.3
	1991	3.94	2.58	41.71	32.79	78.79	35.29	198.87	118.80	43.38	7.26	10.71	14.32	588.4
	1992	4.05	11.90	13.42	12.23	53.16	27.15	119.70	155.51	48.40	40.38	9.82	10.56	506.3
花园口以下	1993	6.59	5.96	8.89	40.12	96.63	96.23	204.92	97.78	67.66	41.43	101.18	0.26	767.7
	1994	0.00	4.46	13.69	49.91	23.98	132.63	260.50	174.33	19.97	70.84	31.99	19.77	802.1
	1995	0.00	1.92	8.95	11.95	10.36	104.58	180.63	229.74	22.35	49.15	1.22	0.00	620.8
	1996	0.69	4.94	17.22	33.44	18.91	115.38	250.56	121.08	49.70	50.12	7.63	0.31	670.0
	1997	3.01	20.43	35.75	19.20	85.21	16.16	101.68	90.37	78.51	4.00	31.27	7.84	493.4
	1998	2.18	24.11	46.36	25.39	99.02	32.94	185.65	300.33	3.97	13.04	0.07	3.73	736.8
	1999	0.07	0.00	14.60	20.16	64.68	88.90	133.36	22.49	118.31	51.35	6.53	0.87	521.3
	2000	17.29	9.65	0.78	13.33	44.68	76.76	209.28	167.03	80.57	69.86	21.04	2.35	712.6
	2001													
	2002													
	2003													
	2004													
	2005													
	2006													

续附表3

二级区	年份	1月	1月	2月	3月	4月	5月	6月	7月	8月	10月	11月	12月	年值
内流区	1956	3.35	3.24	8.55	13.47	20.22	35.25	73.60	94.42	35.48	15.11	3.99	1.21	307.9
	1957	5.90	2.88	0.39	17.83	27.63	30.23	24.99	65.11	27.89	0.33	1.64	0.03	204.9
	1958	2.17	0.83	0.90	33.24	32.99	24.96	118.33	64.65	25.94	12.42	3.37	0.86	320.7
	1959	0.45	9.73	8.96	8.65	11.04	30.70	83.32	112.36	33.93	15.91	0.68	2.63	318.4
	1960	0.19	0.00	10.87	13.75	15.14	11.84	44.05	89.32	86.48	20.14	1.37	1.98	295.1
	1961	2.07	2.14	9.31	26.74	6.18	44.48	102.21	148.14	71.93	24.90	10.22	0.23	448.5
	1962	1.31	1.96	0.23	2.76	4.56	13.69	76.17	38.97	25.04	13.77	13.72	0.08	192.3
	1963	0.18	0.30	16.56	9.34	37.13	11.20	79.06	78.28	21.65	12.88	2.94	0.25	269.7
	1964	2.46	6.20	8.73	62.86	40.63	60.35	69.48	113.28	37.91	37.14	0.65	0.66	440.3
	1965	0.27	0.37	0.97	18.83	15.96	8.47	23.03	37.56	19.28	13.45	3.36	0.00	141.5
	1966	1.21	1.18	14.92	4.67	29.01	32.29	55.12	70.47	15.59	31.28	3.11	0.01	258.9
	1967	2.02	1.51	6.39	17.08	41.59	24.66	89.83	167.33	47.23	23.06	12.69	0.13	433.5
	1968	0.86	0.10	7.52	2.49	11.08	13.77	54.95	144.53	59.28	40.78	3.64	3.13	342.1
	1969	0.37	2.89	4.33	12.79	19.06	18.03	38.20	55.82	43.96	31.88	0.55	0.61	228.5
	1970	0.03	3.77	0.77	26.05	30.09	52.04	21.28	100.73	11.00	13.17	0.00	0.18	259.1
	1971	11.02	1.81	8.77	13.66	20.88	13.41	47.55	39.42	47.08	10.66	19.35	1.16	234.8
	1972	3.69	2.24	4.01	7.85	20.98	28.84	33.95	51.61	26.86	10.31	7.20	1.40	198.9
	1973	6.18	0.23	6.44	8.43	7.29	15.35	105.03	98.96	98.88	28.55	0.00	0.14	375.5
	1974	1.46	2.18	0.96	2.58	23.58	23.60	107.77	13.04	28.31	2.63	3.96	1.50	211.5
	1975	0.17	0.55	2.92	8.43	10.71	8.57	48.60	74.48	28.48	18.60	11.80	1.04	214.4
	1976	0.00	7.75	1.75	15.01	3.16	22.72	85.09	120.57	42.52	9.41	0.01	1.31	309.3
	1977	1.43	1.08	2.67	18.90	12.02	18.64	82.21	89.22	57.03	35.23	1.43	1.22	321.1
	1978	0.21	5.92	7.19	0.00	28.27	23.69	71.44	130.79	43.27	25.02	2.31	0.90	339.0
	1979	0.13	13.87	6.92	2.25	9.62	38.15	113.63	65.30	17.28	7.57	2.06	1.35	278.1
	1980	0.44	3.05	12.41	6.35	9.59	22.93	16.76	57.50	25.14	6.03	0.74	0.10	161.0
	1981	0.83	0.38	13.66	3.06	2.53	13.56	114.98	40.03	15.06	6.58	5.76	0.23	216.7

续附表 3

二级区	年份	1月	2月	3月	4月	5月	6月	7月	8月	9月	10月	11月	12月	年值
	1982	0.24	2.75	2.94	6.21	16.51	5.68	58.13	39.05	43.02	13.02	2.32	0.00	189.9
	1983	1.08	2.08	11.90	9.43	25.23	31.00	33.84	53.87	30.86	26.69	0.08	0.04	226.1
	1984	0.61	3.37	0.55	10.45	31.76	58.36	74.54	117.35	35.63	10.84	0.62	4.55	348.6
	1985	0.80	1.22	1.36	4.56	50.44	25.02	31.55	199.76	40.93	7.37	0.48	1.19	364.7
	1986	0.05	4.64	16.41	3.19	9.82	57.84	32.20	35.45	12.25	11.66	3.70	3.00	190.2
	1987	1.28	0.47	4.09	4.87	14.97	40.57	26.46	75.26	25.36	22.00	4.15	0.26	219.7
	1988	1.41	2.68	10.85	1.07	61.42	64.14	55.62	81.10	13.62	4.42	0.02	0.78	297.1
	1989	3.63	4.33	2.64	11.03	3.01	67.71	97.60	68.77	33.32	8.25	5.03	0.20	305.5
	1990	1.77	7.80	32.09	34.79	9.86	14.09	89.73	64.21	43.80	8.56	0.27	0.17	307.1
	1991	2.45	6.68	14.73	8.53	34.80	27.28	55.91	20.03	37.49	11.38	0.27	5.28	224.8
	1992	0.02	0.18	20.83	2.37	26.33	25.97	103.72	75.86	37.60	9.65	4.16	2.19	308.9
	1993	1.02	10.26	7.49	0.53	9.07	11.86	89.95	44.84	24.10	4.93	13.38	0.00	217.4
内流区	1994	0.34	4.76	0.60	5.65	10.96	16.47	129.24	106.31	22.74	5.10	2.90	2.51	307.6
	1995	0.00	5.17	3.15	1.24	11.70	11.89	83.48	87.14	71.32	13.50	0.18	1.55	290.3
	1996	3.30	0.29	10.65	7.46	4.85	31.11	73.79	129.57	20.06	7.85	5.67	0.94	295.6
	1997	0.74	3.81	5.13	9.52	24.47	27.08	59.41	42.49	11.24	0.79	6.96	0.03	191.7
	1998	9.30	14.12	9.82	43.78	32.70	13.66	72.84	49.78	31.07	5.31	0.00	0.03	282.4
	1999	0.02	0.00	1.73	12.72	41.44	17.73	61.72	12.26	24.28	2.02	0.43	5.73	180.1
	2000	9.62	1.13	1.77	0.83	0.35	35.08	37.31	49.55	15.04	2.48	12.23	0.00	165.4
	2001													
	2002													
	2003													
	2004													
	2005													
	2006													

续附表3

二级区	年份	1月	2月	3月	4月	5月	6月	7月	8月	9月	10月	11月	12月	年值
	1956	6.34	2.04	18.41	29.77	30.06	110.63	93.57	118.21	36.26	24.16	2.97	1.38	473.8
	1957	8.58	3.90	8.49	36.71	46.43	52.41	120.03	54.75	34.80	16.77	10.31	1.74	394.9
	1958	6.06	1.49	11.95	30.13	59.55	65.90	133.80	138.59	55.63	36.72	17.03	4.89	561.7
	1959	3.02	12.30	17.54	10.98	40.48	68.49	89.73	142.08	54.20	21.03	8.21	3.19	471.2
	1960	1.25	2.27	17.40	27.32	38.33	30.66	94.36	94.02	65.59	30.36	8.33	1.27	411.2
	1961	2.56	3.88	14.55	28.49	32.58	84.67	87.02	130.15	87.36	78.25	19.48	1.96	571.0
	1962	3.27	5.50	1.51	9.06	24.89	36.27	114.00	76.31	67.09	38.26	26.45	1.09	403.7
	1963	0.27	1.02	12.60	25.99	80.12	44.19	91.93	78.67	85.08	14.48	15.99	3.52	453.8
	1964	6.19	6.86	14.95	53.91	79.33	50.94	138.61	110.83	105.54	49.15	4.10	2.11	622.5
	1965	0.62	4.62	10.71	41.50	25.91	39.94	85.94	41.63	32.06	37.74	9.15	1.73	331.6
	1966	1.32	4.55	14.19	22.66	27.45	43.90	139.55	87.47	68.60	32.02	7.95	0.72	450.4
	1967	4.27	6.12	24.97	32.22	66.20	61.84	87.50	137.40	106.56	20.17	23.13	0.26	570.6
黄河流域	1968	2.96	1.47	10.76	25.06	32.94	40.88	75.60	118.82	84.79	54.62	15.26	3.60	466.7
	1969	4.56	4.95	8.33	37.85	38.89	37.34	81.17	74.07	95.90	25.08	6.91	0.39	415.4
	1970	1.18	6.32	9.87	36.46	51.50	52.42	83.69	113.15	56.97	22.46	2.48	0.98	437.5
	1971	6.59	5.43	7.38	23.32	35.06	74.79	79.55	74.90	68.30	26.24	26.78	2.67	431.0
	1972	6.35	7.66	12.60	20.48	40.10	46.32	76.03	76.56	38.44	15.56	14.61	1.79	356.5
	1973	6.00	2.71	9.48	34.10	41.12	59.65	88.49	125.84	69.17	53.26	2.41	0.19	492.4
	1974	3.91	4.42	15.02	14.14	45.73	46.50	82.37	57.71	79.77	33.42	15.45	7.65	406.1
	1975	2.25	3.52	8.12	36.02	31.92	48.92	115.11	69.76	109.06	44.30	12.60	6.72	488.3
	1976	0.56	15.76	6.93	34.46	28.08	51.03	92.22	155.75	56.39	16.92	5.27	3.47	466.8
	1977	3.83	1.91	6.81	35.93	32.63	48.18	115.53	84.92	52.39	33.50	10.66	4.59	430.9
	1978	0.89	7.21	16.33	10.73	48.65	54.88	127.25	105.37	69.48	42.63	7.72	1.30	492.5
	1979	2.66	9.46	18.65	15.44	23.22	55.49	150.72	91.91	56.52	11.16	4.74	4.15	444.1
	1980	2.18	3.19	16.25	18.18	46.77	64.57	85.95	74.06	49.90	29.44	4.13	0.30	394.9
	1981	4.49	1.94	17.45	23.69	16.90	59.36	117.69	118.37	78.73	16.10	9.23	1.49	465.4

续附表3

一级区	年份	1月	2月	3月	4月	5月	6月	7月	8月	9月	10月	11月	12月	年值
	1982	1.21	6.70	18.08	19.98	31.94	39.49	99.42	89.93	62.38	20.91	11.54	1.10	402.7
	1983	2.92	2.36	16.63	30.72	66.31	61.30	85.99	75.19	86.72	57.17	4.95	0.91	491.2
	1984	2.50	2.16	5.56	22.57	58.40	93.19	107.32	87.45	83.76	17.63	7.40	8.14	496.1
	1985	2.40	2.74	6.01	15.73	81.32	55.32	78.40	109.30	100.97	41.90	1.75	2.35	498.2
	1986	0.72	2.91	13.43	16.52	37.41	80.57	66.51	59.81	39.08	23.18	5.39	5.85	351.4
	1987	1.46	4.93	15.57	23.09	51.68	89.05	53.95	77.80	42.08	33.16	10.07	0.74	403.6
	1988	1.94	8.89	20.54	11.07	64.52	58.08	125.20	115.38	43.42	31.68	1.44	2.32	484.5
	1989	10.25	12.21	13.35	36.86	27.04	74.20	95.92	80.79	55.23	25.48	12.42	6.97	450.7
	1990	6.40	14.21	30.18	37.81	39.92	57.36	104.19	91.46	53.65	26.52	8.43	1.60	471.7
	1991	4.14	5.14	25.62	25.73	66.48	58.22	72.01	48.52	43.41	20.40	4.71	6.67	381.0
	1992	0.60	2.12	21.27	12.21	47.63	63.97	89.25	119.78	68.55	29.79	7.60	1.98	464.8
	1993	6.60	8.27	14.11	16.04	45.62	55.93	102.08	91.34	34.03	26.88	18.56	0.52	420.0
黄河流域	1994	4.11	6.45	9.34	36.96	20.52	85.33	97.91	93.01	36.88	37.83	14.55	6.01	448.9
	1995	1.63	3.74	8.29	14.87	18.32	42.01	104.01	128.68	51.91	32.25	2.78	1.45	409.9
	1996	3.49	4.27	11.61	20.93	29.58	71.13	126.31	89.29	51.61	31.94	12.92	0.44	453.5
	1997	3.63	7.04	17.80	25.85	31.68	30.98	89.62	54.77	51.47	13.49	13.38	1.83	341.5
	1998	3.88	4.94	22.91	38.58	78.19	44.46	119.90	95.82	33.42	22.62	1.25	1.28	467.3
	1999	1.14	1.15	10.33	24.69	50.43	63.96	100.01	43.79	55.66	35.83	5.38	2.03	394.4
	2000	6.51	4.20	9.59	9.88	20.83	71.01	61.61	86.61	59.73	38.10	10.78	2.28	381.1
	2001													
	2002													
	2003													
	2004													
	2005													
	2006													

附表 4　黄河流域二级水资源分区逐月地表产水量

（单位：亿 m³）

二级区	年份	1月	2月	3月	4月	5月	6月	7月	8月	9月	10月	11月	12月	年值
龙羊峡以上	1956	5.49	4.66	6.50	8.25	10.99	19.33	28.37	14.23	14.03	13.76	6.93	3.63	136.21
	1957	3.30	2.83	4.21	7.94	12.19	15.01	27.85	25.70	23.82	19.65	9.71	4.65	156.92
	1958	4.19	3.23	4.95	7.14	13.65	24.17	26.36	33.74	34.43	29.99	15.67	7.47	205.05
	1959	4.92	4.53	6.45	9.05	14.36	26.25	28.32	26.56	19.50	10.24	6.80	4.27	161.29
	1960	3.16	3.00	4.62	5.77	7.02	14.77	29.69	33.16	26.67	21.68	12.24	5.52	167.36
	1961	4.59	4.06	6.29	12.56	17.36	20.74	44.78	29.72	27.92	35.52	18.43	7.35	229.35
	1962	5.28	4.74	5.50	10.77	15.77	27.67	37.48	29.84	16.88	18.34	11.02	5.11	188.46
	1963	3.55	3.30	4.93	7.44	12.43	17.25	40.62	31.15	58.19	41.96	14.33	7.04	242.25
	1964	5.26	4.55	6.58	10.88	15.60	15.73	49.80	35.39	35.66	31.62	14.31	7.02	232.45
	1965	5.05	4.83	5.70	9.36	15.83	21.76	39.10	19.29	25.30	21.23	9.798	4.60	181.91
	1966	4.68	4.09	6.16	8.21	9.69	11.35	28.71	46.13	52.93	36.97	15.14	7.51	231.62
	1967	5.46	4.72	6.72	9.71	30.11	29.85	55.16	43.09	63.18	41.11	19.00	8.41	316.58
	1968	6.53	5.21	7.91	13.16	31.46	29.42	36.36	25.18	53.94	30.87	13.60	7.50	261.19
	1969	5.54	4.88	6.54	8.39	12.92	16.70	29.31	19.90	18.03	21.11	9.30	4.34	157.03
	1970	3.52	3.29	4.93	9.77	14.86	17.44	19.44	29.94	14.11	16.03	8.82	4.37	146.57
	1971	3.43	3.13	5.10	8.97	12.10	16.21	17.76	16.32	34.41	46.17	16.81	7.36	187.82
	1972	5.73	4.78	7.42	11.27	19.22	26.70	51.84	26.42	19.81	16.53	8.90	5.21	203.90
	1973	4.41	4.10	5.79	7.42	14.87	26.93	23.17	24.04	25.35	27.88	13.01	6.28	183.32
	1974	3.94	3.91	5.61	8.00	13.27	22.89	23.14	26.83	34.88	25.31	14.82	6.84	189.49
	1975	4.22	3.86	5.82	7.81	17.44	27.90	58.25	46.03	40.88	49.82	20.97	8.59	291.64
	1976	6.76	6.13	8.62	11.98	18.01	29.99	40.68	52.64	49.24	27.06	13.51	7.14	271.81
	1977	5.43	4.74	7.55	17.07	23.26	25.52	21.59	18.45	16.80	14.25	8.15	4.36	167.23
	1978	3.19	3.16	4.86	12.85	15.11	20.60	15.56	30.23	46.74	27.49	13.42	6.29	199.55
	1979	4.55	3.91	5.37	10.28	10.77	12.03	30.94	46.55	43.73	25.91	10.99	5.99	211.07
	1980	4.09	3.65	5.73	8.27	9.30	16.28	35.96	25.28	36.53	28.73	12.21	5.47	191.56
	1981	4.21	3.97	5.34	8.91	14.98	27.35	43.37	26.80	92.98	46.17	18.11	8.47	300.72

续附表 4

二级区	年份	1月	2月	3月	4月	5月	6月	7月	8月	9月	10月	11月	12月	年值
	1982	6.28	5.72	7.08	10.13	24.32	40.71	48.22	28.24	44.24	43.97	17.08	7.68	283.73
	1983	5.69	5.08	6.45	12.31	23.98	31.64	71.43	46.59	29.96	52.90	22.05	9.17	317.30
	1984	6.42	6.23	8.03	11.13	13.25	29.39	66.33	38.30	22.74	23.44	12.74	7.09	245.14
	1985	4.98	4.28	6.10	9.32	11.83	16.98	32.74	27.41	61.86	31.18	11.96	6.70	225.37
	1986	4.93	4.56	6.23	9.64	23.14	29.52	46.70	18.97	28.24	15.67	8.79	5.53	201.97
	1987	3.78	3.89	5.05	6.94	14.50	29.56	44.22	27.19	16.44	14.46	8.24	4.48	178.82
	1988	3.71	3.50	5.84	9.06	10.94	20.72	21.65	14.27	20.57	33.00	16.02	6.92	166.25
	1989	4.40	3.94	7.19	9.93	23.69	62.01	62.69	51.36	47.47	30.97	16.61	8.49	328.80
	1990	6.96	6.42	7.84	9.78	19.04	19.28	20.76	21.92	25.11	18.58	10.63	5.88	172.24
	1991	3.63	3.52	5.38	6.53	12.10	14.59	20.41	30.49	19.17	17.39	10.32	5.56	149.14
	1992	3.95	3.55	4.95	9.76	12.32	21.00	47.55	28.07	28.18	27.40	10.45	5.25	202.48
	1993	4.70	4.47	6.36	12.86	19.03	26.10	37.86	43.68	28.46	20.32	11.66	5.49	221.04
	1994	4.39	4.03	5.25	13.18	17.29	30.15	27.63	15.93	18.38	15.69	8.95	4.34	165.26
	1995	3.53	3.10	4.77	10.59	19.42	14.71	14.46	26.64	26.14	18.35	10.96	5.77	158.50
龙羊峡以上	1996	3.71	3.58	5.64	8.90	15.19	20.70	17.63	19.29	16.88	16.22	9.37	4.83	141.99
	1997	3.54	2.99	5.42	7.67	21.81	18.92	26.42	17.31	13.02	13.17	8.38	4.67	143.37
	1998	3.75	3.63	4.90	10.78	15.77	14.18	28.12	32.08	31.07	23.00	12.05	6.09	185.47
	1999	4.12	4.64	6.06	7.63	9.85	39.91	61.62	36.54	22.52	30.27	14.47	6.38	244.06
	2000	4.61	3.84	5.20	10.32	12.00	25.69	20.74	20.03	21.61	18.27	9.44	4.60	156.41
	2001													
	2002													
	2003													
	2004													
	2005													
	2006													

续附表 4

二级区	年份	1月	2月	3月	4月	5月	6月	7月	8月	9月	10月	11月	12月	年值
	1956	4.40	4.26	4.94	7.71	7.71	14.46	17.89	16.76	12.49	9.91	6.04	3.68	110.31
	1957	3.19	2.96	4.15	6.05	14.29	9.80	21.21	14.84	23.05	11.82	6.62	4.32	122.38
	1958	3.03	3.16	3.82	5.15	7.72	18.34	17.38	37.68	29.31	21.92	10.99	6.55	165.09
	1959	4.51	4.19	5.79	8.13	13.01	17.72	27.84	40.51	21.32	12.47	7.58	5.27	168.39
	1960	4.04	4.12	5.00	7.57	10.98	8.95	16.71	25.94	13.76	22.87	10.94	6.03	136.96
	1961	3.95	3.77	6.27	13.05	13.46	13.30	25.98	28.62	28.13	33.97	16.93	8.58	196.07
	1962	5.38	5.08	5.36	7.25	6.90	8.34	20.93	14.11	11.84	18.18	9.24	5.02	117.68
	1963	3.27	3.52	4.78	7.46	14.53	16.56	23.94	17.44	21.62	20.55	9.79	5.50	149.04
	1964	3.72	3.49	5.05	11.29	24.12	23.22	43.23	31.05	29.78	25.27	12.41	7.11	219.81
	1965	5.15	4.70	5.04	10.06	11.46	11.06	16.32	11.05	11.51	10.72	6.51	3.66	107.31
	1966	2.78	2.81	3.42	5.37	7.21	6.57	17.65	22.76	29.48	19.28	9.43	5.51	132.31
	1967	3.60	3.44	4.90	9.72	32.01	19.91	28.89	36.82	47.70	26.64	12.54	6.73	232.95
龙羊峡—兰州	1968	6.80	4.91	6.79	9.70	16.13	9.90	18.10	21.50	30.91	15.50	10.11	5.84	156.23
	1969	4.80	4.17	5.30	6.96	13.67	8.87	9.75	15.31	11.05	13.80	7.23	4.29	105.24
	1970	3.17	2.96	3.76	8.63	15.79	14.37	10.46	27.19	20.05	14.69	7.83	4.79	133.74
	1971	3.34	3.35	3.97	5.98	7.42	6.09	12.23	10.02	24.54	19.96	9.22	5.00	111.17
	1972	3.74	3.35	4.61	8.02	12.83	12.96	17.93	14.61	11.85	8.15	5.12	3.42	106.65
	1973	2.57	2.59	2.89	4.73	10.26	9.97	12.22	23.15	19.03	15.96	7.80	4.50	115.73
	1974	3.51	3.16	4.44	8.61	10.62	8.11	11.14	12.43	15.44	14.82	7.27	4.56	104.16
	1975	3.04	3.05	3.67	5.38	11.39	11.42	18.96	16.02	21.66	24.47	11.68	5.01	135.82
	1976	3.61	3.55	5.03	8.83	9.20	17.07	18.27	41.62	29.21	16.10	8.37	5.20	166.12
	1977	3.65	3.62	4.37	8.58	13.41	11.97	17.14	18.24	12.13	9.87	6.69	4.61	114.33
	1978	2.60	2.42	4.19	8.60	6.61	11.25	16.31	22.85	38.53	18.10	10.19	6.77	148.47
	1979	4.37	3.63	3.98	7.11	5.14	5.77	14.60	36.61	24.79	17.47	8.41	5.76	137.71
	1980	3.69	3.52	5.02	7.51	6.95	7.84	15.10	13.03	14.16	11.19	6.04	3.66	97.74
	1981	2.60	2.67	3.33	6.95	5.34	8.97	25.20	23.73	38.19	18.67	9.20	5.24	150.14

续附表4

二级区	年份	1月	2月	3月	4月	5月	6月	7月	8月	9月	10月	11月	12月	年值
龙羊峡—兰州	1982	4.10	4.06	5.42	10.34	11.24	9.82	13.33	7.87	16.31	14.54	7.28	3.81	108.17
	1983	2.97	2.93	4.02	8.89	13.70	14.48	24.43	24.60	14.35	18.97	9.66	5.14	144.19
	1984	3.42	3.32	4.57	8.56	10.98	21.64	28.60	22.10	15.86	16.61	8.44	4.72	148.88
	1985	3.60	3.33	4.10	6.29	10.89	17.15	21.71	17.74	31.71	18.11	9.19	5.29	149.15
	1986	3.94	3.81	4.74	7.87	13.30	23.89	26.34	17.00	12.35	9.18	5.90	4.38	132.75
	1987	3.45	3.25	3.57	5.84	13.30	27.22	19.52	14.11	10.73	8.69	5.57	3.82	119.14
	1988	3.34	2.86	3.47	7.37	13.58	14.53	17.38	17.66	16.20	21.24	10.11	5.36	133.16
	1989	4.02	3.63	5.09	11.59	16.53	19.64	33.30	25.46	24.75	18.42	11.01	6.56	180.06
	1990	4.24	3.90	5.92	9.78	17.40	12.89	16.90	16.75	15.44	11.61	7.11	4.56	126.57
	1991	3.67	3.55	4.22	6.96	10.15	14.33	10.53	8.55	6.52	7.12	4.88	3.21	83.73
	1992	2.16	2.23	3.19	6.66	8.89	12.59	17.46	24.01	21.40	18.05	8.72	5.27	130.70
	1993	3.87	3.85	5.21	9.77	10.77	17.04	22.80	24.51	12.58	10.08	6.21	4.11	130.86
	1994	3.38	3.05	3.76	8.24	8.39	13.05	19.21	15.74	13.37	10.77	6.30	4.36	109.66
	1995	3.34	2.90	4.40	8.87	8.54	8.01	10.72	22.35	21.72	12.30	7.33	4.56	115.11
	1996	3.48	3.14	4.07	8.74	11.37	13.45	15.11	18.27	11.63	8.49	5.60	3.37	106.77
	1997	3.42	2.60	3.31	8.26	10.74	7.04	16.40	18.38	8.57	7.22	5.14	3.10	94.24
	1998	3.00	2.84	3.10	8.21	10.90	10.99	17.13	18.27	12.93	11.30	6.91	4.65	110.26
	1999	3.29	3.14	2.85	4.44	6.37	13.41	29.61	15.97	12.02	13.03	9.34	6.10	119.63
	2000	3.30	2.90	4.21	7.09	6.78	10.72	8.09	10.38	12.95	12.61	6.94	4.77	90.80
	2001													
	2002													
	2003													
	2004													
	2005													
	2006													

续附表 4

一级区	年份	1月	2月	3月	4月	5月	6月	7月	8月	9月	10月	11月	12月	年值
兰州—河口镇	1956	0.42	0.50	1.19	0.82	0.50	1.23	3.14	6.68	1.09	0.78	0.60	0.42	17.42
	1957	0.25	0.27	1.16	0.90	0.60	0.70	2.45	2.55	0.70	0.46	0.47	0.31	10.88
	1958	0.32	0.38	1.12	0.76	0.52	0.78	8.32	14.76	1.60	0.99	0.78	0.53	30.93
	1959	0.67	0.73	2.22	1.30	0.74	1.12	5.91	12.59	3.29	1.86	1.30	1.09	32.88
	1960	0.85	0.88	1.55	1.09	0.92	0.87	2.22	3.72	1.13	1.12	0.97	0.83	16.21
	1961	0.36	0.49	1.24	0.95	0.49	0.77	5.35	9.65	1.95	1.47	1.19	0.92	24.88
	1962	0.53	0.61	1.67	1.35	0.63	0.65	4.19	2.94	0.95	0.81	0.85	0.53	15.76
	1963	0.48	0.55	1.57	0.96	0.86	1.46	2.10	2.48	1.07	0.74	0.68	0.52	13.53
	1964	0.63	0.69	1.60	1.23	0.69	1.10	5.92	9.83	3.25	1.68	1.28	0.70	28.67
	1965	0.44	0.47	1.19	1.02	0.54	0.95	1.58	1.07	0.49	0.59	0.47	0.27	9.15
	1966	0.42	0.48	1.01	0.72	0.50	0.93	3.08	5.80	1.89	0.99	0.67	0.49	17.03
	1967	0.30	0.35	1.29	0.91	1.62	0.83	3.03	5.89	2.52	1.00	0.90	0.38	19.07
	1968	0.39	0.44	1.71	1.10	0.64	0.82	2.76	6.71	2.14	1.11	0.90	0.51	19.29
	1969	0.38	0.45	1.93	1.04	0.78	0.68	1.87	3.38	2.02	1.08	0.77	0.35	14.78
	1970	0.38	0.49	1.27	1.47	0.76	1.11	3.31	7.30	1.60	0.90	0.72	0.45	19.81
	1971	0.37	0.39	1.52	1.15	0.76	0.72	2.12	2.59	1.70	0.77	0.63	0.42	13.18
	1972	0.27	0.30	1.33	0.73	0.63	0.87	1.71	1.72	0.76	0.62	0.38	0.25	9.63
	1973	0.28	0.29	0.82	0.68	0.44	0.84	4.26	8.32	3.79	1.15	0.73	0.30	21.95
	1974	0.36	0.35	1.33	1.00	0.74	0.75	3.96	2.02	0.66	0.59	0.57	0.24	12.63
	1975	0.28	0.39	0.94	0.74	0.70	0.67	1.86	6.52	2.55	0.82	0.65	0.41	16.58
	1976	0.38	0.52	1.04	1.04	0.69	0.79	3.00	9.19	2.43	1.09	0.63	0.51	21.36
	1977	0.31	0.37	1.46	0.95	0.66	1.65	5.48	2.73	1.59	0.86	0.64	0.52	17.28
	1978	0.46	0.52	1.32	0.93	0.67	1.14	5.05	5.48	2.14	1.02	0.66	0.59	20.04
	1979	0.31	0.37	1.21	0.61	0.43	0.88	5.25	6.94	1.50	1.19	0.73	0.51	20.00
	1980	0.57	0.73	1.80	1.26	0.88	1.27	2.47	2.21	0.92	0.74	0.67	0.43	14.01
	1981	0.51	0.54	1.59	0.98	0.71	1.05	6.20	2.13	1.26	0.80	0.81	0.54	17.18

续附表 4

二级区	年份	1月	2月	3月	4月	5月	6月	7月	8月	9月	10月	11月	12月	年值
兰州—河口镇	1982	0.40	0.53	1.38	0.82	0.88	0.77	1.03	2.71	1.83	0.76	0.78	0.41	12.38
	1983	0.42	0.47	1.77	1.16	0.81	1.61	2.35	3.15	1.89	1.07	0.98	0.50	16.25
	1984	0.48	0.55	1.15	1.07	1.00	1.13	3.30	5.95	1.08	0.89	0.92	0.59	18.16
	1985	0.49	0.55	1.14	1.13	1.28	0.99	2.00	6.69	1.68	0.87	0.82	0.51	18.21
	1986	0.52	0.65	1.52	0.98	0.81	2.64	1.59	1.08	0.78	0.62	0.74	0.51	12.50
	1987	0.54	0.63	1.06	0.92	0.92	1.06	0.99	1.60	1.74	0.74	0.84	0.54	11.64
	1988	0.36	0.39	0.74	0.68	1.08	2.14	3.85	4.25	1.48	0.72	0.74	0.47	16.94
	1989	0.44	0.50	0.97	0.85	0.90	0.95	7.71	2.17	0.97	0.78	0.91	0.63	17.84
	1990	0.54	0.61	1.43	0.89	1.03	0.95	4.05	3.83	1.88	1.09	0.93	0.54	17.83
	1991	0.59	0.70	1.54	1.08	1.19	1.70	2.81	1.69	1.08	0.83	0.92	0.67	14.86
	1992	0.58	0.71	1.28	0.98	1.17	1.04	3.06	5.63	1.38	1.22	1.19	0.92	19.22
	1993	0.65	0.85	1.67	1.12	1.07	0.99	2.41	2.77	1.02	0.85	0.87	0.75	15.07
	1994	0.65	0.68	1.41	1.14	1.23	1.90	5.51	6.31	1.26	1.02	1.02	0.73	22.91
	1995	0.82	0.74	1.54	1.07	1.04	1.08	4.11	5.32	2.71	1.62	1.40	0.89	22.40
	1996	0.68	0.74	1.58	1.37	1.20	1.49	4.09	5.52	1.65	1.31	1.05	0.84	21.57
	1997	0.69	0.66	1.30	1.01	0.99	1.22	4.08	4.10	1.03	0.80	0.92	0.65	17.52
	1998	0.53	0.59	1.06	0.81	1.48	1.90	5.09	2.50	0.97	0.94	0.96	0.71	17.59
	1999	0.60	0.62	1.10	0.92	1.05	1.08	4.18	1.93	1.46	0.88	0.91	0.56	15.33
	2000	0.57	0.56	1.15	0.82	0.84	1.58	2.58	2.00	0.85	0.82	0.85	0.62	13.27
	2001													
	2002													
	2003													
	2004													
	2005													
	2006													

续附表 4

二级区	年份	1月	2月	3月	4月	5月	6月	7月	8月	9月	10月	11月	12月	年值
	1956	1.13	1.68	4.11	2.65	1.33	4.02	11.03	10.46	3.26	2.58	1.82	1.19	45.33
	1957	1.20	1.47	4.37	2.51	1.84	1.72	4.81	6.18	2.78	1.82	2.17	1.74	32.65
	1958	1.10	1.70	3.82	2.14	2.04	2.83	18.14	1.37	3.95	2.87	2.38	1.98	56.73
	1959	0.90	1.90	4.07	1.60	1.35	2.12	13.30	28.53	4.39	2.83	2.27	1.64	64.94
	1960	1.58	2.90	4.17	2.63	1.94	1.22	5.37	4.77	3.84	3.44	2.29	1.60	35.80
	1961	1.23	1.82	5.18	2.42	1.46	2.15	9.96	12.53	6.59	7.26	4.09	2.43	57.17
	1962	1.29	2.21	3.99	2.20	1.67	1.62	5.88	3.38	2.58	2.52	2.26	1.59	31.26
	1963	1.13	1.66	4.59	2.56	4.23	3.71	6.40	5.91	3.23	2.29	2.17	1.63	39.55
	1964	1.77	1.72	5.32	4.11	3.18	2.56	15.45	14.83	9.42	5.28	3.73	2.41	69.83
	1965	1.57	2.00	3.41	2.66	1.57	1.18	2.84	1.54	1.19	1.67	1.63	1.00	22.30
	1966	1.07	1.76	2.90	1.47	0.89	1.83	11.27	11.03	2.35	1.96	1.61	1.05	39.24
	1967	0.81	1.22	4.34	2.40	1.96	0.87	5.39	27.35	10.56	3.49	3.22	1.18	62.86
河口镇—龙门	1968	1.14	1.34	5.00	2.68	1.48	1.12	7.66	8.13	3.81	4.16	2.70	2.04	41.31
	1969	1.43	1.98	4.68	2.55	3.77	1.00	9.94	9.50	4.02	3.87	2.47	1.44	46.70
	1970	1.15	2.03	3.55	3.01	2.14	2.38	4.18	13.69	3.02	2.43	2.02	1.46	41.12
	1971	1.32	1.51	4.27	2.28	1.62	1.82	12.81	3.81	2.95	2.24	2.48	1.46	38.64
	1972	1.42	1.51	4.26	1.90	1.30	1.33	5.18	2.82	1.90	1.92	1.70	1.25	26.54
	1973	1.53	2.40	4.39	1.82	1.51	3.44	5.68	14.36	8.51	6.43	3.31	1.91	55.34
	1974	1.53	1.77	4.11	2.37	1.69	1.12	9.38	3.84	2.20	2.25	2.23	1.30	33.83
	1975	1.76	2.00	4.39	2.43	1.90	1.84	5.07	6.67	4.27	4.06	3.00	1.68	39.13
	1976	1.47	2.33	3.87	3.11	1.68	1.94	5.17	12.63	5.21	3.12	2.29	1.85	44.72
	1977	1.13	1.42	4.66	2.62	2.10	2.77	9.59	21.61	4.84	3.04	2.91	2.26	59.00
	1978	1.39	1.79	4.76	1.91	1.95	1.79	8.28	17.71	11.29	4.23	3.52	2.52	61.19
	1979	1.86	2.33	3.99	2.40	1.44	1.87	8.58	17.56	4.13	2.95	2.21	1.81	51.20
	1980	1.74	2.26	5.75	3.23	2.01	3.25	2.64	6.26	2.91	2.74	2.69	1.44	36.95
	1981	1.29	1.90	5.15	2.07	1.16	3.72	13.66	7.24	2.56	2.69	2.40	1.46	45.37

续附表 4

二级区	年份	1月	2月	3月	4月	5月	6月	7月	8月	9月	10月	11月	12月	年值
河口镇—龙门	1982	1.43	2.15	4.48	1.95	1.61	2.03	7.83	7.28	3.77	2.73	2.59	1.50	39.40
	1983	1.37	1.53	4.93	2.98	2.52	2.21	2.77	5.51	4.95	3.78	2.63	1.71	36.95
	1984	1.16	1.37	4.23	2.90	2.43	3.05	6.50	6.97	3.11	2.73	2.42	1.48	38.43
	1985	1.55	2.06	3.85	2.08	2.52	2.23	2.95	11.77	7.92	3.90	2.77	1.56	45.22
	1986	1.45	1.66	4.51	2.77	1.62	3.98	3.27	2.56	1.72	2.28	2.09	1.59	29.56
	1987	1.39	2.20	3.13	1.88	1.12	2.35	3.13	6.64	2.21	2.03	2.09	1.25	29.47
	1988	1.43	1.54	3.50	1.96	2.34	3.99	16.55	17.62	4.14	2.67	2.29	1.78	59.85
	1989	1.85	1.91	4.06	2.32	1.42	2.54	11.13	2.77	3.20	2.75	2.26	2.12	38.40
	1990	1.35	2.29	4.21	2.48	1.96	1.49	8.24	5.85	4.18	2.44	2.12	1.38	38.04
	1991	1.31	1.72	3.77	2.30	2.10	5.37	10.31	1.76	2.26	2.30	1.99	1.53	36.77
	1992	1.36	1.69	3.58	1.80	1.51	1.43	7.23	17.44	3.66	2.84	2.48	1.75	46.82
	1993	1.51	2.71	3.74	1.88	1.60	1.57	5.39	6.07	2.18	2.54	2.25	1.56	33.06
	1994	1.45	1.63	3.29	2.35	1.29	2.30	10.08	19.84	2.58	2.22	2.08	1.50	50.66
	1995	1.17	1.71	2.88	1.59	0.86	1.20	11.47	8.27	10.96	3.09	2.37	1.76	47.38
	1996	1.31	1.41	3.20	2.17	1.54	3.58	11.38	13.85	2.59	3.40	2.09	1.27	47.88
	1997	1.52	1.87	4.38	2.20	1.94	2.46	6.04	2.66	1.61	1.98	2.25	1.45	30.40
	1998	1.22	2.54	2.45	1.78	2.02	2.23	11.05	4.56	2.04	2.35	2.11	1.51	35.91
	1999	1.32	1.64	2.86	1.42	1.83	1.35	4.51	1.78	2.33	2.15	1.81	1.32	24.39
	2000	1.03	1.98	3.89	1.44	1.04	1.41	3.36	4.13	1.76	2.19	1.86	1.18	25.32
	2001													
	2002													
	2003													
	2004													
	2005													
	2006													

续附表 4

二级区	年份	1月	2月	3月	4月	5月	6月	7月	8月	9月	10月	11月	12月	年值
	1956	3.56	4.09	5.99	8.29	5.05	29.46	28.74	35.81	13.94	9.60	5.21	3.83	153.62
	1957	3.65	3.75	6.30	7.12	15.19	10.50	29.91	8.13	6.15	3.89	4.22	3.52	102.38
	1958	2.69	2.95	5.04	6.49	6.55	5.88	36.17	60.49	18.70	18.21	12.97	6.69	182.89
	1959	3.02	4.01	7.39	5.95	8.83	6.27	13.51	33.80	16.04	7.38	5.64	3.79	115.68
	1960	2.95	3.25	4.53	4.85	5.03	2.75	9.36	19.62	11.24	11.57	5.95	3.52	84.69
	1961	2.95	3.03	6.63	9.48	7.82	10.10	20.61	15.78	14.19	37.16	16.47	8.78	153.06
	1962	5.09	5.37	7.15	4.67	4.72	3.83	21.18	16.52	12.75	19.17	11.83	7.63	119.96
	1963	4.23	4.69	8.77	9.32	24.54	12.90	12.71	12.14	26.19	9.98	9.09	5.96	140.57
	1964	5.06	4.42	11.82	18.13	24.50	14.17	30.51	29.06	52.01	39.37	17.11	9.83	256.07
	1965	6.70	6.08	8.21	13.92	14.17	8.36	18.05	6.27	6.00	6.65	5.78	3.54	103.79
	1966	3.40	3.70	6.35	5.53	3.70	6.15	29.05	24.41	36.20	13.41	8.12	4.75	144.83
	1967	3.53	3.82	8.24	12.95	17.67	9.53	16.31	24.59	29.90	17.28	10.09	5.03	159.00
	1968	4.80	4.77	9.73	10.85	11.39	4.25	11.53	20.10	34.10	23.25	11.82	8.19	154.82
龙门—三门峡	1969	4.82	5.14	9.04	12.55	7.91	3.31	16.31	12.61	10.30	11.35	6.06	3.41	102.87
	1970	3.39	4.21	5.95	9.23	10.90	9.97	12.38	29.22	24.15	12.64	6.54	4.66	133.27
	1971	4.16	4.24	7.32	8.83	8.70	8.22	13.29	13.04	8.83	7.27	6.55	4.11	94.61
	1972	3.94	3.94	7.64	7.42	6.22	6.33	8.82	6.41	8.18	4.12	4.31	2.90	70.28
	1973	2.38	2.77	3.80	6.16	8.57	5.39	11.06	30.30	18.42	22.08	6.82	3.65	121.47
	1974	3.66	3.74	6.49	6.69	10.74	4.17	8.93	9.48	13.69	14.43	7.58	4.82	94.47
	1975	4.07	3.88	5.23	5.89	9.58	4.86	19.10	13.40	30.88	36.13	15.34	7.78	156.21
	1976	5.30	5.63	7.17	10.95	7.85	6.68	6.85	39.36	29.10	11.84	6.88	5.05	142.72
	1977	3.34	3.80	6.10	7.70	8.57	6.79	28.20	17.66	8.57	5.27	6.41	3.85	106.33
	1978	2.91	3.13	5.09	4.52	5.66	6.17	30.05	14.30	24.27	11.01	7.36	4.53	119.07
	1979	3.47	3.75	5.72	6.63	4.63	4.60	18.10	14.79	11.70	7.06	4.31	3.12	87.93
	1980	3.33	3.62	5.58	6.39	7.53	9.57	20.22	17.18	14.01	8.04	6.00	3.57	105.11
	1981	3.62	3.76	4.75	7.33	3.33	6.29	19.35	36.51	38.80	11.22	7.65	4.54	147.22

续附表 4

二级区	年份	1月	2月	3月	4月	5月	6月	7月	8月	9月	10月	11月	12月	年值
	1982	3.98	4.63	9.43	9.56	8.74	4.61	8.28	21.85	19.82	8.96	6.09	3.43	109.44
	1983	3.53	3.69	7.21	12.24	16.87	14.39	16.03	21.71	27.77	33.56	12.96	6.76	176.78
	1984	5.27	4.73	8.18	9.42	11.07	16.44	27.12	21.69	27.20	16.81	9.37	6.39	163.75
	1985	5.36	5.98	7.87	7.88	14.00	8.76	9.89	15.04	29.98	17.37	9.24	5.32	136.74
	1986	4.78	4.62	7.64	6.44	6.98	10.72	17.21	6.47	6.37	4.83	4.05	3.51	83.68
	1987	3.79	3.94	5.92	7.07	10.91	17.22	13.40	12.86	5.92	4.51	5.39	3.29	94.28
	1988	2.83	3.01	5.71	7.55	8.86	6.11	27.80	43.57	13.01	12.42	6.35	3.89	141.16
	1989	5.06	4.69	9.32	11.73	9.41	7.92	13.49	14.99	10.78	8.20	6.60	4.65	106.90
	1990	4.19	4.92	10.36	10.69	15.17	7.81	20.06	16.73	17.98	13.75	8.77	5.30	135.80
	1991	4.20	4.60	8.93	9.59	10.89	20.87	8.37	7.52	7.56	5.28	3.76	3.28	94.90
	1992	3.65	3.19	5.78	5.50	6.14	7.45	10.02	30.16	19.56	14.29	7.65	4.28	117.73
	1993	4.08	5.19	8.81	9.10	9.69	8.42	19.16	16.96	9.06	9.21	7.03	4.06	110.83
	1994	3.46	4.01	7.85	10.96	4.93	8.28	18.20	13.35	8.25	7.60	7.36	4.38	98.69
	1995	2.91	2.60	5.05	5.98	2.83	2.88	6.56	16.47	14.81	6.46	3.90	2.62	73.15
	1996	2.83	3.23	4.76	5.67	4.58	9.88	18.18	28.02	12.04	8.54	9.35	4.52	111.66
	1997	3.42	3.55	6.35	8.19	4.69	2.68	7.29	7.39	5.66	4.02	2.97	2.45	58.73
	1998	2.95	3.36	5.80	7.19	14.27	6.92	21.56	18.03	6.74	5.48	3.88	3.43	99.66
	1999	2.74	3.41	5.11	5.03	7.84	6.94	20.33	6.20	5.90	8.73	4.36	3.28	79.93
龙门—三门峡	2000	2.90	3.20	4.58	4.35	3.36	7.12	7.03	10.64	6.33	14.64	5.51	3.82	73.54
	2001													
	2002													
	2003													
	2004													
	2005													
	2006													

续附表4

二级区	年份	1月	2月	3月	4月	5月	6月	7月	8月	9月	10月	11月	12月	年值
	1956	2.72	2.30	3.01	5.56	3.23	11.36	14.24	30.75	9.39	5.35	3.70	2.98	94.65
	1957	2.72	2.29	2.40	3.09	3.87	4.12	21.91	5.15	3.70	3.65	3.03	2.39	58.35
	1958	2.88	2.34	2.79	4.23	5.95	3.72	37.63	26.00	11.08	9.29	8.70	5.00	119.67
	1959	2.86	2.73	3.47	3.02	3.13	3.37	4.19	5.69	3.58	2.59	2.62	2.03	39.34
	1960	1.48	1.24	1.96	2.31	1.80	1.01	6.51	6.67	7.08	2.67	1.99	1.59	36.36
	1961	1.56	1.36	1.69	1.96	2.57	4.86	5.77	4.89	3.71	10.08	6.72	3.90	49.11
	1962	2.41	2.12	2.17	1.57	1.80	1.82	5.31	12.62	6.49	9.12	5.98	4.48	55.96
	1963	3.00	2.23	2.99	4.24	12.84	6.43	4.94	10.47	19.64	6.72	4.26	3.24	81.07
	1964	3.33	2.83	4.72	7.58	16.98	7.14	22.51	15.25	28.14	23.17	12.13	7.83	151.67
	1965	3.88	3.02	3.46	5.99	4.43	2.24	17.96	4.08	3.87	2.62	2.67	1.79	56.05
	1966	1.68	1.44	2.43	2.33	1.99	1.90	10.57	6.10	3.35	2.86	2.00	1.31	38.01
	1967	1.60	1.54	2.71	6.32	2.42	2.45	8.98	8.28	8.60	5.29	3.63	3.30	55.19
三门峡—花园口	1968	2.52	1.97	2.09	2.68	4.76	1.51	5.75	3.54	12.62	10.45	5.03	3.34	56.31
	1969	2.34	2.19	2.75	5.69	3.27	1.41	3.63	3.30	5.92	4.36	2.31	1.48	38.69
	1970	1.39	1.26	1.79	2.47	2.85	3.96	8.08	5.84	4.69	3.73	2.08	1.46	39.65
	1971	1.77	1.69	2.04	2.14	2.26	5.18	5.68	9.59	4.81	4.52	6.62	3.00	49.36
	1972	2.08	1.81	2.97	1.90	2.29	1.80	3.80	2.45	4.96	1.85	2.12	1.33	29.40
	1973	1.76	1.57	1.61	2.55	4.13	2.08	11.49	4.46	5.34	6.28	3.04	1.73	46.09
	1974	2.09	2.01	2.63	2.12	3.41	1.51	2.55	5.67	5.17	6.71	3.19	2.46	39.58
	1975	1.84	1.45	1.68	4.14	3.11	2.20	5.73	12.38	13.49	15.04	4.90	5.90	71.91
	1976	2.28	2.19	2.76	3.71	3.02	1.93	5.80	14.06	6.81	4.14	2.86	2.18	51.79
	1977	1.96	1.41	1.59	2.57	1.96	1.65	5.27	6.49	3.62	2.94	2.71	1.88	34.11
	1978	1.30	1.20	1.28	1.35	1.48	1.58	8.39	3.21	2.76	2.06	1.88	1.17	27.71
	1979	1.25	1.29	1.68	2.20	1.98	0.99	6.97	4.74	5.08	2.19	1.35	1.60	31.36
	1980	1.69	1.42	1.45	1.71	1.45	3.24	8.28	6.76	3.82	4.59	2.65	1.80	38.91
	1981	1.51	1.32	1.40	1.93	1.57	1.48	3.51	5.31	8.25	2.88	2.25	1.55	33.02

续附表 4

二级区	年份	1月	2月	3月	4月	5月	6月	7月	8月	9月	10月	11月	12月	年值
	1982	1.90	1.64	2.41	2.58	2.21	2.34	10.30	33.36	8.82	6.79	3.91	2.92	79.25
	1983	3.21	2.48	2.73	3.21	4.42	4.76	6.55	12.65	10.94	20.38	6.30	3.86	81.54
	1984	2.72	2.35	2.17	2.51	2.90	3.55	13.59	6.85	24.22	11.40	5.41	4.08	81.79
	1985	3.25	2.70	2.91	2.45	7.04	3.74	3.37	6.25	13.77	11.29	4.98	3.30	65.10
	1986	2.71	2.17	2.62	2.24	1.76	1.67	2.40	2.31	3.37	3.37	2.42	1.94	28.99
	1987	1.59	1.46	1.83	1.96	2.84	6.74	3.17	5.23	3.44	2.69	2.25	1.97	35.24
	1988	1.32	1.28	1.83	2.60	2.63	1.74	7.55	22.29	5.48	4.47	2.81	2.21	56.27
	1989	2.44	2.15	4.35	2.23	3.32	2.47	7.34	8.57	4.09	3.13	2.66	2.21	45.01
	1990	2.51	3.13	4.05	3.74	6.79	5.34	5.36	4.68	4.10	3.04	2.73	2.18	47.71
	1991	1.54	1.35	1.83	2.32	1.81	4.22	2.58	2.19	3.02	1.85	1.54	1.42	25.73
	1992	1.88	1.49	2.14	2.08	2.08	1.91	2.86	5.57	9.42	4.65	2.48	1.89	38.50
	1993	2.01	1.55	2.40	2.72	3.95	3.11	6.02	8.20	3.53	2.87	3.52	2.95	42.90
	1994	1.95	1.48	2.03	5.75	2.21	2.71	8.72	3.63	2.51	2.44	2.50	2.27	38.25
	1995	1.81	1.33	1.39	1.25	1.23	1.12	3.28	5.59	4.46	4.04	2.54	1.76	29.85
	1996	1.43	1.60	1.51	1.93	2.03	2.52	6.88	25.48	10.78	4.36	6.67	2.89	68.15
	1997	2.24	1.86	3.26	2.39	1.78	1.36	2.46	1.71	1.64	1.48	1.28	1.32	22.82
	1998	1.76	1.46	1.79	2.75	5.64	2.82	10.66	15.88	6.01	4.78	2.87	2.40	58.88
三门峡—花园口	1999	1.60	1.49	1.59	2.15	2.52	1.58	3.83	2.96	2.66	3.17	1.93	1.37	26.93
	2000	1.16	1.12	1.04	1.08	1.15	2.57	9.96	7.58	3.73	6.49	3.47	2.31	41.74
	2001													
	2002													
	2003													
	2004													
	2005													
	2006													

续附表 4

二级区	年份	1月	2月	3月	4月	5月	6月	7月	8月	9月	10月	11月	12月	年值
	1956	0.39	0.35	0.45	0.43	0.32	4.62	4.66	3.21	2.30	0.88	0.34	0.27	18.28
	1957	0.39	0.34	0.39	0.43	0.35	0.92	18.24	4.41	1.71	0.86	0.39	0.31	28.79
	1958	0.48	0.36	0.49	0.45	0.54	1.01	5.03	6.79	1.90	1.52	1.05	0.63	20.31
	1959	0.67	0.53	0.42	0.40	0.52	1.35	2.04	2.13	1.07	0.67	0.38	0.34	10.58
	1960	0.30	0.17	0.24	0.20	0.31	0.56	4.56	2.26	0.90	0.62	0.19	0.23	10.58
	1961	0.50	0.36	0.33	0.35	0.59	0.93	3.88	8.11	3.26	2.40	1.02	0.74	22.53
	1962	0.61	0.62	0.40	0.27	0.45	1.46	6.52	9.78	2.86	2.43	2.01	1.44	28.93
	1963	0.73	0.55	0.42	0.54	1.42	1.74	10.14	21.48	4.79	0.98	0.58	0.54	43.97
	1964	0.61	0.42	0.18	3.53	1.05	1.05	12.94	13.93	21.74	5.17	2.07	0.82	63.57
	1965	0.80	0.58	0.33	0.25	0.23	0.28	2.57	2.38	0.82	0.22	0.49	0.29	9.30
	1966	0.29	0.23	0.37	0.29	0.28	0.32	5.33	1.34	0.41	0.13	0.74	0.11	9.21
	1967	0.28	0.33	0.65	0.30	0.17	0.44	3.15	2.12	1.79	0.38	0.40	0.29	10.35
	0.19	0.43	0.29	0.20	0.40	0.32	0.14	1.20	1.42	1.12	0.52	0.21	0.23	6.56
	1969	0.38	0.56	0.39	1.65	1.20	0.29	3.45	6.00	4.99	1.61	0.38	0.36	21.32
	1970	0.46	0.44	0.42	0.59	0.71	0.32	8.48	5.04	1.86	1.06	0.50	0.36	20.30
花园口以下	1971	0.53	0.64	0.42	0.51	0.36	3.23	6.04	5.36	2.82	1.05	0.80	0.56	22.39
	1972	0.81	0.58	1.14	0.60	1.28	0.55	1.61	1.79	4.88	1.24	0.62	0.31	15.46
	1973	0.69	0.49	0.72	1.22	1.30	1.04	5.90	2.25	1.32	1.39	0.69	0.46	17.52
	1974	0.62	0.64	0.72	0.46	1.00	1.15	3.85	11.01	2.61	1.86	1.10	1.18	26.26
	1975	0.91	0.96	0.50	0.80	0.78	0.96	5.15	4.89	5.10	2.23	0.68	0.61	23.63
	1976	0.52	0.91	0.58	0.93	0.70	0.53	1.74	4.62	1.32	1.25	1.14	0.43	14.71
	1977	0.87	0.57	0.40	0.35	0.26	1.60	7.70	3.09	1.01	1.07	0.96	0.48	18.41
	1978	0.49	0.35	0.37	0.30	0.27	0.56	9.96	2.84	1.54	1.14	0.78	0.46	19.11
	1979	0.31	0.27	0.45	0.67	1.12	1.13	3.78	2.26	1.32	0.41	0.39	0.71	12.87
	1980	0.52	0.45	0.34	0.45	0.57	3.21	5.69	2.91	3.13	1.11	0.57	0.47	19.49
	1981	0.43	0.40	0.27	0.34	0.26	0.44	1.62	1.39	0.60	0.36	0.12	0.12	6.40

续附表4

二级区	年份	1月	2月	3月	4月	5月	6月	7月	8月	9月	10月	11月	12月	年值
	1982	0.29	0.32	0.24	0.32	0.26	0.65	1.87	3.86	1.76	0.47	0.47	0.36	10.93
	1983	0.40	0.42	0.31	0.43	0.63	1.17	1.48	1.59	2.76	0.95	0.51	0.32	11.02
	1984	0.20	0.26	0.28	0.45	0.75	1.47	7.27	7.06	2.80	1.71	0.88	0.61	23.79
	1985	0.51	0.41	0.27	0.23	0.83	0.46	5.91	3.99	5.95	2.88	1.39	0.91	23.79
	1986	0.57	0.36	0.27	0.14	0.12	0.18	1.56	3.50	0.61	0.35	0.31	0.22	8.24
	1987	0.28	0.28	0.11	0.12	0.17	1.21	3.01	2.90	3.04	0.84	0.65	0.42	13.08
	1988	0.39	0.34	0.43	0.22	0.72	0.30	2.69	1.75	0.94	0.37	0.23	0.19	8.63
	1989	0.31	0.26	0.24	0.22	0.22	0.41	0.72	1.98	2.08	0.37	0.26	0.08	7.18
花园口以下	1990	0.47	0.65	0.58	0.77	1.47	5.51	16.73	15.47	4.77	0.74	0.88	0.29	48.39
	1991	0.42	0.38	0.80	0.48	0.85	1.28	7.95	5.45	2.01	0.50	0.46	0.49	21.13
	1992	0.47	0.60	0.55	0.56	0.49	0.35	0.84	1.84	1.13	0.62	0.25	0.16	7.92
	1993	0.13	0.21	0.42	0.62	1.74	2.45	8.07	3.80	2.12	1.76	3.12	1.19	25.69
	1994	0.57	0.43	0.64	0.71	0.73	3.79	10.54	9.62	4.97	2.53	1.06	0.67	36.31
	1995	0.30	0.27	0.37	0.41	0.34	1.51	3.40	10.31	5.79	2.04	0.88	0.46	26.14
	1996	0.34	0.15	0.59	0.78	0.65	2.66	10.12	9.92	2.01	1.39	0.50	0.33	29.50
	1997	0.30	0.38	0.57	0.33	0.91	0.26	1.10	2.72	1.25	0.28	0.45	0.39	8.99
	1998	0.49	0.77	1.14	0.94	1.74	1.51	4.38	15.48	2.40	1.02	0.29	0.52	30.73
	1999	0.38	0.27	0.30	0.34	0.56	0.92	1.53	0.50	2.26	0.66	0.43	0.23	8.43
	2000	0.32	0.32	0.24	0.06	0.33	0.33	7.82	4.47	1.53	1.10	0.76	0.45	17.78
	2001													
	2002													
	2003													
	2004													
	2005													
	2006													

续附表 4

二级区	年份	1月	2月	3月	4月	5月	6月	7月	8月	9月	10月	11月	12月	年值
	1956	0.27	0.23	0.25	0.24	0.22	0.19	0.20	0.27	0.31	0.25	0.24	0.23	2.96
	1957	0.23	0.19	0.21	0.20	0.18	0.16	0.17	0.22	0.25	0.21	0.20	0.19	2.47
	1958	0.21	0.19	0.20	0.20	0.21	0.18	0.25	0.27	0.22	0.23	0.21	0.24	2.65
	1959	0.28	0.25	0.28	0.24	0.23	0.23	0.28	0.73	0.28	0.27	0.26	0.25	3.64
	1960	0.22	0.22	0.24	0.23	0.19	0.16	0.18	0.22	0.26	0.29	0.22	0.21	2.69
	1961	0.24	0.22	0.26	0.28	0.22	0.22	0.31	0.35	0.46	0.44	0.25	0.29	3.59
	1962	0.24	0.22	0.22	0.23	0.21	0.16	0.21	0.21	0.21	0.23	0.23	0.26	2.70
	1963	0.25	0.22	0.24	0.24	0.27	0.20	0.26	0.24	0.22	0.23	0.21	0.23	2.89
	1964	0.27	0.23	0.26	0.27	0.28	0.23	0.36	1.28	0.38	0.36	0.31	0.30	4.59
	1965	0.24	0.21	0.25	0.25	0.21	0.19	0.19	0.17	0.21	0.23	0.21	0.25	2.68
	1966	0.30	0.26	0.26	0.25	0.19	0.16	0.25	0.36	0.21	0.21	0.21	0.22	2.93
	1967	0.22	0.21	0.25	0.23	0.21	0.15	0.17	0.50	0.52	0.23	0.25	0.21	3.20
	1968	0.25	0.24	0.33	0.23	0.18	0.15	0.16	0.36	0.27	0.31	0.27	0.28	3.09
内流区	1969	0.27	0.25	0.28	0.27	0.15	0.12	0.22	0.18	0.21	0.23	0.23	0.22	2.68
	1970	0.21	0.21	0.23	0.21	0.18	0.14	0.16	0.24	0.19	0.18	0.21	0.21	2.40
	1971	0.19	0.20	0.21	0.18	0.16	0.14	0.27	0.18	0.20	0.18	0.21	0.22	2.39
	1972	0.19	0.18	0.21	0.18	0.15	0.12	0.12	0.17	0.16	0.17	0.17	0.18	2.07
	1973	0.18	0.16	0.16	0.15	0.12	0.12	0.14	0.16	0.24	0.31	0.19	0.18	2.17
	1974	0.16	0.15	0.15	0.15	0.13	0.10	0.13	0.11	0.15	0.16	0.17	0.17	1.81
	1975	0.19	0.16	0.18	0.17	0.13	0.13	0.12	0.11	0.14	0.16	0.16	0.18	1.87
	1976	0.21	0.18	0.20	0.17	0.14	0.13	0.15	0.21	0.16	0.18	0.19	0.20	2.17
	1977	0.19	0.18	0.18	0.17	0.15	0.12	0.13	0.27	0.16	0.20	0.20	0.19	2.19
	1978	0.20	0.18	0.21	0.20	0.18	0.16	0.18	0.18	0.20	0.19	0.22	0.22	2.29
	1979	0.17	0.16	0.19	0.20	0.18	0.16	0.23	0.23	0.20	0.22	0.20	0.19	2.37
	1980	0.17	0.15	0.17	0.18	0.16	0.16	0.17	0.17	0.18	0.19	0.19	0.16	2.12
	1981	0.15	0.13	0.16	01.5	0.15	0.14	0.18	0.14	0.17	0.19	0.17	0.14	1.93

续附表4

二级区	年份	1月	2月	3月	4月	5月	6月	7月	8月	9月	10月	11月	12月	年值
	1982	0.14	0.13	0.16	0.16	0.15	0.12	0.16	0.17	0.16	0.17	0.16	0.15	1.90
	1983	0.13	0.11	0.13	0.12	0.14	0.13	0.13	0.12	0.14	0.15	0.13	0.12	1.62
	1984	0.14	0.12	0.14	0.15	0.15	0.15	0.15	0.26	0.20	0.18	0.16	0.16	2.01
	1985	0.38	0.32	0.32	0.28	0.28	0.17	0.21	0.32	0.55	0.38	0.33	0.29	3.87
	1986	0.19	0.18	0.17	0.14	0.11	0.16	0.13	0.11	0.14	0.17	0.17	0.18	1.90
	1987	0.15	0.14	0.11	0.10	0.07	0.09	0.08	0.14	0.11	0.11	0.14	0.18	1.47
	1988	0.23	0.20	0.20	0.14	0.16	0.12	0.21	0.32	0.15	0.18	0.18	0.28	2.44
	1989	0.52	0.44	0.42	0.35	0.21	0.31	0.29	0.42	0.34	0.37	0.53	0.61	4.87
	1990	0.22	0.21	0.20	0.13	0.14	0.09	0.21	0.15	0.11	0.16	0.26	0.23	2.19
内流区	1991	0.23	0.21	0.15	0.12	0.13	0.12	0.13	0.13	0.10	0.17	0.14	0.22	1.90
	1992	0.62	0.58	0.44	0.27	0.32	0.15	0.21	0.19	0.29	0.28	0.21	0.23	3.85
	1993	0.15	0.13	0.10	0.12	0.13	0.15	0.18	0.16	0.15	0.14	0.13	0.18	1.76
	1994	0.56	0.50	0.54	0.41	0.21	0.25	0.34	0.37	0.35	0.35	0.41	0.39	4.72
	1995	0.20	0.19	0.18	0.14	0.16	0.12	0.14	0.15	0.17	0.17	0.36	0.33	2.36
	1996	0.26	0.24	0.23	0.15	0.12	0.30	0.42	0.53	0.49	0.16	0.14	0.19	3.28
	1997	0.22	0.18	0.21	0.15	0.17	0.27	0.30	0.40	0.25	0.20	0.22	0.26	2.89
	1998	0.20	0.18	0.18	0.17	0.14	0.15	0.31	0.20	0.24	0.22	0.21	0.28	2.53
	1999	0.12	0.12	0.11	0.14	0.09	0.06	0.09	0.10	0.14	0.10	0.12	0.14	1.39
	2000	0.16	0.17	0.17	0.14	0.15	0.13	0.11	0.12	0.11	0.16	0.19	0.22	1.88
	2001													
	2002													
	2003													
	2004													
	2005													
	2006													

续附表 4

二级区	年份	1月	2月	3月	4月	5月	6月	7月	8月	9月	10月	11月	12月	年值
	1956	18.42	18.09	26.48	33.98	29.39	84.70	108.31	118.20	56.85	43.14	24.91	16.27	578.80
	1957	14.96	14.14	23.22	28.27	48.56	42.96	126.58	67.21	62.19	42.40	26.84	17.47	514.86
	1958	14.94	14.35	22.27	26.59	37.21	56.95	149.31	193.48	101.21	85.06	52.80	29.12	783.35
	1959	17.86	18.89	30.12	29.72	42.21	58.46	95.43	150.57	69.50	38.34	26.88	18.72	596.77
	1960	14.62	15.81	22.34	24.69	28.22	30.33	74.64	96.38	64.92	64.31	34.82	19.56	490.68
	1961	15.40	15.14	27.90	41.08	44.01	53.10	116.67	109.69	86.26	128.33	65.14	33.01	735.80
	1962	20.88	20.99	26.50	28.33	32.19	45.60	101.75	89.45	54.59	70.86	43.46	26.08	560.74
	1963	16.69	16.75	28.34	32.80	71.16	60.29	101.14	101.35	134.99	83.49	41.15	24.69	712.89
	1964	20.69	18.39	35.57	57.06	86.44	65.22	180.75	150.67	180.42	131.96	63.39	36.06	1 026.68
	1965	23.87	21.94	27.61	43.53	48.50	46.06	98.64	45.90	49.43	43.96	27.58	15.45	492.53
	1966	14.64	14.80	22.93	24.19	24.48	29.23	105.94	117.96	126.85	75.85	37.29	20.99	615.21
	1967	15.85	15.66	29.15	42.58	86.21	64.08	121.11	148.67	164.79	95.45	50.06	25.57	859.23
	1968	22.90	19.21	33.79	40.83	66.40	47.33	83.54	86.98	138.95	86.20	44.68	27.97	698.82
黄河流域	1969	20.00	19.66	30.93	39.12	43.69	32.42	74.52	70.22	56.58	57.45	28.78	15.93	489.36
	1970	13.71	14.92	21.93	35.40	48.23	49.71	66.52	118.49	69.70	51.69	28.74	17.79	536.88
	1971	15.13	15.19	24.89	30.08	33.41	41.64	70.25	60.95	80.30	82.19	43.36	22.18	519.61
	1972	18.21	16.49	29.61	32.06	43.96	50.69	91.05	56.44	52.53	34.62	23.36	14.89	463.97
	1973	13.84	14.41	20.22	24.77	41.22	49.83	73.96	107.09	82.03	81.52	35.63	19.05	563.62
	1974	15.92	15.76	25.51	29.43	41.63	39.83	63.11	71.42	74.84	66.19	36.96	21.62	502.27
	1975	16.35	15.78	22.44	27.39	45.08	50.01	114.28	106.06	119.01	132.76	57.41	30.18	736.83
	1976	20.56	21.47	29.30	40.75	41.32	59.10	81.68	174.36	123.52	64.81	35.89	22.60	715.43
	1977	16.92	16.14	26.33	40.04	50.39	52.10	95.15	88.59	48.77	37.54	28.70	18.18	518.91
	1978	12.57	12.78	22.11	30.66	31.94	43.25	93.81	96.86	127.51	65.28	38.07	22.59	597.48
	1979	16.33	15.75	22.63	30.13	25.73	27.47	88.48	129.72	92.47	57.43	28.62	19.73	554.55
	1980	15.84	15.82	25.87	29.04	28.89	44.85	90.55	73.85	75.70	57.36	31.05	17.04	505.93
	1981	14.37	14.72	22.02	28.71	27.55	49.48	113.14	103.29	182.84	83.01	40.75	22.09	702.03

续附表 4

二级区	年份	1月	2月	3月	4月	5月	6月	7月	8月	9月	10月	11月	12月	年值
	1982	18.56	19.22	30.65	35.91	49.44	61.08	91.07	105.39	96.75	78.43	38.39	20.30	645.23
	1983	17.75	16.75	27.58	41.38	63.11	70.44	125.21	115.96	92.79	131.80	55.26	27.62	785.70
	1984	19.85	18.96	28.78	36.22	42.56	76.87	152.89	109.20	97.25	738.12	40.36	25.16	721.97
	1985	20.15	19.66	26.59	29.68	48.70	50.50	78.82	89.23	153.45	86.01	40.71	23.92	667.48
	1986	19.13	18.05	27.74	30.25	47.87	72.79	99.23	52.03	53.58	36.51	24.50	17.89	499.63
	1987	15.01	15.83	20.82	24.86	43.85	85.48	87.57	70.71	43.67	34.11	25.21	15.99	483.17
	1988	13.64	13.16	21.75	29.62	40.33	49.68	97.71	121.78	62.01	75.10	38.76	21.13	584.74
	1989	19.06	17.56	31.69	39.26	55.74	96.30	136.71	107.75	93.71	65.02	40.86	25.38	729.09
	1990	20.52	22.17	34.62	38.30	63.04	53.39	92.34	85.41	73.61	51.45	33.48	20.41	588.80
	1991	15.63	16.06	26.66	29.42	39.26	62.51	63.12	57.81	41.74	35.47	24.04	16.41	428.19
	1992	14.71	14.08	21.95	27.64	32.96	45.96	89.27	112.94	85.06	69.39	33.46	19.79	567.25
	1993	17.12	18.99	28.75	38.22	48.02	59.88	101.93	106.19	59.12	47.82	34.83	20.33	581.24
	1994	16.45	15.84	24.81	42.78	36.30	62.46	100.27	84.82	51.70	42.64	29.70	18.68	526.50
	1995	14.11	12.88	20.62	29.93	34.46	30.66	54.17	95.14	86.79	48.12	29.78	18.19	474.91
	1996	14.08	14.12	21.60	29.75	36.72	54.62	83.85	120.93	58.11	43.91	34.80	18.27	530.81
黄河流域	1997	15.39	14.12	24.84	30.23	43.05	34.24	64.12	54.72	33.08	29.19	21.65	14.33	379.01
	1998	13.93	15.40	20.46	32.66	52.00	40.73	98.32	107.03	62.43	49.13	29.30	19.63	541.07
	1999	14.21	15.36	20.01	22.11	30.15	65.30	125.73	66.02	49.34	59.03	33.40	19.41	520.11
	2000	14.07	14.13	20.51	25.34	25.68	49.58	59.73	59.38	48.91	56.32	29.05	18.02	420.77
	2001													
	2002													
	2003													
	2004													
	2005													
	2006													

（单位：亿 m³）

附表 5　黄河流域二级水资源分区总量逐年对比

年份	龙羊峡以上 地表水量	龙羊峡以上 水资源总量	龙羊峡—兰州 地表水量	龙羊峡—兰州 水资源总量	兰州—河口镇 地表水量	兰州—河口镇 水资源总量	河口镇—龙门 地表水量	河口镇—龙门 水资源总量	龙门—三门峡 地表水量	龙门—三门峡 水资源总量	三门峡—花园口 地表水量	三门峡—花园口 水资源总量	花园口以下 地表水量	花园口以下 水资源总量	内流区 地表水量	内流区 水资源总量	黄流流域 地表水量	黄流流域 水资源总量
1956	136.21	136.52	110.31	111.03	17.42	39.58	45.33	66.50	153.62	198.81	94.65	102.30	18.28	38.09	2.96	12.32	578.80	705.19
1957	156.92	157.31	122.38	123.15	10.88	29.00	32.65	50.63	102.38	137.60	58.35	64.61	28.79	46.11	2.17	8.22	514.86	616.67
1958	205.05	205.59	165.09	166.01	30.93	59.76	56.73	77.36	182.89	231.26	119.67	128.15	20.31	41.31	2.65	13.63	783.35	923.10
1959	161.29	161.77	168.39	169.30	32.88	60.16	64.94	88.51	115.68	147.40	39.34	45.06	10.58	21.86	3.64	14.85	596.77	708.95
1960	167.36	167.78	136.96	137.79	16.21	37.12	35.80	55.93	84.69	117.51	36.36	41.67	10.58	24.51	2.69	12.53	490.68	594.88
1961	229.35	229.96	196.07	197.19	24.88	57.65	57.17	82.20	153.06	194.78	49.11	56.42	22.53	40.60	3.59	21.00	735.80	879.84
1962	188.46	188.84	117.68	118.33	15.76	31.13	31.26	45.45	119.96	156.19	55.96	62.68	28.93	47.74	2.70	7.78	560.74	658.19
1963	242.25	242.69	149.04	149.76	13.53	32.24	39.55	58.61	140.57	178.68	81.07	87.79	43.97	65.01	2.89	11.19	712.89	826.01
1964	232.45	232.99	219.81	220.79	28.67	58.56	69.83	101.82	256.07	305.40	151.67	160.86	63.57	83.55	4.59	21.10	1 026.68	1 185.11
1965	181.91	182.30	107.31	107.98	9.15	19.96	22.30	32.43	103.79	135.52	56.05	61.35	9.30	20.70	2.68	5.91	492.53	566.20
1966	231.62	232.01	132.31	133.03	17.03	36.08	39.24	57.70	144.83	180.43	38.01	44.86	9.21	16.65	2.93	10.90	615.21	711.70
1967	316.58	317.25	232.95	234.06	19.07	49.88	62.86	90.40	159.00	195.51	55.19	63.07	10.35	26.76	3.20	19.86	859.23	996.83
1968	261.19	261.58	156.23	157.06	19.29	45.53	41.31	62.07	154.82	189.78	56.31	62.95	6.56	16.34	3.09	15.07	698.82	810.42
1969	157.03	157.47	105.24	105.95	14.78	36.91	46.70	64.65	102.87	136.99	38.69	44.73	21.32	42.74	2.68	9.46	489.36	598.94
1970	146.57	147.02	133.74	134.67	19.81	43.63	41.12	60.01	133.27	168.49	39.65	46.53	20.30	36.70	2.40	10.39	536.88	647.48
1971	187.82	188.29	111.17	112.04	13.18	30.86	38.64	55.00	94.61	132.84	49.36	57.23	22.39	41.95	2.39	9.49	519.61	627.73
1972	203.90	204.35	106.65	107.43	9.63	26.78	26.54	41.92	70.28	100.64	29.40	36.12	15.46	31.50	2.07	7.61	463.97	556.38
1973	183.32	183.80	115.73	116.65	21.95	49.46	55.31	78.62	121.47	157.72	46.09	54.92	17.52	34.35	2.17	15.47	563.62	691.01
1974	189.49	189.93	104.16	105.01	12.63	27.67	33.83	48.27	94.47	130.84	39.58	47.92	26.26	46.41	1.81	7.75	502.27	603.83
1975	291.64	292.13	135.82	136.76	16.58	39.38	39.13	57.45	156.21	198.79	71.91	79.66	23.63	39.16	1.87	8.04	736.83	851.41
1976	271.81	272.33	166.12	167.17	21.36	46.96	44.72	62.78	142.72	178.34	51.79	58.99	14.71	30.42	2.17	14.26	715.43	831.31
1977	167.23	167.59	114.33	115.24	17.28	42.39	59.00	79.89	106.33	135.88	34.11	42.14	18.41	33.74	2.19	12.88	518.91	629.77
1978	199.55	200.06	148.47	149.61	20.04	48.23	61.19	84.59	119.07	154.08	27.71	35.62	19.11	31.36	2.29	14.03	597.48	717.61
1979	211.07	211.49	137.71	138.83	20.00	45.39	51.20	69.45	87.93	119.19	31.36	39.78	12.87	27.59	2.37	11.45	554.55	663.20
1980	191.56	191.95	97.74	99.69	14.01	29.59	36.95	47.79	105.11	139.86	38.91	47.02	19.49	32.43	2.12	5.97	505.93	594.35

续附表5

年份	龙羊峡以上		龙羊峡—兰州		兰州—河口镇		河口镇—龙门		龙门—三门峡		三门峡—花园口		花园口以下		内流区		黄河流域	
	地表水量	水资源总量	地表水量	水资源总量	地表水量	水资源总量	地表水量	水资源总量	地表水量	水资源总量	地表水量	水资源总量	地表水量	水资源总量	地表水量	水资源总量	地表水量	水资源总量
1981	300.72	301.19	150.14	152.19	17.18	36.51	45.37	60.26	147.22	181.74	33.02	39.59	6.40	17.31	1.93	7.54	702.03	796.36
1982	283.73	284.11	108.17	110.15	12.38	29.17	39.40	53.94	109.44	145.72	79.25	88.15	10.93	25.80	1.90	7.00	645.23	744.08
1983	317.30	317.82	144.19	146.27	16.25	35.44	36.95	51.07	176.78	224.77	81.54	90.68	11.02	26.45	1.62	8.02	785.70	900.54
1984	245.14	245.57	148.88	150.96	18.16	42.44	38.43	60.40	163.75	205.83	81.79	91.08	23.79	41.72	2.01	13.63	721.97	851.66
1985	225.37	225.91	149.15	151.37	18.21	41.34	45.22	67.08	136.74	175.65	65.10	73.66	23.79	37.62	3.87	16.55	667.48	789.21
1986	201.97	202.39	132.75	134.91	12.50	28.69	29.56	44.13	83.68	111.40	28.99	36.80	8.24	19.17	1.90	6.92	499.63	584.44
1987	178.82	179.28	119.14	121.36	11.64	28.77	29.47	45.49	94.28	132.38	35.24	43.42	13.08	26.87	1.47	7.52	483.17	585.13
1988	166.25	166.77	133.16	135.53	16.94	41.23	59.85	81.92	141.16	183.12	56.27	66.09	8.63	20.13	2.44	11.97	584.74	706.79
1989	328.80	329.43	180.06	182.41	17.84	39.74	38.40	54.91	106.90	143.30	45.01	53.04	7.18	22.09	4.87	14.65	729.09	839.61
1990	172.24	172.68	126.57	128.86	17.83	43.79	38.04	58.28	135.80	173.13	47.71	57.04	48.39	66.67	2.19	12.31	588.80	712.81
1991	149.14	149.55	83.73	86.01	14.86	37.11	36.77	51.55	94.90	126.51	25.73	33.30	21.13	34.17	1.90	8.65	428.19	526.88
1992	202.48	202.99	130.70	133.20	19.22	46.18	46.82	66.69	117.73	159.23	38.50	47.58	7.92	23.30	3.85	15.06	567.25	694.27
1993	221.04	221.56	130.86	133.37	15.07	35.31	33.06	47.21	110.83	145.05	42.90	52.24	25.69	44.32	1.76	7.92	581.24	687.01
1994	165.26	165.72	109.66	112.12	22.91	51.01	50.66	71.72	98.69	133.65	38.25	47.59	36.31	53.91	4.72	14.96	526.50	650.73
1995	158.50	158.90	115.11	117.61	22.40	50.36	47.38	65.77	73.15	102.05	29.85	38.53	26.14	38.66	2.36	11.92	474.91	583.84
1996	141.99	142.39	106.77	109.37	21.57	47.85	47.84	69.31	111.66	151.95	68.15	79.04	29.50	42.62	3.28	12.99	530.81	655.55
1997	143.37	143.88	94.24	97.02	17.52	41.93	30.40	46.95	58.73	83.97	22.82	31.60	8.99	19.42	2.89	8.33	379.01	473.12
1998	185.47	185.92	110.26	112.63	17.59	45.06	35.91	57.30	99.66	139.63	58.88	69.54	30.73	48.66	2.53	11.43	541.07	670.21
1999	244.06	244.54	119.63	122.30	15.33	36.54	24.39	39.48	79.93	116.70	26.93	36.60	8.43	20.33	1.39	6.08	520.11	622.60
2000	156.41	156.75	90.80	93.44	13.27	34.18	25.32	39.68	73.54	110.00	41.74	51.70	17.78	35.54	1.88	6.14	420.77	527.46
2001																		
2002																		
2003																		
2004																		
2005																		
2006																		

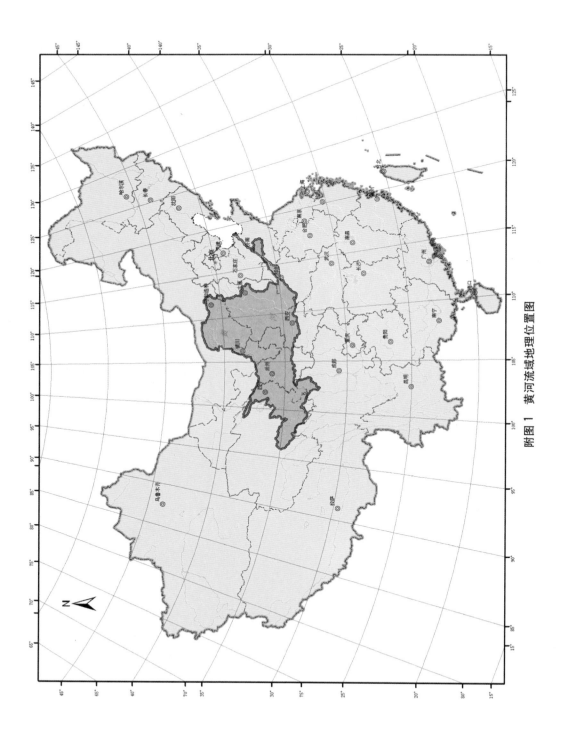

附图 1　黄河流域地理位置图

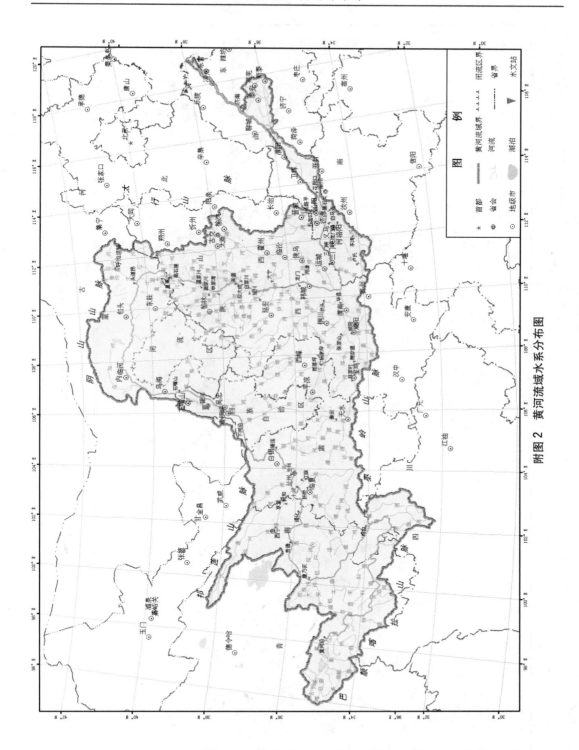

附图 2　黄河流域水系分布图

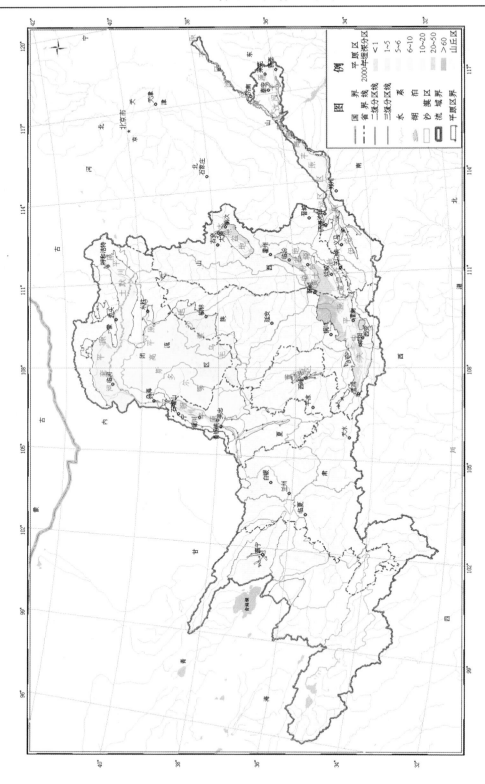

附图 3　黄河流域平原区 2000 年年均浅层地下水埋深分布图

附图 4　黄河流域浅层地下水资源评价类型区分布图

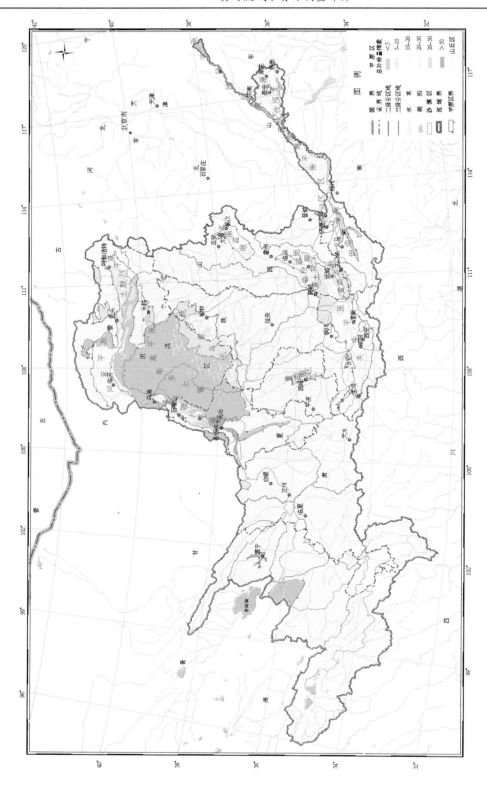

附图 5 黄河流域各平原区浅层地下水总补给量($M \leqslant 2$ g/L)模数分布图

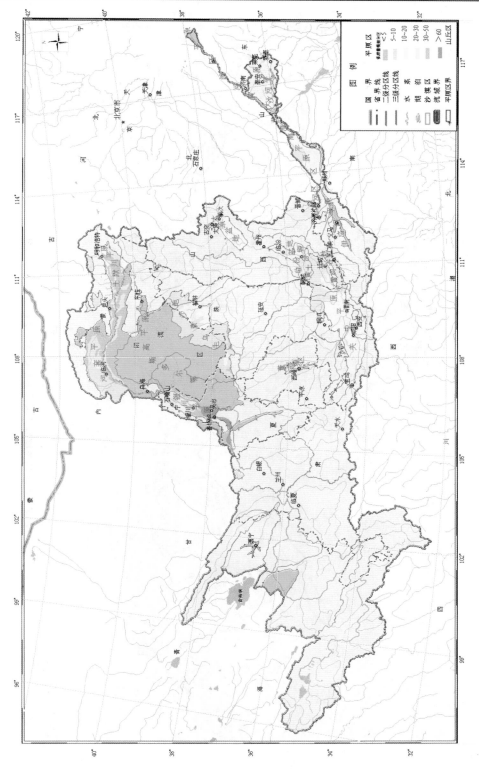

附图 6　黄河流域各平原区浅层地下水资源量（M≤2 g/L）模数分布图

附图 7 黄河流域降水入渗补给量$(M\leqslant 2\ g/L)$模数分布图

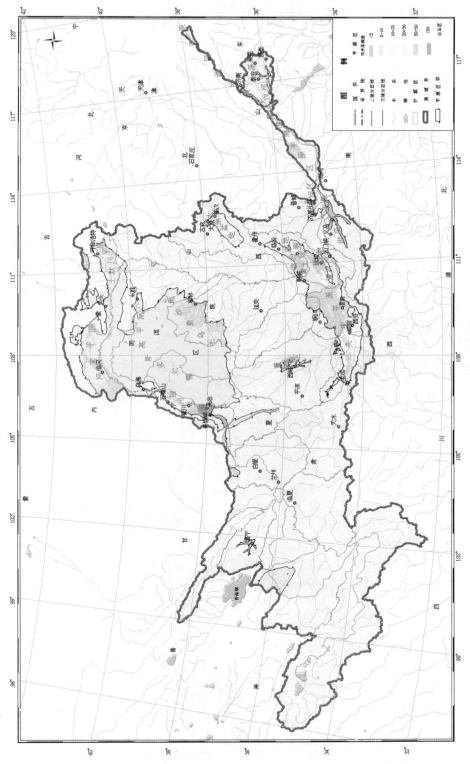

附图 8　黄河流域平原区浅层地下水可开采量(M≤2 g/L)模数分布图

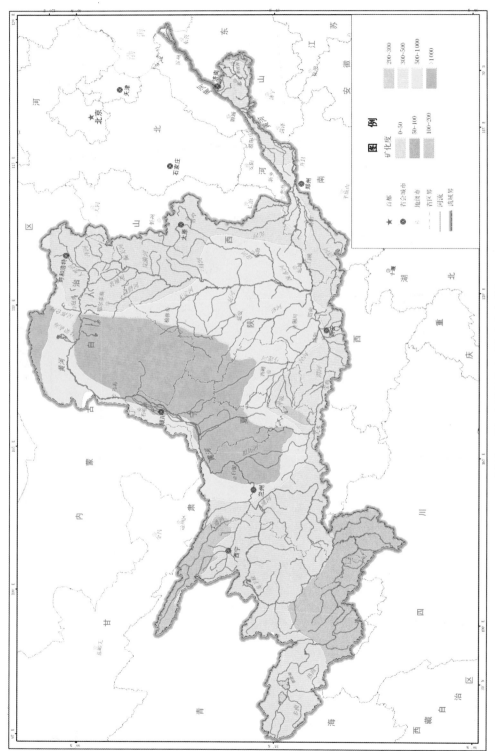

附图 9　黄河流域地表水矿化度分布特征

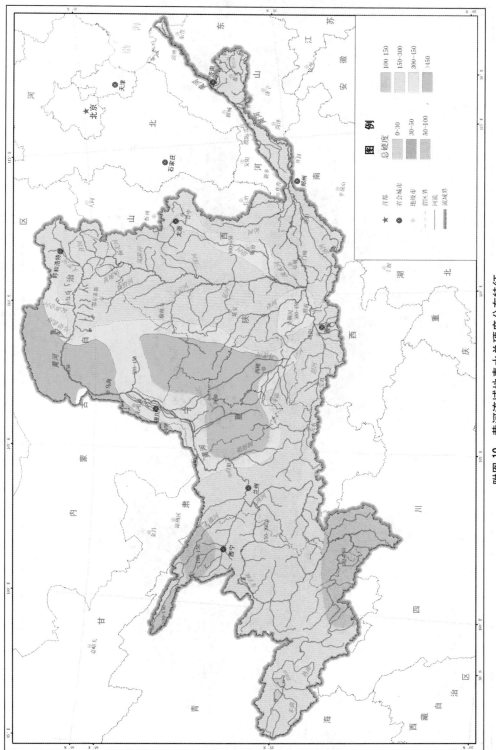

附图 10　黄河流域地表水总硬度分布特征

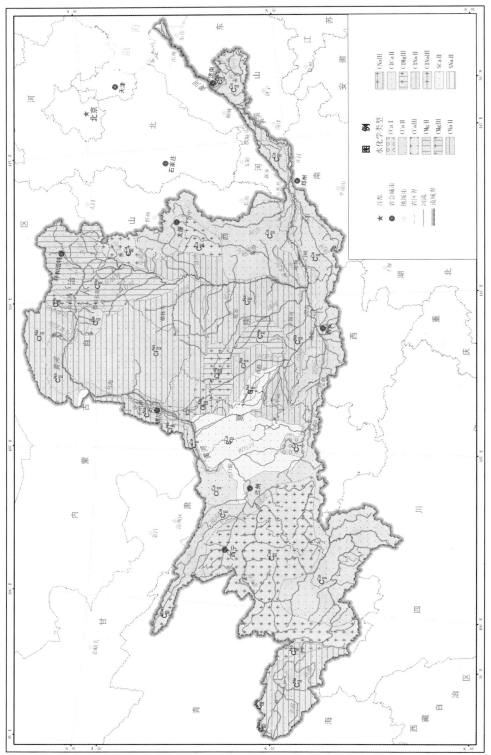

附图 11　黄河流域地表水水化学类型分布特征

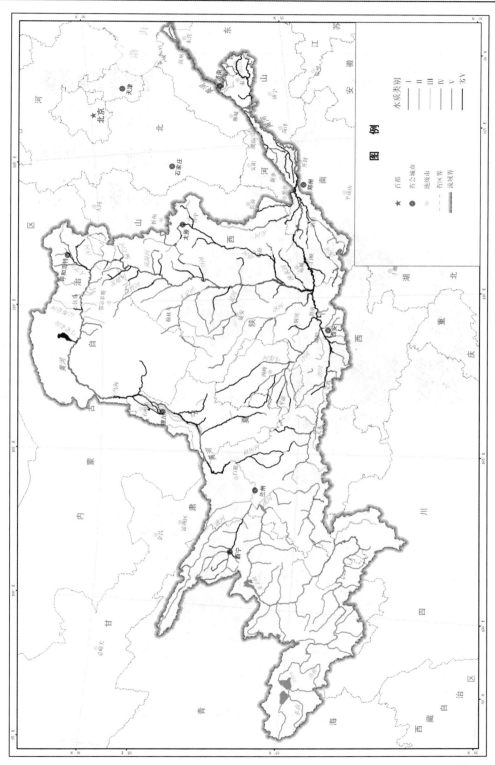

附图12　黄河流域主要河流水质现状评价结果

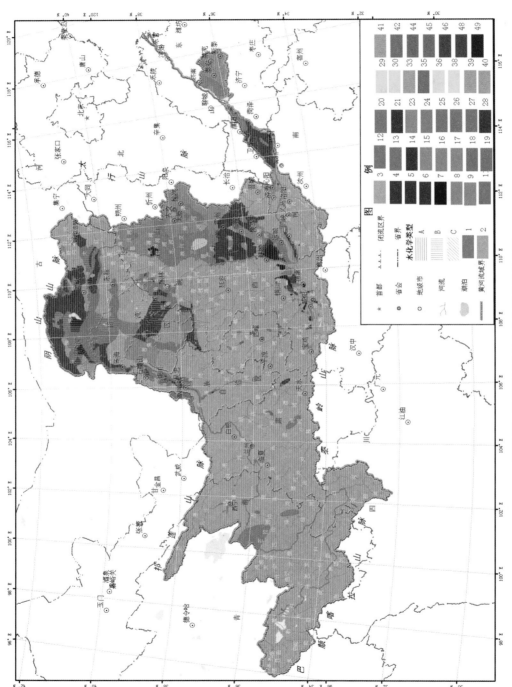

附图 13 黄河流域地下水水化学类型分布图

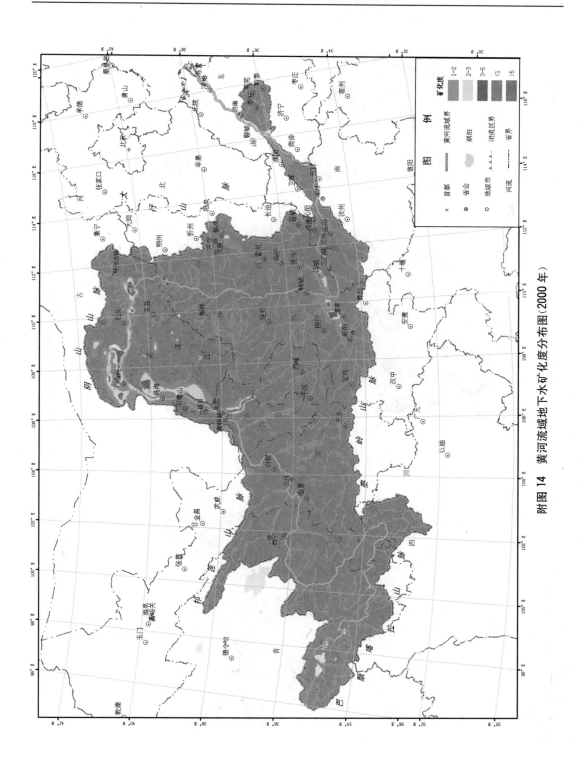

附图 14　黄河流域地下水矿化度分布图（2000 年）

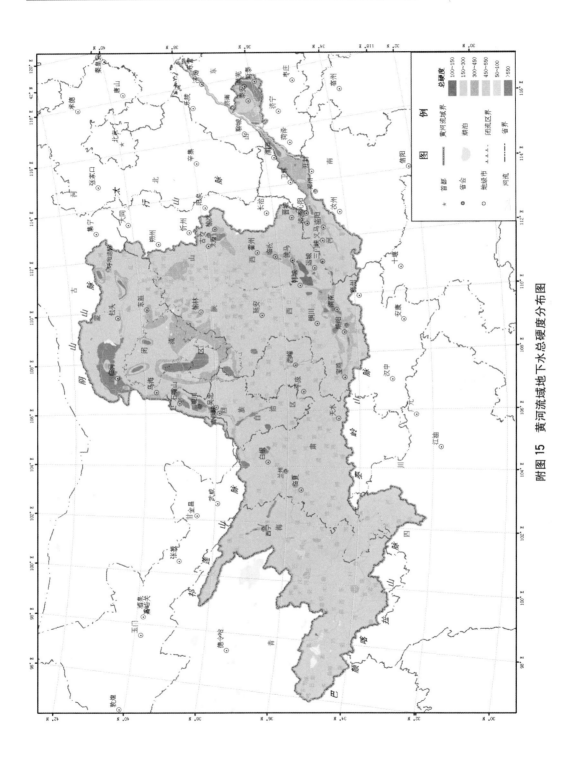

附图15　黄河流域地下水总硬度分布图

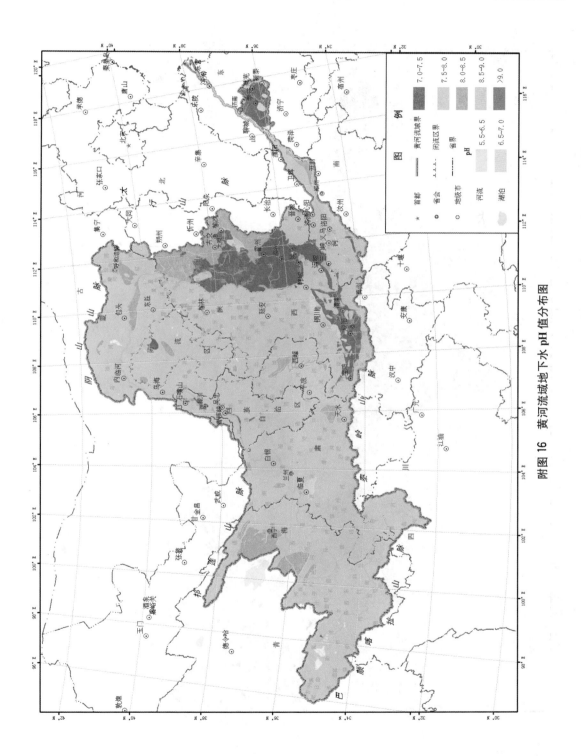

附图 16　黄河流域地下水 pH 值分布图

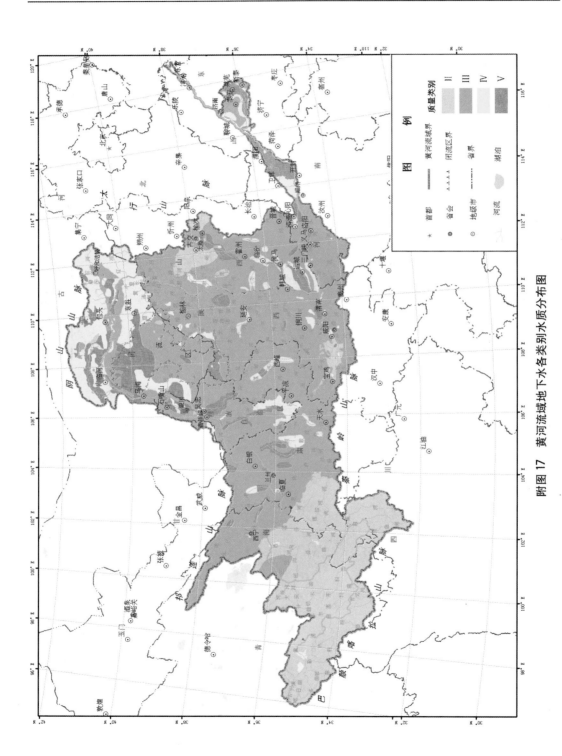

附图 17　黄河流域地下水各类别水质分布图

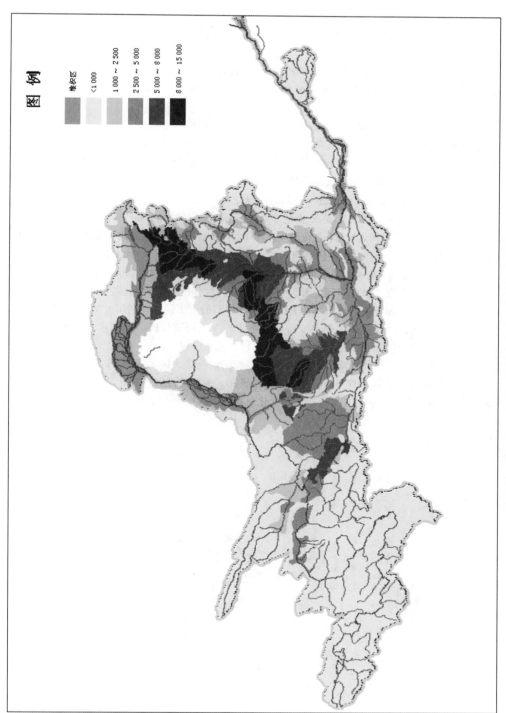

附图 18　黄河流域 1980～2000 年平均输沙模数分布图

参 考 文 献

[1] 杨针娘. 中国冰川水资源. 兰州:甘肃科学技术出版社,1991

[2] 张学成,刘拴明,王玲. 黄河下游引水量误差分析. 中国给水排水,2001(1)

[3] 张学成,王玲. 黄河天然径流量变化分析. 水文,2001(5)

[4] 张学成,王玲,司凤林. 黄河河川径流耗水量预测分析. 水利水电技术,2001(6)

[5] 张学成,王玲,高贵成,等. 黄河流域降雨径流关系动态分析. 水利水电技术,2001(8)

[6] 田水利,张学成. 20 世纪下半叶黄河实测径流量变化特点. 人民黄河,2001(增刊)

[7] 张学成,田水利. 黄河流域天然径流量趋势性成分检验分析. 人民黄河,2001(增刊)

[8] 张学成,王玲,高贵成. 黄河泥沙动态分析. 泥沙研究,2002(1)

[9] 王玉明,张学成,王玲,等. 黄河流域 20 世纪 90 年代天然径流量变化分析. 人民黄河,2002(3)

[10] 张学成,王玲,乔永杰. 黄河流域与长江流域生态及环境建设的差异与重点. 水土保持研究,2002(4)

[11] 张学成,匡健,井涌. 20 世纪 90 年代渭河入黄水量锐减成因初步分析. 水文,2003(6)

[12] 刘昌明,张学成. 黄河干流实际来水量不断减少的成因分析. 地理学报,2004(4)

[13] 张少文,丁晶,等. 基于小波的黄河上游天然径流变化特性分析. 四川大学学报,2004(3)

[14] 张少文,张学成,等. 基于多尺度下 AR(P) 耦合预测模型的应用研究. 四川大学学报,2004(5)

[15] 张少文,张学成,等. 水文时间序列突变特征的小波与李氏指数分析. 水利水电技术,2004(11)

[16] 张学成,刘昌明,李丹颖. 黄河流域地表水耗损分析. 地理学报,2005(1)

[17] 张少文,张学成,等. 黄河年降雨—径流 BP 预测模型的研究. 人民黄河,2005(1)

[18] 张少文,张学成,等. 黄河上游年降雨—径流预测研究. 中国农村水利水电,2005(1)

[19] 牛玉国,张学成. 黄河源区水文水资源情势变化及其成因初析. 人民黄河,2005(3)